JUSQU'AU BOUT DES RÊVES

Philip Shelby

JUSQU'AU BOUT DES RÊVES

FRANCE LOISIRS
123, boulevard de Grenelle, Paris

Titre original : *Dream Weavers*
Traduit par Thierry Arson

Édition du Club France Loisirs, Paris
avec l'autorisation des Presses de la Cité

© 1991, Paladin Literary Holdings, Ltd.
© Presses de la Cité, 1992 pour la traduction française.
ISBN 2-7242-7116-5

Ceux qui la nuit venue rêvent dans les recoins de leur esprit se réveillent au matin pour se souvenir de leur vanité; mais les rêveurs éveillés... ceux-là peuvent vivre leurs rêves les yeux ouverts et les rendre réalité.

T. E. LAWRENCE
Les Sept Piliers de la sagesse

Ce livre est un roman. Pour les nécessités de l'intrigue, des événements et des personnages fictifs ont été glissés dans la trame historique.

PROLOGUE

HAWAII – 1959

Le volant glissait sous ses mains crispées. Dans la nuit sombre d'Hawaii, les traînées humides qui maculaient les sièges et le tableau de bord de la décapotable paraissaient presque noires. Mais Cassandra McQueen savait qu'il n'en était rien. La couleur du sang est rouge.

Ses longs cheveux blonds fouettèrent le visage de la jeune femme tandis qu'elle lançait la voiture dans un virage serré. Les pneus crissèrent en mordant la lave pulvérisée de l'accotement et la conductrice accéléra pour enrayer le dérapage. Le bord du surplomb qui longeait la côte d'Oahu sembla se précipiter vers elle, mais à la dernière seconde elle parvint à redresser et le véhicule se rua sur le ruban d'asphalte.

Cassandra essayait de calculer depuis combien de temps elle roulait. Cinq minutes ? Dix ? Une éternité. La maison qu'elle avait fuie était isolée, même à l'échelle du *Platinum Mile* d'Oahu, où les propriétés s'étendaient sur des centaines d'hectares. Leurs occupants se vantaient de ne pas entendre les détonations des voisins pendant la saison de la chasse. Mais celui ou celle qui avait tenté d'assassiner Steven Talbot dans sa propriété de Cobbler's Point, à l'extrémité de la péninsule, n'avait pas utilisé une arme à feu.

Sinon je serais morte, songea Cassandra.

A la pensée de l'identité possible du tueur, son cœur s'emballa. Autour d'elle le Pacifique rugissait, l'écume de ses vagues balayant la chaussée, les buissons et les arbres tordus frangeant l'escarpement tels des squelettes immobiles.

Il faut que je ralentisse. Si j'aborde trop vite une partie inondée de la route...

Mais Cassandra ne parvenait pas à lâcher l'accélérateur. Du regard elle fouillait les collines lointaines à la recherche de la moindre lumière qui eût trahi une habitation où elle pourrait téléphoner et peut-être même trouver de l'aide, si elle avait de la chance. Son rétroviseur l'éblouit soudain, envahi d'une lumière blanche aveuglante.

Il a dû me voir! Il sait que c'est la seule route que je pouvais emprunter, et il m'a suivie...

Et elle comprit aussitôt pourquoi il ne se manifestait que maintenant. Sa petite décapotable anglaise abordait une longue ligne droite au maximum de sa puissance. Derrière elle, l'autre véhicule se rapprochait de seconde en seconde, à l'évidence beaucoup plus rapide...

Il va venir à mon niveau et me pousser vers la falaise...

La distance entre les deux voitures se réduisait rapidement. D'un coup de volant, Cassandra se plaça au milieu de la route. Tant qu'elle pourrait empêcher son poursuivant d'arriver à sa hauteur, elle gardait une chance.

Mais l'autre ne se laissait pas intimider. Il se rapprocha tant que Cassandra ne put s'empêcher, par réflexe, de s'écarter. Le véhicule s'engouffra dans l'espace dégagé, et le reflet de ses phares dans le rétroviseur aveugla Cassandra. Elle tourna la tête et vit une silhouette imprécise portant une casquette. Soudain, le grondement de la mer et des moteurs fut anéanti par le hululement de la sirène, et Cassandra remarqua enfin le gyrophare rouge sur le toit de l'autre véhicule. Le rugissement de la voix déformée par le mégaphone la submergea d'un soulagement brutal.

— *Police! Rangez-vous sur le bas-côté! Je répète : rangez-vous sur le bas-côté!*

Cassandra s'exécuta en hâte, faisant hoqueter le moteur de la petite décapotable en débrayant trop vite. La jeune femme appuya son front contre ses deux bras posés sur le volant. La police! Elle avait dépassé la limite de vitesse devant un contrôle ou avait croisé une patrouille, peu importait. Elle était maintenant saine et sauve. D'une main tremblante elle ouvrit la portière et sortit de sa voiture. Ses jambes la portaient à peine.

— Monsieur l'agent, je...

— On ne bouge plus!

Cassandra leva une main pour abriter ses yeux de la lumière aveuglante de la torche électrique.

— Bon Dieu!

— Qu'y a-t-il, monsieur l'agent?

— Gardez les mains bien en vue!

La voix de l'homme était tendue. Cassandra baissa les yeux sur sa robe, qui était tachée de sang.

— Il y a eu un accident à Cobbler's Point. J'allais chercher des secours...

— Vous étiez à Cobbler's Point?

— Oui! Le téléphone est hors d'usage. Steven a été... poignardé. Il saignait et... J'essayais de trouver de l'aide!

10

– Madame, vous étiez en fuite.

– Non, je...

– Montrez-moi vos papiers d'identité. Et pas de gestes brusques, je vous prie.

Cassandra remarqua alors l'arme que tenait le jeune policier. Elle paraissait énorme.

– Je m'appelle Cassandra McQueen, dit-elle en s'évertuant à extirper le permis de conduire de sa pochette plastique.

L'homme examina longuement le document.

– Oui, madame, tout le monde a entendu parler de vous à Hawaii. Vous et Mr. Talbot ne vous entendiez pas trop bien. Si vous me disiez ce qui s'est passé...

La radio de bord crachota, l'interrompant.

– Approchez de la voiture, madame, et posez vos deux mains écartées à plat sur le toit.

– Je vous en prie...

– Obéissez!

Sans la quitter des yeux, le policier plongea un bras dans sa voiture et décrocha le micro.

– Central, ici patrouille 10.

– Patrouille 10, répondit aussitôt une voix féminine, on nous signale un Code 6 possible à Cobbler's Point. Des unités et une ambulance sont déjà en route. Vous pouvez les assister?

Le jeune policier dévisagea Cassandra sans cacher sa méfiance. Code 6 signifiait « homicide ».

– Quelqu'un a dû le trouver, murmura la jeune femme.

– Ne bougez pas! prévint le policier avec une nervosité agressive.

Puis il demanda au standard de le mettre en contact avec l'officier de service.

– Patrouille 10. Ici le détective Kaneohe. Je vous reçois. A vous.

Cassandra entendit le policier résumer la situation à laquelle il était confronté sur *Platinum Mile*.

– Non, elle n'a rien, ajouta-t-il. Elle est couverte de sang mais elle n'est pas blessée.

Il se tut de nouveau pour écouter la réponse de son supérieur.

– Que se passe-t-il? s'enquit Cassandra quand il raccrocha enfin le micro.

Avant même de comprendre ce qui lui arrivait, Cassandra sentit ses bras ramenés fermement dans son dos. Un cercle d'acier se referma sur un poignet, puis l'autre.

– *Mais que faites-vous?*

– Vous êtes en état d'arrestation, miss McQueen, sous l'inculpation de tentative de meurtre.

Nicholas Lockwood faisait les cent pas sous l'éclairage brutal qu'alimentait un générateur portatif. C'était un homme grand et mince, aux cheveux bruns indisciplinés et au regard vert d'où émanait une assurance tranquille. Il s'arrêta au bord de la piscine qui occupait une bonne partie de la terrasse de Cobbler's Point. De l'autre côté, un médecin et deux infirmiers essayaient désespérément de garder Steven Talbot en vie. Sous la lumière crue des spots installés par la police, un filet de sang teintait l'eau bleue de la piscine.

– Vous l'avez trouvé dans cette position? demanda Nicholas.

Le policier qu'il apostrophait était un solide gaillard vêtu d'une chemise hawaiienne marquée de transpiration, un chapeau de paille vissé sur le crâne.

– Oui, comme ça, répondit le détective Kaneohe en secouant la tête. Ils vont avoir un sacré boulot rien qu'à lui extraire ces poignards.

– Pas des poignards, corrigea Nicholas dans un murmure.

Les épées qui transperçaient la poitrine de la victime étaient à lame courbe, leur garde travaillée d'ornements gravés. C'étaient à n'en pas douter des pièces de musée, dont on ne devait pas trouver beaucoup d'équivalents de par le monde.

– Qu'est-ce que vous voulez dire?

– Simplement qu'on a tenté de tuer Talbot d'une façon très onéreuse.

Kaneohe scruta son interlocuteur.

– Une idée?

Jusqu'à une date récente, Nicholas Lockwood avait dirigé les services de sécurité de l'empire financier de Talbot, Global Entreprises. Pour l'instant, il observait les deux infirmiers qui plaçaient le corps de Talbot sur une civière. Dans le calme nocturne, il perçut le chuintement reconnaissable d'un hélicoptère qui approchait.

– Comme tout homme puissant, Mr. Talbot s'est fait pas mal d'ennemis. Mon successeur pourra vous aider dans ce sens.

– Certainement, approuva Kaneohe d'une voix douce. Vous dites avoir fait un saut à Hawaii pour voir Cassandra McQueen. Comment se fait-il que vous vous trouviez ici?

– Miss McQueen est venue à Hawaii discuter certaines affaires avec Talbot, répondit Nicholas d'un ton neutre. J'ai pensé qu'elle serait peut-être venue ici. A l'évidence, je me trompais.

Kaneohe eut un fin sourire, et la blancheur de ses dents contrasta un instant avec son teint sombre.

– Mais non, elle était bien ici. Une voiture de patrouille l'a interceptée alors qu'elle roulait sur *Platinum Mile* à toute vitesse. Elle était couverte de sang, et elle a bafouillé à notre agent que quelqu'un avait essayé de tuer Steven Talbot.

Kaneohe parut satisfait de l'effet de ses paroles.

– Elle n'a rien ? demanda Nicholas en se reprenant.

– Non, elle va bien. Elle a été conduite au quartier général.

Nicholas n'en croyait pas ses oreilles.

– Vous croyez qu'elle a fait *ça* ? fit-il en désignant du pouce la civière que les deux infirmiers portaient vers la pelouse où venait de se poser l'hélicoptère.

– Je lis les journaux, Lockwood, rétorqua Kaneohe d'un ton sec. Il y a un sacré contentieux entre elle et Mr. Talbot, tout le monde le sait. Et miss McQueen a reconnu qu'elle se trouvait ici ce soir. Ce qui me donne des éléments de réflexion...

– Vous n'avez rien contre elle !

Kaneohe eut un haussement d'épaules.

– Les épées portent peut-être des empreintes, et si Mr. Talbot s'en sort, il pourra identifier son agresseur.

L'esprit de Nicholas tirait déjà les implications des propos blasés du policier. Si Steven survivait, il accuserait Cassandra, cela ne faisait aucun doute. Et qu'on ne retrouve pas les empreintes de la jeune femme sur les armes n'y changerait rien. Steven Talbot ferait tout ce qui était en son pouvoir pour que Cassandra paie le plus cher possible. Non seulement parce qu'elle était en mesure de révéler ce qu'il était réellement – un fou dangereux –, mais aussi parce que vingt-cinq ans plus tôt il avait déjà tenté de la supprimer et avait échoué. L'occasion serait trop belle pour qu'il la laisse échapper.

Et maintenant que la police tient Cassandra, ils n'iront pas chercher plus loin.

Mais Nicholas, lui, le ferait. Il avait déjà failli perdre Cassandra une fois, et il ne pouvait imaginer ce que serait sa vie s'il ne la sauvait pas maintenant. Le tueur était encore dans les parages, selon toute vraisemblance. Il devait le retrouver.

*

– Vous avez de la chance, ma chère. Mr. Talbot est toujours en vie. Vous éviterez peut-être la peine capitale, après tout.

Cassandra frissonnait dans l'air trop frais de la climatisation.

– Mes vêtements...

– Oubliez-les, répliqua la femme policier. Avec tout ce sang, ils sont fichus. Mais ne vous inquiétez pas, nous vous donnerons quelque chose de convenable à porter devant le juge. Pour ce que ça changera, de toute façon...

Mais je n'ai rien fait !

Cette phrase, Cassandra n'avait cessé de la répéter depuis son arrivée au quartier général de la police d'Honolulu. Mais personne ne l'avait écoutée. La femme policier lui fit signe de s'asseoir et se mit à remplir un formulaire. Puis elle prit les empreintes digitales de Cassandra et la photographia.

– J'ai droit à une communication téléphonique!

– Bien sûr. Plus tard.

Une autre femme policier la conduisit jusqu'aux douches et lui ordonna de se dévêtir et de se laver. Cassandra tressaillit sous l'eau glacée, puis se savonna furieusement pour faire disparaître le sang séché sur sa peau. Quand elle eut terminé, on lui donna un uniforme de toile rêche et grise.

– Maintenant vous pouvez passer votre coup de fil, dit la première femme policier quand elle revint. Évitez le gaspillage.

Cassandra prit la pièce qu'on lui tendait, l'inséra dans la fente de l'appareil et composa le numéro de l'hôtel où elle séjournait avec Nicholas. Son cœur battait la chamade.

Le standardiste de l'hôtel décrocha presque aussitôt et appela leur suite. Chaque sonnerie emportait un peu de son espoir.

Je t'en prie... Réponds!

Le standardiste reprit la ligne. Combattant l'affolement qui menaçait, Cassandra lui demanda de dire à Nicholas qu'elle se trouvait au quartier général de la police d'Honolulu et qu'elle avait besoin de son aide. Elle garda le récepteur collé à son oreille longtemps après la fin de la communication.

– Allons-y, fit la femme policier en lui prenant le combiné et en raccrochant.

Au sous-sol, elle déverrouilla la première cellule du bloc d'isolation et poussa Cassandra à l'intérieur.

– Croyez-moi, je vous fais une fleur en ne vous mettant pas avec les autres. Je reviendrai vous porter quelque chose pour vous tenir chaud. Reposez-vous. Les inspecteurs voudront vous interroger quand ils reviendront.

Cassandra n'aurait pu dire combien de temps s'écoula avant qu'on ne lui amène une couverture. Elle la passa sur ses épaules et s'assit sur la couchette, le dos appuyé au mur.

Steven est vivant, et son agresseur est libre... quelque part.

Était-ce la raison de l'absence de Nicholas? S'était-il lancé sur les traces de l'inconnu, pour aider Cassandra de la meilleure façon possible?

Le choc des événements de la nuit l'écrasa soudain et elle fondit en larmes. *Steven aurait dû mourir*, songea-t-elle. Tant de gens avaient souffert à cause de lui, et il avait brisé tant de rêves.

Mais pas le mien! Jamais je ne le laisserai me le prendre!

Mais elle se sentait trop lasse pour lutter encore. Exténuée, elle laissa ses paupières se fermer peu à peu, et son esprit glissa vers des champs dorés et des collines claires. Au sommet de la plus haute se dressait une demeure somptueuse. Une jeune fille se tenait devant la porte. Elle n'avait pas plus de dix-huit ans et était toute de blanc vêtue, comme une mariée. Cassandra sourit en reconnaissant Rose. Ce ne pouvait être que Rose, la première d'entre eux, celle qui avait forgé le code selon lequel ils vivaient tous.

PREMIÈRE PARTIE

1

Pour autant qu'elle pût s'en souvenir, Rose Jefferson avait toujours rêvé de se marier dans la salle de bal de Dunescrag, la propriété de son grand-père à Long Island. Et aujourd'hui, par cette journée sans égale de juin 1907, ce rêve allait enfin devenir réalité.

Du balcon du deuxième étage qui faisait le tour de la salle de bal, Rose contemplait la magnifique pièce. Sa majesté lui avait toujours coupé le souffle. Pour les colonnes et le sol, Jehosophat Jefferson avait fait venir de Carrare le marbre rose le plus précieux. Les murs étaient couleur pêche, rehaussés de motifs en ébène incrusté. Trois lustres royaux illuminaient l'ensemble, et chacun avait demandé plusieurs années de travail aux maîtres vénitiens. Au premier étage, dans la galerie, les musiciens de l'orchestre accordaient leurs instruments et rangeaient leurs partitions. Dans la salle de bal, les domestiques s'assuraient de la perfection des bouquets de roses et de gaillets qui décoraient les tables et vérifiaient que le long tapis bleu roi menant à l'autel n'avait pas le moindre pli.

– Mademoiselle! Mademoiselle! Pourquoi avez-vous disparu ainsi? La cérémonie commence dans une heure à peine et vous n'êtes toujours pas prête!

Mathilde Lebrun, la couturière française envoyée de Paris par la maison Doucet en même temps que le trousseau, rejoignit en hâte Rose. Elle marmonnait entre ses lèvres fermées sur des épingles.

– Mathilde! Pas question de serrer cette robe d'un centimètre de plus! la prévint Rose. J'étouffe déjà!

Elle exagérait à peine. Sous la volumineuse création de soie et de dentelle, à laquelle il faudrait encore ajouter une traîne de presque quatre mètres, Rose portait un corset Royal Worcester doublé d'un cache-corset strict qui lui comprimait le diaphragme, sans parler des jupons et de la robe elle-même. Mathilde Lebrun jugeait la jeune fille éblouissante.

La couturière avait habillé un grand nombre de mariées depuis son entrée dans la maison Doucet, mais les beautés les plus exaltées pâlissaient devant cette jeune Américaine d'à peine dix-huit ans. La longue chevelure noire de Rose Jefferson avait été arrangée en un savant empilement de boucles et de torsades maintenu par des barrettes de nacre. Le soleil de l'été donnait à son teint une fraîcheur éclatante qui faisait ressortir ses immenses yeux gris frangés de longs cils noirs.

Les yeux du diable dans le visage d'un ange, songea la couturière. C'était ce regard qui rendait Rose Jefferson unique. Selon l'humeur de la jeune femme, il pouvait briller de joie, étinceler de colère, exprimer une détermination proche de l'entêtement. Mais toujours il s'y lisait une intelligence aiguë.

Mathilde Lebrun éprouva un curieux élan de commisération pour le futur époux. Aussi averti et expérimenté qu'il fût, il était évident qu'il aurait fort à faire avec sa jeune épouse.

Alors qu'elle attendait la pose des dernières aiguilles avec une patience aimable, Rose pensait elle aussi à son futur mari. Depuis le jour où elle avait rencontré Simon Talbot, cinq ans auparavant, alors qu'elle n'avait que treize ans et lui déjà trente, elle avait eu la conviction, au plus profond de son cœur d'adolescente, qu'un jour elle serait sa femme. Pour Rose, Simon était un homme fascinant, un aventurier des temps modernes, créateur d'un empire ferroviaire qui était en train de changer la physionomie de l'Amérique industrielle. Il savait se montrer d'une galanterie sophistiquée, et son charme de fils du Sud ravissait le cœur de la jeune fille. Un seul obstacle se dressait sur la route du bonheur que pressentait Rose, et cet obstacle s'appelait Nicole. L'épouse de Simon.

Rose l'avait détestée dès le premier coup d'œil. Pour la jeune fille, Nicole Talbot avait tout ce qui lui manquait : le maintien, l'assurance et une élégance discrète qui rehaussait sa beauté et ses qualités. A cause des rapports professionnels de Simon et Jehosophat Jefferson, les Talbot étaient toujours invités aux deux grandes réceptions organisées à Dunescrag pour Thanksgiving et le Memorial Day [1]. En ces occasions, Rose avait beaucoup étudié Nicole, sa façon de marcher, de parler ou de tenir une tasse de thé, le léger mouvement de son menton quand elle s'apprêtait à laisser fuser un rire perlé. Un jour, Nicole la surprit en pleine séance d'imitation et éclata de rire.

– Oh, Rose, c'est inutile ! Je vous trouve tout à fait adorable comme vous êtes. Et c'est aussi l'avis de Simon !

A la fois furieuse et mortifiée, Rose souhaita les pires maladies à sa rivale et passa plusieurs nuits blanches à concocter des plans compliqués pour lui voler Simon. Lorsque Nicole Talbot décéda

---

1. *Memorial Day,* dernier lundi de mai, jour des morts au champ d'honneur.

18

durant l'épidémie de grippe de 1904, les remords submergèrent Rose. Elle était convaincue d'avoir provoqué la mort de Nicole et de devoir payer pour cette infamie, d'une façon ou d'une autre. Sa pénitence commença quand Simon Talbot cessa de venir à Dunescrag.

Pendant presque deux ans, Rose se demanda ce qu'il était devenu et ce qu'elle deviendrait sans lui. Bien qu'elle fût ardemment courtisée par les jeunes élégants des meilleures familles de New York, Rose ne pensait qu'à Simon. Elle se raccrochait à l'idée que les affaires le ramèneraient à Dunescrag pour voir son grand-père. Et quand l'événement se produisit enfin, elle saisit l'occasion. Pour son bonheur, dès que Simon Talbot posa le regard sur Rose Jefferson, il vit que l'adolescente malhabile s'était métamorphosée en une exquise jeune fille qui promettait de devenir une femme magnifique.

Rose se demanda souvent si Simon avait été conscient de la lente entreprise de séduction dont il avait été l'objet. Elle trouvait toujours une raison pour être momentanément seule avec lui, à Dunescrag ou Manhattan, et usait de tous les artifices qu'elle avait expérimentés sur ses jeunes prétendants. Pendant les quelques années qui suivirent, les visites de Simon se firent plus fréquentes et Rose se mit à espérer qu'il tombait amoureux d'elle. Mais toujours, au moment où elle le croyait conquis, il semblait se retrancher derrière le gouffre qu'il n'osait franchir : leurs dix-sept ans de différence.

Rose refusa d'abandonner. Elle fortifia sa détermination d'une patience de sainte. Elle lisait les livres et voyait les pièces de théâtre qui plaisaient à Simon, apprenait par cœur les règles des sports auxquels il s'adonnait, et alla même jusqu'à s'intéresser aux bases économiques de l'industrie ferroviaire. Petit à petit elle construisait une passerelle au-dessus de l'abîme qui les séparait. Sa passion pour Simon était marquée d'une férocité qui parfois la surprenait elle-même et elle l'utilisait pour se tailler une place dans son cœur et l'emplir d'un amour auquel Simon ne pourrait résister. Elle vainquit toutes ses résistances et annihila tous les arguments qu'il pouvait dresser devant elle. Et un jour, plus rien ne s'était opposé à sa volonté d'épouser Simon.

– Venez, mademoiselle, la pressa Mathilde Lebrun. Il faut fixer la traîne, nous n'avons plus beaucoup de temps!

Rose suivit docilement la couturière dans le salon. En chemin elle vit les domestiques qui transportaient les cadeaux de mariage arrivés pendant toute la semaine, envoyés par les quelque trois cents invités. Parmi eux, des sénateurs, des membres du Congrès, deux magistrats de la Cour suprême et le gouverneur de l'État de New York venaient autant rendre hommage à Jehosophat Jefferson qu'assister au mariage de sa petite-fille. Rose ne doutait pas que les cadeaux seraient somptueux, mais elle était persuadée qu'aucun n'égalerait celui de son grand-père.

Privée de père et de mère, Rose avait grandi dans ce qui ressemblait plus à un royaume qu'à une maison, un royaume d'où le patriarche Jehosophat Jefferson régnait sur l'empire qu'il avait bâti au cœur du Rêve Américain. Dans la journée, des précepteurs lui apprenaient le latin, le grec, les mathématiques et la littérature. Le soir, à l'heure où les autres enfants écoutent des contes de fées, son grand-père l'asseyait sur ses genoux et lui parlait de Global Entreprises, la compagnie de transport qu'il avait créée en 1850 avec seulement trois chariots et douze chevaux, et qui depuis était devenue un des géants du transport américain.

Plus tard, alors que ses amies se souciaient de leurs taches de rousseur ou de leur acné et passaient leurs journées à rêver de garçons, Rose Jefferson accompagnait son grand-père dans les bureaux de Global situés dans Lower Broadway. Ses samedis les plus mémorables, elle les vécut assise dans un énorme fauteuil de cuir, ses pieds ne touchant pas le sol, à lire les dossiers de la compagnie, les brochures et les articles s'y rapportant. Toujours elle pensa que cette place lui convenait parfaitement.

Rose était fascinée par l'histoire de Global. Les messageries remontaient aux coursiers perses décrits par Hérodote, réputés pour surmonter tous les obstacles qui se dressaient sur leur route. Munis de l'autorité royale, car porteurs de messages de rois et de reines, ces courriers convoyaient également des épices rares et du poisson, des vêtements et de la soie, des parfums et des huiles aux quatre coins de l'Empire qu'ils servaient.

Au début des années 1850, Jehosophat Jefferson avait été frappé par la similarité entre l'Empire romain et la jeune Amérique. Comme leur glorieux prédécesseur, les États-Unis étaient un pays immense, quasiment vierge, qui s'étendait au rythme de la poussée des pionniers vers l'ouest. Jehosophat Jefferson consacra une pleine année à étudier la situation. Il en tira la confirmation de ce qu'il soupçonnait depuis longtemps déjà : dans les territoires fortement habités de l'est et de l'ouest, un service de messageries digne de confiance était une nécessité.

En 1856, la création de la liaison Manhattan-Rochester par des équipes de diligences remporta un succès immédiat. Bientôt les lignes de communication atteignirent le bord de l'Érié et les autres centres industriels en plein développement de la région des Grands Lacs. En quelques années, Global Express devait largement se montrer à la hauteur de sa devise : *EFFICACITÉ, SÉRIEUX, COURTOISIE*. Sa réputation prit une telle ampleur que, durant la guerre de Sécession, elle fut la seule compagnie de messageries à garantir la livraison de colis aux deux adversaires.

Après Appomattox, Global étendit son champ d'activités. Le prix d'acheminement d'une lettre de New York à Rochester était alors de vingt-cinq cents, somme que beaucoup considéraient comme trop élevée pour ce genre de service. Jehosophat Jefferson créa un système de distribution postale quatre fois moins cher pour l'usager. Il imprima ses propres timbres, gravés par l'artiste J. C. Wyatt et représentant le profil de la mère de Rose.

En moins d'un an, Global acheminait cent fois plus de sacs postaux que l'US Mail. La réussite était telle que le gouvernement dut intervenir pour protéger son monopole battu en brèche. Menacé des pires représailles, Jefferson tint bon et finança ses batailles juridiques avec une bonne partie de ses profits. Devant l'appui phénoménal que Global recevait, le gouvernement se vit obligé de baisser ses tarifs postaux à la moitié de ceux de son rival pour le couler. Jehosophat Jefferson se retira du duel avec grâce, mais il s'était déjà assuré la fidélité de milliers de petites entreprises qui continueraient d'utiliser ses services les années suivantes.

Au crépuscule du XIXe siècle, les vapeurs de Global sillonnaient les Grands Lacs et les principaux axes fluviaux, de l'Hudson au Mississippi, assurant la circulation des marchandises d'une nation en pleine expansion. Les firmes de la côte Ouest faisaient confiance à la désormais célèbre Global Overland Express pour acheminer leurs marchandises du cœur du continent à la côte Pacifique. Pour protéger ses passagers et ses chargements, en particulier d'or, la compagnie créa sa propre force de sécurité, des gardes triés sur le volet dont l'uniforme consistait en une veste de peau, un Stetson et surtout une Winchester.

Mais l'histoire de sa famille apprit très tôt à Rose que la réussite réclame parfois un tribut très cruel. Alors qu'elle n'avait que neuf ans, son père, sa mère et sa grand-mère périrent dans le naufrage d'un navire de Global, lors d'une tempête sur le lac Supérieur. Jehosophat Jefferson ne se pardonna jamais cette tragédie. Le jour des funérailles de ses parents, Rose promit intérieurement à son grand-père qu'elle se montrerait digne de l'héritage qui aurait dû échoir à son père. Depuis lors, elle n'avait cessé de se préparer à assumer ce legs. Et aujourd'hui elle se savait prête.

En étudiant son reflet dans la psyché, elle ne vit pas une jeune fiancée anxieuse mais une jeune femme confiante qui allait bientôt prendre la place qui lui revenait auprès de son grand-père, dans les bureaux de Lower Broadway.

– Je suis prête, annonça-t-elle d'une voix calme.

Elle savait que Mme Lebrun n'avait pas la plus petite idée de ce que cette simple phrase signifiait.

*

La salle de réception se trouvait dans l'aile est de Dunescrag, loin des pièces principales de la demeure. Pourtant des bribes de conversation des invités filtraient par les couloirs et se glissaient sous les portes fermées. Jehosophat Jefferson se demandait ce que les fantômes assis autour de lui pensaient de l'occasion.

Il aimait tout particulièrement cette pièce décorée par sa femme, Emma, avec ses murs lambrissés de bois satiné que décoraient des incrustations d'or et d'ébène, et ses tentures de soie damassée à bordure rouge qui feutraient l'ambiance. L'endroit était éclairé par de grandes fenêtres à meneaux donnant sur l'océan Atlantique. Ici ses enfants avaient joué entre les meubles de bois massif, tandis qu'Emma, installée sur l'ottomane, les jambes repliées sous elle, travaillait patiemment à ses broderies, un léger sourire aux lèvres. Dans le vide silencieux, Jehosophat Jefferson revoyait le gamin qu'avait été son fils, puis le jeune homme, puis le jeune marié, enfin le père. Et Emma, si douce, entourée de ses petits-enfants...

Le vieil homme cligna des paupières pour refouler les larmes. Tous étaient morts depuis longtemps, engloutis par les eaux glacées du lac Supérieur, même s'ils vivaient toujours dans son cœur. *Que penseraient-ils ? Approuveraient-ils ma décision ?*

Il n'y avait personne au monde que Jehosophat aimât plus que sa petite-fille Rose. Après la tragédie, il s'était promis que rien, pas même les nécessités imposées par Global, ne viendrait empiéter sur le temps qu'il voulait lui consacrer. Pendant toutes ces années il avait respecté ce serment. Et à présent cette promesse et ses conséquences venaient le hanter.

Longtemps il avait pensé que Franklin, son petit-fils, de huit ans le cadet de Rose et seul descendant mâle, lui succéderait un jour à la tête de Global. Le destin des filles était de devenir des épouses, des mères et des hôtesses et de se vouer à leur foyer, à leur progéniture et aux œuvres de bienfaisance. Même dans ces années marquées au sceau du progrès, voir une femme diriger un empire économique aussi moderne et complexe que Global était impensable.

Mais Rose s'était évertuée à briser ce schéma conformiste. Pour l'observateur non averti, c'était une jeune femme ravissante, cultivée et instruite des convenances, qui ferait une épouse de rêve. Mais sous ce raffinement vivait une fille à la forte personnalité qui, dès le premier jour passé dans les bureaux de la compagnie, avait supplié son grand-père de l'y ramener. A dix ans, Rose était devenue une figure connue de tous au siège social de Global, une adorable fillette que les secrétaires les plus revêches hésitaient à tancer.

Bien qu'amusé par l'attachement de Rose à l'entreprise familiale, Jehosophat Jefferson avait eu la conviction que sa petite-fille évoluerait, se lasserait. Elle avait certes évolué, mais pas de la façon qu'il prévoyait. A seize ans, Rose connaissait l'historique de Global à la perfection. Sa compréhension des opérations quotidiennes, malgré la complexité des systèmes, tarifs et modes de fonctionnement, ne manquait jamais d'ébahir le vieux Jefferson. Les dossiers qui arrachaient des bâillements aux meilleurs comptables la passionnaient.

Elle ne pouvait pas mieux me faire comprendre...

Jamais Rose n'avait formulé son désir d'être incorporée à Global, mais son attitude et son engagement rendaient ses intentions évidentes. Puis, le jour anniversaire de ses dix-huit ans, alors que la plupart des jeunes filles de son âge ne pensent qu'à leurs débuts dans la bonne société, elle lui avait déclaré qu'elle désirait travailler à plein temps pour Global.

– Il me reste tant à apprendre, lui avait-elle dit. Je veux que vous soyez fier de moi, grand-père.

Jehosophat Jefferson en était resté sans voix. La détermination farouche et l'orgueil de propriétaire de Rose ne laissaient aucune ambiguïté sur ce qu'elle voulait : devenir un partenaire actif dans Global, pour un jour être celle qui le remplacerait à la tête de la compagnie.

C'est la dot qu'elle attend, dit en pensée Jehosophat Jefferson à ses fantômes. *Comment lui dire que je ne peux pas lui donner la seule chose au monde qui semble compter vraiment pour elle ?*

Le patriarche tressaillit en entendant les coups pourtant discrets frappés à la porte.

– Excusez-moi, monsieur, dit le domestique. Miss Rose est prête. Elle vous attend en bas.

Lentement, Jehosophat Jefferson se leva de son fauteuil. Il s'immobilisa un instant dans l'espoir que ses fantômes lui diraient comment expliquer sa décision à Rose, mais quand il sortit, seul le silence suivait ses pas.

*

De retour du petit déjeuner offert par ses amis pour conclure les libations de la nuit, Simon Talbot parvint à se glisser dans Dunescrag en évitant ses nombreuses connaissances, ce qui, vu leur attitude récente, était préférable. Depuis qu'il avait annoncé ses fiançailles avec Rose, il n'avait entendu que regrets attristés ou mises en garde sévères sur une union avec une fille du Nord.

En entrant dans la plus grande des suites de Dunescrag, Simon constata avec satisfaction qu'Albany, son valet noir, avait déjà bouclé ses malles et valises pour leur voyage de noces. Il se débarrassa de ses chaussures de ville trempées, de sa chemise au col marqué de rouge à lèvres et vérifia la température de son bain. C'était un homme grand, puissamment charpenté, mais qui se déplaçait avec souplesse. A trente-cinq ans les premières traces de gris accrochaient l'ébène de sa chevelure bouclée, mais son visage au front haut et au modelé ferme gardait toute son agressivité naturelle. Alors même qu'il se glissait dans la baignoire, Simon savait qu'il n'arriverait pas à se décontracter totalement. Ses paupières s'abaissèrent peu à peu sur ses prunelles noires. Les yeux fermés, il poursuivit les rêves qu'alimentait son ambition dévorante.

Simon Talbot présidait une large famille de frères et sœurs, cousins, tantes et oncles, membres d'une aristocratie sudiste naguère dirigée par la main de fer de son père. Depuis la mort de celui-ci, Simon avait été témoin du lent déclin du commerce du coton et du tabac. Collectivement, le clan Talbot vivait encore dans le rêve que la guerre de Sécession n'avait pas été perdue. Les Talbot refusaient de reconnaître la naissance d'une nouvelle ère industrielle, avec sa compétitivité féroce et ses pratiques commerciales sans merci. Pour Simon, sa famille était condamnée, enchaînée au passé par son incompréhension du présent. Pour lui, ce n'étaient que de futures reliques, et il n'avait aucune intention de partager leur destin.

Quand il s'était installé dans le Nord, le clan n'avait pas caché ses critiques, voire sa colère. Après des débuts prudents mais bien calculés, Simon avait bâti un réseau ferroviaire important au cœur des territoires yankees. Sa famille avait fini par juger sa réussite avec plus d'indulgence mais sans fierté, lui pardonnant ses égarements passés quand, en vrai fils du Sud, il épousa une fleur de Géorgie.

Mais pour lui ce mariage ne changea rien. Bourreau de travail, Simon tripla ses bénéfices dans les premières années du siècle et fit de New York la plaque tournante de son activité ferroviaire. Des centaines de convois acheminaient des milliers de passagers et des tonnes de fret, aussi bien dans le Vermont au nord qu'en Floride au sud.

Simon avait goûté un bonheur parfait durant les premières années de son mariage. Nicole était une épouse exemplaire, elle savait très exactement ce qui était attendu d'elle et dirigeait le foyer avec une efficacité remarquable. Jamais elle n'interrogea son mari sur ses affaires ou ses absences nocturnes. En contrepartie de cette obéissance et de cette docilité, Simon lui offrit une vaste demeure sur la Cinquième Avenue et un budget illimité pour l'entretenir. C'était en quelque sorte un contrat social qui le satisfaisait pleinement.

En dépit de l'amour qu'elle éprouvait pour son mari, Nicole n'avait jamais pu lui donner d'héritier. Le jour où le spécialiste mandé par Simon lui confirma la stérilité de son épouse, Simon eut l'impression que le destin le maudissait. Quelques mois plus tard la grippe emportait Nicole. Ceux qui l'avaient bien connue murmurèrent qu'elle avait autant succombé à la fièvre qu'à la honte. En ce qui le concernait, Simon estimait avoir rempli ses devoirs en tant qu'époux. Son veuvage le laissait donc libre de chercher une seconde épouse capable de remplir les siens.

*

Simon Talbot se rafraîchit le visage avec une serviette humide, s'essuya puis confia sa barbe naissante au rasoir d'Albany. Ces dernières années, il s'était fort bien accommodé du célibat. En fait, il avait découvert que le statut de veuf présentait un atout de poids pour pénétrer les milieux les plus respectables. Pourtant ses efforts acharnés ne lui avaient pas rapporté ce qu'il désirait et pensait mériter.

Malgré une ascension fulgurante dans le monde du commerce, Simon se sentait tenu à l'écart par la bonne société new-yorkaise qui s'était révélée un clan aussi fermé que son équivalent sudiste. Sa demeure était une des plus luxueuses, et il versait des sommes énormes aux organisations charitables de rigueur, mais il restait un étranger. Or il ne pourrait s'élever plus haut encore dans l'échelle sociale comme il le voulait si le cercle des quatre cents familles de New York continuait de le rejeter.

L'argent seul ne suffisait pas, il le savait. Il lui fallait une épouse appartenant à cette élite et dont le sang lui garantirait son acceptation.

Très vite, Simon constata que les partis étaient rares. Les quelques veuves disponibles étaient d'un âge canonique, comme d'ailleurs la poignée de vieilles filles. Il évita résolument l'une et l'autre catégorie. Malgré son désir de reconnaissance, il se refusait à un compromis d'une telle ampleur. Il commençait à désespérer quand il posa les yeux sur Rose Jefferson.

Le manège de la jeune fille ne lui avait pas longtemps échappé. Avec le temps, les promesses qu'il avait décelées en elle s'étaient épanouies pour transformer Rose en une adolescente très désirable. Et plus il la voyait, plus Simon devenait sensible à son charme. Sa peau s'électrisait dès qu'elle lui frôlait la main, et le regard de Rose brillait d'un érotisme qui lui coupait le souffle.

Néanmoins Simon prenait grand soin de ne pas encourager ouvertement la jeune fille; Jehosophat Jefferson était un partenaire d'affaires trop important pour risquer de l'indisposer. Simon adopta donc la conduite du veuf solitaire et endeuillé, en espérant que cette distance finirait par dissuader Rose. Pour toute réaction, elle lui demanda d'être son cavalier pour le quadrille de la saison.

La hardiesse de Rose redoubla le désir de Simon. Sans son rire de gorge et sa présence, les soirées les plus réussies perdaient tout attrait. Mais il restait convaincu qu'en acceptant les avances de Rose il mécontenterait Jehosophat Jefferson, ce qui sonnerait le glas de ses espérances new-yorkaises.

Ce fut le vieil homme lui-même qui aborda le sujet pendant une promenade le long de l'océan lors d'une visite de Simon à Dunescrag.

– Rose m'a dit qu'elle attendait toujours votre réponse, avait-il lâché.

– Pardon, monsieur ?

– Pour le quadrille.

Simon avait dégluti avec peine.

– Je ne savais pas comment vous l'auriez pris si j'avais accepté, monsieur.

Sans cesser de marcher, le patriarche avait grommelé.

– Je vois bien ce que Rose ressent pour vous. C'est une jeune fille têtue, mais elle a un bon jugement. (Il s'était arrêté et avait fait face à Simon.) Mais vous, que ressentez-vous pour elle?

Simon avait soudain compris qu'il allait donner une des réponses les plus déterminantes de sa vie.

– Je l'aime, monsieur.

Jehosophat Jefferson avait hoché la tête plusieurs fois avant de s'absorber dans la contemplation de l'océan.

– Vous me plaisez, Simon. Nicole aussi me plaisait, et j'ai beaucoup apprécié la façon dont vous la traitiez. Rose aura besoin de quelqu'un comme vous quand je ne serai plus là. Il y a encore beaucoup de choses auxquelles elle n'est pas préparée, des choses que vous devrez lui apprendre ou l'aider à comprendre. Vous me suivez, Simon?

L'esprit de Talbot s'était enfiévré. Jamais il n'avait douté que la dot de Rose inclurait une partie de Global, quelle que soit son importance. Il était également sûr que Jehosophat Jefferson n'offrirait jamais au mari de Rose la moindre parcelle de contrôle sur la compagnie. Franklin, le frère cadet de la jeune fille, paraissait le successeur désigné.

Simon s'était efforcé au calme et avait choisi ses mots avec soin.

– Je ferai tout ce qui sera en mon pouvoir pour aider Rose. Et j'honorerai tout arrangement que vous jugerez bon de faire pour elle.

De longues secondes, Jehosophat Jefferson l'avait dévisagé.

– Oui, je crois que vous le ferez.

Le vieil homme avait alors tiré de son manteau une enveloppe et la lui avait tendue.

– Vous aurez des papiers à signer, bien entendu, mais ceci est une partie de ma dot pour vous deux. Allez-y. Ouvrez et lisez.

Simon avait découvert un contrat garantissant à Talbot Railroads l'exclusivité du transport du fret de Global sur les destinations desservies. L'amplitude du geste le stupéfia. Jehosophat Jefferson lui proposait tout simplement de faire ainsi jeu égal avec des géants tels que la Pennsylvania Railroad de Vanderbilt ou la TransAmerica Lines de Morgan, ce qui pour Simon signifiait l'accession au rang qu'il avait toujours estimé être le sien parmi les grands industriels américains. De plus il allait épouser une femme qui lui donnerait non seulement une respectabilité inattaquable mais surtout ce que Nicole n'avait jamais pu lui offrir : un héritier.

– Je veux que vous preniez soin d'elle, Simon, avait déclaré le vieil homme. Si quelque chose devait m'arriver avant que j'aie eu le temps de lui expliquer tout ce qu'elle doit savoir, vous devez me promettre qu'alors vous achèveriez ce que j'ai commencé. Global coule dans les veines de ma petite-fille, Simon, et un jour elle le dirigera. J'en ai la conviction.

– Je ferai ce que vous me demandez, monsieur, avait solennellement promis Talbot.

– Bien. Rentrons. Nous avons beaucoup à parler.

Dix jours plus tard, au quadrille, Simon Talbot déclara très officiellement sa flamme à Rose et fut accepté. En voyant le sourire éclatant qu'elle arborait, Simon sut qu'elle ne devinait rien des projets qui l'occupaient déjà.

*

Albany tenait l'habit queue-de-pie de son maître. Simon Talbot l'enfila, fixa l'épingle à sa cravate et s'examina dans le miroir. Satisfait, il jeta un coup d'œil à sa montre.

– Je crois que le moment est venu.

Albany acquiesça.

– Si je puis me permettre : toutes mes félicitations et mes meilleurs vœux, monsieur.

Simon sortit de sa suite et longea la galerie jusqu'à l'escalier. Là il s'arrêta un instant et observa la scène en contrebas. Les trois cents invités étaient tous assis, et le ministre du culte attendait derrière l'autel. Dans la galerie, les musiciens entamèrent une mélodie discrète. Simon embrassa la scène d'un regard de seigneur, envahi par l'ivresse de sa puissance. Il se demanda si Jehosophat Jefferson avait averti Rose de l'accord qu'ils avaient passé ensemble. Pour sa part, Simon jugeait ridicule qu'une jeune femme de dix-huit ans pût avoir quelque espoir de participer à la direction d'une compagnie aussi importante que Global.

Il ne désirait rien moins qu'une épouse entêtée à s'immiscer dans ses affaires, surtout depuis qu'il avait décidé que Talbot Railroads absorberait bientôt les activités de Global.

Tout se passera bien, se répéta-t-il.

Il inspira profondément et descendit vers son apothéose.

2

– Rose Alice Jefferson, acceptez-vous de prendre pour époux Simon Horatio Talbot ici présent, de l'aimer, l'honorer et lui obéir...

Rose cessa d'écouter le phrasé monocorde du ministre de l'Église épiscopale. Elle luttait pour ignorer les frottements irritants causés par sa volumineuse tenue. Sa robe lui semblait peser une tonne. Elle avait éprouvé les plus grandes difficultés à remonter l'allée jusqu'à l'autel, et elle avait été incapable de passer sa main derrière son dos pour gratter la démangeaison au niveau de ses reins, là où était fixée la traîne.

Si j'aime Simon ? Bien sûr. L'honorer... ? Certainement, je le respecterai. Lui obéir ?

Son regard se leva vers le visage de Simon.

– Oui, souffla-t-elle.

Elle ressentit la pression de l'or quand il passa l'alliance à son doigt.

Avec des mouvements précautionneux, elle effectua un lent demi-tour et prit appui sur l'avant-bras de son époux. Ensemble ils sortirent par la grande double porte jusqu'à la pelouse parfaitement entretenue qui rejoignait la plage, accompagnés par les applaudissements et les rires joyeux des invités. Rose jeta son bouquet par-dessus son épaule sans se soucier le moins du monde de savoir quelle demoiselle d'honneur l'attraperait.

A présent je suis une femme. J'ai tiré un trait sur tous ces enfantillages. Ma vraie vie commence.

En esprit elle se répéta ce qu'elle dirait quand son grand-père annoncerait sa dot.

Tandis que les photographes immortalisaient les nouveaux mariés et leurs invités, la salle de bal se transformait en une salle de banquet féerique, avec des sculptures de sucre glace représentant Cupidon et des nymphes au sommet d'une pièce montée à douze étages. Le défilé des félicitations fut si long que Rose crut sa main prête à se détacher de son poignet. Son visage était crispé par trop de sourires polis, sa voix enrouée à répéter toujours les mêmes remerciements. Malgré une faim indéniable, elle ne fit que picorer dans les plats somptueux du lunch et s'humecta à peine les lèvres du champagne qui coulait à flots. Elle savourait la grandeur du moment, mais elle attendait avec impatience que son grand-père lui révèle sa dot. En cadeau de mariage, Simon lui avait offert une magnifique maison de style néo-géorgien sur la Cinquième Avenue. Rose aurait préféré un foyer plus modeste sur Park Avenue, à cinq minutes à pied des bureaux de Global dans Lower Broadway, et elle était certaine que Simon finirait par trouver ce choix plus judicieux.

Après une série interminable de toasts, on coupa la pièce montée. Ensuite on dégagea la salle et l'orchestre se prépara au bal. Devant l'amoncellement de cadeaux, Simon remercia les invités pour leur générosité et leur présence, cependant que Rose surveillait son grand-père du coin de l'œil.

Qu'attend-il donc ?

L'orchestre entama la première valse, que Rose dansa naturellement avec Simon. Puis elle passa dans les bras de son grand-père.

– Tu ne crois pas que je t'ai oubliée ? la taquina-t-il.

– Bien sûr que non, grand-père.

– C'est là, fit-il en tapotant son veston à hauteur de la poitrine.

Rose entrevit une épaisse enveloppe blanche qui dépassait de la poche intérieure.

– Eh, sœurette, tu danses avec moi ?

Rose baissa les yeux vers son frère de dix ans, Franklin, avec son visage rose et son regard malicieux sous sa tignasse d'un blond argenté.

– Quelle galanterie ! commenta-t-elle en tendant les bras pour accueillir son nouveau cavalier après que Jehosophat se fut écarté en souriant.

Ils virevoltèrent en riant dans la salle, pour le plus grand plaisir de l'assemblée.

Rose adorait son frère. Aussi loin que remontât sa mémoire, elle s'était occupée de lui, endossant sans s'en rendre compte le rôle de leur mère disparue autant que celui de compagne de jeu et de protectrice. Les années avaient passé et elle s'était prise à rêver du jour où tous deux ils travailleraient ensemble à la tête de Global. Parce qu'elle était l'aînée, dans un premier temps elle assumerait seule les responsabilités, bien sûr. Ensuite, quand Franklin serait en âge, elle lui apprendrait tout ce qu'il devait savoir sur la compagnie. Ensemble ils continueraient à construire ce qu'un jour, inévitable hélas, leur grand-père leur laisserait, et leurs destinées seraient inséparables.

Perdue dans ses pensées, Rose sursauta en bousculant quelqu'un. Elle avait l'impression d'être entrée en contact avec un chêne.

– Est-ce que je peux... Enfin, je veux dire...

Rose ne put réprimer un petit rire amusé. Monk McQueen parlait de la même façon qu'il se comportait avec les filles : avec un manque d'assurance teinté de gravité.

– Mais bien sûr, dit-elle en prenant les devants.

Bien qu'il n'eût que seize ans, le garçon avait déjà dépassé le mètre quatre-vingts et son corps était celui d'un robuste athlète. Sous ses cheveux bruns indisciplinés, ses yeux marron étincelaient de curiosité.

Rose avait toujours connu Monk. Son grand-père lisait le journal d'Alistair McQueen, *La Sentinelle*, avec un intérêt quasi religieux car il y trouvait l'analyse économique la plus juste du pays. Si les McQueen vivaient dans une certaine aisance, ils étaient loin de la fortune des Jefferson. Les bénéfices qu'ils tiraient de leurs propres investissements n'étaient rien comparés aux profits colossaux réalisés par les Jefferson et autres Talbot.

– Combien de temps resterez-vous en Europe ? demanda Monk.

Il tenait sa cavalière avec autant de précaution que si elle avait été de la plus fragile des porcelaines.

– C'est notre lune de miel, ballot! se moqua-t-elle gentiment. Nous serons absents aussi longtemps que possible!

Monk fit un effort louable pour garder contenance, mais Rose vit une ombre passer sur son visage. Elle se glissa un peu plus dans ses bras pour se faire pardonner sa moquerie.

L'amour que lui portait Monk depuis tant d'années n'était un secret pour personne. L'adolescent compensait ses deux ans de différence avec Rose par son développement physique et son sérieux. Encore enfant, il avait dévoilé ses sentiments à Rose sur le chemin longeant la plage devant Dunescrag, et elle avait accepté un baiser sur les lèvres, à vrai dire plus par curiosité que par réelle envie. Ce contact inédit l'avait surprise mais aussi ravie, d'une façon inexplicable.

Possédé par une passion enfantine, Monk avait alors couvert Rose de présents : friandises, cartes, petits bracelets, tous ces cadeaux achetés avec son argent de poche sagement économisé. Tout d'abord elle avait accueilli ces marques d'affection avec un plaisir flatté. Même le curieux prénom de son jeune soupirant lui paraissait charmant.

Mais à ces âges les filles mûrissent plus vite que les garçons et Rose en fut l'exemple frappant. A treize ans, quand elle revint passer l'été à Dunescrag, l'ardeur de Monk lui sembla soudain beaucoup plus gênante qu'amusante. Elle se mit à l'éviter, préférant la compagnie de garçons plus âgés qu'elle. Et lorsqu'elle tomba amoureuse de Simon Talbot, Monk perdit son statut d'ami privilégié pour celui d'amour de jeunesse quelque peu embarrassant.

– Et alors, quels sont vos projets, Monk? dit-elle en décomptant les mesures qui les séparait de la fin de la danse.

– Oh, je crois que j'irai à Yale, répondit-il sans grande conviction.

– C'est très bien, Yale, paraît-il.

– Vous habitez à New York, bien sûr?

– Bien sûr.

Le visage de Monk s'éclaira.

– Magnifique! Yale n'est pas très loin...

– Je suis sûre que nous serons tous deux très occupés, coupat-elle, refusant de lui offrir le moindre encouragement.

L'orchestre acheva enfin le morceau. Des yeux, Rose fit le tour de la salle.

– Oh! Comme c'est triste, Monk! s'exclama-t-elle.

Elle désigna discrètement les adolescentes assises en un groupe compact et dont les regards envieux allaient des couples danseurs aux garçons qui n'avaient pas trouvé le courage de venir les inviter.

– Il y a Poppy, et Melissa... Oh, et Constance aussi! Soyez gentil, dansez avec elles.

Avant qu'il ne proteste, elle le mena auprès des jeunes filles. Celles-ci rougirent immédiatement.

— Vous avez toujours été un ami merveilleux, lui murmura-t-elle en guise de consolation en échappant à sa main. Il faudra venir nous voir dès notre retour.

Rose avait vu son grand-père lui faire signe. Elle laissa là Monk, sans un autre regard.

Il s'en remettra, se dit-elle pour se convaincre qu'il n'était pas différent de tous les jeunes amoureux qu'elle avait pareillement abandonnés ces dernières années.

*

Son cœur battait la chamade quand elle pénétra dans les appartements de son grand-père. Jehosophat Jefferson l'embrassa tendrement.

— Jamais je n'ai vu de mariée aussi jolie.

— Tout était si merveilleux, grand-père! Il faut que je vous remercie.

Le vieil homme emmena sa petite-fille jusqu'au sofa qui faisait face à la baie vitrée surplombant les jardins de Dunescrag. Il sortit l'enveloppe de sa poche intérieure et la lui donna.

— Je veux que tu lises ceci maintenant.

Un peu déroutée par la solennité de son grand-père, Rose s'exécuta... et ne put dissimuler sa déception.

— Continue, dit-il avec douceur. Lis jusqu'au bout.

— Je... Je ne comprends pas! J'ai travaillé si dur et...

— Je voulais assurer ta sécurité, expliqua Jehosophat Jefferson. Si quelque chose devait m'arriver...

— Vous ne me croyez pas capable de diriger Global!

Sa réaction était si puérile et orgueilleuse qu'elle la regretta aussitôt.

— Tu en sais plus sur Global que n'importe qui, poursuivit-il sans montrer d'irritation. Mais rien ne remplace l'expérience. Dans l'éventualité où je ne serais plus là, cet arrangement avec Simon te donnera cette expérience. Il m'a promis de t'apprendre tout ce qui est nécessaire pour diriger la compagnie. Quand tu auras vingt-six ans, Simon sera automatiquement libéré de son rôle de tuteur sur tes cinquante et un pour cent, et tu deviendras l'actionnaire principale de Global en toute connaissance de cause. Le reste sera bloqué pour Franklin jusqu'à sa majorité, et à celle-ci j'espère que vous continuerez ensemble ce que j'ai commencé.

Il posait à présent sur sa petite-fille un regard presque implorant.

— C'est une simple précaution, Rose. Simon n'aura pas un mot à dire en ce qui concerne Global.

La jeune femme avait déjà retrouvé son calme et c'est d'une voix posée qu'elle dit :

31

– Ainsi, rien n'est changé?

– Non, rien. Ton héritage est totalement séparé de la fortune de Simon. Cette disposition est assurée par ce que j'appelle une « clause empoisonnée ».

Rose réussit même à rire.

– Que signifie cette expression?

– Simon est un homme d'affaires avisé, et Talbot Railroads une entreprise financièrement solide. Néanmoins, si une catastrophe quelconque devait ruiner ton mari, il est écrit ici noir sur blanc que les avoirs de Global, c'est-à-dire ton héritage, ne pourront jamais être utilisés pour résorber les difficultés éventuelles de Talbot Railroads. Comprends-tu ce que cela veut dire?

Les yeux humides, Rose enlaça de ses bras le cou du vieil homme.

– Oui, grand-père, je comprends. Et je suis désolée d'avoir réagi comme une écervelée... Mais nous savons tous les deux que rien ne vous arrivera, de toute façon.

Que Dieu me pardonne, songea Jehosophat Jefferson en serrant sa petite-fille contre lui. *J'ai essayé de faire pour le mieux, en mon âme et conscience.*

Il devait s'accrocher à cette idée, il le savait. Les arrangements conclus avec Simon Talbot avaient certes toutes les apparences d'un simple contrat de tutelle éventuelle avec les habituelles clauses de prudence. Ainsi il pouvait faire croire à Rose que rien n'était changé. Pourtant tout était bouleversé à cause de cette gangrène maligne qui rongeait peu à peu ses os et l'emporterait avant la fin de l'année, selon les prévisions attristées des meilleurs spécialistes, impuissants à soigner son mal.

Une fois sa destinée acceptée et sa conscience apaisée, Jehosophat Jefferson avait pensé à l'avenir de ceux qu'il laisserait derrière lui. Il ne verrait pas ce qu'allait devenir son empire, mais il s'était assuré que sa petite-fille, qui vivait pour Global, aurait la chance d'imprimer sa propre marque à la compagnie. Et il n'avait accepté tous ces mensonges que pour une personne : Rose.

3

Très confortable, leur suite sur le *Constitution* était décorée d'acajou, d'argent et de verre teinté biseauté. Des bouquets de fleurs les accueillirent dans le salon, la chambre et la salle de bains. Sur la table ils trouvèrent une bouteille de champagne dans un seau à glace, avec les compliments du commandant.

– C'est merveilleux! s'écria Rose en tourbillonnant sur elle-même avant d'étreindre joyeusement Simon.

Elle passa un certain temps à diriger les domestiques qui

défirent ses malles et choisit une très belle robe aux couleurs pourpre et orange sanguine de Poiret pour le dîner à la table du commandant. Puis elle se fit couler un bain. Dans l'intimité de la salle d'eau, alors qu'elle regardait son corps nu, le doute l'assaillit. *Que dois-je faire maintenant?*

Élevée dans une famille où l'absence d'adultes de sexe féminin se faisait cruellement sentir, Rose n'avait jamais pu parler des mystères du sexe avec quiconque. Jamais son grand-père n'aurait abordé ce sujet, et ses tantes rougissaient dès qu'elle leur demandait ce que faisaient les chevaux dans l'écurie. Elle ne pouvait donc imaginer les hommes – ou les garçons – qu'à l'aune de son grand-père, et elle ne pouvait comprendre cette curieuse attirance qu'ils ressentaient à son égard. Dans ses rêves, son idéal masculin tenait à la fois du Heathcliff des *Hauts de Hurlevent* et du prince André de *Guerre et Paix*. Et pour elle, Simon correspondait exactement à cette image. A présent, pourtant, elle était son épouse et se sentait désemparée à l'idée de le décevoir.

Peut-être devrais-je boire beaucoup de vin, se dit-elle. *Simon dansera avec moi jusqu'à m'étourdir et avant que je m'en rende compte...*

Rose sursauta quand la porte de la salle de bains s'ouvrit.

– Ah, te voilà...

Elle saisit son peignoir et s'assit en se retournant. Ce qu'elle vit la pétrifia. Simon se tenait devant elle, complètement nu, son visage empourpré luisant dans les volutes de vapeur du bain. Rose ne pouvait détacher son regard de la toison dense couvrant son corps de la poitrine jusqu'au pénis dressé à quelques centimètres d'elle, au niveau de son visage.

– Prends-le, ordonna-t-il d'une voix rauque.

– Simon!

De la main il enveloppa l'arrière de son crâne et força la tête de Rose vers l'avant. Le bout du sexe s'écrasa contre ses lèvres et ses dents, et elle sentit la chair gonflée à l'orée de sa bouche.

– Tu vas adorer ça, grogna-t-il. Je vais t'apprendre tout ce qu'une bonne épouse doit savoir.

Rose essayait désespérément de rejeter la tête en arrière, mais Simon pressa son sexe contre sa bouche jusqu'à forcer le passage de ses lèvres brutalement, au risque de l'étouffer. Des larmes s'échappèrent des yeux clos de la jeune femme. Au bord de la nausée, Rose fit la seule chose qui lui vint à l'esprit : elle mordit.

Simon hurla et se retira d'une saccade, la laissant pantelante d'effroi. Mais aussitôt il empoigna sa chevelure et la traîna dans la chambre pour la jeter sur le lit. Il lui écarta les jambes avec frénésie et des doigts fébriles palpèrent l'intérieur de ses cuisses et son sexe. Les ongles éraflèrent les chairs sensibles, puis Simon l'écrasa de tout son poids. Marmonnant des paroles obscènes à son oreille, il la pénétra d'un coup, avec un grognement de victoire.

La pièce se mit à tanguer. Rose savait qu'elle criait de douleur, mais elle ne s'entendait pas. Ses ongles labouraient le dos de Simon et elle lui mordit l'épaule jusqu'au sang. Pourtant rien ne pouvait arrêter son mari. Simon était comme un géant sans âme, un automate aveuglé par le désir qui écrasait le corps écartelé sous lui avec une bestialité telle que Rose avait l'impression d'être déchirée. Soudain elle sentit quelque chose de chaud inonder son vagin. Simon poussa un râle sauvage de triomphe et s'écroula presque immédiatement sur le côté, en ahanant.

Centimètre par centimètre, elle s'écarta de lui. Le satin du couvre-lit était poissé de son sang, comme l'intérieur de ses cuisses, et jamais encore elle n'avait expérimenté une douleur aussi atroce. Lentement elle replia les genoux devant sa poitrine et elle pressa son poing fermé contre sa bouche pour contenir sa honte et sa souffrance. Quand Simon l'effleura, elle tressaillit et recula.

– La première fois, c'est toujours un peu difficile pour une femme, dit-il à voix basse en lui caressant le bras. Mais ça t'a plu, n'est-ce pas ? Oh oui, ça t'a plu, bien sûr... Et tu es si belle que je ne peux attendre pour recommencer. Je vais tout te montrer, Rose, et tu apprendras à aimer ça. Chaque fois sera meilleure que la précédente, tu verras.

Rose gémit quand il lui appliqua une claque enthousiaste sur les fesses avant de disparaître dans la salle de bains. Elle attendit d'entendre la porte se refermer et l'eau couler pour rouvrir les yeux.

A cet instant précis, Rose tremblait d'un désir brûlant de tuer son mari. Tout ce qu'il disait n'était que mensonges. L'amour ne pouvait meurtrir ainsi. L'amour était tendresse et douceur, communion de deux âmes comme de deux corps.

Peut-être est-ce entièrement ma faute. Si j'avais su comment me comporter, tout aurait été différent...

L'image de Simon forçant son pénis dans sa bouche incendiait son esprit. Était-ce là ce qu'il avait fait subir à Nicole ? Avait-elle accepté d'être punie de la sorte ? Se pouvait-il que cela lui ait plu ?

Suffit! Tu es une femme maintenant! Tu peux tout embellir. Tu dois essayer.

Mais cet aspect du mariage ne prit jamais la moindre teinte de beauté. Pendant les sept jours qui suivirent, elle redouta chacun des magnifiques couchers de soleil sur l'océan car ils annonçaient des nuits de souffrance qui la laissaient terrifiée et honteuse. Tous les matins elle espérait que les domestiques alerteraient quelqu'un au sujet des draps tachés de sang. Mais en revenant du petit déjeuner elle trouvait toujours la literie changée, prête à une nouvelle souillure. Le voyage qu'elle avait tant attendu s'était transformé en un véritable cauchemar.

*

Sur le « Vieux Continent », l'été 1907 fut radieux. L'Europe était prospère et en paix. Dans chaque pays régnait une atmosphère de fête que ses habitants partageaient sans réserve avec leurs visiteurs.

Dès que le *Constitution* atteignit Southampton, Rose chercha un prétexte pour rentrer en Amérique. Elle noircit une vingtaine de formulaires de câbles pour son grand-père mais les déchira tous, humiliée par ses propres phrases. De celles-ci émanait une telle souffrance qu'elles lui paraissaient irréelles. Et au plus profond d'elle-même un doute la rongeait : Jehosophat avait une si haute opinion de Simon... La croirait-il ?

Je me sauverai! se disait-elle farouchement. *Je rentrerai par mes propres moyens et je le convaincrai que Simon est un monstre!*

Mais elle n'en eut même pas l'opportunité. Au débarquement, le couple était attendu par des amis que Simon s'était faits lors de précédents voyages, et elle se retrouva aussitôt prise en charge par des *ladies* londoniennes qui avaient déjà organisé ses débuts dans la haute société anglaise.

Graduellement, la terreur qu'elle éprouvait dès la nuit tombée s'atténua. Simon s'attardait fréquemment avec ses amis. Très souvent, au matin, elle le découvrait ronflant sur le canapé du salon, son visage congestionné pressé contre les coussins. Rose remarqua très vite que l'appétit sexuel de son époux baissait en proportion directe de l'alcool qu'il ingurgitait. Aussi veilla-t-elle à ce que le bar de leur suite fût très convenablement garni.

Mais elle n'avait aucun moyen d'écourter leur lune de miel. Simon avait déjà planifié un voyage de trois mois en Europe. Des relations d'affaires et des amis l'attendaient à chaque étape, qu'il n'était pas question de décevoir. Il acheta une magnifique Rolls-Royce Silver Ghost, avec la même carrosserie que la voiture du roi des Belges, ainsi que deux autres véhicules pour transporter domestiques et bagages. Après deux semaines à Londres, ils partirent pour un voyage d'agrément passant par Oxford, Winchester et Canterbury, hauts lieux historiques de l'Angleterre. A présent Rose était sécurisée, car elle avait fait l'achat d'une large provision de poudre somnifère, et quand Simon passait la soirée avec elle, Rose n'hésitait pas à en verser dans son verre, à doses assez fortes pour assommer un bœuf.

Après avoir traversé la Manche, ils firent route vers Paris. Puis ils visitèrent les campagnes de France où ducs et comtes, dont certains possédaient les vignobles les plus prestigieux du monde, les reçurent. Septembre céda la place à octobre, et l'itinéraire du couple les mena par les Alpes suisses jusque dans les pays rhénans, puis à Berlin.

35

Partout Rose impressionnait leurs hôtes par la perfection de ses manières. Elle parlait peu et savait écouter. Bien qu'elle ne connût que l'anglais, elle faisait l'effort de toujours se documenter sur l'histoire de la région et de la famille qu'ils visitaient. Les grandes dames qui les recevaient s'avouaient volontiers charmées par son éducation et n'hésitaient pas à la prendre sous leur aile, admettant entre elles qu'il convenait de lui pardonner ses origines américaines.

Derrière ses manières affables et son sourire, Rose apprenait avec application. En voyant la façon de vivre des Européens, elle avait compris pourquoi les Américains fortunés essayaient de copier les traditions du Vieux Monde, y compris les manières affectées en vigueur. Et si elle n'avait aucune difficulté avec l'étiquette européenne, Rose se demandait si la société américaine avait jamais remarqué ce que dissimulait cette façade raffinée. Pour autant qu'elle pût en juger, la noblesse européenne était en pleine décadence, perpétuant des rituels surannés en fermant les yeux sur les changements irréversibles qui bouleversaient la société. Un monde s'écroulait, et Rose était persuadée qu'avec le temps cette grandeur artificiellement maintenue finirait par s'effondrer d'elle-même.

Malgré la fascination des voyages, Rose ne cessa jamais de compter les heures qui les séparaient du retour. Elle gardait également sur Simon un œil aigu. En société, il savait se montrer charmant, spirituel et gracieux, un gentleman qui attirait toujours le regard des femmes. Mais en privé il passait d'un silence indifférent à un égocentrisme autoritaire. Quand elle n'avait pas l'occasion d'utiliser le somnifère, Rose recourait à d'autres subterfuges tout aussi efficaces. C'est ainsi qu'elle prétexta migraines et vagues de fatigue. Elle restait alors d'une inertie qui le rendait fou de colère. D'autres fois, quand Simon insistait, elle s'entaillait légèrement l'intérieur d'une cuisse avec un rasoir. Dès que son mari glissait une main impatiente vers son sexe et la retirait humide de sang, il s'écartait avec dégoût en se plaignant de « ses périodes menstruelles à répétition ».

A leur départ de Londres, Rose se prépara à affronter l'enfer qui l'attendait pendant le voyage de retour. Heureusement Simon se mit à passer ses soirées dans le fumoir du paquebot, jouant au poker et au bridge jusqu'à l'aube. Néanmoins elle ne baissa pas sa garde et prit soin de dormir avec des chemises de nuit suffisamment épaisses et longues.

C'est durant la croisière vers New York qu'elle résolut de réparer la terrible erreur faite en épousant Simon. L'idée la révoltait, mais elle savait n'avoir d'autre solution que d'en parler à son grand-père. Rose était persuadée que Jehosophat Jefferson l'écouterait et l'aiderait à trouver une solution, malgré tous les espoirs qu'il avait mis dans leur union.

Au dernier dîner à bord, pendant l'accostage, un steward vint remettre un pli à Simon. Rose remarqua à peine l'interruption, accaparée par le commandant et une de ses inépuisables anecdotes. Simon la surprit en s'excusant et en lui faisant signe de le rejoindre à l'écart.

— Que se passe-t-il, Simon?

Pour toute réponse il l'emmena dans le bar désert des premières classes et lui tendit le câble. Il avait été envoyé par Mary Kirkpatrick, secrétaire personnelle de Jehosophat Jefferson depuis trente ans.

MR. JEFFERSON S'EST ÉTEINT IL Y A DEUX JOURS. CABLES PRÉCÉDENTS RESTÉS SANS RÉPONSE. PRIÈRE D'ACCUSER RÉCEPTION AU PLUS TOT.

— Comment as-tu pu me faire cela? lança Rose, hors d'elle. Pourquoi ne m'avoir rien dit?

— Parce que tu n'aurais rien pu faire, de toute façon, répondit-il en essayant de rester à son niveau car elle courait déjà pour accomplir les formalités de débarquement. Je ne voulais pas que les choses soient plus dures pour toi et...

Rose fit volte-face, le visage crispé par la rage et la douleur.

— Pas de condescendance avec moi! siffla-t-elle. Jamais, tu m'entends!

— Je me suis occupé de tout à Global, lui assura Simon. La compagnie est toujours en...

— C'est un autre sujet, et je t'interdis de prendre quelque décision que ce soit concernant Global avant que je sache exactement de quoi il retourne.

L'officier des douanes reconnut son nom et toucha sa casquette de l'index en signe de salut.

— J'ai appris pour Mr. Jefferson, Mrs. Talbot. Toutes mes condoléances. Passez. Je m'occuperai de vos bagages.

Les yeux de Rose s'emplirent de larmes.

— Merci. Mon mari remplira les formalités.

Avant que Simon puisse réagir, Rose traversait le contrôle des douanes et se précipitait vers l'attelage à quatre chevaux envoyé pour accueillir le couple.

*

Assise dans le fauteuil de son grand-père, Rose était intensément consciente de la présence du disparu dans le bureau. L'odeur de son tabac préféré la renforçait encore, ainsi que les grandes toiles marines qu'il aimait tant, les médailles, les plaques commémoratives et les lettres de félicitations encadrées de présidents et autres chefs d'État. Toute la pièce éveillait des souvenirs qui, loin de lui être cruels, la rassuraient et adoucissaient sa douleur.

37

Peut-être parce que j'ai été si heureuse ici...

– Je ne peux vraiment rien vous dire d'autre, Rose... Je veux dire, Mrs. Talbot, disait Mary Kirkpatrick. Je vous assure qu'il est parti sans souffrir. Je le sais. J'étais à son côté.

– Ne m'appelez pas Mrs. Talbot, Mary, répondit doucement Rose. Vous m'avez toujours appelée Rose, ou Rosie.

Son mouchoir roulé en boule dans son poing crispé, Mary Kirkpatrick parvint à esquisser un pauvre sourire. Née de parents irlandais émigrés en Amérique pour fuir la famine en 1846, Mary avait été la première et unique secrétaire particulière de Jehosophat Jefferson. Rose avait l'impression de connaître son pâle visage, éclairé d'yeux lumineux, depuis toujours. Mary l'avait grondée quand elle se dissipait dans les bureaux de Global et plus tard lui avait amené du lait et des biscuits quand elle travaillait avec son grand-père. La secrétaire considérait Rose comme une sorte de nièce particulièrement éveillée.

– Avez-vous vu Franklin? demanda Rose. Comment a-t-il réagi?

– C'est un bon petit, répondit Mary Kirkpatrick. Mrs. Mulcahey me donne des nouvelles tous les jours. Il est courageux.

– Il faut que j'aille à Dunescrag, murmura Rose. Il y a tant à faire...

Elle baissa les yeux sur l'unique feuille de papier où Mary avait noté de son écriture précise tout ce dont elle devrait s'occuper en premier lieu. Les dossiers correspondants étaient empilés sur un coin du bureau de merisier.

Il y avait là les rapports médicaux du Roosevelt Hospital décrivant la cause du décès de son grand-père – *carcinome osseux au stade terminal* –, ainsi qu'une lettre de son docteur personnel assurant Rose que Jehosophat Jefferson avait agonisé sous morphine et n'avait jamais souffert.

Un autre dossier contenait son testament, accompagné d'un courrier de son avocat. Contre l'avis de tous, écrivait l'homme de loi, Jehosophat Jefferson avait interdit qu'on fît part à Rose de sa maladie et de la gravité de celle-ci. Il se savait condamné à brève échéance bien avant le mariage de sa petite-fille, mais il avait refusé qu'elle le sache.

Le dernier dossier contenait tous les détails relatifs aux funérailles – le lieu et l'heure, la liste de ceux qui tiendraient les cordons du poêle. Figuraient aussi plusieurs feuillets portant le texte que Jehosophat Jefferson souhaitait qu'on lût pendant la cérémonie.

– Vous vous êtes occupée de tout, Mary, dit Rose d'une voix enrouée par l'émotion. Merci du fond du cœur. Je sais combien vous l'aimiez.

Les lèvres de l'Irlandaise se mirent à trembler, et ses yeux se brouillèrent. Rose se leva et l'étreignit.

– Je vais avoir besoin de vous, Mary. Nous devons continuer ce qu'il a laissé. Vous m'aiderez, n'est-ce pas?

Mary Kirkpatrick acquiesça. Elle avait prié pour que Rose lui demande de rester. Elle n'avait nulle part où aller.

*

Cinq jours plus tard, alors que le vent d'automne balayait la côte, les funérailles eurent lieu. Rose se tint un peu à l'écart des centaines de personnalités présentes, hommes d'affaires, politiciens et amis du défunt, silhouette fine vêtue de noir, pareille à un arbre indéracinable accroché à un rocher. Elle avait passé un bras autour des épaules de son jeune frère pour le réconforter.

Un joueur de cornemuse accompagna d'un air funèbre la mise en terre du cercueil. Ensuite Rose dut recevoir les condoléances des hommes et femmes venus rendre un dernier hommage à Jehosophat Jefferson.

– Ça va, sœurette? entendit-elle Franklin lui demander entre deux reniflements.

Les yeux du garçon étaient gonflés d'avoir trop pleuré, et ses joues rougies par le vent.

Rose eut un sourire triste.

– Et toi?

Franklin hésita.

– Je crois... Dis, qu'est-ce qu'on va faire, maintenant?

– Exactement ce que grand-père aurait voulu.

Rose tint parole. Elle fit venir Franklin et ses tuteurs de Dunescrag à la demeure achetée par Simon sur la Cinquième Avenue. Puis elle retourna à Long Island pour superviser la mise en sommeil de la grande bâtisse. Meubles, tableaux et sculptures, argenterie, vaisselle furent répertoriés et remisés. Des lettres de recommandation furent délivrées à la domesticité désormais superflue et des arrangements conclus avec ceux qui restaient pour garder en état la propriété. Malgré l'insistance de Simon, Rose refusa de mettre Dunescrag en vente. Ce domaine lui revenait de droit, et elle entendait en disposer à sa guise. Un jour, se promit-elle, elle y reviendrait et en restaurerait la grandeur.

Avant de partir pour Dunescrag, Rose avait laissé à Mary Kirkpatrick des instructions détaillées, et quand elle revint à Lower Broadway elle vit avec plaisir que la secrétaire s'était parfaitement acquittée de sa tâche. Mary lui montra les modifications apportées en son honneur au bureau de Jehosophat Jefferson, ainsi que son propre bureau. Elle lui présenta les sténographes et les dactylos récemment embauchées. Rose examina et approuva le nouvel entête de la société que Mary avait fait imprimer pour la correspondance, étudia les comptes du dernier trimestre, et nota la date fixée pour le prochain conseil d'administration.

– Je veux rencontrer tous les cadres de Global, dit-elle à Mary. Et veuillez appeler Mr. Talbot à son bureau. Demandez-lui s'il peut venir me chercher en fin de journée.

A son arrivée, Simon enregistra les changements imposés par sa femme d'un œil ironique.

– Je vois que tu t'es installée. Puis-je savoir la raison de ces transformations ?

– Tu as promis à mon grand-père de m'apprendre tout ce que je dois savoir sur Global, répondit-elle avec calme. Et je vais donc te donner l'occasion de tenir ta parole.

– Je le ferai, n'aie crainte. En fait, je pensais transférer les bureaux de Talbot Railroads ici. La place ne manque pas, et ainsi je serai tout près si tu as besoin de moi.

– Si nous pouvons convenir d'un loyer, je n'y vois pas d'inconvénient.

– Tu prévois d'autres changements ? s'enquit-il.

Agressée par son intonation dédaigneuse, elle faillit lui parler des chambres séparées qu'elle avait fait aménager à Talbot House. Mais elle préféra le laisser découvrir seul ce nouvel arrangement.

– Oui, je veux rencontrer mes cadres dès que possible.

Soudain elle se pencha sur son bureau, prenant appui d'une main sur le meuble pour ne pas perdre l'équilibre. Une douleur brusque la plia en deux.

– Simon...

Elle plongea dans des ténèbres sans fond avant même que son mari ait pu la secourir.

4

Rose reprit conscience dans une grande chambre tendue de papier jonquille à l'hôpital Roosevelt. Elle voyait à peine le jeune médecin qui se penchait vers elle tant la pièce était encombrée de fleurs.

– Que... Que m'est-il arrivé ?

L'homme lui tapota le dos de la main d'un geste rassurant.

– Vous avez perdu connaissance, c'est tout. Mr. Talbot attend dans le couloir...

– J'ai perdu connaissance ? répéta Rose. Mais je me sentais parfaitement bien, ce matin !

Elle aurait préféré mourir sur l'instant plutôt que d'avouer la névralgie lancinante qui lui transperçait le crâne et la nausée qui menaçait.

Le médecin eut un petit rire conciliant.

– Cela n'a rien de surprenant. Mais puisque c'est la première fois, je suppose que vous ne savez pas comment cela s'annonce.

– Qu'est-ce qui s'annonce?

– La grossesse, bien sûr. Félicitations, Mrs. Talbot. Vous attendez un enf...

Avant qu'il ait pu terminer sa phrase, Rose s'affaissa sur le lit et vomit. Le jeune médecin n'eut pas le temps de s'écarter.

*

Quand Rose revint à elle une seconde fois, son lit était cerné d'hommes d'un certain âge qui tous arboraient un air docte.

– Est-ce que quelqu'un va enfin me dire ce qui se passe? fit-elle, exaspérée.

Un à un, les spécialistes annoncèrent gravement leurs conclusions. Rose était enceinte, c'était indubitable. Les tests nécessaires avaient bien sûr été prévus, mais tous s'accordaient déjà pour la juger en bonne santé, ce qui promettait une grossesse sans problème. Mr. Talbot avait été tenu au courant. Néanmoins, et c'était regrettable, il n'avait pu rester auprès de sa femme car ses affaires l'accaparaient. Mais il avait signé les documents indispensables pour leur donner pleins pouvoirs de décider de ce qui convenait.

Il a fait cela...

– Comment puis-je être dans cet état? interrogea-t-elle.

Il y eut quelques clignements d'yeux et des mines embarrassées. Le silence était total.

– Je prenais des précautions, insista Rose. Je veux savoir pourquoi elles n'ont pas eu l'effet escompté.

– Mrs. Talbot, répondit enfin un des médecins, aucune méthode de contraception n'est totalement sûre. De plus, d'après ce que nous avons compris, vous et Mr. Talbot désiriez cet enfant...

– C'est *votre* idée du sujet et *la sienne*, mais certainement pas la mienne! Je veux voir le jeune médecin qui était là plus tôt.

Mimiques gênées et murmures entre les praticiens.

– De qui parlez-vous, Mrs. Talbot?

– Un jeune homme, blond, avec un début de calvitie. Il porte des lunettes à verres non cerclés.

– C'est le jeune Simmons, commenta une voix.

– Très bon médecin, fit l'un des plus vieux. Mais il n'est avec nous que depuis deux ans. Vous pouvez avoir l'assurance que nous sommes tout à fait qualifiés pour nous occuper de vous.

– Très bien. Alors commencez par faire venir le Dr Simmons! Sinon je sors de cette pièce pour aller le chercher moi-même!

Quelques minutes plus tard un jeune homme très nerveux passa la tête par la porte entrebâillée.

– Vous m'avez demandé, Mrs. Talbot?

Rose se redressa contre les oreillers et lui fit signe d'entrer.

– Quel est votre prénom?

– Bartholomew Simmons, Mrs. Talbot.

– Parlez-moi de vous.

La confusion du jeune praticien n'empêcha pas Rose d'estimer à leur juste valeur ses impressionnantes qualifications. Il était âgé de vingt-huit ans et sorti premier de sa promotion à l'école médicale de Harvard. Marié, il était père de deux enfants.

– Je veux que vous vous occupiez de moi, lui annonça Rose.

Simmons eut un hoquet de surprise.

– C'est un grand honneur, Mrs. Talbot, mais je ne crois pas que les médecins dirigeant cet établissement agréent votre ch...

– Seriez-vous incompétent ?

– Non, bien sûr !

– Alors l'affaire est réglée.

– Mrs. Talbot, fit lentement Simmons, voudriez-vous me dire pourquoi vous désirez que je m'occupe de vous et de votre bébé ?

Rose le regarda droit dans les yeux, mais sa voix trahit son irritation.

– Depuis la puberté je n'ai connu que des médecins du genre de vos chefs, qui me tâtent et m'auscultent en regardant mon corps comme s'il était lui-même une maladie, ou quelque mystère de la nature qu'eux seuls peuvent décrypter. Ils montrent toujours un mépris perceptible pour ce sexe qui assure pourtant leur fortune. Ils ne tolèrent aucune discussion de la part de leurs patientes, et ils s'attendent à ce que leurs instructions soient suivies à la lettre. Ils passent plus de temps à rassurer le mari que la mère.

Rose marqua une pause et reprit, d'une voix moins coléreuse :

– Je n'attends pas grand-chose de mon mari, Simmons. Vous semblez être quelqu'un de bien. Le fait que vous ayez vous-même deux enfants est un atout, je crois. J'ai vraiment besoin d'avoir confiance en vous parce que je n'ai personne d'autre... pour me dire ce qui m'arrive et ce que je dois faire.

Simmons lui tapota la main. La jeune femme impérieuse avait soudain fait place à une future mère angoissée par sa grossesse. Mais Simmons percevait aussi le ressentiment qui couvait sous ces propos, et il en était très troublé.

– Je ne serai que trop heureux de m'occuper de vous, dit-il gentiment. A présent, si vous voulez bien vous allonger afin que je puisse vous examiner... Plus tard, nous définirons un régime approprié pour vous garder en bonne condition.

– Tout sauf la natation, répondit aussitôt Rose. Je déteste la natation... (Après un silence, elle ajouta :) Je préférerais que vous m'appeliez Rose, simplement. Et je suis vraiment désolée d'avoir vomi sur votre blouse...

Rose ne s'accoutuma pas aisément à l'idée de sa grossesse. Elle la vit d'abord comme un coup du sort cruel, vu le peu de fois où Simon l'avait possédée. Et elle était certaine qu'il prendrait ce prétexte pour l'écarter de Global.

Sa situation présentait pourtant un intérêt indéniable : son mari perdit tout désir pour elle. Il s'organisa une vie qui, à l'exception des obligations sociales, excluait totalement Rose. Souvent il était absent quand elle descendait prendre son petit déjeuner, et le soir il rentrait la plupart du temps après qu'elle se fut couchée. Rose ne nourrissait aucune illusion sur la possibilité que sa paternité adoucisse ou change le caractère de son mari. Il était déjà trop vieux pour cela, trop attaché à certaines habitudes égoïstes. Malgré tout, son indifférence la fit beaucoup souffrir, surtout quand il s'enquérait des derniers examens et des conclusions des médecins : tout ce qui lui importait, c'était alors qu'elle donne naissance à un héritier mâle, et Rose était à l'évidence reléguée au rôle de porteuse de celui-ci.

C'est alors qu'un changement terrifiant se produisit en elle. Toute la colère et le ressentiment dirigés vers Simon se retournèrent peu à peu contre le bébé, comme si sa simple existence était une autre trahison à son encontre. Lorsqu'elle se rendit compte de ce glissement progressif, elle en fut naturellement choquée et décida de combattre cette attitude inconsciente. Dans un premier temps, Bartholomew Simmons se montra peu enthousiaste pour la solution que proposait sa patiente, mais le temps passant il devint suffisamment inquiet des états dépressifs de Rose pour reconnaître qu'il lui fallait un dérivatif.

Rose se tourna donc vers la seule personne en qui elle avait entière confiance et fit venir Mary Kirkpatrick de Lower Broadway. Elle demanda à la secrétaire de trouver et d'engager les meilleurs professeurs de comptabilité, d'économie et de commerce. Mary lui donna très vite satisfaction, mais elle fit mieux encore : de Global, elle rapporta tous les dossiers personnels de Jehosophat Jefferson ainsi que les agendas où il avait noté jour après jour l'histoire de Global Entreprises.

— Il y a plus dans ces vieux carnets que ce que pourrait vous enseigner le meilleur des professeurs, déclara Mary.

En lisant ces précieux documents, Rose comprit toute la justesse de ce jugement. Mais elle insista aussi pour apprendre les dernières techniques commerciales. La vie, elle l'avait découvert dans la souffrance, pouvait changer brutalement, et Rose voulait être prête à toute éventualité.

A son sixième mois de grossesse, une annexe de Global avait été virtuellement installée à Talbot House et Mary était devenue sa courroie de transmission avec Lower Broadway. Bien peu de choses se produisaient à Global qui échappaient à la secrétaire. Rose vit très rapidement que la force de l'entreprise résidait dans son personnel – directeurs de secteur, vendeurs, comptables, secrétaires – et que toute politique commerciale n'était bonne qu'en fonction des éléments qui l'exécutaient.

Pendant que Rose dévorait une documentation énorme et étudiait pendant des heures pour répondre aux interrogatoires de ses professeurs, Mary la tenait au courant de ce qui se passait à Lower Broadway, rapportant les moindres bruits de couloir. Rose fut surprise de constater tout ce que l'employé moyen savait de la compagnie *de l'intérieur* – les secteurs dynamiques ou déficients, lesquels étaient exploités par des cadres tyranniques ou paresseux, lesquels bénéficiaient d'une gestion fructueuse. Rose entreprit de dresser une liste des éléments qui paraissaient freiner la compagnie et une autre de ceux qui s'investissaient dans leur travail.

En dépit du désaccord puis de l'hostilité de Simon, Rose conserva cet emploi du temps astreignant jusqu'au huitième mois de sa grossesse, quand enfin les nécessités physiques de son état l'épuisèrent. Par un après-midi étouffant de juillet 1908, elle ressentit les premières contractions. Mais ce ne fut que onze heures plus tard que le Dr Simmons mit au monde un garçon de trois kilos et demi en pleine santé. Comme on le lui avait demandé, il communiqua la bonne nouvelle à l'employé de Talbot Railroads qui faisait les cent pas devant la salle d'accouchement et lui dit d'informer Mr. Talbot que la mère comme l'enfant étaient en parfaite santé.

*

Deux jours après la naissance de son fils, prénommé Steven en souvenir de son propre père, Rose écuma les agences de placement pour trouver une nourrice. Une fois satisfaite de savoir Steven dans des mains expertes, elle reprit ses études et, quelques semaines plus tard, retourna à Lower Broadway.

L'année qui suivit apprit à Rose la différence entre les théories commerciales et leur application dans un monde qui ne respectait pas toujours les règles du jeu. Quelques mois plus tôt, divers financiers s'étaient regroupés pour former le Merchants Consolidated Group dans le seul but d'abattre le monopole de Global. Leur but était simple : s'adjuger une part des énormes profits réalisés dans ce secteur commercial. Une guerre tarifaire sans merci se déclencha qui mena Global au bord de la ruine. Seul le puissant réseau de transporteurs ferroviaires menés par Talbot Railroads sauva la compagnie. Les délais de livraison garantis par contrat étaient un critère décisif pour les clients, et les diligences et wagons à chevaux de Merchants Consolidated Group ne pouvaient rivaliser sur ce terrain avec les trains à vapeur de Talbot Railroads.

Si elle n'éprouvait plus pour la personne de son mari qu'une froide indifférence, Rose dut reconnaître qu'il était un excellent administrateur qui défendait férocement les intérêts de Global. Travaillant à un rythme qui épuisait ses plus fidèles collaborateurs, Simon réussissait le tour de force de diriger au mieux Talbot Railroads et Global Entreprises. Les barons de Wall Street l'encensèrent de louanges méritées, et les actions de sa compagnie montèrent en flèche.

Mais s'il tenait cette promesse envers Jehosophat Jefferson, il négligeait l'autre. Il refusait de donner à Rose toute responsabilité réelle dans la compagnie et tolérait à peine ses remarques et suggestions. Elle ne pouvait certes pas discuter sa réussite, mais elle savait que c'était Simon et non elle qu'on commençait à identifier à Global. Si elle ne s'imposait pas, Simon finirait par s'approprier Global, elle n'en doutait pas. Elle en vint à estimer que seule une initiative d'envergure basée sur une idée neuve pouvait lui redonner la place qui était la sienne.

Elle passa des centaines d'heures à étudier tous les projets et toutes les idées que son grand-père avait laissés derrière lui. En 1912 elle définit sa cible et rassembla la direction de Global pour leur exposer son cheval de bataille : le mandat Global. Rose jugeait son potentiel de succès si évident qu'elle ne s'attendait absolument pas à ce que Simon s'y oppose.

— Tu es folle de croire qu'il serait possible de rivaliser avec le mandat postal, lui dit-il sèchement. Le gouvernement t'enterrera, et les investissements dans le projet avec.

— Mais les mandats postaux rapportent, rétorqua Rose. Regarde les statistiques !

— Bien sûr, le service des Postes fait des profits. Il prend une commission de dix cents pour chaque mandat de cent dollars. Et huit de ces dix cents sont engloutis par la sécurité et l'administration. Deux cents de profit ! Un marché juteux, en effet...

— Peut-être pas pour le service des Postes, s'entêta Rose, mais nous sommes diantrement plus efficaces qu'eux !

— Tu te souviens de ce qui est arrivé à Jehosophat quand il a voulu entrer en concurrence avec l'US Mail ? Ils ont baissé les prix jusqu'à ce qu'il abandonne.

— Mais maintenant notre réseau est beaucoup plus étendu, sans parler de notre réputation concernant les délais. Nous pouvons battre le service des Postes à son propre jeu, j'en suis sûre !

Mais la décision de Simon prévalut. Global ne s'attaquerait pas au domaine des mandats.

Les autres propositions de Rose furent pareillement rejetées. Global louait des bureaux et des entrepôts dans vingt villes importantes du pays ainsi que dans un grand nombre d'agglomérations moyennes desservies par la compagnie. Rose objecta que les prix des terrains montaient régulièrement et qu'il serait plus judicieux d'investir dans l'achat foncier plutôt que de dépenser des fortunes en location. De nouveau Simon repoussa son idée. Il fallait garder des capitaux pour entretenir et améliorer les services de messagerie de Global, acheter du matériel, embaucher des employés et payer la location des trains de Talbot Railroads.

En privé, Rose commença à se demander si son mari ne cherchait pas à garder Global sous la dépendance de Talbot Railroads plutôt qu'à développer la compagnie. Elle fit part de ses soupçons à Mary Kirkpatrick, et la réponse de la secrétaire la laissa pantoise.

– Certains directeurs de secteurs approuveraient votre jugement sur la situation. Pas les plus anciens, ils pensent que Mr. Talbot fait un travail remarquable pour Global.

– Qui, alors ?

– Pour l'instant, je ne peux pas donner de noms. Ces gentlemen sont très prudents dans leurs propos, comme vous l'aurez sans doute remarqué.

– Découvrez qui pense comme moi, Mary, la pria Rose. J'ai besoin de leur avis... (Elle réfléchit un instant et dit encore :) Un jour ou l'autre, je pourrais même avoir besoin de leur aide.

*

Simon Talbot avait toutes les raisons d'être satisfait de la tournure qu'avait prise sa vie. En dépit de la présence de Rose à Global, il gardait une poigne solide sur les commandes de la compagnie et n'hésitait pas à bloquer toutes les initiatives d'expansion de sa femme. Il rencontrait souvent les membres du conseil d'administration et les cadres supérieurs auxquels il faisait comprendre qui dirigeait vraiment la compagnie. Les bureaux de Talbot Railroads étaient fort bien installés au cœur du siège de Global dans Lower Broadway. Ainsi il pouvait surveiller de près Rose tout en faisant sentir son autorité aux employés. Simon savait qu'un bon nombre d'entre eux étaient restés fidèles au souvenir du vieux Jehosophat et qu'ils avaient reporté cette allégeance sur la personne de Rose. Il était déterminé à les identifier et à les pousser hors de la compagnie. Cette manœuvre était indispensable pour l'avenir qu'il envisageait pour Global, ou plutôt ce qu'il en resterait.

Il était également persuadé qu'il finirait par évincer sa femme, même si cela devait prendre du temps. Elle ne pouvait assumer correctement son rôle de mère en passant tant d'heures à Lower Broadway. Simon était très fier de sa paternité. Dans ce domaine au moins, sa femme ne l'avait pas déçu. Pour le reste, il avait tout simplement tiré un trait sur ce qu'il considérait comme un investissement raté. La femme qu'il avait cru pouvoir modeler à l'image désirée s'était révélée entêtée et impossible à manier. Pourtant Simon pouvait fort bien s'accommoder de cet inconvénient. Les jeunes femmes ne manquaient pas pour combler ses désirs, et même si Rose devait découvrir un jour ses nombreuses liaisons, elle n'était pas en position de se plaindre.

*

Alors que l'ombre de la guerre s'étendait sur l'Europe, Rose regardait l'industrie américaine se développer un peu plus chaque année. Et elle voyait ses efforts pour Global de moins en moins pris en compte.

Loin d'être écoutée par Simon et ceux des cadres supérieurs qui lui étaient dévoués, Rose était difficilement tolérée. Chacun manifestait un intérêt poli pour ses idées, ses suggestions étaient inscrites à l'ordre du jour et discutées, mais rien de ce qu'elle préconisait ne devenait réalité. Rien de ce qu'elle avait appris ne paraissait avoir de valeur.

Le pire était que Rose s'apercevait du déclin régulier des profits de Global. Lorsqu'elle confronta Simon avec les rapports, il lui rit au nez.

— Bien sûr, nos investissements ont entamé nos profits, mais ils payeront à long terme. Il nous suffit de rester sur les rails... Si tu me comprends!

— Ce que je comprends, répondit-elle avec colère, c'est que la compagnie stagne. Et les investissements rapportent un ou deux pour cent au lieu des six ou sept prévus. Et je vois des fortunes gaspillées parce que nous continuons à louer des centaines d'endroits dans tout le pays!

— Rose...

— Mais ce qui me déplaît le plus, c'est de constater que tu me crois trop incompétente pour avoir le moindre poids dans les décisions de Global. Dans deux ans ton rôle arrivera à terme et je reprendrai la direction de Global. Et j'aimerais qu'il me reste quelque chose à diriger!

— Et peut-être te souviendras-tu que tu es ma femme et la mère de mon fils! grinça Simon en retour. Ça fait longtemps que j'ai abandonné l'espoir que tu remplisses tes devoirs conjugaux. Et tu sembles satisfaite de louer les services de parfaits inconnus pour s'occuper de Steven. Est-ce ainsi que tu prouves combien tu peux être responsable? Et puisque nous en sommes au chapitre des responsabilités, notre vie sociale, qu'en as-tu fait? Nous n'avons pas donné une réception depuis des mois. Nous n'allons jamais au théâtre, à l'opéra et aux ventes de charité. Nos contacts politiques ont été négligés... En résumé, ma chère, je te remercie pour la réputation que tu réussis à donner au nom des Talbot!

Les larmes piquaient les yeux de Rose. Elle ne pouvait croire à une accusation aussi injuste. Elle adorait leur fils de cinq ans, et même si elle n'avait jamais oublié dans quelles circonstances horribles il avait été conçu et le ressentiment qu'elle avait tout d'abord éprouvé envers l'enfant, elle avait très vite ouvert son cœur au miracle de la maternité.

Simon se trompe. Il ne sait rien de mon amour pour Steven ou de ce dont je serais capable pour le protéger.

Rose se raidit à l'idée que quiconque – et Simon en premier – puisse l'accuser d'indifférence envers son fils parce qu'elle avait décidé de travailler quotidiennement. Elle passait tout son temps disponible avec Steven, bien plus que les rares instants que Simon lui accordait. Les jouets luxueux dont il couvrait l'enfant ne remplaceraient jamais l'affection d'un père qu'il ne voyait presque jamais.

Quant au temps qu'il lui avait volé! Leurs disputes continuelles avaient consumé l'énergie et le temps que Rose désirait vouer à son fils. Et, d'une façon qu'elle ne percevait pas encore clairement, Steven avait joué un large rôle dans sa détermination à se dresser contre Simon. Le sang des Jefferson coulait dans les veines de l'enfant, et l'avenir qu'elle créerait serait un jour son héritage.

En écoutant son mari, Rose comprit soudain qu'un conflit ouvert était inévitable. Elle frissonna en imaginant son fils dans la tourmente d'un divorce, les horreurs qu'il devrait voir et entendre; pis encore, tout ce qu'il devrait subir sans comprendre laisserait des cicatrices douloureuses. Rose se demanda alors si elle devait vraiment arracher le contrôle de Global à Simon, au risque de perdre Steven.

S'il le faut, je me battrai également pour mon fils!

5

De tous les clubs de New York, le *Metropolitan* était sans conteste le plus fermé. Fondé en 1891 par J. P. Morgan après qu'un de ses amis avait été refusé à l'*Union Club*, ce cercle avait quatre principes : la liberté de parole contre la démocratie, la liberté de glorifier l'aristocratie, la liberté d'écarter les femmes et la liberté de ne pas recevoir de conseils.

Là plus qu'en tout autre endroit Simon Talbot se sentait chez lui. Le mobilier était des plus cossus, le service discret et efficace, la cave à vin renommée dans toute la ville. De plus, quand un membre du club prévenait le majordome qu'il « n'était pas là », nul ne pouvait le joindre, même l'épouse la plus hystérique.

– Bonsoir, Simon. Désolé de ce petit retard. Vous attendez depuis longtemps?

Paul Miller était un homme de haute stature au visage volontaire qui évoquait plus le fermier que le grand financier et membre du conseil d'administration de Talbot Railroads qu'il était. En réalité, les Miller, anciennement Müller, étaient des fermiers du Minnesota. A l'instar de Talbot, Miller avait accumulé une petite fortune avant de venir s'installer dans l'Est pour pénétrer le monde de la grande finance. A ses débuts, la bonne société de la côte Est l'avait considéré comme un étranger, lui aussi. L'amitié des deux hommes venait autant de leur combat pour se faire reconnaître à New York que de leurs intérêts communs. En un mot, ils étaient des alliés naturels.

— Content de vous voir, Paul, fit Simon en appelant d'un geste un serveur. Que diriez-vous d'un verre de cet excellent porto ? Le bruit court que quelques bouteilles sont tombées du chariot qui en amenait une cargaison à Buckingham Palace...

Miller eut un léger sourire.

— Avec plaisir. Mais c'est moi qui offre.

— Les nouvelles sont bonnes à ce point ? plaisanta à demi Simon.

Miller attendit qu'ils fussent servis pour se pencher vers Simon d'un air de conspirateur.

— Elles ne sont bonnes que si vous savez les utiliser. Que diriez-vous de faire trébucher le Commodore ?

Ce terme désignait Cornelius Vanderbilt, qui l'avait gagné quand il possédait le quasi-monopole des ferrys dans le pays. Simon détestait le Commodore, et pas seulement à cause du ridicule surfait de son surnom.

En plus de la Pennsylvania Railroad, Vanderbilt avait en effet créé la New Haven, la Harlem et la Hudson Railroad, un trio surpuissant qui opérait à partir de son centre stratégique, Grand Central Station. Avec les Harriman, qui possédaient la Southern Pacific Railroad, Vanderbilt avait lutté avec acharnement pour contrecarrer l'expansion de la Talbot Railroads dans le Nord-Est. Simon avait dépensé des millions de dollars en procès et en pots-de-vin pour acheter l'influence de sénateurs et de membres du Congrès. Et il rêvait d'une occasion de faire payer le Commodore un jour.

— Je vous écoute, dit-il d'un ton détaché.

— J'ai des amis bien placés à Washington, vous le savez. Ils m'ont laissé entendre que le gouvernement s'apprête à ouvrir de nouveaux territoires à l'industrie ferroviaire. Cela concerne surtout les plaines du Midwest. Les concessions seront mises aux enchères et le Commodore est bien sûr intéressé. Il essaie déjà de conclure des accords d'exclusivité, alors que l'annonce publique du marché n'a pas encore été faite.

— Et pourquoi voudrais-je ces concessions ? fit Simon, bien qu'il connût déjà la réponse.

— Parce que celui qui contrôlera les chemins de fer dans le Midwest transportera la plus grosse production de blé du monde, vous ne l'ignorez pas. Un marché tout à fait exceptionnel, Simon...

Talbot fit mine de réfléchir un moment.
– De quelle somme parlons-nous?
Paul Miller griffonna un chiffre sur un morceau de papier.
– C'est un investissement énorme, murmura Simon en déchirant la feuille.
– Certes. Mais vous avez toujours voulu griller Vanderbilt. Jamais vous n'aurez meilleure occasion.
Simon se contenta d'acquiescer. Depuis que Vanderbilt avait tenté une prise de contrôle de Talbot Railroads quelques années auparavant, il guettait l'occasion de se venger. Priver le Commodore de quelque chose qu'il guignait ne donnerait pas seulement à Simon une immense satisfaction personnelle; cette réussite effacerait à tout jamais l'image de parvenu qui lui collait à la peau depuis son installation à New York.
Mais le coût d'une telle opération...
Comme s'il avait lu les pensées de son ami, Paul Miller glissa, d'une voix douce :
– Et vous avez toujours Global Entreprises dans votre caisse spéciale...

*

Avec sa minutie coutumière, Rose se prépara à la confrontation qu'elle estimait inévitable. Avec Mary Kirkpatrick, elle étudia soigneusement l'encadrement de Global, éliminant ceux qui s'étaient clairement rangés aux côtés de Simon ainsi que les éléments trop neufs susceptibles de céder à des pressions à l'heure du choix.
– Il ne reste pas grand monde, n'est-ce pas? commenta Mary Kirkpatrick, maussade.
– Les meilleurs, répondit Rose. Et je ne veux qu'eux.
Sa décision arrêtée, Rose surprit Eric Gollant et Hugh O'Neill, les deux cadres supérieurs qu'elle désirait convaincre, en leur rendant visite un soir chez eux.
Eric Gollant était un homme élégant d'une bonne trentaine d'années, au sourire contagieux et à l'esprit d'une souplesse phénoménale pour les chiffres. Lorsqu'il ouvrit la porte de son foyer, des enfants rieurs et un chien affectueux l'entouraient.
Nouveau venu au département comptabilité de Global, Gollant effectuait une ascension lente en dépit de ses talents évidents. Rose voyait une raison à ce peu de reconnaissance professionnelle : père dévoué, Gollant ne voulait pas sacrifier sa vie de famille à la compagnie.
Dans le calme du bureau de Gollant, Rose exposa sa proposition :
– Dans un peu plus d'un an j'assumerai le contrôle total de Global. Pour diverses raisons, je juge probable que mon mari s'oppose à ma prise de fonctions. Je sais qu'il a dans la compagnie des élé-

ments d'importance qui le soutiendront. Je veux savoir en qui je peux avoir confiance. Je ne veux pas dire que ce choix n'aura pas un prix. Dans un sens comme dans l'autre, il en aura un, et élevé. Mais je n'oublierai pas ceux qui se rallieront à mon parti.

Eric Gollant gratta le crâne de son chien et remonta ses lunettes sur son nez de l'index.

— Mrs. Talbot, je saisirai la chance de travailler avec vous, n'en doutez pas. Mais il y a un petit détail que vous devez prendre en compte...

— Lequel ?

— Je suis juif, répondit calmement Gollant. Il se peut qu'il ne soit pas dans vos intérêts de m'avoir avec vous.

— Mon grand-père a travaillé avec des Noirs à une époque où c'était plus que mal vu, dit sereinement Rose. Les meilleurs directeurs de la côte Ouest étaient — et sont toujours — des Chinois. La couleur de peau d'un homme comme sa religion n'ont aucune importance pour moi. Seule m'intéresse sa valeur pour Global. Et j'estime la vôtre.

Un long moment, Eric Gollant étudia la jeune femme sérieuse assise face à lui. Peu à peu un sourire détendit ses traits.

— Présenté de cette façon, j'accepte avec joie, Mrs. Talbot.

L'entrevue de Rose avec Hugh O'Neill fut très différente. Irlandais au caractère sérieux et posé, O'Neill connaissait tous les aspects du fonctionnement légal de Global et était totalement dévoué à la compagnie.

— Je serais plus qu'heureux de travailler avec vous, déclarat-il aussitôt avec une calme fermeté, en offrant du thé à Rose et à sa femme. Mais je ne sais si vous avez conscience du combat qui vous attend. Et je pense que toute personne qui s'engage à vos côtés devra être avertie de tous les détails de l'enjeu.

— Je suis tout à fait d'accord avec vous. Et c'est pourquoi je désire également que vous preniez en charge mes affaires personnelles. Après tout, vous serez beaucoup plus efficace de cette façon.

L'homme de loi se renfonça dans son siège et sourit.

— Dans ce cas, mon accord est total, Mrs. Talbot.

*

A l'été 1914, un an avant son vingt-sixième anniversaire, Rose avait mis au point sa stratégie et était convaincue de pouvoir contrer toute manœuvre de Simon. Mais elle n'avait pas prévu les événements mondiaux qui allaient bouleverser son destin.

Le 28 juin, l'archiduc François-Ferdinand fut assassiné à Sarajevo. Plusieurs semaines plus tard, les nations qui se qualifiaient elles-mêmes de « monde civilisé » plongeaient dans la conflagration la plus terrible qu'eût connue la planète.

Pour des millions d'humains en Europe, la Première Guerre mondiale fut un enfer qui les réduisit à la misère. Pour l'industrie américaine, ce fut une aubaine. D'énormes quantités de fournitures – des souliers aux munitions et aux transporteurs – trouvèrent une clientèle jamais rassasiée dans les nations coalisées contre l'Allemagne, en particulier l'Angleterre et la France. Les usines américaines travaillèrent sans discontinuer pour satisfaire à la demande, et les produits manufacturés devaient ensuite être expédiés. Global tripla son chiffre d'affaires en moins de six mois. L'arme que Rose s'apprêtait à utiliser contre Simon – la léthargie de la compagnie – disparut. Entendre Simon annoncer les bénéfices extraordinaires de Global fut pour Rose un des moments les plus difficiles de cette période.

Mais cela ne durera pas! se disait-elle. Le fonctionnement de Global n'a pas changé. La compagnie profite d'une circonstance unique et il ne semble même pas s'en rendre compte.

Pour son malheur, Rose dut bien constater qu'elle était seule à analyser ainsi la situation. Pour tout le monde industriel et commercial, Simon et son équipe ne pouvaient se tromper. Frustrée, complètement isolée, Rose perdit le peu de poids qui lui restait encore dans la gestion des affaires quotidiennes de Global. Les cadres supérieurs ne faisaient même plus mine de l'écouter et marquaient la plus grande déférence envers Simon. Les employés qui avaient affaire à elle semblaient gênés de devoir obéir aux ordres de la jeune femme, car ils savaient que ces directives seraient annulées. Ceux qu'elle voulait voir étaient impossibles à joindre, et ses messages restaient sans réponse.

La patience n'avait jamais été le point fort de Rose, mais elle réussit à contenir sa colère. Bientôt elle aurait sa revanche. A moins qu'il ne l'assassinât, Simon n'avait aucun moyen de l'empêcher d'atteindre son vingt-sixième anniversaire. Alors tout serait différent.

*

Le bal du Nouvel An à Talbot House était devenu une des institutions de la bonne société new-yorkaise. Vêtue d'une robe d'Elspeth Phelps en tulle blanc et traîne bordée de brillants, Rose avait décidé de faire une apparition inoubliable. Elle voulait affirmer sa présence auprès des banquiers, boursiers et rois de la finance afin qu'ils sachent avec quelle sorte de femme ils devraient bientôt traiter. A en juger par la bousculade des hommes autour d'elle, elle réussissait au-delà de ses espérances.

— Vous faites sensation, Rose, fit Paul Miller en repoussant le sous-secrétaire au Commerce pour se placer près de la jeune femme.

– Heureuse que vous appréciiez, Paul.

– Je crois que vous devriez multiplier ce genre de soirée, dit Miller. Vous savez les rendre marquantes, celle-ci en est la preuve.

– J'ai été très occupée à Global.

Paul eut un petit rire.

– Vous êtes une femme étonnante, Rose. Que vous puissiez vous intéresser à un domaine aussi rébarbatif que celui des affaires me dépasse.

– C'est qu'il s'agit de *mes* affaires, Paul. Sans doute est-ce pour cette raison qu'elles m'intéressent tant. A présent, si vous voulez bien m'excuser...

Quel gâchis, songea Miller en regardant Rose disparaître dans la foule des invités.

Depuis qu'il lui avait été présenté, Paul Miller était ensorcelé. A ses yeux Rose possédait au plus haut point toutes les qualités qu'un homme souhaite chez une femme : la grâce, l'esprit, un goût infaillible. A la différence de Simon Talbot, Miller appréciait aussi le talent pour les affaires de Rose. Et malgré les sarcasmes de Simon sur les idées de sa femme, Miller pensait qu'elle aurait eu beaucoup à offrir à la compagnie si son mari avait accepté son concours.

Paul Miller avait pris grand soin de garder ses sentiments pour lui-même. Le fait que le couple vécût pratiquement séparé était connu de tous, mais Miller n'avait aucune intention de mettre en péril ses relations d'affaires avec Simon en essayant de séduire son épouse. Miller était un homme patient; de plus il était certain que, en dépit de l'opprobre encouru dans leur milieu, le divorce était inévitable. Et si tel n'était pas le cas, d'autres circonstances pouvaient survenir qui libéreraient Rose. Jusque-là, il avait décidé de tout faire pour que la jeune femme l'accepte comme ami, voire même confident.

Il consulta sa montre. Il était temps de parler affaires avec Simon Talbot avant que celui-ci ne se transforme en ivrogne, si ce n'était déjà fait.

*

Paul Miller referma la double porte du bureau et regarda son hôte qui titubait jusqu'au buffet.

– Paul, qu'y a-t-il de tellement important que cela ne puisse attendre 1915 ? lança Simon avec humeur.

– Je vous avais prévenu que le secrétaire pouvait rendre public le plan de concessions ferroviaires à tout moment. Eh bien, c'est ce qu'il fera lundi matin 2 janvier.

Miller prit le verre que lui tendait Talbot mais il ne but pas.

– Nous ne pouvons faire attendre plus longtemps nos amis au Capitole, Simon. Il faut nous décider. Je peux remplir les papiers à Washington au moment même où l'annonce publique sera faite. Le Commodore n'aura pas le temps de réagir.

Le dos tourné, Simon buvait à petites gorgées son whisky en contemplant par la fenêtre la nuit où tourbillonnaient les flocons de neige. Ces derniers mois avaient eu lieu des entrevues secrètes sur des yachts sillonnant le Potomac, dans les loges privées du Kentucky Derby, sur les terrains de polo de Long Island. Les participants discrets à ces rencontres étaient pour certains de hauts fonctionnaires du gouvernement, et d'énormes sommes d'argent passaient de main en main. Et ce soir Simon Talbot était à l'orée du plus grand coup de sa carrière.

Pour rassembler les fonds nécessaires à l'achat des concessions, Simon était prêt à hypothéquer ses avoirs jusqu'à la limite. Mais ce ne serait pas suffisant, il le savait. Il lui manquerait encore cinq millions de dollars. Et aucun banquier ne lui avancerait une telle somme sans savoir à quoi elle servirait. Ce qui ne lui laissait qu'une solution.

Simon ouvrit le bureau à cylindre et sortit les deux documents. Le premier était le contrat de cession de la moitié des cinquante et un pour cent sous sa tutelle, soit un quart de Global, à Paul Miller. Le second contrat détaillait les clauses de la cession : un dépôt de cinq millions de dollars.

Simon se répétait que cette transaction n'était qu'une formalité. Dès que les nouvelles lignes ferroviaires seraient annoncées, n'importe quelle banque de Manhattan lui ouvrirait le crédit qu'il voulait. Il pourrait alors rembourser les cinq millions à Miller et récupérer les parts de Global. Rose ne saurait jamais rien de cet arrangement.

— Il y a un problème, Simon ? s'enquit Paul d'une voix douce.

Simon Talbot ne pouvait pas plus répondre à Miller qu'à lui-même. Il se savait loin d'être un saint. Dans les affaires, il employait toutes les tactiques qui payaient, contournant parfois la loi quand il ne l'outrepassait pas un peu, et même beaucoup. Mentir, falsifier, intimider ou menacer étaient des armes acceptables tant qu'elles étaient maniées avec intelligence, en gentleman, et avec discrétion.

Mais agir ainsi avec sa propre femme...

Simon ne se faisait plus d'illusions sur la valeur de son mariage. Les années passant, Rose était devenue de plus en plus déconcertante. Il ne comprenait pas qu'elle soit à ce point obsédée par Global, ni pourquoi elle ne pouvait se satisfaire d'être une figure de la haute société new-yorkaise. Simon était également conscient de son intention de reprendre la direction de Global dès ses vingt-six ans. Cette idée le rendait furieux, car il la savait capable non seulement d'assumer de telles responsabilités mais aussi de défaire tout ce qu'il avait mis en place dans la compagnie.

Et j'ai besoin de Global pour arracher le marché des concessions

*financières. Bon sang, Global est dix fois plus puissant qu'avant mon
arrivée. J'ai le droit d'utiliser ce que j'ai aidé à créer!*

– Qu'elle aille au diable! maugréa-t-il en signant les deux
documents.

L'encre n'était pas encore sèche que la ville explosait d'applaudissements, de cris, de sifflets et d'avertisseurs pour saluer la nouvelle année. Mais Simon n'éprouvait rien de cette joie. Il ne pouvait se débarrasser de l'idée que sa vie venait de prendre une
orientation irréversible. Il avait franchi une frontière intangible
qui changeait tout.

– Bonne année, Simon!

Les deux hommes échangèrent un toast, puis Paul Miller prit
les contrats et les glissa dans son manteau.

– Ne me dites pas que vous ne restez pas pour le repas de
réveillon? s'étonna Simon.

– Vous avez toutes les raisons du monde de fêter l'instant,
Simon, répondit Miller en souriant. Quant à moi, j'ai quelques
personnes à joindre pour m'assurer que tout sera prêt pour lundi.
Nous ne pouvons pas nous permettre la moindre négligence,
n'est-ce pas?

Simon Talbot ne put qu'approuver.

*

En sortant, Paul Miller réussit à trouver Rose parmi les invités
et s'excusa de devoir partir si tôt. Il promit de repasser très vite.

Miller descendit rapidement Park Avenue déserte jusqu'au *Waldorf,* laissa sa voiture au portier, traversa au pas de course le hall
pour prendre le premier ascenseur disponible. Pendant que la
cabine montait, il fouilla ses poches à la recherche des clés de la
suite du septième étage.

– Bonsoir, Mr. Miller. Je vous souhaite une heureuse nouvelle
année.

L'homme assis dans le fauteuil près de la fenêtre avait parlé
sans se retourner.

– De même pour vous, Mr. Smith.

Miller savait que l'inconnu ne s'appelait pas Smith, que cette
suite ne lui appartenait pas et que le registre de l'hôtel n'avait
aucune trace de sa présence ici.

L'homme tendit la main et prit les documents que lui remit
Miller. Humectant son index, il feuilleta rapidement les contrats
et vérifia les signatures. Paul Miller attendait, immobile, à trois
pas.

– Tout semble en ordre. Nos remerciements pour avoir mené à
terme cette opération, Mr. Miller.

Le financier soupira silencieusement, soulagé. Plus rien ne
pourrait l'arrêter maintenant. Dans quelques semaines, probable-

ment moins, les parts de Global que venait de lui céder Simon Talbot lui appartiendraient réellement.

Miller était au courant de la « clause empoisonnée » ajoutée par le vieux Jefferson à l'intention de son gendre, bien que Talbot ait omis de lui en parler tout en se lamentant du cas de conscience qu'il endurait en mentant à Rose. Ce que Simon ignorait, c'est que Miller avait soudoyé le secrétaire de l'avocat de Jehosophat Jefferson pour lire de ses propres yeux ledit contrat. Simon Talbot avait cru le posséder, certain que la « clause empoisonnée » rendait cette cession de parts nulle et non avenue. Miller était d'un tout autre avis. D'après ses juristes, la « clause empoisonnée » pouvait être contournée à la condition expresse que Simon ne soit pas en mesure de contester. Et si tout se déroulait comme prévu, Talbot ne pourrait rien dire.

Non que Miller désirât Talbot Railroads. L'industrie ferroviaire ne l'intéressait pas. C'était Global qu'il convoitait. Ses vingt-cinq pour cent suffiraient pour l'instant. Une fois que Talbot aurait été éliminé de la scène, le reste suivrait.

— Mr. Miller, l'affaire qui nous concerne tous deux est terminée. Aussi, à moins que vous n'ayez autre chose...

Paul Miller se tira de sa rêverie.

— Non... Enfin, je me demandais s'il...

— *Il,* Mr. Miller ?

La voix de Mr. Smith s'était durcie notablement.

— Je... Je voulais simplement vous souhaiter une bonne année.

— Merci.

Paul Miller sortit de la suite et s'arrêta dans le couloir. Il entendit le bruit d'une clé dans la serrure, puis le murmure d'une conversation.

Ainsi donc le vieux salopard était là tout le temps !

Quelques jours plus tôt, quand il avait connu le lieu de son rendez-vous, Paul Miller s'était renseigné. Cela lui avait coûté une petite fortune, mais il avait appris que cette suite du septième étage était réservée à perpétuité à un certain « Commodore » Cornelius Vanderbilt.

6

Le fauteuil pivotant en chêne grinça sinistrement quand Monk McQueen se renversa contre le dossier et posa ses pieds sur son bureau. Il roula le feuillet dactylographié entre ses doigts et fit signe à son rédacteur financier, Jimmy Pearce, diplômé de Princeton et doué d'un flair unique dans son domaine.

— Vous êtes bien certain que Talbot va essayer d'acheter ces concessions ferroviaires ?

— Mes sources de Washington nous avertiront dès qu'il aura signé, répondit Pearce.

— Ça n'a pas de sens, marmonna McQueen en se grattant le crâne. Simon Talbot ne dispose pas d'assez de fonds...

— Il peut en trouver s'il hypothèque tous ses avoirs, enchaîna Pearce.

Mais McQueen eut une moue dubitative.

— Il lui manquerait encore quelques millions, à mon avis.

— Il a une épouse très riche.

McQueen jeta un regard sombre à son collaborateur.

— M'étonnerait qu'il obtienne quoi que ce soit de ce côté-là.

— Alors il est allé chercher ces millions ailleurs.

Le téléphone sonna et Pearce décrocha d'un geste vif. Il écouta une demi-minute puis reposa le combiné sur sa fourche, un sourire satisfait aux lèvres.

— C'est fait, fit-il à l'adresse de son patron. Talbot a déposé son offre avant tout le monde, donné les garanties nécessaires et remporté le morceau.

— Et Vanderbilt? Il était sur les rangs, lui aussi, non?

— Aucune idée. Apparemment, les hommes de Vanderbilt ne se sont pas manifestés. Je suppose qu'ils étaient au courant et ont préféré laisser tomber.

Peut-être, se dit McQueen. *Et peut-être pas*.

Il donna le feuillet à son rédacteur.

— Faites passer ça à la une.

Monk McQueen éprouva un peu plus la résistance du fauteuil en s'étirant en arrière. Il contempla le plafond, les sourcils froncés par la réflexion. Son instinct lui disait que quelque chose n'était pas clair. D'après ce qu'il savait de Simon Talbot, celui-ci n'était pas homme à risquer l'œuvre de sa vie — et même plus — sur un simple coup de dés. Pourtant, c'était ce qu'il venait de faire.

— Et en dehors de publier la nouvelle, que vas-tu faire? se demanda-t-il à haute voix.

Pendant les années qui avaient suivi le mariage de Rose, Monk était allé à Yale où il avait décroché ses diplômes, puis il avait voyagé dans toute l'Europe et, après le décès de son père, était rentré en Amérique pour lui succéder à la tête de *La Sentinelle*. D'obscur petit journal financier de quatre pages, la création paternelle était devenue sous la houlette du fils une publication étoffée à la réputation établie. Monk avait parcouru le pays pour engager comme correspondants les meilleurs journalistes et analystes financiers, créant ainsi un réseau qui couvrait tout le continent. Il réinvestissait les profits du journal dans des équipements toujours plus modernes. Cette politique avait fait de *La Sentinelle* un journal prospère et totalement indépendant. Monk laissait carte blanche à ses journalistes pour débusquer l'écho révélateur où qu'il fût; il encourageait les enquêtes les plus ardues sur les malversations à Wall Street ou à Washington et en publiait les conclusions sans fard. Avec cette méthode, il s'était naturellement créé une solide réputation de sérieux ainsi que de nombreux ennemis. Mais nul ne pouvait accuser *La Sentinelle* de tricher ou de favoriser qui que ce soit.

Malgré des horaires de forçat et une activité débordante, Monk avait gardé la trace de Rose Talbot. Il avait assisté aux funérailles de Jehosophat Jefferson et avait envoyé un énorme bouquet lors de la naissance de Steven. A ces deux occasions, il avait reçu de Rose une carte de remerciements polis.

Par la nature même de son travail, qui recueillait ragots financiers et sociaux, Monk savait que tout n'allait pas pour le mieux à Talbot House. Il avait été consterné en voyant Rose exclue de la marche quotidienne de Global, et il approuvait sa détermination à reprendre les rênes de la compagnie. Il avait surveillé de près la manière dont Simon avait guidé Global pendant sa tutelle et devait reconnaître son savoir-faire. Bientôt Rose dirigerait une compagnie qui valait beaucoup plus que huit ans auparavant.

Malgré son peu d'estime pour le comportement de Simon en tant qu'époux, et bien qu'il désirât plus que tout le bonheur de Rose, Monk s'était toujours interdit toute intervention qui aurait pu fissurer un peu plus leur mariage. Pendant toutes ces années, McQueen avait eu sa part de conquêtes féminines. Il ne comptait plus les invitations à dîner issues des meilleures familles de New York. Les mères de la haute société espéraient toutes lui arracher une promesse de mariage avec leur fille. Mais s'il appréciait ces jeunes filles, Monk conservait toujours une prudente distance. Il essayait de se persuader qu'il avait cessé depuis longtemps de comparer chaque femme à Rose, mais il devait bien admettre qu'il se mentait à lui-même, et c'était pourquoi il s'interrogeait sur la source mystérieuse des fonds engagés par Simon Talbot.

Avec un soupir irrité Monk décrocha le téléphone et appela Global. Il eut Mary Kirkpatrick et lui demanda si Rose serait libre pour prendre le thé avec lui au *Plaza*.

*

— Bien sûr, je sais que Simon a acheté des concessions, répondit Rose. Qui l'ignore encore ?

Elle observait avec une pointe d'amusement Monk McQueen qui s'évertuait à installer sa carcasse impressionnante dans un des sièges trop étroits du *Palm Court*.

L'invitation avait surpris Rose autant que sa réaction de plaisir. Elle voyait Monk de temps à autre, à l'occasion de cocktails ou d'autres réunions mondaines où leurs chemins se croisaient le temps de quelques amabilités. Rose n'avait pas oublié les sentiments de Monk pour elle, et elle avait été flattée de voir qu'ils n'étaient pas totalement éteints. Peu d'hommes étaient aussi gentils et attentionnés que lui, songea-t-elle.

– Ne me dites pas que vous voulez me voir pour m'extorquer des détails sur les affaires de Simon, dit-elle en jouant la coquette.

La raillerie parut échapper à Monk.

– Non, pas du tout. C'est simplement que... Eh bien, il y a quelque chose qui m'échappe.

– Et de quoi s'agit-il ?

– De la provenance des sommes engagées par Simon, répondit Monk brutalement. Vous êtes consciente qu'il a dû hypothéquer Talbot Railroads pour réussir cette opération ?

Rose se rembrunit.

– Non, je ne le savais pas.

– Et même ainsi, il lui manquait encore environ cinq millions de dollars.

Rose posa sa tasse et se pencha sur la petite table.

– Où voulez-vous en venir, Monk ?

Monk McQueen se tortilla sur son siège, visiblement désolé de ne pouvoir disparaître dans la végétation luxuriante qui décorait le *Palm Court*.

– Simon vous a-t-il demandé de l'argent ? lâcha-t-il. A-t-il utilisé les fonds propres à Global afin de couvrir ce qui lui manquait pour cette transaction ?

Rose renversa la tête en arrière et partit d'un rire léger.

– Bien sûr que non! Simon ne le peut pas à cause de la « clause empoisonnée ».

– La « clause empoisonnée » ?

Rose se mordit la lèvre en se rendant compte qu'elle en avait trop dit.

– Si vous me jurez que cela restera entre nous, prévint-elle, je veux bien vous expliquer. Les affaires de la famille Jefferson ne doivent pas être étalées en public.

– Vous avez ma parole.

Rose lui détailla alors la clause restrictive séparant Global et Talbot Railroads et les documents signés par Simon.

– Vous le voyez, Simon n'a aucune possibilité de piocher dans les fonds de la compagnie, conclut Rose.

– Je suis désolé, fit Monk. C'était juste un détail qui me chiffonnait et... Je ne voulais pas vous ennuyer...

Rose le rassura d'un sourire.

– Ne vous excusez pas, Monk. En fait j'apprécie beaucoup cette rencontre. J'aimerais d'ailleurs qu'elle se renouvelle.

Le visage de Monk s'illumina de plaisir.

– Mr. McQueen !

Tous les clients présents tournèrent la tête vers un homme qui avançait entre les tables à grandes enjambées. Monk se leva pour accueillir Jimmy Pearce.

– Jimmy, que diable faites-v...

– Tout Wall Street ne parle que de ça, Mr. McQueen, lança le rédacteur financier. Le Commodore s'est attaqué à Talbot Railroads. Il met la pression dans tous les secteurs : les lignes ferroviaires, les entrepôts, le matériel roulant, tout!

Monk saisit son collaborateur par les épaules.

– Vous en êtes certain?

– Absolument! s'exclama Pearce.

– Monk... murmura Rose, soudain angoissée.

– Trouvez où Talbot a déniché ces cinq millions de dollars, glissa Monk à l'oreille de son rédacteur. Peu importe le prix que cela coûtera. Mettez le monde qu'il faut sur l'affaire. Priorité absolue! Allez-y!

Il se retourna vers Rose. La jeune femme paraissait inquiète, mais il se refusa à l'alarmer sans preuves avec ses propres soupçons.

– Je pense qu'il serait plus sage que vous retourniez à Global, suggéra-t-il d'un ton posé. Et que vous appeliez vos juristes pour qu'ils étudient le codicille de votre grand-père.

– Pourquoi?

– Simple précaution, Rose, rien de plus. Savez-vous où se trouve Simon en ce moment?

– A Washington. Il est parti hier.

Monk réprima un sourire amer. Il savait, lui, que Simon Talbot ne se trouvait nullement dans la capitale fédérale.

*

– Tu es bien sûr que ta femme te croit à Washington?

Marie Jackson, née Anna Maria Jaunich, avait posé la question en observant son reflet dans le miroir en pied de la chambre. Elle mouilla le bout de son index d'une goutte de parfum et le fit courir entre ses seins nus, sur son ventre plat et plus bas encore, dans ses culottes de soie. Comme elle s'y attendait, elle put constater qu'elle n'était pas du tout excitée.

Ce ne sera pas la première fois, se dit-elle en étouffant un soupir. Elle tourna son attention vers l'homme allongé sur le lit.

Lors de leur rencontre au *Flamingo Club*, deux ans plus tôt, Marie avait vu en Simon Talbot un homme de belle prestance, sans doute un des plus beaux spécimens de mâle qu'elle eût approché. La simple idée de son corps nu avait suffi à l'exciter, et Marie se souvenait qu'il ne l'avait pas déçue. Mais très vite Simon s'était révélé un amant brutal et exigeant. Il avait fait d'elle sa maîtresse et, pour l'avoir – très confortablement, il est vrai – installée, Simon entendait qu'elle soit à sa disposition à tout moment.

Discrètement, Marie se caressa pour se préparer. Inutile de ruiner les illusions de son amant. Puisque Simon croyait toujours

qu'il n'avait qu'à la toucher pour la rendre folle de désir, elle joue-
rait le jeu. Il ne serait pas le premier dont elle aurait satisfait les
fantasmes de mâle irrésistible. Et puis, il était sans conteste le plus
riche et le plus généreux des hommes qu'elle avait connus.
L'argent qu'il lui donnait permettrait bientôt à Marie d'ouvrir sa
propre maison, dans quelque six mois d'après ses calculs. Alors il
serait temps de mener en douceur leur liaison à son terme. Si elle
s'y prenait bien, la chose ne présenterait pas de réelle difficulté.
Car Marie comptait sur l'appui ultérieur de Simon. Il était de ces
personnalités qui peuvent régler beaucoup de problèmes d'un
simple mot.

Marie vérifia une dernière fois la perfection de son maquillage
et s'approcha du lit.

— Tu es bien sûr que ta femme ne se doute de rien? roucoula-
t-elle encore en caressant la poitrine velue de son amant.

Il saisit un de ses seins en poire et en pinça le mamelon sans
douceur.

— Évidemment, maugréa-t-il en la couvrant d'un regard
lubrique. Qu'est-ce que tu as? C'est la première fois que tu parles
de Rose.

— Je suis idiote, minauda Marie, soumise. Détends-toi, ton petit
sucre va s'occuper de toi.

Sa main glissa enfin vers son but et elle se mit à l'œuvre.

Simon poussa un grognement de satisfaction. *Les femmes*, songea-t-il avec aigreur. Mais Marie se détachait du lot, il devait
l'admettre. Elle était directe et très docile et toujours disponible
pour assouvir ses fantaisies, ce qui lui convenait parfaitement.

Situé au nord de New York, l'*Aerie* était un « relais de chasse »
où il était en principe interdit d'amener son épouse. Mais les
autres représentantes du beau sexe étaient les bienvenues. A
l'*Aerie*, on achetait des services très particuliers et une discrétion
totale à prix d'or, mais on ne le regrettait pas.

Le va-et-vient expert de la bouche de Marie accaparait toute
l'attention de Simon, et il ne perçut pas immédiatement le tam-
bourinement à la porte.

— Bon sang! s'écria-t-il enfin en repoussant sa maîtresse.

Furieux, il alla ouvrir et se trouva nez à nez avec un groom terrifié, au garde-à-vous dans le couloir.

— Quelqu'un désire vous voir, bégaya l'employé.

— Qui?

— Un Mr. McQueen.

— Chéri, que se passe-t-il? lança Marie derrière lui.

— Toi, la ferme!

Simon repoussa la porte, passa son peignoir dont il noua la
ceinture et sortit dans le couloir. Monk l'attendait près du palier.

— Bonsoir, Simon, dit le journaliste.

— Vous allez devoir vous expliquer! gronda Talbot.

Imperturbable, Monk le toisa longuement, partagé entre le dégoût et la pitié.

— Vous aussi, Simon. Vous pourriez commencer en me disant ce que vous savez du raid lancé par Vanderbilt sur votre société. En toute amitié, bien sûr.

*

La nouvelle du raid du Commodore sur Talbot Railroads fut un électrochoc qui tira le monde financier des réjouissances de la Nouvelle Année. A son retour à Lower Broadway, Simon trouva ses bureaux assiégés par les journalistes. Il lui fallut une escouade de policiers pour se frayer un passage dans la horde surexcitée. Et il découvrit très vite que sa présence n'améliorait en rien la situation.

L'air grave, ses juristes lui décrivirent le piège : en dépit du secret dont Simon s'était entouré, Vanderbilt avait eu vent de lourdes hypothèques contractées par Talbot Railroads. Simon étant obligé d'assurer son achat en liquidités, le Commodore avait saisi l'occasion : il avait contacté les banques qui assumaient les hypothèques et avait offert de les racheter.

— Les banques ne vendront jamais! rugit Simon. Elles n'oseraient pas me trahir de la sorte.

— Elles le feront sans hésiter si vous ne respectez pas le calendrier de remboursement, lui rappela un juriste. Et nous ne pouvons honorer nos engagements que si le gouvernement nous autorise à débuter la construction du nouveau réseau maintenant. Ce qui signifie que le Sénat doit débouter en bloc toutes les réclamations foncières déposées par les colons et les Indiens.

— Il le fera, affirma Simon avec force. Le sénateur Ridgemount du Minnesota m'a promis d'arranger les choses.

La nouvelle étonna le petit groupe d'avocats, pourtant au fait de bien des secrets politiques et financiers, mais nul ne demanda de précision.

*

Trois jours plus tard Mathias Ridgemount, sénateur de l'État des Dix Mille Lacs, annonçait qu'il abandonnait son poste pour raisons de santé. Dès sa démission enregistrée, la Commission des Transports vota à l'unanimité un report de l'étude sur l'expansion ferroviaire dans le Midwest, interdisant ainsi à Talbot Railroads de commencer les travaux.

*

— Vous m'aviez promis que Ridgemount était avec nous! explosa Simon. Que s'est-il passé, bon Dieu?

62

— Il s'est retiré, voilà ce qui s'est passé, répliqua Paul Miller d'un ton acide. Vous ne lisez donc pas les journaux?

— Alors débrouillez-vous pour le faire revenir! Ou trouvez quelqu'un d'autre pour décider le Comité à nous donner le feu vert!

— Il n'y a personne d'autre, Simon, et vous le savez. Ridgemount était le seul dont le poids suffisait à faire pencher la balance dans notre sens. Lui parti, personne n'a autant d'influence.

— Écoutez-moi bien, Paul, grinça Talbot. Les banques ont accepté de m'aider sur la base d'un échéancier de remboursement que j'ai signé parce que vous m'assuriez du lancement des travaux dès la concession acquise. Tout délai m'empêchera d'honorer mes engagements. Vous le savez, les banques le savent, et Vanderbilt le sait certainement, lui aussi!

— Alors il vous faut persuader les banques de modifier le plan de remboursement. C'est aussi simple que cela.

— Si c'est aussi simple, faites-le! s'écria Simon, hors de lui. J'ai remué ciel et terre pour obtenir le soutien des banques! Et à présent qu'il me faut un délai, ces foutus banquiers yankees le prennent de haut et refusent net! Vous avez vos responsabilités dans cette affaire, Paul, ne l'oubliez pas! Alors à votre tour d'aller leur parler!

Miller leva les mains en signe d'apaisement.

— Très bien, je ferai ce que je peux.

Sa première action fut d'aller savourer un excellent déjeuner dès le lendemain, dans la suite du septième étage du *Waldorf*.

*

Rose n'avait jamais vu son mari sous cet aspect. Pour elle, Simon avait toujours été un homme maître de son destin. En quelques semaines cette image s'était désintégrée : Simon semblait avoir vieilli de vingt ans, il se barricadait dans son bureau et recourait à une escorte de police pour aller de chez lui au siège de sa compagnie. Soumis à la pression constante des journalistes et au silence des banques, Simon avait très vite perdu son charme et ses bonnes manières du Sud. Il entrait dans des rages folles au moindre prétexte réel ou imaginé, et les domestiques de Talbot House apprirent à se faire aussi furtifs que des fantômes.

Alors qu'elle voyait l'étau se resserrer sur son mari, Rose se demanda s'il regrettait maintenant le naufrage de leur union. Elle s'aperçut qu'elle ne ressentait plus rien pour lui, tant il s'était opposé à ses rêves et à ses ambitions. Or elle était à présent son dernier recours.

63

★

Ils étaient assis l'un en face de l'autre à la longue table « de famille » de la salle à manger. C'était la première fois que Simon était là pour le dîner depuis l'annonce du raid de Vanderbilt. Il avait perdu plusieurs kilos et ses vêtements taillés sur mesure pendaient maintenant sur son corps de façon lamentable. Rose remarqua le tremblement léger de sa main quand il porta son verre de vin à ses lèvres.

Après le repas, il prit enfin la parole :

— Tu sais ce qui m'arrive, n'est-ce pas ?

Il ne lui laissa pas le temps de répondre et enchaîna :

— Oui, bien sûr, tu le sais.

Rose sentait qu'il s'efforçait de cacher son amertume, sans d'ailleurs y parvenir complètement.

— Dois-je t'expliquer ma situation, Rose ?

— Non.

Elle aurait pu ajouter que Hugh O'Neill, maintenant directeur des services juridiques de Global, surveillait de très près la débâcle financière de Talbot Railroads. Avec d'autres spécialistes il avait étudié la « clause empoisonnée » de Jehosophat Jefferson et en était arrivé à la conclusion qu'elle était sans faille. Au cas où Simon voudrait utiliser les avoirs de Global pour soutenir sa société défaillante, il devrait en passer par Rose.

— Puisque tu es informée, inutile de perdre de temps, dit Simon. J'ai besoin d'un prêt de Global. A court terme, rien de plus, pour couvrir les premiers remboursements.

— Un seul remboursement engloutirait tous les profits de la compagnie, rétorqua Rose. Et ensuite ?

— D'ici l'échéance suivante j'aurai commencé à construire les lignes ferroviaires.

— Tu ne peux le garantir, Simon. La Commission du Sénat peut retarder indéfiniment sa décision, et tu y as perdu ton appui.

Elle le regarda avaler sa dernière gorgée de vin. Il reposa le verre d'un geste sec et le cristal tinta.

— Alors je veux engager les avoirs de Global. Les banques accepteront.

Rose sentit la colère l'envahir.

— Que les banques acceptent ou non n'est pas la question.

— Non, bien sûr. La question est de savoir si toi tu signeras. Le feras-tu ?

Bien qu'elle s'attendît à cette question, Rose en fut outrée. Après la manière dont il l'avait traitée, il n'avait pas le droit de suggérer une telle chose. Pourtant le sens du devoir qu'on lui avait inculqué restait – cette image de l'épouse soutenant son mari envers et contre tous. Sa colère redoubla, plus contre elle-même que contre son mari, cette fois.

— Non, Simon. Je ne permettrai pas que tu engages Global auprès des banques.

Simon s'attendait à cette réponse car il ne montra aucune surprise.

— Si tu n'acceptes pas, je risque la ruine.

— Et si j'accepte, tout peut être ruiné. N'essaie pas de me faire du chantage aux sentiments, Simon. Pas après tout ce temps. Je ne risquerai pas l'avenir, le mien et celui de Steven (elle ne parvint pas à dire « notre avenir »), parce que tu as pris une mauvaise décision financière.

Simon la contempla un très long moment, puis il quitta la table sans un mot. Rose maîtrisa enfin les tremblements qui parcouraient son corps et se sentit brusquement vidée, comme si elle venait de se décharger d'un poids énorme traîné trop longtemps. Elle n'avait aucune idée de ce que Simon allait faire maintenant. Peut-être existait-il une fortune familiale dont il ne lui avait jamais parlé, à moins qu'il ne se résolve à revendre une partie de Talbot Railroads pour se donner un délai. Dans tous les cas, elle estimait n'avoir aucune prise sur un avenir qui échappait également à son mari.

*

L'échéance du premier remboursement approchait, et les milieux financiers retenaient leur souffle. Simon Talbot disparut de la scène publique. Les rumeurs sur ses déplacements et ses agissements coururent Wall Street. On spécula sur un prêt de dernière minute en provenance d'Europe, sur la création d'un consortium avec de riches Sud-Américains, et il courut même le bruit d'une rencontre avec le président pour demander une intervention de la Maison Blanche. Dans les salons des cercles privés, les membres débattaient du sujet et pariaient sur la survie de Simon Talbot au-delà de la Saint-Valentin de 1915.

Paul Miller décida qu'il était temps de faire pencher la situation en sa faveur. Il appela Monk McQueen et l'invita à dîner au *Metropolitan Club*.

*

— Je suppose que vous n'avez pas plus de nouvelles de Simon que les autres ? dit Miller d'un ton détaché.

— Non. Je devrais ?

— Non. Je me posais la question, c'est tout. Vos téléphones doivent sonner sans arrêt avec toutes ces rumeurs et ces on-dit.

Monk eut un sourire poli. Cela ne ressemblait pas à Paul Miller d'aller aussi ouvertement à la pêche aux renseignements. En qualité de membre du conseil d'administration de Talbot Railroads, il aurait dû savoir où le président de sa compagnie se trouvait à chaque instant de cette crise.

— A l'évidence, vous n'avez pas la moindre idée de l'endroit où peut être Simon, commenta Miller. Demander ne coûte rien, néanmoins. Je n'ai pas besoin de vous dire que certaines personnes deviennent très nerveuses...

— Vous y compris, Mr. Miller.

— Je vous en prie, appelez-moi Paul. En toute franchise, oui. J'ai soutenu Simon aussi longtemps que possible, plus longtemps que la simple prudence financière ne l'aurait conseillé, en fait. Je pensais qu'il pourrait sortir une carte surprise de sa manche, mais...

— Sous-entendriez-vous que Simon ne sera pas capable de tenir ses engagements bancaires?

— Il est possible qu'il y parvienne, concéda Miller. Et je le lui souhaite vraiment. Mais je dois considérer le long terme, et là...

Tu ne voudrais pas que ton nom soit associé à celui d'un perdant qui court à la banqueroute...

— C'est pourquoi j'ai décidé de quitter le conseil d'administration, poursuivit Miller en posant une enveloppe sur la table. Ma décision prend effet immédiatement.

— Ça n'est pas un peu prématuré? remarqua Monk, choqué.

— Je crois que c'est la meilleure manière de protéger mes intérêts.

— Si vous démissionnez, quels intérêts vous restent?

Miller eut un sourire froid, et son regard se fit dur.

— Des intérêts substantiels. Toute personne sachant calculer sait qu'il manquait cinq millions à Simon pour décrocher ces concessions.

Monk s'agita sur son siège, mal à l'aise, en attendant que Miller s'explique.

— C'est moi qui lui ai avancé cette somme.

A présent, McQueen était vraiment perplexe.

— Si c'est le cas, alors pourquoi l'abandonner? Votre prêt n'est pas couvert, c'est le moins qu'on puisse dire. Votre seule chance de récupérer votre argent est d'aider Simon à tenir ses engagements.

— Qu'est-ce qui vous fait penser que mon prêt n'est pas couvert? demanda Miller d'une voix douce. En fait, il l'est.

Il ajouta une liasse de feuillets sur la table.

— Allez-y.

La curiosité de Monk se mua en incrédulité à mesure qu'il prenait connaissance du document. En échange de cinq millions de dollars, Simon Talbot avait cédé à Paul Miller la moitié des parts de Global sous sa tutelle.

— Il n'avait aucun droit de faire cela!

— Je vous demande pardon? fit sèchement Miller.

Monk maudit son exclamation.

— Rien, marmonna-t-il. Mais je ne vois pas comment...

— Non! coupa Miller en se penchant vers son interlocuteur, le visage tendu. Vous avez dit que Simon n'avait aucun droit de signer ce contrat. Que voulez-vous dire par là? Il m'a juré qu'il avait l'entier contrôle de ses parts. Insinuez-vous qu'il m'aurait menti et qu'il m'aurait extorqué cet argent sans réelle garantie?

— Je ne peux en dire plus sur ce sujet, répliqua Monk.

Miller ignora cette réponse.

— Parce que, si c'est le cas, je poursuivrai Simon Talbot. Et s'il s'avère qu'il n'est pas solvable, alors je me battrai pour conserver les parts.

Monk se maudit d'avoir ouvert un telle boîte de Pandore. Pourtant il flairait la supercherie dans la réaction de Miller : il paraissait un peu trop satisfait sous sa colère de façade.

Savait-il depuis le début que Simon n'avait pas le droit d'engager les parts de Global sous sa tutelle?

— Monk, j'ai bien peur de devoir aller jusqu'au bout, déclara Miller, le visage convenablement grave. Vous pouvez imprimer ce dont nous venons de parler, et je vous ai montré les documents qui prouvent mes dires. Je vous recontacterai dès que possible.

Monk regarda le financier s'éloigner, image parfaite de l'innocent qui vient soudain de se rendre compte qu'on l'a dupé. Et cela intriguait le journaliste, car il savait que Miller n'était ni innocent ni dupe.

Monk repoussa cet écheveau complexe dans un coin de son esprit. Avant tout, il importait de prévenir Rose de la trahison de Simon. Ensuite il réfléchirait à l'opportunité d'imprimer les révélations de Miller, ce qui, il le savait, aurait pour effet de consommer la ruine de Simon Talbot.

*

Ce soir-là, Simon Talbot rentra tard. Il ôta son lourd manteau et s'installa confortablement dans la bibliothèque, devant le feu de cheminée. Les craquements du bois de bouleau le détendirent autant que le verre de bordeaux qu'il sirotait.

Il ouvrit l'exemplaire de *La Sentinelle* et parcourut la première page. La quasi-totalité du numéro était consacrée au raid sur Talbot Railroads, aux difficultés de la compagnie avec les banques, et au scandale imminent de la vente, par Simon, des parts de Global sous sa tutelle. Simon avait lu et relu l'article sans savoir pourquoi il s'infligeait cette épreuve.

Sans quitter des yeux le journal il alluma un cigare. Il devait reconnaître que Monk McQueen avait fait preuve de modération dans sa relation des faits. La situation n'en restait pas moins catastrophique. Les commentaires de Paul Miller accompagnant sa démission de Talbot Railroads s'étalaient sur une pleine page, avec le texte du contrat que lui avait signé Simon. Il y avait également une courte interview de Rose qui déniait à son mari toute capacité à conclure ce genre d'affaire : en preuve, elle fournissait le texte intégral de la « clause empoisonnée ». On lisait clairement l'engagement manuscrit de Simon s'interdisant d'utiliser personnellement les parts de Global sous sa tutelle.

Interrogé, le *district attorney* de Manhattan expliquait qu'une procédure pour fraude et détournement de fonds devrait être considérée si Mr. Talbot ne pouvait s'expliquer. Les avocats de Paul Miller annonçaient leur intention de demander la mise sous séquestre de tous les documents relatifs au testament de Jefferson et le lancement d'une action en justice à l'encontre de Mr. Talbot pour récupérer le prêt de cinq millions. Ils demandaient également aux tribunaux de saisir les vingt-cinq pour cent de Global en litige, en attendant les résultats de l'enquête.

Par l'intermédiaire de Hugh O'Neill, Rose contre-attaquait en faisant valoir que Miller n'avait aucun droit légal sur ses parts.

Simon Talbot tira longuement sur son cigare et ferma les yeux. Il lui avait fallu longtemps pour voir la vérité, mais à présent elle lui apparaissait dans toute sa brutalité : Paul Miller l'avait trahi.

Tout d'abord il avait cru qu'en découvrant l'existence de la « clause empoisonnée » Miller s'était affolé. Mais dans son interview Miller ne semblait nullement surpris. D'une façon ou d'une autre il connaissait l'existence de la clause restrictive depuis le début, et il avait attendu le moment propice pour s'en étonner. S'il avait été réellement outragé comme il le disait si calmement, nul doute qu'il aurait voulu avoir une entrevue avec Simon pour lui demander des comptes.

Restait à savoir qui pouvait bénéficier de ce traquenard. Certainement pas Miller, qui dans l'affaire perdrait cinq millions de dollars si Talbot faisait banqueroute. Seul Vanderbilt serait gagnant. Puisque Simon était déjà au bord de la ruine, un scandale de cette ampleur l'anéantirait à coup sûr, laissant Talbot Railroads à la merci du Commodore.

Non, corrigea Simon. *D'autres que Vanderbilt auront leur part du gâteau.* Tous ceux que le Commodore avait achetés avec des promesses de récompense ou menacés pour s'assurer leur silence... Et Simon était certain que Miller l'avait trahi pour bien plus que trente deniers...

Avec le tisonnier il remua les bûches pour raviver le feu. Si c'était à refaire, agirait-il de même ? se demanda-t-il. Bien sûr. Jamais il n'aurait pu se satisfaire d'une vie dans le Sud, gangrenée par ses rêves de gloire et de réussite. Il avait trop d'énergie, trop d'ambition. Pourtant, malgré tout ce qu'il avait dû changer en lui pour s'adapter au Nord, il se savait toujours sudiste de cœur. Un Yankee déclarerait la banqueroute, oublierait l'échec et recommencerait à zéro. Mais Simon n'avait jamais été yankee, et jamais il ne le serait. Il était venu ici en étranger et, comme Rose et les banquiers le lui avaient fait clairement comprendre, il en était toujours un. Jamais ils ne lui offriraient une seconde chance.

– Père ?

Simon sursauta et découvrit son fils sur le seuil de la bibliothèque, qui se frottait les yeux de ses poings, fragile gamin de sept ans dans son pyjama froissé, la chevelure ébouriffée. Simon lui fit signe et l'enfant vint lui entourer le cou de ses bras.

Simon sentit le regret l'envahir. Il n'avait jamais été émerveillé par le fait d'avoir un enfant, comme beaucoup d'hommes le sont. La première fois qu'il avait tenu Steven dans ses bras, alors qu'il n'était qu'un petit être tout juste né, il n'avait pu supporter l'odeur et les hurlements et l'avait rendu d'un geste brusque à l'infirmière étonnée.

Simon se dit que cela ne signifiait pas qu'il n'aimait pas son fils. A sa manière, il s'était toujours soucié de Steven et de son avenir. Son propre père lui avait laissé un héritage tellement insignifiant que rien n'avait pu en être tiré. Simon s'était juré de créer quelque chose que Steven serait fier de poursuivre.

Pendant des années il avait attendu que son fils soit assez grand pour qu'il puisse le lui expliquer. Et maintenant, alors que Steven avait presque atteint l'âge de comprendre, son père n'avait plus rien à lui offrir que les cendres de ses rêves. Et il ne savait même pas comment lui dire combien il en était désolé...

De son côté, Steven ne pouvait deviner les remords qui tiraillaient son père. Depuis toujours, il lui portait un amour total. A ses yeux Simon était un géant qui emplissait tout l'espace dès qu'il entrait, un roi devant qui les autres se courbaient qui distribuait faveurs ou blâmes. Le passe-temps favori de Steven était de se glisser dans le bureau désert de son père, de s'asseoir à son fauteuil et de se repaître de l'ambiance de la pièce imprégnée de sa présence. Et il rêvait du jour où il pourrait partager avec lui cet univers si attirant.

Mais en grandissant la réalité était venue écorner ses rêves. Même dans une demeure aussi vaste que Talbot House, les voix portaient. Steven était devenu un espion consommé qui trouvait toujours un recoin où se cacher pour voir ses parents se quereller. Il ne comprenait pas pourquoi sa mère ne cessait d'en vouloir à son père, tout simplement parce qu'il ne pouvait concevoir que son père eût des torts. Lors de ces disputes, il bouillait du désir de voler à sa défense, mais jamais il n'avait trouvé le courage d'intervenir. Peu à peu il avait refoulé ses sentiments, jusqu'à éprouver une haine sourde pour sa mère.

– Largement l'heure du lit, non, shérif ? murmura Simon.

Steven s'accrochait férocement à son cou.

– Je veux rester avec toi, Père.

– Mais tu seras toujours avec moi. Tu es mon fils et tu continueras tout ce que j'ai commencé. Le monde sera fier de toi, mon fils. Il connaîtra ton nom.

Doucement, Simon écarta les bras de son fils.

– Veux-tu que je vienne te coucher ?

Steven prit une expression très sérieuse.

– J'irai tout seul, déclara-t-il d'un ton qu'il pensait adulte.

Simon déposa un baiser sur le front de l'enfant et le regarda s'éloigner vers la porte. Steven se retourna, hésitant.

– Bonne nuit, Père, dit-il.

Steven s'immobilisa dans les ténèbres du couloir tandis que son père refermait la porte. Le gamin entendit le bruit sec du verrou qu'on tirait. Alors il revint sans bruit coller un œil au trou de la serrure.

Son père se tenait devant le râtelier d'armes. Il choisit un très beau double-canon à crosse sculptée. Ouvrant l'arme, il glissa deux cartouches dans les fûts. Puis il retourna s'asseoir.

Steven ne savait que penser de ce comportement singulier. On lui avait toujours dit qu'il ne fallait pas charger une arme si on n'avait pas l'intention de s'en servir. A présent son père ôtait son soulier droit, puis sa chaussette. Il calait la crosse du fusil contre le parquet, posait son gros orteil nu sur la double détente... Il avait positionné l'extrémité du canon dans sa bouche ouverte...

La détonation fut assourdissante, et Steven fit un bond en arrière. Quand sa mère et les domestiques accoururent, quelques instants plus tard, il était figé devant la porte close, le visage fermé. Dans son esprit bouleversé, une pensée s'était imposée : c'était l'attitude que son père aurait aimé le voir prendre en la circonstance.

7

Non, c'est impossible...

Derrière les fenêtres du salon, Rose observait la police montée qui contenait à grand-peine la foule de journalistes massée devant les grilles de Talbot House. Quand elle entendit le carillon tinter, elle fut frappée à l'idée qu'un monde venait de s'écrouler en quelques heures.

La porte s'ouvrit et le Dr Henry Wright pénétra dans la pièce.

– Comment va-t-il, Henry ? s'enquit-elle d'une voix tremblante.

Le Dr Wright était un homme de corpulence impressionnante

dont l'expression soucieuse cachait une réelle gentillesse envers les enfants. Avec eux, il opérait de véritables miracles.

– Il s'est endormi, dit-il. Je lui ai administré un sédatif assez puissant pour qu'il dorme jusqu'à demain matin. La nourrice restera avec lui.

– Dieu merci, murmura Rose.

Depuis le début de cet horrible cauchemar, Rose n'avait cessé de s'inquiéter pour Steven. Elle revivait cet instant où, courant dans le couloir vers le bureau de son mari, elle avait vu Steven pétrifié devant la porte. Au premier regard dans la pièce, en découvrant la tête martyrisée de Simon, elle avait fait volte-face et avait posé une main sur les yeux de l'enfant. Mais Steven s'était dégagé et l'avait affrontée d'un regard brillant.

– Je sais ce que Père a fait! avait-il hurlé. Et c'est ta faute! C'est toi qui l'as tué!

Rose avait été tellement horrifiée par cette accusation qu'elle avait regardé Steven s'enfuir sans réagir. Plus tard, à l'arrivée de Henry Wright, l'enfant avait refusé de déverrouiller la porte de sa chambre tant que le médecin ne lui jurerait pas que sa mère n'allait pas entrer avec lui.

– Il a subi un choc énorme, expliquait Wright. Il regardait par le trou de la serrure quand Simon s'est suicidé. Ce qu'il m'a dit correspond trop aux conclusions de la police pour que ce soit une affabulation, hélas.

Rose fit un effort pour contenir ses larmes.

– Que dois-je faire, maintenant?

– Je ne peux que recommander de le garder sous surveillance constante. Il est plus que probable qu'il souffrira de cauchemars pendant un temps... (Wright s'interrompit, embarrassé.) Dans des cas comme celui-ci, il est impossible de définir la profondeur du traumatisme psychologique. Parfois les enfants se remettent presque immédiatement, d'autres fois cela prend beaucoup plus longtemps...

Rose sentit qu'il hésitait à poursuivre.

– Il y a autre chose, Henry. Parlez, je vous en prie.

– Dans les cas les plus graves, l'enfant semble seulement se remettre. Pendant des années il se comporte normalement, puis, souvent à l'adolescence, il commence à souffrir de névralgies inexplicables et violentes, ou d'autres troubles de cet ordre qui n'ont rien à voir avec la santé physique. C'est son esprit qui tente de se débarrasser d'une souffrance enfouie au plus profond mais toujours présente.

Rose n'avait jamais détesté Simon autant qu'à cet instant. Sa démission devant l'adversité n'était que couardise, mais avoir voulu la punir par l'intermédiaire de leur fils, cela, elle ne pourrait jamais le lui pardonner.

Mais si tu avais agi autrement? dit une voix très calme en elle.

Peut-être que, si tu avais accepté d'aider Simon, rien de tout cela ne serait arrivé...

Les remords la frappèrent de plein fouet. Pourquoi avait-elle refusé aussi abruptement ? Elle aurait peut-être pu trouver moyen de l'aider sans mettre en péril sa compagnie.

Non, c'est ce que tu veux croire, à cause de l'épreuve qu'a subie Steven. Mais tu sais que c'est faux. Tu ne pouvais rien faire d'autre. En donnant à Simon ce qu'il demandait, tu aurais perdu toute chance de reprendre Global. Tu aurais causé ta propre perte...

— D'une façon ou d'une autre je le sauverai, déclara Rose.

Wright lui lança un coup d'œil surpris.

— Pardon ?

— Je disais, d'une façon ou d'une autre je sauverai Steven.

Le médecin marqua un temps.

— Je ne doute pas que vous y parveniez, Rose, mais...

— Avec le temps je réussirai, Henry. Je le sais.

*

Le lendemain matin, tout New York était au courant du suicide de Simon Talbot dans ses moindres détails. Les attaques contre le disparu et sa conduite financière plus que critiquable cessèrent aussitôt. La presse suivit, louant Simon pour ses activités au sein de la communauté, ses donations aux organismes de charité et le soutien qu'il avait apporté à de nombreux artistes. Les avocats de Vanderbilt et les banquiers abandonnèrent les poursuites nominales et exprimèrent les condoléances de circonstance. Puis ils se partagèrent sans bruit Talbot Railroads. *Quand ces chacals et le service des Impôts en auront fini,* songea Rose, *l'œuvre d'une vie aura été totalement démembrée, et les héritiers n'auront rien.*

Pour prévenir la curiosité morbide du public, Rose se barricada dans Talbot House, et un policier fut mis en faction devant la demeure vingt-quatre heures sur vingt-quatre pour tenir la presse et les curieux à distance, ne laissant passer que les cadres de Global et les médecins.

*

Ceux qui l'estimaient prirent le silence de Rose pour la manifestation de son deuil et saluèrent son courage. D'autres, moins charitables, l'accusèrent du drame sans rien savoir. Mais Rose n'avait cure de ces réactions. Elle s'isolait du monde entier parce qu'elle avait besoin de temps pour réfléchir, pour comprendre comment la disparition de Simon l'avait affectée. Elle et elle seule.

Simon avait bafoué son amour depuis le premier jour, elle en était maintenant consciente. Quand elle s'était mariée, elle ne savait rien de l'amour parce qu'elle était trop jeune, et elle s'était livrée à lui pour qu'il lui apprenne tout, la tendresse et la passion, le bonheur de la découverte partagée. Mais elle s'était rendu compte qu'il n'avait pas de place dans son cœur pour cet amour-là. Il avait trompé sa confiance... et détruit ses espoirs.

Lorsque enfin elles coulèrent, ses larmes étaient de peur et non de tristesse. Rose était effrayée par l'abysse de solitude qui s'ouvrait maintenant devant elle, certaine de devoir l'affronter jusqu'à la fin de ses jours.

*

Pour la première fois de sa vie, Rose reconnut qu'elle avait besoin de l'aide de quelqu'un. Le temps paraissait lui échapper, comme les innombrables détails qui requéraient son attention. Le comportement de Steven la désespérait et elle s'angoissait face aux menaces qui pesaient toujours sur Global après le démembrement de Talbot Railroads.

Quatre jours après le suicide de Simon, Rose était toujours au bord du précipice quand Franklin Jefferson arriva enfin à Talbot House, de retour d'une longue partie de pêche. A la seconde où il franchit le seuil, Rose se précipita pour le serrer dans ses bras.

— J'ai besoin de toi, Franklin, souffla-t-elle. Je ne peux m'occuper de tout toute seule. Je t'apprendrai tout ce que tu dois savoir de Global. Grand-père nous l'a légué et le moment est venu de nous montrer digne de son héritage.

Franklin, qui aimait sa sœur, crut son intensité et sa détermination dues à son chagrin et, bien qu'il eût toujours pris soin de se tenir éloigné de Global, il répondit :

— Oui.

*

Jusqu'à ce jour, Franklin Jefferson avait mené une existence des plus agréables. A l'orée de ses dix-neuf ans, c'était un homme grand, athlétique, qui se déplaçait avec une grâce naturelle. De sa jeunesse il avait conservé sa chevelure d'un blond presque blanc, et ses yeux pétillaient toujours de malice. Franklin était un de ces êtres rares dont le difficile passage de l'adolescence à l'âge adulte n'avait pas entamé la candeur. Dans le monde qui l'entourait, il ne voyait que beauté et promesse de bonheur. En retour, il est vrai, le destin, comme ému d'une telle innocence, semblait l'épargner.

Alors que Rose menait sa propre guerre sur le front de Lower Broadway, Franklin suivait des études studieuses dans un prestigieux pensionnat privé, St. Clement, avant d'entrer à Yale. Sa richesse lui permettait de s'adonner avec ses amis à de nombreuses activités telles que le polo et la voile. Adolescent travailleur, il se découvrit un goût naturel pour les sciences humaines et une grande facilité pour les langues. Dès sa seconde année il parlait déjà fort bien l'espagnol et le français et s'immergeait avec délice dans le dédale de l'histoire européenne.

Il visita deux fois l'Europe avant le début de la guerre, et s'y prit d'amour pour les jeunes filles qui partaient en pèlerinage avec lui vers les cathédrales de France, les musées d'Italie et les ruines de la Grèce. De retour à Yale, il étonna ses professeurs par la qualité de ses exposés. Ils le félicitèrent pour son style et encouragèrent ses recherches. A leurs yeux, le jeune Jefferson était un diamant brut qui ne demandait qu'à être taillé pour briller de tous ses feux.

Quant à lui, Franklin ne savait ce qu'il voulait faire de sa vie. Il n'avait qu'une certitude : Global n'y aurait pas de place. Il avait commencé à voyager à un âge où l'on voit le monde par les yeux des poètes, et son insatiable curiosité transformait l'existence en une interminable découverte. Mais jamais il ne parlait de cela à personne, de peur qu'un jour Rose ne vienne à le savoir.

Il n'en aimait pas moins Rose et lui rendait souvent visite, mais il prenait garde à ne pas s'immiscer dans les affaires de Talbot House. Pour lui, c'était une question de survie. S'il la laissait faire, Rose entreprendrait de le former à ses futures responsabilités au sein de Global, et son existence en serait sérieusement compliquée.

Franklin savait qu'un jour il lui faudrait avouer à sa sœur qu'il n'avait aucun intérêt pour les affaires. En ce qui le concernait, il était d'ailleurs prêt à lui céder ses parts avec joie. Quand elle viendrait, l'explication serait rude, il n'en doutait pas, et il aurait besoin de s'affirmer plus qu'il n'en était capable à présent pour contrer les arguments de Rose. Mais la mort de Simon venait d'anéantir tous ces projets d'émancipation. Quand il sentit sa sœur trembler dans ses bras à son arrivée, Franklin eut très peur que le moment de lui parler ne soit passé à jamais.

*

Par un matin clair et glacé de février, Rose sortit enfin de Talbot House. Un bras passé sur les épaules de Steven et Franklin à son côté, elle traversa la haie de policiers pour monter dans la Silver Ghost qui devait les emmener à la cathédrale St. Patrick.

— Est-ce que Père est avec les anges, Mère ? demanda Steven d'un ton bas et solennel.

Rose lui serra un peu plus les épaules avec un pâle sourire. Pendant des jours l'enfant s'était muré dans un silence total. Puis, miraculeusement, il s'était remis à parler un peu, et en quelques jours il avait paru retrouver son caractère d'avant la tragédie. Rose était profondément heureuse de cette transformation, même si les médecins restaient prudents.

74

— Oui, mon chéri. Il est avec les anges. Ça va aller?

Steven acquiesça.

— Tu l'aimais très fort, n'est-ce pas, Mère?

Rose se força à sourire.

— Bien sûr, mon chéri. Je l'aimais très fort.

Steven regardait droit devant lui. Depuis la mort de son père il avait senti une véritable métamorphose s'opérer en lui. Il n'aurait pu la définir mais il se savait différent. D'abord les médecins l'avaient harcelé de questions stupides et il avait refusé de répondre. Mais il s'était vite aperçu que son mutisme avait pour seul effet de les rendre plus tenaces encore. Alors il s'était mis à parler et avait très vite deviné ce qu'ils désiraient entendre. Combien il aimait son père, ce qu'ils avaient fait ensemble, s'il croyait ses parents heureux. Toutes ces questions lui paraissaient très ennuyeuses mais il y répondit avec soin. Il ne tarda pas à découvrir que plus il parlait, plus les séances étaient courtes.

De cette expérience il tira beaucoup d'enseignements sur la crédulité des adultes. Et chaque fois qu'il trompait les médecins ou sa mère, Steven ressentait en lui un pouvoir immense qui lui permettrait, il en était sûr, de mener le jeu à sa guise. Pour l'instant, il s'ingéniait à faire oublier à sa mère sa première réaction et ce qu'il lui avait dit. Elle ne devait pas soupçonner la haine qu'il lui vouait.

— Tu es sûr que ça ira, mon chéri? s'enquit encore Rose tandis que la Rolls-Royce approchait de la cathédrale.

Steven leva les yeux vers elle et lui sourit.

— Oui, Mère.

Rose poussa un discret soupir de soulagement. Elle était si fière de son fils. Dans son costume noir, avec ses cheveux bien coiffés et son regard droit, il ressemblait plus à un petit homme qu'à un enfant. A sa vue, Rose était certaine que Steven avait en lui à la fois le passé et l'avenir, qu'il était le reflet de Jehosophat Jefferson et l'homme futur à qui elle laisserait un empire financier. Son fils valait toutes les batailles qu'elle devrait encore remporter, elle en était convaincue.

*

Le service funèbre fut bref. Ensuite Rose dut recevoir les condoléances du Tout-New York, de la communauté financière et de quelques représentants du gouvernement. Elle supporta avec stoïcisme l'hostilité silencieuse du clan Talbot mais fut très contente quand les calèches des Sudistes s'éloignèrent sur la Cinquième Avenue. La dernière demeure de Simon, selon ses propres volontés, serait dans les terres familiales du Sud, et Rose n'y voyait aucun inconvénient.

— Rose, il est temps de partir.

Elle leva les yeux vers le visage massif et triste de Monk McQueen. Elle lui serra la main et murmura un « Merci » ému.

Steven devant elle, Rose marcha dans l'ombre mêlée de son frère et de Monk. Arrivée à la voiture elle se tourna vers Franklin.

— Peux-tu ramener Steven à la maison ?

— Bien sûr, mais...

Elle posa la main sur son bras.

— Je dois aller au bureau.

Franklin ne put cacher son étonnement, mais le regard d'avertissement de Monk lui fit taire toute protestation.

— Je vous conduirai à Broadway, proposa le journaliste.

*

La plupart des employés avaient eu congé pour la journée afin de pouvoir assister à la messe, et les locaux de Global Entreprises étaient presque déserts. Mais Eric Gollant et Hugh O'Neill, qui avaient quitté la cérémonie un peu plus tôt, étaient déjà là quand Rose arriva, ainsi qu'un troisième homme, Isaiah Phipps, avocat personnel de Simon.

— Bonjour, Isaiah, dit Rose. Merci d'être venu.

Le juriste grisonnant lui adressa un sourire froid.

— Simon était un très bon ami. Il me manquera.

Si c'était vraiment un si bon ami, pourquoi ne pas l'avoir dissuadé de risquer le fruit de toute une vie de labeur ?

— Peut-on penser que nous n'aurons pas d'autres surprises ? dit-elle.

— Le testament de Simon est très clair. En dehors de quelques biens qu'il lègue à Steven et à d'autres membres de sa famille, vous héritez de Talbot House. La compagnie ferroviaire n'existant plus, il n'y a vraiment rien d'autre.

— Je ne suis pas de votre avis, Isaiah. Il reste le problème des parts revendiquées par Paul Miller. Comment allons-nous le régler ?

— Je ne peux rien en ce qui concerne cela, répondit Phipps. C'était un contrat passé entre Simon et Paul Miller.

— Vous voulez dire que vous laissez votre client — et ami — signer une transaction de cinq millions de dollars sans en vérifier les termes ? intervint Hugh O'Neill.

— Comme je ne doute pas que vous le sachiez, un avocat n'est pas toujours au courant de toutes les actions de son client. Dans ce cas précis, je peux jurer sur la Bible que j'ignorais tout de cette transaction.

— Récapitulons la situation, si vous le voulez bien, dit Rose. Mon mari a engagé des parts qui ne lui appartenaient pas, rompant ainsi le contrat signé avec mon grand-père. A présent, Simon est mort, et Vanderbilt possède ce qui était encore il y a peu la compagnie de Simon. Miller se retrouve en possession de vingt-cinq pour cent de Global qu'il ne rendra pas sans se battre, selon ce qu'il m'a dit. Isaiah, voulez-vous dire qu'il faudrait que je rachète ce qui est déjà à moi ?

– Il peut être très difficile de définir à quel point la « clause empoisonnée » de votre grand-père est contournable, dit Phipps. La décision d'un juge ou d'un jury pourrait prendre des mois, voire des années. Après tout, Simon était responsable de Global à l'époque, et il lui a fait réaliser des profits colossaux. Or, s'il en a été capable, c'est précisément parce qu'il avait les mains libres. En fait, tout le monde vous dira que Global a prospéré grâce au réseau de Simon. Il existe donc une connexion – certains diront même une très forte connexion – entre les deux compagnies, assez probante pour remettre en cause la « clause empoisonnée ».

Rose lança un coup d'œil interrogateur à Hugh O'Neill.

– Ça n'est pas totalement faux, reconnut l'Irlandais à contre-cœur. Nous obtiendrions gain de cause, sans aucun doute, mais cela prendrait du temps.

Et je n'ai pas de temps à perdre !

– Isaiah, il y a quelque chose que je ne saisis pas, dit Rose lentement, feignant l'étonnement. Qu'est-ce que Miller pense faire de vingt-cinq pour cent de Global ? Il ne connaît rien aux messageries.

Phipps eut de nouveau son sourire crispé.

– Peut-être devriez-vous lui poser la question.

– Est-ce un avis professionnel, maître ? Paul Miller ne serait pas un de vos clients, par hasard ?

– En fait, oui.

– Un client récent, bien sûr.

Phipps fit mine de ne pas remarquer le ton méprisant adopté par Rose.

– J'ai pris la liberté de lui demander de se joindre à nous. Sous réserve de votre permission, bien entendu. Il attend en bas. Désirez-vous le voir ?

Avant que Miller n'entre, Rose demanda à O'Neill, Gallant et Phipps d'attendre dans la pièce voisine. Elle voulait l'affronter seule, dans ses vêtements de deuil. L'avantage était minime, mais elle tenait à en profiter.

Paul Miller arborait une gravité de circonstance. Il serra la main de Rose un peu trop longtemps en débitant des condoléances stéréotypées. Rose rompit le contact et alla s'asseoir derrière le bureau de Jehosophat Jefferson. Ainsi Miller se retrouvait dans la position de demandeur.

– J'ai pensé qu'il serait préférable de clarifier les choses le plus rapidement possible, commença-t-il.

– La démarche me convient parfaitement.

– Je suis certain que vous comprenez ma surprise d'apprendre que Simon n'avait aucun droit d'engager les parts de Global sous sa tutelle. Mais ce qui est fait est fait.

— Paul, coupa Rose, je sais que Simon vous a emprunté cinq millions et qu'avec l'écroulement de Talbot Railroads Vanderbilt ne vous les remboursera jamais. Je suis prête à prendre ce prêt à mon compte, mais il nous faudra définir un taux d'intérêt correct et un échéancier acceptable.

Paul Miller croisa ses jambes et s'abîma dans la contemplation de ses ongles.

— Rose, dit-il après un moment, je vous ai toujours admirée, en particulier dans votre travail pour Global. Franchement, je pense que Simon a toujours sous-estimé vos capacités. Quand j'ai accepté ces parts de Global, ce n'était pas uniquement parce qu'elles représentaient une garantie solide. Je pensais — et je le pense toujours — pouvoir contribuer efficacement au développement de votre compagnie, Rose. Je veux travailler avec vous.

— Vous m'en voyez flattée, Paul, répondit-elle avec prudence. Mais vous n'avez guère d'expérience dans le domaine des messageries, si je ne me trompe ?

Miller baissa un peu la tête.

— Certes. Mais je suis un homme d'affaires. Nous pourrions faire équipe, Rose. Avec mon savoir financier et votre connaissance de Global, nous pourrions doubler l'importance de la compagnie...

— C'est une offre généreuse, Paul. Mais je me dois d'être honnête avec vous : je n'ai jamais envisagé de prendre un partenaire.

— Je parle de bien plus que d'un partenariat, répondit-il d'une voix basse. Cela m'est très difficile à formuler, Rose, je n'ai pas l'habitude et je sais combien cela peut paraître déplacé, surtout dans ces circonstances... Mais il faut que je le dise. Ce n'est un secret pour personne que vous et Simon avez été... des étrangers l'un pour l'autre pendant très longtemps. Les raisons importent peu. Le fait est que j'éprouve de réels sentiments pour vous, Rose, et que j'aimerais vous offrir la vie que Simon ne vous a jamais donnée.

Rose n'en croyait pas ses oreilles. Néanmoins elle réussit à dissimuler sa colère et songea aussitôt qu'il y avait là moyen de piéger Miller.

— Je suis très touchée, Paul. Mais vous comprendrez que je doive respecter certaines priorités.

— Bien sûr, approuva précipitamment Miller. Je tenais simplement à vous faire part de mes sentiments.

— En dehors de vos sentiments, Paul, nous devons quand même discuter des modalités de remboursement des cinq millions...

Miller leva une main.

— Je ne veux pas que vous vous fassiez du souci à ce propos. Je gèle les avoirs et les procédures engagées par mes avocats. Je refuse que nous nous battions pour cette affaire, Rose.

La main de fer sous le gant de velours...

— Je vous remercie de votre sincérité, Paul, répondit-elle avec la certitude qu'il ne détectait pas le sarcasme derrière la formule. Je suis sûre que vous comprenez que j'ai besoin de temps pour réfléchir à cela aussi.

Un sourire détendit les traits du financier.

— Bien sûr. Appelez-moi si vous avez besoin de quoi que ce soit. Je serai toujours là pour vous, Rose.

— Je n'en doute pas.

*

A Talbot House ce soir-là, Rose tint un conseil de guerre restreint avec Franklin, Hugh O'Neill et Monk McQueen. Les trois hommes n'arrivaient pas à croire que Miller veuille conserver les vingt-cinq pour cent de Global.

— Ce Miller est un salopard et un opportuniste de première classe, déclara Franklin, et cette phrase résumait fort bien l'opinion générale.

— Un salopard opportuniste sans doute, mais qui bloque vingt-cinq pour cent de Global, précisa O'Neill.

— Et alors? fit Franklin. Ce n'est pas assez pour nous gêner. Et nous finirons par les récupérer en remboursant les cinq millions.

— En attendant, nous avons quand même les mains liées, intervint Rose. Nous avons profité d'une conjoncture très favorable. Avec la guerre en Europe il était presque impossible de ne pas augmenter nos profits. Mais nous devons penser à l'avenir. Les plans que j'ai en tête ne peuvent attendre.

Franklin dévisagea sa sœur, ahuri par la froideur de son analyse. Il était évident que Rose n'avait jamais rien lu de l'horrible boucherie des tranchées françaises.

— La première chose à faire, c'est de nous assurer que nous pourrons rembourser ce prêt, dit-elle. Franklin, j'aimerais que tu travailles avec Eric. Il connaît la compagnie à fond et pourra t'apprendre tout ce qu'il te sera utile de connaître.

— Et moi? fit Monk. Que puis-je faire?

Avec un sourire amical, Rose lui effleura la main.

— Je vous en parlerai en privé, Monk.

O'Neill et Franklin se retirèrent peu après. Rose servit un second verre de porto à Monk et le déposa sur la table basse devant la cheminée. Elle l'invita d'un geste.

— Asseyons-nous dans ces fauteuils. Nous serons mieux pour discuter.

Monk n'avait jamais vu Rose aussi belle qu'à ce moment, avec le reflet des flammes qui dorait sa peau et brillait dans sa chevelure noire. Les sentiments qui montèrent en lui lui parurent tellement déplacés qu'il s'en voulut. Mais il n'y pouvait rien.

– Il y a une chose que je n'ai pas dite aux autres, commença Rose. Une chose qui ne concerne pas vraiment Hugh. Quant à Franklin... il risquerait d'avoir une réaction disproportionnée. Mais j'ai besoin d'en parler à quelqu'un, à un ami de longue date...

– Je suis là, Rose.

Lentement, avec un subtil dosage de réserve et de gravité, elle lui rapporta la déclaration de Miller.

– Je n'arrive pas à y croire! tonna le journaliste. Le jour de l'enterrement de votre mari, il a le toupet de vous déclarer qu'il vous aime!

– Il n'a pas été aussi direct, corrigea Rose. Mais il a rendu ses intentions très claires, oui...

– C'est du chantage! Il n'y a pas d'autre mot!

– Hélas, je crois que vous avez raison, soupira la jeune femme, soulagée que Monk en soit arrivé lui-même à cette conclusion.

– Mais je ne le laisserai pas faire! gronda Monk. Non! Il faut l'en empêcher!

– Mais comment? rétorqua Rose. Je ne sais rien de lui, sinon qu'il est riche et très influent...

Monk eut un rictus farouche.

– Laissez-moi m'en occuper. Je peux découvrir tout ce que vous voulez sur ce Miller!

– Cela m'aiderait certainement beaucoup, oui...

– Je m'y mets dès aujourd'hui. Mais si Miller vous fait encore des... avances, je veux que vous me le fassiez savoir tout de suite!

– Je vous le promets, Monk, dit Rose, solennelle.

Alors seulement elle permit au journaliste de la prendre dans ses bras.

8

Le printemps chassait l'hiver de Manhattan et Simon reposait dans sa tombe depuis deux mois. Soucieuse d'oublier au plus vite ceux qui l'avaient embarrassée de leur vivant, la bonne société de New York concentrait son attention sur sa veuve dont la position sociale et la personnalité prêtaient à toutes les spéculations. On supputait moins sur la date de son remariage que sur l'heureux élu. Quant à Rose, aucun sujet n'était aussi éloigné de ses préoccupations.

Depuis la déclaration de Paul Miller, elle marchait sur le fil du rasoir. Ses journées étaient dévorées par les mille détails à régler pour la survie de Global. Talbot Railroads ayant eu le quasi-monopole des transports ferroviaires pour Global, la situation était pour le moins délicate. Par tribunaux interposés, Rose avait forcé Vanderbilt à honorer les contrats encore valides liant Global à la compagnie rachetée, mais ce n'était là qu'un mince répit. Ces contrats expireraient dans quelques mois, et il était clair qu'ils ne seraient pas renégociés, encore moins reconduits dans les mêmes termes, à moins bien sûr que Paul Miller n'obtienne ce qu'il désirait.

Le financier représentait un problème majeur. Il avait très clairement fait comprendre son intention de jouer le blocage avec les parts de Global qu'il détenait. De plus il pressait Rose de rencontrer Vanderbilt pour signer un accord de coopération, offrant de mener les négociations lui-même, ce que Rose s'était empressée de refuser poliment. Elle ne voyait que trop bien son plan : une fois qu'elle aurait accepté de traiter avec Vanderbilt, elle serait à sa merci. Toutes sortes de « coïncidences » pourraient alors survenir qui retarderaient, perdraient ou détruiraient les marchandises confiées à Global. Très vite la compagnie perdrait sa réputation de fiabilité et ses clients fuiraient.

L'intervention de Paul Miller empêchait également Rose de mettre en chantier ses autres projets. Elle finit par en parler à Theodore Coolidge, le banquier de toujours de son grand-père.

— Votre idée de créer ce que vous appelez le mandat Global est rien moins que brillante, dit-il après l'avoir écoutée. Je regrette de ne pas y avoir pensé moi-même : il y a là un bénéfice potentiel énorme...

— Je sens un « mais » d'importance derrière vos propos, observa Rose.

— Vous savez aussi bien que moi de quoi il s'agit. Tout d'abord, les banquiers ne vous suivront pas tant que vous n'aurez pas le contrôle entier de Global. Ils ne voudront pas contrer Miller et encore moins son éminence grise, Vanderbilt. D'autre part, si l'un d'eux avait vent de votre projet, il l'accaparerait sans hésiter. Les profits sont évidents, et si vous ne vous montrez pas très, très prudente, ils vous voleront votre idée...

Après une pause, il ajouta :

— Je pense beaucoup de bien de vous, Rose, et je ferai tout ce qui est en mon pouvoir pour vous aider. Mais vous devez résoudre le problème posé par Miller.

Rose en était bien consciente. Paul Miller était devenu aussi présent que son ombre. Il l'appelait chaque jour pour l'inviter à dîner ou lui proposer une soirée chez des « amis communs ». Alors qu'elle avait peu fréquenté les rendez-vous mondains et avait été largement ignorée en retour, elle se trouva inondée d'invitations pour ces soirées policées jugées convenables pour une veuve. Elle avait la certitude que Paul Miller orchestrait cet intérêt soudain pour sa personne, mais elle ne pouvait évidemment décliner toutes les offres. À l'évidence le Tout-New York pensait que le suicide de Simon Talbot l'avait libérée et qu'elle se jetait dans une nouvelle vie avec un bel appétit. Certaines commères prédisaient même un mariage pour l'hiver.

Rose se contentait de rougir et d'éluder les allusions, mais intérieurement elle bouillait de rage. Elle avait l'impression que Paul Miller lui avait passé au cou un nœud coulant tressé d'or qu'il ne serrait pas... pour l'instant. Mais la patience du financier avait ses limites, et Rose le savait. Il investissait beaucoup de temps et d'argent dans sa cour et espérait un résultat. Certaines nuits Rose ne pouvait trouver le sommeil, torturée à l'idée de ce qu'elle devrait céder à Miller pour gagner encore un peu de temps, jusqu'à ce que Monk lui apporte l'aide promise. S'il le pouvait.

*

L'univers de Monk McQueen avait basculé. Les sentiments qu'il avait crus apaisés par les ans avaient soudain refait surface avec une force insoupçonnée. Et il se laissait déjà bercer par l'idée que rien ne pourrait plus les séparer très longtemps s'il parvenait à aider Rose.

Dans les semaines qui suivirent les funérailles de Simon, Monk réfléchit à la meilleure façon de desserrer l'emprise de Miller sur Rose. Mais chaque plan se heurtait aux mêmes obstacles. Miller était un homme puissant qui ne paraissait avoir aucun point faible.

La cour de Paul Miller auprès de Rose était devenue le sujet favori des bavardages de la bonne société, et Monk désespérait. Il détestait les airs de propriétaire qu'affichait Miller en compagnie de Rose et son expression de supériorité devant ceux qui enviaient sa chance. Mais cela n'était rien comparé à l'attitude de Rose. Parfois, dans une soirée ou quelque autre événement mondain, elle le cherchait du regard dans la foule des invités, et ses yeux semblaient pleins de promesses. Mais plus souvent ils exprimaient le doute, et un désespoir qui blessait profondément Monk.

Tout fut bouleversé lors du week-end de Memorial Day. Rose avait organisé une réception pour fêter la réouverture de Dunescrag. Monk était arrivé tôt, parmi les premiers invités, car il voulait avoir un peu de temps pour lui parler. Alors qu'il attendait dans le hall d'entrée, il vit Paul Miller descendre le grand escalier. Le financier jugula vite sa surprise et accueillit Monk comme l'eût fait le maître des lieux. Le journaliste sentit l'après-rasage de Miller et remarqua ses cheveux encore mouillés...

Avant qu'il ait pu prétendre ne rien avoir remarqué, Rose apparut en haut des marches. A son expression il sut qu'elle avait lu ses pensées. Le sourire de bienvenue mourut sur ses lèvres et la jeune femme eut un petit haussement d'épaules de défi, comme pour dire : « Qu'espériez-vous donc ? »

Monk sut alors ce qu'il devait faire.

*

Alistair McQueen avait appris à son fils que l'information est un atout indispensable. Durant une carrière modèle de conseiller financier, puis de journaliste, Alistair McQueen avait amassé une documentation unique sur plusieurs centaines d'hommes d'affaires américains.

Certains, pour une raison ou une autre, avaient perdu leur fortune ou l'avaient léguée à des héritiers qui s'étaient empressés de la dilapider. D'autres étaient encore des chevaliers d'industrie au succès indiscutable. Peu avant sa mort, Alistair McQueen avait partagé avec son fils cette masse d'observations et de secrets glanés au fil des ans. Il lui avait montré comment certains empires financiers s'étaient bâtis sur le mensonge, la trahison, parfois même le vol, et comment une action répréhensible était souvent à la base du premier succès de jeunes loups qui profitaient sans vergogne des échecs ou des infortunes d'autrui pour atteindre leur but. Le temps et surtout l'argent leur achetaient ensuite la respectabilité publique, et ces loups vieillissants enterraient leurs péchés pour se construire une réputation qui seyait à leur position sociale.

Alistair McQueen avait enregistré toutes ces fautes sans jamais en profiter dans ce qu'il appelait son « Livre du Jugement Dernier ». L'existence de ce recueil garantissait l'indépendance et l'intégrité de *La Sentinelle*. Dans ses éditoriaux et ses articles, il exposait les pratiques douteuses, interpellait la justice sur les décisions contestables et réclamait une enquête quand une entreprise contrevenait au bien public. Si ses commentaires provoquaient une riposte agressive, ou si on lui conseillait sèchement de modérer ses propos, voire de les renier, Alistair McQueen rappelait avec calme qu'il pouvait en dire beaucoup plus. Quelques exemples bien choisis suffisaient à éteindre toute menace.

Le lundi suivant Monk se rendit à la Gotham Bank et retira de son coffre la cassette achetée par son père trente ans auparavant. Dans l'isolement d'un petit bureau, il en sortit le Livre du Jugement Dernier et trouva sans peine ce qu'il cherchait.

Alistair McQueen s'était très bien documenté sur l'ascension de Paul Miller au fil des ans, rapportant de graves interrogations sur les agissements de Miller en affaires. Plusieurs fois les deux hommes s'étaient affrontés mais, pour autant que Monk pût en juger d'après ses écrits, son père n'avait jamais cherché à étayer ses soupçons quant à d'éventuels actes délictueux de la part de Miller.

Pourquoi ? Que savait son père qui l'avait dissuadé de faire éclater la vérité ? Les notes ne donnaient aucune indication sur ce point, et Monk ne pouvait se défaire de l'impression que quelque chose n'était pas clair.

Le journaliste referma le Livre du Jugement Dernier et le fixa d'un regard perplexe. L'image de Rose à Dunescrag s'imposa à lui... Ce mépris d'elle-même qu'il avait lu dans ses yeux, la résignation et l'accusation muette qu'ils avaient exprimées quand elle était passée près de lui...

Ce souvenir décida Monk. Son père lui avait laissé un point de départ. Il continuerait ses recherches et creuserait aussi profondément qu'il serait nécessaire pour mettre à jour le passé de Miller. Ensuite il imprimerait tout, quelles que soient les personnes impliquées. Parce que Monk voulait faire connaître la vérité, cette vérité qui seule pouvait maintenant libérer Rose.

*

Monk commença ses recherches dans le Minnesota. État où Paul Miller avait grandi. En discutant avec les habitants de sa petite ville natale, il se rendit vite compte que le fils prodigue de la communauté n'était guère apprécié.

A peine âgé de vingt ans, Paul Miller mit sur pied une petite usine de conserves de viande. Il convainquit les éleveurs locaux qu'ils réaliseraient des profits supérieurs s'ils y vendaient leur bétail plutôt que de l'envoyer aux grands abattoirs de Chicago. Organisée en coopérative, la conserverie était bâtie, entretenue et possédée par les fermiers, et Miller en était le directeur financier.

Dès le premier jour les comptes de la coopérative s'enfoncèrent dans un flou qui devait rester constant. Grisés par le succès de l'entreprise, ses membres laissèrent Miller acheter des équipements coûteux et de nouveaux locaux et signer des accords d'exclusivité avec des fournisseurs de l'Est. Personne ne remarqua qu'après quelques mois seulement les dépenses excédaient de beaucoup les recettes.

Le jour où les banques vinrent frapper aux portes de la coopérative, Paul Miller avait disparu. Ceux qui s'étaient enorgueillis d'être propriétaires et producteurs indépendants se retrouvèrent soudain en position de débiteurs. Le coup de grâce leur fut asséné quand un des géants de la conserverie de Chicago fit une offre de rachat. La coopérative fut bradée dans son intégralité pour à peine trente pour cent de sa valeur. Ses anciens membres, dépouillés de leurs biens et de leurs investissements, n'eurent d'autre choix que d'accepter les tarifs édictés par le nouveau propriétaire. Et pendant ce temps nul n'entendit parler de Paul Miller. Beaucoup plus tard pourtant, un journal de Saint-Paul-Minneapolis révéla qu'il avait été nommé vice-président honoraire pour le Midwest d'une certaine conserverie industrielle de Chicago.

Monk rapporta cette première escroquerie de Paul Miller dans *La Sentinelle*, mettant l'accent sur le désarroi, le drame et les vies détruites qu'elle avait engendrés. Pour l'occasion, il inaugura une nouvelle rubrique qu'il baptisa « *Portraits d'affaires* ».

*

Durant tout l'été, Monk McQueen suivit la piste du passé de Paul Miller. De Saint-Paul à Duluth, Chicago, Washington et finalement New York, ce n'étaient qu'achats et reventes louches, engagements bafoués, fusions et offres publiques d'achat tendancieuses. Le financier tenait indubitablement son rang au panthéon des hommes d'affaires les plus troubles des États-Unis.

Le journaliste interrogea de petits banquiers ruinés par les manipulations financières de Miller, des familles dont l'entreprise avait été absorbée par de gros trusts pour lesquels Miller travaillait en mercenaire, d'audacieux inventeurs dont il avait éhontément pillé les idées pour les faire breveter sous son nom. Peu à peu Miller apparaissait en Dorian Gray de la finance. Son image publique était celle d'un battant au succès mérité, mais McQueen ôtait le masque et révélait le véritable Miller, celui qui ne reculait devant rien pour un profit.

A chaque nouvel article Monk augmentait la pression. Cette stratégie n'avait qu'un but : faire sortir de l'ombre un témoin ou une victime qui présenterait des éléments assez incriminants pour déclencher une enquête gouvernementale. En attendant, Monk refusait tout contact avec sa cible, et lorsque les avocats de Miller l'attaquèrent en diffamation il ordonna aux siens de relever le défi. Un jour, à Washington, deux détectives privés l'accostèrent sur les marches du Capitole. D'une voix tonitruante, Monk leur demanda ce qu'ils voulaient et s'ils travaillaient pour Paul Miller. Les deux hommes battirent aussitôt en retraite, mais leur photo et une relation détaillée de l'incident parurent le lendemain dans *La Sentinelle*.

*

— J'ai besoin d'une réponse, Rose. Le temps presse.

Ils étaient assis face à face dans le jardin à la française de Dunescrag, au milieu de l'ordonnancement soigné des massifs de géraniums, de tulipes et de roses. Au-delà de la grande pelouse ils pouvaient admirer les taches blanches des voiliers sur le bleu du détroit de Long Island.

Rose se resservit une tasse de thé à gestes mesurés.

— De quelle réponse parlez-vous, Paul ?

— Les contrats de transport liant Global et Vanderbilt expirent dans trois semaines. Et vous n'avez même pas commencé à les renégocier.

Rose l'étudia avec attention. La pression causée par les articles de *La Sentinelle* l'avait marqué. Ses manières naguère charmantes s'étaient faites brusques, même lorsqu'il était en sa compagnie, tandis que sa cour assidue faiblissait : ces derniers temps, Paul Miller avait eu d'autres sujets en tête que de plaire.

Rose avait été ravie de lire les articles de Monk. Elle comprenait sa tactique et priait pour sa réussite. Elle guettait Paul Miller sans rien en montrer, cherchant le moindre signe de faiblesse, attendant le moment où enfin il céderait et rendrait volontairement les parts de Global contre un échéancier de remboursement. Rien de moins ne pourrait l'évincer de façon définitive de l'existence de Rose et de la compagnie.

— Je ne suis pas certaine que Vanderbilt soit le meilleur partenaire avec qui traiter, dit-elle négligemment en faisant courir un ongle peint sur le bord de sa tasse.

— C'est le seul! répliqua Miller d'un ton sec.

— Aux conditions qu'il propose...

— Personne n'en a fait de meilleures!

Parce qu'aucune autre compagnie n'ose le défier sur son terrain. Il les terrorise.

— Si ce contrat n'est pas renégocié, Rose, Global risque de perdre une bonne partie de son réseau de distribution. Et vous savez aussi bien que moi ce que cela signifierait : la valeur de la compagnie chuterait.

Vous pensez surtout à la valeur des parts que vous détenez, Paul...

— Je ne veux pas forcer votre décision, poursuivait Miller, mais si vous refusez de voir où sont vos intérêts, je serai obligé d'agir : je donnerai ordre à mes avocats de présenter une requête en justice pour valider mes droits sur ces parts. Et si j'en venais à une telle extrémité, vous ne pourriez ignorer aussi aisément mon avis.

En dépit du soleil estival, Rose sentit la chair de poule sur ses bras.

— Croyez-vous cela indispensable, Paul ? dit-elle doucement. Qu'ai-je fait pour mériter cela ? Vous m'avez octroyé le temps que je vous demandais et je vous en suis reconnaissante. En contrepartie, malgré tout ce qui a été écrit sur vous, je n'ai jamais douté de votre intégrité. Ne comprenez-vous pas où je veux en venir ?

Déstabilisé par ce revirement dans la conversation, Paul Miller s'humecta les lèvres.

— Eh bien... Je n'en suis pas sûr. Je ne sais pas ce que vous voulez dire exactement.

Avec un léger rire de gorge, Rose couvrit de ses mains celles du financier.

— Les hommes sont parfois tellement aveugles! Ne voyez-vous pas que je suis en train de tomber amoureuse de vous, Paul ?

*

Une heure plus tard Rose était allongée sur son lit à baldaquin, les yeux fixés sur le ciel de lit en soie. Paul Miller ronflait légèrement à côté d'elle.

Sans hâte elle se leva et passa dans la salle de bains. Elle verrouilla la porte puis examina son corps nu dans la glace. En dehors de la douleur qui brûlait entre ses jambes, elle se savait inchangée. Ce qu'elle avait fait portait de nombreux noms : acte mécanique, danger à écarter, manière de gagner du temps, sacrifice pour l'avenir de ce qu'elle ne céderait jamais à autrui. Mais cela n'était pas, ne serait jamais un acte d'amour.

Rose resta immobile devant le miroir de longues minutes, à frissonner. Elle voulait graver en elle cette image pour ne jamais oublier ce qu'elle avait fait, et le prix payé. Quand elle fut certaine de ne pas faiblir, elle prit l'éponge et se nettoya.

★

La tension montait. Dans tout le pays les journaux faisaient écho aux révélations de Monk McQueen. Des éditoriaux réclamaient l'ouverture d'une enquête, tandis que la presse financière s'interrogeait sur les raisons du mutisme de Miller dont seuls les avocats réagissaient. *La Sentinelle* joignit sa voix aux autres et lui offrit sa une s'il voulait s'expliquer. La réponse que reçut McQueen fut très différente de celle qu'il escomptait.

Le sénateur du Delaware Charles Humbolt avait passé plus de la moitié de ses soixante-dix ans à siéger au Sénat. Il avait rédigé quelques-unes de ses lois les plus bénéfiques et appuyé toutes celles qui profitaient à la nation. Au moment de prendre sa retraite, il présidait la puissante Comission des Finances au Sénat, et la demeure où il avait invité Monk était tapissée d'innombrables témoignages et récompenses pour services rendus au pays. Charles Humbolt était tout simplement une figure historique des États-Unis.

— Même votre père a eu quelques propos aimables à mon égard, plaisanta-t-il en refermant ses doigts déformés par l'arthrite sur le pommeau argenté de sa canne.

Monk s'empressa d'approcher un fauteuil.

— Ils étaient fondés, monsieur le sénateur, cela ne fait aucun doute, dit-il avec respect.

L'ouïe de Humbolt était tout aussi fine que celle de McQueen, mais il parlait bas. C'était une technique qui forçait l'attention de ses interlocuteurs.

Monk avait été assez dérouté par cette invitation impromptue. Les raisons probables d'un tel honneur lui échappaient.

— Maintenant que nous avons échangé nos petites amabilités, venons-en au fait, dit Humbolt en s'asseyant. Vous avez beaucoup écrit sur Paul Miller. Puis-je vous demander pourquoi ?

Monk entama le couplet si souvent répété ces derniers temps. Le rôle de Miller dans l'affaire Talbot Railroads l'avait intrigué, en particulier l'arrangement pour le moins suspect conclu avec Simon Talbot. Tout naturellement ces étrangetés l'avaient poussé à enquêter sur le passé du financier.

De sa canne, le sénateur racla le sol en un geste irrité.

— Je vous saurais gré de me dire la vérité, Mr. McQueen. Si je veux des histoires amusantes, je peux encore lire la page humoristique des gazettes. Vous avez ressorti tous ces faits sur Miller parce que vous voulez aider Rose Talbot à l'empêcher de mettre la main sur Global.

Monk devint écarlate. Mais il ne pouvait nier.

— C'est exact, monsieur le sénateur.

— Et jusqu'ici, vous avez assez bien réussi, n'est-ce pas?

— Si vous voulez dire que j'ai déterré quelques squelettes gênants, oui. Mais chaque mot écrit l'a été sur des preuves, et on ne peut pas dire que Paul Miller se soit précipité pour me contredire.

— Savez-vous pourquoi?

— Parce que j'imprime la vérité, monsieur le sénateur, répondit Monk, son calme retrouvé.

— La vérité... Vous vous référez à cette notion avec une certitude que seule la jeunesse autorise. Mais laissez-moi vous dire une chose, Mr. McQueen : vous vous êtes effectivement rapproché de la vérité, mais vous ne l'avez pas encore atteinte. Et peut-être ne le désireriez-vous pas...

— Excusez-moi, monsieur le sénateur, mais je ne comprends pas.

— Vous avez découvert quelques pommes pourries mais vous n'êtes pas encore allé au fond du panier, dit Humbolt avec une tristesse surprenante. Vous accusez Miller de manquements à l'éthique, de vol et de tromperie. Et il est coupable, c'est un fait. Mais voyez-vous, mon jeune ami, nous savions tout cela de longue date. Bon sang, certains d'entre nous y ont même trouvé leur compte... Étant donné votre talent de journaliste, vous n'auriez pas tardé à l'apprendre.

Monk déglutit avec difficulté.

— De qui parlez-vous quand vous dites « nous », monsieur le sénateur?

Humbolt eut un mouvement de menton provocateur.

— Eh bien, mais de quelques-uns des plus augustes membres du Sénat des États-Unis d'Amérique, bien sûr. Dont moi. Et je vais vous dire qui d'autre, quand, où et comment.

Les mots résonnaient encore dans l'esprit de Monk quand il s'entendit balbutier :

— Monsieur le sénateur, j'espère que vous ne verrez pas d'inconvénient à ce que je prenne des notes...

Humbolt eut un sourire las.

— Mais j'y compte bien.

*

Trois heures plus tard, Monk avait l'impression qu'une force titanesque avait aspiré toute son énergie. L'incrédulité se lisait sur son visage.

— Vous avez eu un peu plus que ce que vous escomptiez, n'est-ce pas, jeune homme ? observa Humbolt.

Le sénateur avait en effet tenu parole. De sa mémoire prodigieuse il avait extrait les noms, les dates, les lieux et les montants. La pieuvre Miller étendait ses tentacules bien plus loin que Monk ne l'aurait imaginé, jusqu'à des personnalités réputées incorruptibles. La liste des faveurs offertes et acceptées, des enquêtes gouvernementales étouffées, des conseils murmurés depuis Wall Street aux oreilles de Washington paraissait interminable. Contrairement au mythe public, l'ascension de Paul Miller ne devait rien à la chance ou à l'audace. Il avait planifié chaque étape de sa carrière, couvert chaque mouvement à coups de dollars.

Monk réagit enfin.

— J'espère que vous ne vous offenserez pas de ma question, mais avez-vous des documents étayant vos dires ?

De la pointe de sa canne, Humbolt poussa une vieille mallette vers le journaliste.

— Vous trouverez tout ce qu'il vous faut là-dedans. Beaucoup de ceux qui ont collaboré avec Miller sont décédés. Il reste des preuves écrites, bien sûr, dans les papiers de famille ou certaines archives, publiques ou d'avocats. Les regrouper serait une tâche assez colossale, mais je ne pense pas que vous le ferez.

— Et pourquoi donc, monsieur le sénateur ?

— Parce que vous savez aussi bien que moi ce qui arrivera si vous faites éclater le scandale.

Monk en avait déjà une idée. *La Sentinelle* pouvait déclencher le scandale du siècle en première page.

— Il y aura une enquête du Congrès, monsieur le sénateur. Les citoyens l'exigeront, et ils l'obtiendront. Vous serez impliqué et vous devrez déposer...

— Seulement si vous décidez d'imprimer ce que vous savez, corrigea paisiblement Humbolt.

Monk hésita devant cette formule sybilline.

— Voyez-vous, mon jeune ami, il n'y a pas que des politiciens et des législateurs qui aient aidé Miller, continua le vieil homme. Nous ne pensions pas commettre un acte aussi horrible ou aussi immoral, en ce temps-là. Une faveur contre un pourcentage de marché, quelques phrases bienveillantes contre un soutien financier pour une campagne électorale, tout cela semblait sans grande conséquence, étalé comme ça l'était sur les années. Et bien sûr la conscience n'aime pas garder souvenir de ce genre de choses, si bien qu'on n'en fait pas la somme. Et puis un matin vous vous rendez compte que ce qui n'était au départ qu'une faveur est devenu une institution tacite. Quand ils ont réussi à vous corrompre une fois, les mêmes hommes reviennent vous voir, parce qu'ils savent que vous ne pourrez plus refuser.

– Vous avez parlé d'autres personnalités impliquées... rappela Monk, la gorge serrée par le pressentiment.

Charles Humbolt se renversa dans le fauteuil et contempla le journaliste un moment, l'air grave. Puis il désigna la mallette de sa canne.

– Alistair McQueen, votre père, était un de ceux qui se trouvaient « en dette » avec Paul Miller. Tout est là, comme vous pourrez le constater. C'est pourquoi je disais « si vous décidez d'imprimer ce que vous savez ». Parce que vous pourriez fort bien changer d'avis, mon jeune ami. Et qui pourrait vous le reprocher ?

9

Comme l'avait dit Charles Humbolt, tout était là, écrit noir sur blanc. Monk ne pouvait plus l'ignorer, ni l'effacer de sa mémoire. De la demeure du sénateur, Monk se rendit au *Willard Hotel*, y loua une suite et donna des instructions pour ne pas être dérangé. Il contempla longtemps la vieille mallette de cuir avant de trouver le courage de l'ouvrir.

Le sénateur était un homme méticuleux. Sa correspondance et ses notes étaient impeccablement classées, et il ne manquait pas un nom, une date ou un lieu. Mis bout à bout, tous ces documents dévoilèrent à Monk ce que jamais il n'avait entendu de son père.

Il fut un temps où Alistair McQueen luttait pour assurer la survie de son journal contre les créanciers. Personne n'accepta de l'aider, à l'exception, à la dernière minute, d'un jeune financier nommé Paul Miller.

Selon les standards actuels, le prêt était ridicule, quelques centaines de dollars, mais cet argent avait sauvé *La Sentinelle*. Dès qu'il l'avait pu, Alistair McQueen avait remboursé Miller, avec les intérêts. Mais l'affaire n'en était pas restée là.

Pendant des années, Alistair McQueen avait enquêté sur de nombreuses énigmes concernant Paul Miller. Il avait découvert malversations, pots-de-vin et manipulations diverses. Dans ce dossier, il avait rapporté les différentes machinations avec une colère perceptible. Pourtant il n'en avait jamais fait mention dans *La Sentinelle*.

En revanche, il avait confié son dégoût à un jeune politicien nommé Charles Humbolt. Miller le menaçait de ruine si la moindre révélation venait à être publiée. Synonyme d'intégrité, *La Sentinelle* deviendrait objet de risée et son fondateur serait considéré comme un hypocrite cherchant à détruire l'homme qui lui avait naguère permis de réaliser son rêve. Et Charles Humbolt avait conseillé à Alistair McQueen de laisser Miller en paix.

« Il y a beaucoup d'autres cibles qui méritent votre attention, avait-il rapporté par écrit. Oubliez Miller. Croyez-moi, il ne veut rien avoir à faire avec vous. »

Monk n'imaginait que trop bien le terrible dilemme qui avait dû déchirer son père. Mais les informations existaient toujours, qui n'attendaient que d'être révélées.

Le téléphone sonna de nombreuses fois avant que Monk décroche. Il savait qui l'appelait.

— Bonsoir, monsieur le sénateur.

— Bonsoir, Monk. Je suppose que vous avez tout lu ?

— Oui.

Un court silence suivit. Monk ne savait qu'ajouter.

— Alors pensez à votre père, reprit Humbolt. Le coup que cela porterait à sa mémoire... Ce n'est pas votre combat, Monk. Rose Jefferson peut affronter seule la situation. Elle est pleine de ressources. Mais si vous prenez son parti, alors c'est vous qui paierez. Ne le faites pas, jeune homme.

Une vague de colère submergea Monk. Comment Humbolt osait-il lui dicter sa conduite envers Rose ?

— Je sais ce à quoi vous pensez, enchaîna le sénateur. Vous êtes le seul à pouvoir l'aider, elle a mis tous ses espoirs en vous, et vous ne voulez pas l'abandonner. Réfléchissez, Monk. Votre père a eu à maintes reprises l'opportunité d'agir. Il a vu beaucoup de gens respectables floués par ce salopard. Et pourtant jamais il n'a utilisé ces renseignements. Et vous savez pourquoi ? Parce qu'à long terme il voulait que *La Sentinelle* reste assez puissante et assez influente pour s'attaquer à de plus gros poissons que Miller. Et, bien qu'il détestât les compromissions, il avait compris qu'il devait s'accommoder de celle-ci. Tel est également le problème auquel vous êtes confronté.

— Est-ce pour cette raison qu'il vous avait confié toutes ses notes sur Miller ? s'enquit Monk. Parce qu'il était sûr que vous ne les montreriez à personne ?

— C'est exactement ça, approuva Humbolt de sa voix douce.

— Eh bien ! moi, je ne le crois pas, monsieur le sénateur.

— Monk...

— Autre chose : est-ce Miller qui vous a suggéré de me montrer ces documents ?

— Il a pensé que je serais plus à même d'exposer la situation, dans les circonstances actuelles. Votre père et moi étions amis, Monk. De très bons amis. Mais ce n'est pas cela qui importe. Ne publiez rien. Vous savez que je ne dis pas cela pour moi. J'essaie de vous dissuader de commettre une énorme bêtise.

— J'apprécie votre sollicitude à sa juste mesure, répondit Monk. Je vous recontacterai.

*

Monk ne ferma pas l'œil de la nuit. Il resta assis près de la porte-fenêtre du balcon, à regarder les lumières du Capitole en fumant cigare sur cigare. Il s'efforçait de considérer la situation avec objectivité et de peser le pour et le contre, mais ses pensées revenaient sans cesse à Rose.

A cinq heures du matin, il appela le garçon d'étage et commanda une pleine cafetière, une machine à écrire et deux cents formulaires de messages postaux. Il était temps pour lui de se mettre au travail.

*

Rose était installée sur la terrasse de Dunescrag, à une table blanche abritée par un grand parasol rayé de bleu et de rouge. Elle scruta le détroit où Steven prenait sa leçon de voile. Elle était très fière de la rapidité avec laquelle son fils maîtrisait le maniement du bateau de six mètres.

— Ceci vient d'arriver pour vous, madame, dit Albany en lui présentant une grosse enveloppe sur un plateau d'argent.

Le cœur de Rose s'emballa quand elle lut la une de *La Sentinelle*.

— Albany, appelez Hugh O'Neill pour moi.

Quelque chose d'inhabituel devait transparaître dans sa voix car le domestique demanda :

— Tout va bien, madame ?

Rose lui décocha un sourire éblouissant.

— Mieux que bien, Albany ! Appelez également Mr. Gollant.

L'esprit en ébullition, Rose rentra en hâte dans la maison sur les pas d'Albany. Elle ne vit même pas son fils qui lui faisait un signe de victoire depuis le voilier après avoir accompli une manœuvre difficile.

*

L'odeur de cigare flottait dans la suite du septième étage du *Waldorf*. Pourtant le jeune homme en face de Paul Miller ne fumait pas et les cendriers étaient propres.

— Pouvez-vous expliquer ceci ? fit Mr. Smith en tapotant de l'index un exemplaire de *La Sentinelle*.

Paul Miller secoua la tête. Il était rasé de près, manucuré et vêtu d'un costume bleu impeccable. Les traits de son visage exprimaient un calme que démentait un regard en alerte. Il se racla la gorge.

– J'ai appelé le journal toute la matinée. Les gens de McQueen prétendent qu'il n'est pas là et qu'ils ne savent pas où le joindre.

– On nous a dit la même chose. Néanmoins, vous devez comprendre que Mr. Vanderbilt se sent très concerné par les suites probables de ces derniers événements.

– Et moi donc! s'exclama Miller, excédé. Ce fumier de McQueen veut ma perte! J'ai besoin d'aide... Je sais foutrement bien que Vanderbilt se trouve dans la pièce voisine. Alors pourquoi ne sort-il pas pour me parler?

L'homme parut ne pas entendre.

– Vous êtes au courant des répercussions à attendre, dit-il d'un ton neutre. Il y aura une enquête, et il est bien évident que Mr. Vanderbilt ne veut pas que son nom soit associé au vôtre, en aucune manière.

– Il est un peu tard pour ça, vous ne croyez pas? rétorqua Miller.

– Pas du tout. Mr. Vanderbilt n'a rien à voir avec vos transactions précédentes. Le seul lien entre vous est Talbot Railroads. Et je suis sûr que vous comprendrez que ce lien doit être tranché.

Les yeux de Miller s'étrécirent.

– Ce qui signifie?

– Vous devez abandonner tout intérêt dans Global Entreprises, ce qui est votre lien avec Talbot Railroads.

– Vous voulez dire que je devrais rendre les parts? fit Miller, incrédule. Mais le seul but de mon prêt à Simon Talbot était d'obtenir un moyen de pression sur Global pour qu'ensuite Vanderbilt puisse en prendre le contrôle...

– Les plans ont changé, Mr. Miller. Nous sommes disposés à vous dédommager dès que vous ne serez plus aussi... en vue, pour ainsi dire.

– Ah oui, je ne serai plus « en vue »! *Je serai en prison!*

Paul Miller fit un effort considérable pour endiguer ses émotions. Maintenant plus que jamais il avait besoin de toutes ses capacités.

– Quel dédommagement aviez-vous à l'esprit? demanda-t-il d'un ton sceptique.

– Cinquante mille dollars. En liquide.

Miller faillit chanceler. La somme était dérisoire, insultante. Il comprit alors ce qu'elle signifiait.

– Vous me laissez tomber, c'est ça? Vous voulez vous éloigner de moi aussi vite que possible, hein?

– Nous vous offrons quelque chose pour vos vieux jours, énonça Mr. Smith avec un cynisme tranquille. Réfléchissez à notre proposition, Mr. Miller. Soigneusement.

Le financier acquiesça comme s'il pesait sa décision. Soudain il bondit de son siège et se rua vers la porte communiquant avec le reste de la suite. Son coup d'épaule était puissant, mais le bois ne frémit même pas.

— Sortez, Vanderbilt! rugit-il. Montrez-vous, et dites-moi vous-même comment vous allez me couler!

Le jeune homme avait dégainé le revolver qu'il portait sous son veston, mais il le rangea en voyant Miller sangloter. Il avait pour instruction de tuer le financier si cela devenait nécessaire. Mais à présent il pouvait se contenter de le plaindre.

*

— Heureux de vous trouver enfin.

Paul Miller entra dans le bureau et s'approcha de Rose pour l'embrasser.

— Paul, je vous en prie, fit-elle en s'écartant.

Miller eut un rire amer.

— Quelle timidité, tout à coup!

Il n'était plus le même homme que quelques heures auparavant. Après la débâcle au *Waldorf*, il était allé s'isoler dans son appartement de Park Avenue pour réfléchir à la situation aussi calmement qu'il le pouvait. Si Rose n'avait pas lu *La Sentinelle*, il pouvait peut-être encore la décider à coopérer avec Vanderbilt. Avec un peu de chance, le journal n'avait pas encore été distribué à Dunescrag. Mais il ne disposait que d'un très court délai pour agir. Il l'avait pleinement utilisé.

Il déposa un petit paquet enveloppé de papier argenté sur le bureau.

— Allez-y, Rose. Ouvrez-le.

La jeune femme s'exécuta et ouvrit le boîtier Cartier. Un solitaire monté sur un simple anneau d'or resplendit devant ses yeux.

— Pourquoi, Paul?

— Parce que je vous aime, Rose, répondit-il sans la quitter du regard. Tout ce qui s'est passé entre nous ces dernières semaines me l'a confirmé : je veux vous épouser.

Rose referma le boîtier avec un claquement sec. Elle prit l'exemplaire de *La Sentinelle* sur un coin du bureau et le posa devant lui.

Miller accusa le coup mais réussit à ne pas perdre contenance.

— Je pensais bien que vous auriez lu cela, soupira-t-il. Mais je vous en prie, Rose, croyez-moi : les allégations de McQueen n'ont aucun fondement. J'ai déjà contacté mes avocats. Demain à la première heure ils déposeront une plainte en diffamation.

La tactique du financier décontenança Rose. Elle s'était attendue à ce qu'il la presse de conclure un accord avec Vanderbilt et non à une demande en mariage, assortie d'un diamant. A moins que Vanderbilt ne se soit retiré du tableau...

Sans un mot, elle plaça un simple feuillet dactylographié sur le journal. Puis elle décapuchonna un stylo à encre et le lui tendit.

— C'est un acte de renonciation, expliqua-t-elle. Signez-le pour libérer les parts de Global que vous bloquez.

94

Miller la dévisagea longuement, à la fois ébahi et outré. Il n'avait pas l'intention de se laisser menacer impunément par cette femme.

– Et pourquoi le ferais-je ?

– Très bientôt, vous passerez devant une commission judiciaire du Sénat. Vous serez accusé d'extorsion de fonds, de pratiques frauduleuses et de malversations. Si vous signez maintenant, je n'ajouterai pas ma plainte aux autres.

– Vous ne savez pas ce que vous me demandez de faire, Rose...

– Si, je le sais, répliqua-t-elle en lui présentant un second document. Voici la liste des charges retenues contre vous par Hugh O'Neill. Il est prêt à la déposer devant une cour fédérale demain, ainsi qu'une requête pour vous retirer les parts de Global. Dans votre position actuelle, je doute qu'un juge vous accorde des circonstances atténuantes... Bien sûr, vous pouvez jouer votre va-tout et aller parler à Vanderbilt. C'est la seule option que je voie.

Paul Miller fixa les deux feuillets quelques secondes, comme s'il cherchait par la seule force de sa volonté à changer ce qui y était écrit. Il se tourna enfin vers Rose et retrouva dans ses yeux ce même vide glacé qu'il surprenait parfois après l'amour, quand elle croyait qu'il ne la voyait pas. Au début, il avait pensé qu'elle était frigide. A présent il comprenait que son cœur était tout aussi insensible.

– Combien ? demanda-t-il d'une voix rauque. Combien pour le rachat des parts ?

– Pas un cent ! siffla-t-elle. Vous avez eu la possibilité de vous arranger avec moi. Mais vous avez refusé ! Vous vouliez tout ou rien, eh bien, la balance a penché du mauvais côté pour vous... Signez et partez.

Paul Miller en resta bouche bée.

– Vous... Vous vous êtes vendue comme une catin pour cette compagnie ? Pour cette... cette *chose* ?

– Signez, Paul. Avant que je change d'avis et que j'appelle la police.

Miller était abasourdi. Sa main tremblait quand il apposa son paraphe au bas de l'acte de renonciation.

– Dieu vous aide, Rose, bredouilla-t-il. Un jour ce sera votre tour.

– Si cela peut vous consoler, Paul, croyez-le.

*

Les révélations imprimées par *La Sentinelle* ayant été reprises par tous les journaux du pays, les associations de citoyens, les gouverneurs et les législateurs suivirent et réclamèrent une enquête du Congrès.

Dans le tumulte qui agitait le Capitole, Monk décida de retourner à New York. En comparaison, l'atmosphère des bureaux de *La Sentinelle* lui parut feutrée, comme pour un deuil. Conscient du malaise engendré par son action, Monk rassembla son équipe et leur demanda la raison de cette morosité.

— Nous pensons qu'il vous a fallu un courage extraordinaire pour faire ce que vous avez fait, patron, lui dit-on d'abord. Et nous voudrions vous dire que nous sommes fiers de travailler avec vous.

Monk était très ému. Le soutien de ses employés, des directeurs de rubrique aux garçons de course, signifiait tout pour lui.

La plupart de ses confrères de la presse louaient les articles où Monk avait révélé comment et pourquoi son père avait laissé dormir certaines enquêtes sur les pratiques douteuses de Paul Miller. Ils étaient en général d'accord pour estimer que cette corruption ne portait qu'une ombre somme toute pardonnable sur la carrière par ailleurs exemplaire d'Alistair McQueen.

Mais les feuilles à scandale se montraient moins généreuses. Elles insinuaient que le fondateur de *La Sentinelle* avait profité des largesses de Miller pour prix de son silence. D'autres ajoutaient même qu'il avait certainement élargi ce système de chantage aux autres barons de la haute finance. Monk démentait ces accusations avec la dernière véhémence, mais une question le hantait, toujours la même :

Pourquoi as-tu fait cela, McQueen ? Pourquoi as-tu décidé de trahir ton vieux père ? Que te dirait-il s'il était encore là ?

— Mon père était un homme honorable, déclara Monk. Mais il n'était pas parfait. Il a commis des erreurs. Je pense que dans les circonstances présentes il aurait lui-même décidé d'imprimer ces informations.

Quelques rires grinçants et un ou deux quolibets fusèrent. Monk en fut blessé, mais il avait décidé d'assumer sa position jusqu'au bout.

— Je crois qu'il aurait approuvé ce que j'ai fait.

— Sûr ! railla un journaliste. Tout père adore être poignardé dans le dos par son fils !

Monk se sentit rougir de honte. Quand il avait écrit la première phrase du premier article, il était tellement sûr que son père l'aurait approuvé... Mais à présent cette certitude s'effilochait, et une seule personne au monde pouvait soulager la peine qui l'envahissait. Il fallait qu'il la voie.

*

— Monk, vous voilà enfin de retour !

Elle se hâta vers lui, éblouissante, et le journaliste eut l'impression de revivre.

— Bonjour, Rose, dit-il à mi-voix.

Elle le prit par le bras et le mena dans le salon de réception où

Albany supervisait la mise en place d'un thé pour des invités encore absents.

— Si j'avais su que vous veniez, j'aurais annulé tout cela, s'excusa Rose. Une trentaine de membres du Comité des Beaux-Arts de la ville doivent arriver d'une minute à l'autre...

— Je ne peux pas rester très longtemps, de toute façon. Je suis mort de fatigue, Rose. Mais je tenais à passer parce que...

Pour la première fois depuis des semaines, les mots lui manquèrent.

— Eh bien, vous paraissez épuisé, c'est vrai. Et ça ne m'étonne pas. Avec toutes ces horreurs déversés sur votre père par la presse à scandale!

— Rose, je...

Monk ne pouvait articuler. Il avait tant de choses à lui dire, et il aurait aimé entendre tant de choses...

— Rose, vous avez lu mes articles?

— Bien sûr. Ils sont magnifiques!

— Et pour les vingt-cinq pour cent?

Rose eut un sourire de triomphe.

— Revenus dans le giron de Global.

— Alors tout est arrangé?

La jeune femme le regarda sans cacher son étonnement.

— Bien sûr, tout est arrangé! Paul Miller est fini, effacé. Grâce à vous.

Monk réprima une grimace mais pardonna aussitôt à Rose sa dureté.

— Je me demandais... Je veux dire, si vous n'avez rien de prévu, bien entendu, nous pourrions peut-être... dîner ensemble?

Ravie, Rose battit des mains en souriant.

— Mon cher, cher Monk! Vous parlez exactement comme le jour de mon mariage, avec le même sérieux et la même timidité. Mais oui, bien sûr nous dînerons ensemble. Franklin meurt d'impatience de vous voir.

— Je pensais... Juste nous deux...

— Oh, Monk, je vous en prie! soupira-t-elle avec une pointe d'exaspération. Vous n'allez pas recommencer?

— Recommencer quoi?

— Cette idée stupide que vous êtes amoureux de moi.

— Mais je vous aime vraiment! bredouilla-t-il.

Rose s'approcha de lui et le regarda droit dans les yeux.

— Je n'ai pas beaucoup de chance avec les hommes, dit-elle calmement. Vous devriez le savoir mieux que quiconque. Je vous aime beaucoup, Monk, mais pas de cette façon. D'ailleurs je ne sais pas si j'aimerai encore ainsi. J'ai appris qu'il ne faut pas trop exiger de l'existence. J'ai ce travail que j'adore, à la tête de Global, et un avenir à construire. Pour l'instant, et peut-être pour toujours, cela me suffit.

Monk n'osait pas la regarder en face. Il entendait ses paroles mais son esprit se refusait à les comprendre tant elles étaient incroyables. Sa peine, en revanche, était bien réelle.

Dans le hall, les carillons résonnèrent.

— Vos invités, certainement, dit-il d'une voix rauque. Il faut que je parte, Rose. Au revoir.

Il s'éloignait déjà, d'un pas mécanique. Il évita l'entrée principale et s'enfonça dans les couloirs de Dunescrag qu'il connaissait si bien de son enfance. Il passa par les cuisines, sortit, traversa le jardin et se retrouva dans la rue. Il se mit à courir, sans se soucier de la direction.

★

Les révélations lancées par *La Sentinelle* avaient focalisé l'attention nationale sur Washington. Une commission nommée par le président Woodrow Wilson commença une enquête, et une semaine avant Noël elle rendait ses conclusions : l'État se retournait contre Paul Miller tandis qu'il accordait l'immunité à Charles Humbolt pour son témoignage déterminant.

Pour le public, l'affaire était classée. La guerre en Europe revint au premier plan de l'actualité. Dans toute la nation, des débats houleux opposaient isolationnistes, défenseurs d'une Amérique neutre, et interventionnistes, partisans d'une entrée dans le conflit aux côtés des Alliés. Lorsque Paul Miller fut condamné par un juge du district de Columbia à trois ans de pénitencier fédéral pour corruption, la nouvelle n'eut droit qu'à un entrefilet dans une page intérieure du *New York Times*.

10

Franklin Jefferson gravit en courant la volée de marches menant à l'entrée du *Metropolitan Club*. Une fois à l'intérieur, à l'abri du vent glacé qui balayait Manhattan, il ôta son lourd manteau en fourrure de loutre et le confia au vestiaire. Puis il s'engouffra dans le salon du bar où quelques membres devisaient aimablement de l'éventualité de devoir passer la nuit dans cette ambiance agréable. Ils rappelèrent à l'arrivant une bande de collégiens excités à l'idée d'être bloqués loin de chez eux par la neige.

Son verre à la main, Franklin louvoya entre les tables, échangeant des saluts avec ses connaissances, jusqu'au renfoncement où s'était installé Monk McQueen.

— Est-ce l'île du Diable ou as-tu la peste ? demanda-t-il avec sympathie.

Monk leva son verre.
– Un peu des deux, on dirait.

Habitué du *Metropolitan Club*, Franklin savait qu'au cours des dernières semaines Monk McQueen y avait été le principal sujet de conversation. Alors que New York dans son ensemble applaudissait son action, les membres du club restaient beaucoup plus partagés. D'autres squelettes dormaient dans la carrière de certains du côté de Wall Street, comparables à ceux qui avaient perdu Miller. Aussi une bonne partie d'entre eux évitait ouvertement le journaliste. S'ils restaient polis, ils ne l'invitaient plus à leur table.

– Il faut cesser de nous voir de cette façon, plaisanta Franklin pour alléger l'atmosphère. Les gens vont finir par jaser! Et puis, Rose a demandé de tes nouvelles. Elle a peur que tu te transformes en ermite.

Monk haussa les épaules et détourna les yeux. Rompant avec une tradition bien établie, il n'avait pas assisté aux fêtes de fin d'année à Talbot House. Les autres invitations reçues avaient toutes fini à la corbeille. La douleur de Monk était encore trop récente, trop vive pour qu'il pût affronter la présence de Rose.

Franklin s'en rendait parfaitement compte et il en souffrait pour celui qu'il considérait un peu comme son grand frère d'adoption. Monk faisait en effet partie de ses plus lointains souvenirs. Il avait été son compagnon de jeu des premiers âges, puis son guide dans les incertitudes de l'adolescence. C'est Monk qui lui avait dévoilé l'immensité et la beauté que le monde offrait à celui qui savait le regarder. Ensemble ils avaient débattu des grands problèmes de leur temps et échafaudé des plans grandioses pour l'avenir. Dans un domaine plus pratique, son aîné de six ans avait introduit avant l'âge Franklin dans les meilleurs clubs et, pour ses seize ans, l'avait amené chez l'accorte Madame Katrina pour le déniaiser.

Franklin était conscient de l'amour de Monk pour sa sœur. Il n'avait jamais compris comment elle avait pu lui préférer Simon Talbot. Après son veuvage, Franklin avait espéré un temps qu'elle accepterait enfin Monk, mais il avait vite déchanté. Plus récemment il s'était demandé pourquoi son ami de toujours avait traqué Paul Miller avec un tel acharnement. Ce n'est que par des conversations surprises ici même, au club, qu'il avait appris que Monk œuvrait pour aider Rose Jefferson. Il devait être le dernier à New York à le découvrir.

Franklin ne savait que faire. Il voulait en discuter avec Monk, mais craignait de l'embarrasser un peu plus encore. D'un autre côté, il en voulait à Rose de son manque de reconnaissance. Elle agissait comme si de rien n'était, et Franklin ne voyait pas d'excuses à une telle ingratitude.

– Comment va Rose? s'enquit poliment Monk.

Il sentait que Franklin avait quelque chose à lui dire sans trop savoir comment s'y prendre.

– Très occupée, répondit Franklin un peu trop vite. Tu ne me croirais pas si je te disais à quel point elle a transformé Global.

– Oh si, je te croirais.

Même s'il n'avait plus écrit une ligne à propos de la compagnie depuis des mois, ses reporters avaient suivi la grande reprise en main de Rose. Le personnel de Talbot Railroads introduit aux postes clés de Global avait été congédié, de même que les cadres sélectionnés par Simon. Rose avait promu ou licencié des employés dans chaque secteur. Toute personne dont elle soupçonnait la loyauté pouvait dire adieu à son poste.

Rose s'était comportée avec autant de volonté à l'extérieur de la compagnie. Non contente de faire la paix avec Vanderbilt, elle avait obtenu du Commodore qu'il signe publiquement un contrat de coopération avec elle. Le message ainsi envoyé aux autres compagnies ferroviaires et aux clients était transparent : la hache de guerre était enterrée, Rose Jefferson était de retour aux commandes. En quelques jours Global fut submergé de contrats exclusifs émanant de toutes les industries.

– Et toi ? demanda Monk. Eric Gollant t'apprend toujours les subtilités de l'art du commerce ?

Franklin se rembrunit.

– J'apprends, oui. C'est assez intéressant.

– Mais ?

Franklin but une gorgée de cognac avant de répondre.

– Mais je ne suis pas fait pour ça. Je ne l'ai jamais été et je doute que je le sois un jour.

– En as-tu parlé à Rose ?

– Non... Je suis tout ce qui lui reste de la famille, Monk. Que fera-t-elle si je ne veux plus être partie prenante de ce qui constitue sa vie ? Crois-tu que je devrais lui expliquer ? Comprendrait-elle ?

Oh oui, elle comprendrait, songea Monk. *Et elle ferait tout pour te remettre dans le droit chemin.*

– Tu dois décider de ce qui est le mieux pour vous deux.

La déception de Franklin à cette réponse ambiguë se lisait sur son visage, mais Monk refusa de faiblir.

– Oui, je suppose que tu es dans le vrai, dit enfin son ami. (Puis il rit et ajouta :) Mais en fin de compte tout s'arrangera. J'en suis persuadé.

Quand le journaliste se remémora ces mots plus tard, il ne put décider s'ils étaient teintés d'amertume ou si c'était lui qui les avait interprétés ainsi.

*

– Alors, qu'en penses-tu ?

La tempête s'était calmée au matin, et le frère et la sœur étaient assis dans le bureau directorial de Global. Par les fenêtres ils voyaient Manhattan s'éveiller sous son manteau de neige. Ils avaient fait de ce café pris ensemble à la compagnie une sorte de rituel, un moment d'intimité où ils pouvaient discuter de la journée qui commençait. Franklin éleva la feuille de papier bleu pâle dans la lumière pour faire briller les caractères dorés de l'en-tête dans le soleil.

– C'est mon cadeau de Noël à moi-même, fit Rose.

– *ROSE JEFFERSON*, lut Franklin en souriant.

Rose l'imita, satisfaite d'avoir définitivement repris son nom de jeune fille. Malgré toutes les épreuves, elle avait réussi à conserver ce qui lui importait le plus : Steven, Franklin et, bien sûr, Global.

Des trois, son frère était son souci majeur. Elle craignait de le perdre. Alors que Rose considérait chaque nouvelle journée comme un défi à relever, Franklin s'y jetait avec un abandon joyeux et profitait de ses amis, du sport et des femmes avec la même insouciance apparente. Elle avait peur de cette liberté si éloignée de sa propre vision du monde. De fait, le caractère profond de son frère échappait à son emprise. Rose suivait avec attention ses progrès sous la férule d'Eric Gollant, et leur rapidité l'étonnait un peu, elle devait le reconnaître. Mais en dépit des avis rassurants de Gollant, elle n'était pas convaincue de l'intérêt de Franklin.

– J'ai dit que nous devrions songer à quelques adaptations... Rose ?

Doux Jésus! Mais je rêvais tout éveillée!

– Excuse-moi, Franklin. Quelles adaptations ?

Son frère n'avait jamais manifesté d'intérêt pour la conduite générale de la compagnie, domaine que Rose se réservait d'ailleurs volontiers. La force de Franklin résidait dans son sens du contact, et sa sœur l'avait judicieusement placé à la direction du personnel où il faisait des merveilles.

– Tu prévoyais d'acheter les entrepôts et les locaux que nous louons actuellement, expliqua-t-il. Je crois que le moment ne peut être mieux choisi. Très bientôt cette guerre en Europe amènera beaucoup d'immigrants ici, c'est prévisible. La demande va faire grimper en flèche le prix des terrains. Et en achetant nos locaux, nous pourrions même acquérir un peu plus pour revendre plus tard.

Franklin lui donna un mince dossier.

– J'ai examiné nos liquidités. Comme tu le sais, ce n'est pas mirobolant. Néanmoins nous pourrions obtenir ce qui nous manque assez aisément en vendant quelques centaines d'actions à de petits porteurs.

– Une *offre publique* ? s'exclama Rose. Mais la dernière chose que nous voulons, c'est bien une horde d'investisseurs privés qui donneront leur avis sous le moindre prétexte!

— Nous manquerons de capital de toute façon, quand il s'agira de financer le lancement des mandats Global, lui rappela Franklin. Si nous achetons maintenant, pendant que les prix sont bas, nous pourrons revendre à court terme avec des bénéfices très substantiels. Tout profit réalisé aujourd'hui signifie moins d'emprunts demain, n'est-ce pas ? Bien sûr, nous rachèterions nos locaux par la bande, sans que le nom de Global apparaisse... (Franklin sourit.) J'ai ajouté une liste d'intermédiaires sûrs. Inutile que les prix grimpent à la nouvelle de notre offre...

Il consulta sa montre.

— Et maintenant, il faut que j'y aille.

Rose était sidérée par la confiance tranquille de son frère.

— Où vas-tu ? voulut-elle savoir.

— J'invite ma nouvelle secrétaire pour le petit déjeuner.

— Franklin, tu sais ce que je pense de ces rapports avec le personnel !

Il lui fit un clin d'œil.

— Je viens de la soustraire à notre plus grand rival, le vieux Adams. C'est elle qui prenait son courrier, et je parierais qu'elle en sait autant que lui sur ce qui se passe dans sa compagnie.

Rose allait de surprise en surprise. Après tout, elle avait peut-être sous-estimé les progrès de son frère...

*

Franklin parti, Rose étonna Mary Kirkpatrick en annulant tous ses rendez-vous de la matinée.

— Pas de téléphone, pas de rendez-vous, ordonna-t-elle.

Rose étudia le rapport de son frère à fond. Après trois lectures intensives, elle dut admettre que l'analyse et le raisonnement de Franklin étaient cohérents. Elle en fut ravie.

— Apportez-moi les dossiers de nos loueurs, fit-elle à sa secrétaire par l'interphone.

— Tous, madame ?

— Oui, tous. Et appelez le *Delmonico*. Dites à Murphy de me concocter un menu spécial pour deux, ce soir. Mr. Jefferson et moi dînerons chez lui.

*

Tout le printemps et tout l'été, Franklin Jefferson voyagea aux quatre coins du pays pour contacter les gens sûrs qui allaient racheter à bas prix terrains et entrepôts à Miami, La Nouvelle-Orléans, Galveston, Saint Louis, Buffalo, Detroit et Chicago.

Pour Franklin, cela fut bien plus qu'un simple voyage d'affaires. Bien qu'il eût longuement sillonné l'Europe, il n'avait jamais quitté la côte Est de son pays natal. La découverte de l'Amérique fut une révélation. Il apprit à connaître la force et la foi en l'avenir de ces hommes et de ces femmes qui bâtissaient une nation. Ils avaient des visages, des origines, des accents différents mais ils partageaient tous le rêve d'une vie meilleure. En repensant à New York, il se mit à voir Wall Street et ses intrigues d'un œil beaucoup plus critique. Ici, ces manipulations n'existaient pas. Ces financiers qui croyaient définir la trajectoire économique du pays ne savaient rien.

Pendant ses déplacements, Franklin tint un journal intime qu'il emplit de descriptions, commentaires, citations. Mais il n'en parla jamais à Rose dans ses lettres où il gardait toujours le ton froid qu'elle attendait. Jusqu'alors il n'avait pas réalisé à quel point elle gouvernait sa vie, mais il commençait à voir clair et avait décidé de s'émanciper de sa tutelle. Comment avouer à Rose la distance qui s'accroissait entre son travail et sa personnalité ? Pour l'instant c'était impossible, mais il se jura de le lui expliquer plus tard, quand il se sentirait assez fort.

*

A New York, Rose surveillait les progrès de Franklin et concrétisait ses engagements d'achats fonciers et immobiliers grâce à l'argent généré par la vente d'actions. Elle sélectionnait ses investisseurs avec un soin tout particulier, n'acceptant que les petits porteurs qui faisaient là un placement de confiance et ne désiraient pas participer aux décisions.

Fin 1916, Global avait triplé son actif sans créer le moindre remous dans le monde financier. Si le fret concourait toujours très largement aux profits de la compagnie, l'argent affluait grâce aux terrains et bâtiments loués maintenant par Global, et à la fin de l'année les bénéfices dépassaient vingt-sept millions de dollars.

Rose leva sa coupe de champagne.

– Je porte un toast à notre compagnie, que sa rentabilité place tout juste derrière la National City Bank de New York. Et l'année prochaine, nous la surpasserons!

– Oyez! Oyez! dit Franklin en riant.

Ils partageaient un verre pour fêter ces résultats avant de se rendre à une réception. Tout en aidant Rose à mettre sa cape, Franklin déclara :

– Mais avant que tu te lances dans un nouveau projet grandiose, nous devrions nous entretenir avec le président de la Commission Alcorn. Le bruit court qu'il détient certaines informations très intéressantes.

– Eh bien, cela attendra!

Rose ne voulait pas que ce moment soit gâché par quoi que ce fût. C'était en effet la réalisation de son rêve : Franklin et elle travaillaient ensemble et avaient mené Global au zénith. Maintenant, nul ne pourrait plus leur barrer la route.

*

Matthias Alcorn était un homme petit et ascétique ayant dépassé la cinquantaine. Il affectionnait les costumes bleu marine qui lui conféraient un air professoral, mais Rose savait que derrière cette façade académique et affable veillait un esprit très fin. Et très dangereux.

Matthias Alcorn était peut-être aussi riche que Crésus, mais il ne frayait pas avec sa classe sociale. Une vague de mouvements populaires progressistes avait balayé le pays en ce début de siècle, et il s'était fait le porte-parole des classes laborieuses. Il harcelait le gouvernement avec des demandes de lois pour réguler le commerce et les opérations financières, et avait fustigé ce qu'il appelait la « mansuétude » des juges dans le scandale Miller-Humbolt.

Pour Rose, rencontrer Alcorn était un peu comme aller réveiller un serpent venimeux avec un bâton trop court. Mais les rumeurs persistantes sur son intérêt pour les compagnies de messagerie inquiétaient la jeune femme, et elle voulait en avoir le cœur net.

— Je suis flattée que vous nous consacriez un peu de votre temps, que je sais précieux, fit-elle en lui servant un verre de son cognac préféré.

— Vous auriez entendu parler de moi tôt ou tard, Mrs. Talbot, répondit Alcorn en essuyant ses lunettes avec un horrible mouchoir rose et pourpre.

Rose serra les mâchoires à la mention de son nom de femme mariée.

— Je n'en doute pas.

— Oui, je le crains, ajouta Alcorn en souriant. La Commission commerciale inter-États s'intéresse beaucoup aux compagnies de messagerie, ces temps-ci...

Rose sentit sa gorge se serrer. Créée en 1888, la CCI avait pour mission la régulation du transport ferroviaire. Pendant des années, les propriétaires de lignes de chemin de fer avaient établi eux-mêmes leurs prix jusqu'à ce que le gouvernement fédéral intervienne sous la pression de l'opinion publique. La CCI avait déclaré les compagnies ferroviaires « d'intérêt public », donc devant offrir leurs services à qui voulait bien payer, sans discrimination de tarif, qu'il s'agisse de voyageurs ou de marchandises. Les transporteurs ferroviaires avaient dû se plier à cette nouvelle réglementation, qui jusqu'alors ne s'était pas appliquée aux messageries.

— Et pourquoi donc ? demanda Rose. Nos clients ne se plaignent pas de nos services, au contraire.

— Parce qu'ils ne peuvent obtenir mieux ailleurs, répondit

Alcorn avec un sourire de pur politesse. Pour ce qui est des réseaux, vous autres messageries vous livrez une guerre acharnée, mais quand il s'agit de tarifs vous vous entendez très bien, et sans exception. Ce qui n'est pas exactement conforme à l'esprit de la libre entreprise, si vous me comprenez...

Franklin, qui ne s'était jamais penché sur cet aspect de Global Entreprises, regarda sa sœur d'un air étonné.

— Quels que soient les accords que nous pouvons passer entre nous, fit Rose d'un ton suave, ils sont dans l'intérêt de notre clientèle commune, afin de leur offrir le meilleur service possible.

— Je vous l'accorde pour ce qui est du service. En ce qui concerne les tarifs, je réserve mon jugement.

— Si c'est ce que vous pensez, que proposez-vous? lâcha la jeune femme en changeant de ton.

A l'évidence, quelques phrases lénifiantes ne détourneraient pas un homme comme Alcorn de sa croisade.

— Connaissant votre influence, Mrs. Talbot, je suis surpris que vous ne le sachiez pas déjà... La Cour suprême vient de rendre son verdict sur cette question il y a quelques heures. Les services de messagerie ont été déclarés d'intérêt public. Ce qui signifie que la CCI a désormais un droit de regard sur vos entreprises, sur la comptabilité, les tarifs, les contrats...

*

— Ce misérable nain! fulminait Rose. Il n'est venu nous voir que pour se moquer de nous!

— Et alors? répliqua Franklin. La CCI veut vérifier nos comptes? Qu'elle le fasse. Nos concurrents devront eux aussi se soumettre à son contrôle. Et nous, nous n'avons rien à cacher! Je veux dire, toutes ces histoires de collusions et de tarifs alignés sortaient de son imagination, n'est-ce pas?

— En partie, oui, répondit Rose, gênée. En fait, il y a eu de tels arrangements dans le passé.

— Quel genre d'arrangements, Rose?

— C'est sans importance. La question est : comment l'arrêter?

— Impossible, et tu le sais. Nous ne pouvons aller contre la loi.

— C'est vrai... Par bonheur pour nous, la loi est sujette à nombre d'interprétations... Viens, nous avons du travail.

Rose avait atteint la porte quand elle s'aperçut que Franklin restait immobile.

— Qui est ce « nous », Rose? demanda-t-il doucement. Avec lesquels de nos concurrents as-tu traité – si ce sont vraiment des concurrents? Et depuis combien de temps?

La jeune femme braqua sur lui un regard dur.

— Tous. Notre grand-père concluait déjà de tels arrangements bien avant notre naissance.

Franklin en resta un instant interdit.

— Mais... pourquoi ne me l'as-tu jamais dit ? Et pourquoi continuer ces méthodes ? On ne peut pas prétexter que le marché n'est pas assez important, bon sang !

— Avant de t'ériger en parangon de vertu, repense à ta petite secrétaire, répliqua Rose d'un ton cinglant. Tu n'as pas eu de cas de conscience à l'utiliser quand les intérêts de la compagnie étaient en jeu.

En prononçant ces mots, dont elle ne mesurait pas la cruauté, Rose était certaine de son bon droit, certaine que Franklin verrait bientôt le danger d'une enquête de la CCI : les accords tacites avec les autres compagnies seraient révélés, livrés au jugement public qui les vilipenderait. Alors une décision officielle briserait ces accords et ce serait la fin des messageries indépendantes.

11

Comme l'avait pressenti Rose, les décisions de la Cour suprême recueillirent l'approbation du public et mirent en danger les compagnies de messagerie. Dans une réunion secrète à Talbot House, Rose établit avec ses plus sérieux rivaux un plan pour sauver la profession, comprenant le partage des frais de justice et une campagne d'annonces dans la presse.

Ils se croient dans un roman d'Alexandre Dumas, se dit-elle, déjà blasée. *Un pour tous et tous pour un...*

Ce front uni ne tiendrait pas longtemps devant la pugnacité d'un Matthias Alcorn, Rose le sentait. Aussi dressa-t-elle son propre plan de bataille et, au printemps 1917, Global Entreprises commença à revendre ses contrats à des messageries plus petites. Les sommes ainsi débloquées furent aussitôt réinvesties dans le réseau ferroviaire. Par expérience elle savait que cette industrie dépendait en bonne partie du bon vouloir des banques et des actionnaires. Elle leur offrit donc des prêts à taux réduits. La manœuvre était tout à fait légale, nul n'y trouva à redire. Ce n'est que lorsque Global accepta de gros pourcentages d'actions en remboursement qu'on s'aperçut que Rose menait toute l'opération.

Les utilisateurs du chemin de fer tels les producteurs de fruits et légumes de la côte Ouest s'unirent pour protester contre les tarifs imposés et menacèrent d'engager des actions en justice. Rose contre-attaqua immédiatement. Apprenant que la Californie disposerait d'une récolte exceptionnelle de raisin, elle augmenta le prix du transport et informa les viticulteurs qu'en cas de refus de paiement ils pourraient s'adresser ailleurs. Comme les deux parties savaient cette alternative inexistante, Rose suggéra un compromis : ils abandonnaient leurs idées de poursuites judiciaires et Global garantissait l'acheminement de leurs produits sur le marché. Sinon la plus belle récolte depuis dix ans resterait à pourrir sous le soleil californien.

— Tu parviendras peut-être à désarmer la CCI d'Alcorn et à assumer les procès au coup par coup avec ton armée d'avocats, il y a un problème que tu ne résoudras pas ainsi...

Rose regarda son frère refermer la porte du bureau et inspira profondément. Elle était très consciente de sa désapprobation. Mais tout comme Franklin ne pouvait accepter sa façon de voir les choses, elle ne partageait pas la sienne.

— La journée est trop belle pour parler de nos problèmes, dit-elle en feignant une insouciance joyeuse. Nous pourrions terminer tôt et partir à Dunescrag pour profiter du...

— Non, Rose. Cette fois c'est sérieux. Cela concerne les ouvriers de Global.

— Eh bien?

— Une grève se prépare.

Rose lui lança un regard aigu. Depuis des mois le bruit courait de la grogne des ouvriers de Global, qui se plaignaient des conditions de travail. Pourtant les directeurs régionaux avaient assuré la jeune femme que tout allait bien. Et aucun écho de ce mécontentement n'était jamais parvenu jusqu'aux bureaux de Lower Broadway.

— Comment sais-tu cela?

— Je passe le plus clair de mon temps sur le terrain. Et une grande partie de ce que j'y vois n'est jamais rapporté à New York.

— Mais tous les directeurs affirment que...

— Oublie-les, Rose! Ils te disent ce que tu veux entendre. Crois-moi, si Global n'augmente pas les salaires très vite, la grève fera ce que la CCI rêve d'accomplir : elle nous brisera!

— Une grève est hors de question, déclara-t-elle en se levant. Les ouvriers mourraient de faim.

Effaré, Franklin la dévisagea longuement.

— Et que crois-tu qu'ils font actuellement?

La semaine suivante, *La Sentinelle* consacra sa une à l'imminence de la grève. Le lendemain, le mouvement paralysait plusieurs filiales de Global sur le territoire.

*

— Comment avez-vous pu écrire des propos aussi irresponsables? C'est vous qui avez incité mes ouvriers à se mettre en grève!

Monk se leva et alla refermer la porte de son bureau.

— Je ne fais pas l'actualité, Rose, dit-il à regret. C'est vous qui la faites. Moi, je me contente d'en rendre compte.

— Ne cherchez pas à vous disculper! siffla-t-elle. Votre article était incendiaire!

— Rose, ce sont vos relations avec vos convoyeurs, chargeurs, dockers et autres manœuvres qui sont devenues incendiaires, voilà la vérité. Et vous auriez pu prévoir cette grève.

Monk se rassit et renversa son fauteuil en arrière jusqu'à l'angle habituel, dossier contre le mur. Il n'avait pas revu Rose depuis des mois, mais son entrée dans cette pièce avait eu sur lui le même effet que par le passé. Cette fois pourtant, il ne voulait pas montrer ce talon d'Achille.

— Qu'attendez-vous de moi, Rose?

— Au minimum, vous pourriez publier *ma* vision des choses!

— Savez-vous comment s'appelle ce que vous faites là?

La porte s'ouvrit à la volée et Franklin fit irruption dans le bureau. Il paraissait hors de lui.

— Qu'est-ce que ça signifie? gronda-t-il en brandissant une feuille bleue devant les yeux de sa sœur.

Rose la repoussa d'un geste hautain.

— Allons, Franklin! C'est quelque chose dont nous n'avons pas à parler ici.

— Tu viens de dire que tu voulais que le public connaisse ta vision des choses, hein? Très bien, informons-le, alors! (Il se tourna vers Monk.) Ce que ma sœur ne veut pas que tu voies, c'est son projet de contrat avec Arthur Gladstone.

Le journaliste bondit de son siège.

— Rose, vous n'êtes pas sérieuse?

Arthur Gladstone dirigeait la plus importante police privée du pays, tristement célèbre pour la façon brutale dont elle brisait les grèves de ses clients.

— Tu ne veux même pas essayer de parlementer avec les grévistes? plaida Franklin.

— J'ai déjà essayé cette méthode. Si je discute avec les conducteurs, les chargeurs voudront faire de même, et ensuite les agents, et ça n'en finira plus.

— Oh si, ça finira! Dans un bain de sang!

Rose fusilla son frère puis Monk du regard.

— Pour l'amour du ciel! Mais vous ne comprenez donc pas? Les autres compagnies attendent de voir ce qui va se passer. Elles me soutiennent parce que, si je cède, leur personnel se mettra en grève lui aussi. Et avant que vous vous en rendiez compte, le pays entier sera plongé dans le chaos!

— Et combien de temps croyez-vous que Global pourra tenir dans de telles conditions?

— Aussi longtemps qu'il le faudra!

— Il doit exister un autre moyen... commença Franklin.

— Puisque tu te sens tellement concerné par le sort de ces... de ces agitateurs bolchéviques, pourquoi ne vas-tu pas leur parler toi-même?

— C'est peut-être bien ce que je vais faire, oui, répliqua-t-il, glacial.

— Alors rappelle-leur qu'il y a une douzaine de chômeurs prêts à remplacer chacun d'eux! Nous pouvons très bien nous passer de leurs services.

Rose tourna les talons et sortit du bureau d'un pas sec.

— Franklin, tu sais que je ne peux passer cet épisode sous silence, dit Monk après quelques secondes.

— Peu m'importe, répondit son ami. Je n'arrive pas à croire que Rose puisse agir de cette façon. Ces gens ne sont pas nos ennemis, bon sang!

— Alors tu devrais aller leur parler, effectivement. Si tu ne le fais pas, personne ne le fera. C'est peut-être le seul espoir qui reste encore d'éviter la violence.

Nerveusement, Franklin alluma une cigarette.

— Je n'ai jamais voulu cela, Monk. Je n'ai même jamais voulu faire partie de Global...

Monk compatissait sincèrement. Il avait envie de dire à son ami que rien ne l'obligeait à vivre selon les critères de quelqu'un d'autre. Hélas, il s'agissait de Rose Jefferson.

— Que tu le veuilles ou non, tu es concerné maintenant. S'il arrive quoi que ce soit, tu ne te le pardonneras jamais.

— Si quelqu'un est blessé, ce n'est pas moi qui aurai le plus besoin de pardon...

*

Devant l'aigreur et l'hostilité des ouvriers envers la direction de Global, Franklin décida de les aborder avec la plus extrême prudence. Mais très vite il fut étonné par l'accueil qu'on lui réservait. Il découvrit des employés aussi désireux d'être entendus que lui de les écouter.

Dans les vestiaires enfumés et les bureaux trop exigus des entrepôts, ils lui décrivirent une réalité impossible à concevoir dans le luxe discret de Lower Broadway. Franklin savait les salaires de la profession bas; on lui expliqua comment on faisait pour survivre avec dix-sept dollars par mois au minimum et cinquante au maximum, en travaillant quatorze heures par jour, six jours par semaine et un dimanche par mois, sans bien sûr jamais de vacances. Les taudis qu'il visita lui soulevèrent le cœur.

— Mais vous ne pouvez pas trouver un autre emploi? dit-il à un conducteur.

D'abord incrédule, l'homme comprit que Franklin n'était pas au courant. Il eut un rire amer.

— Je ne connais que la messagerie. Global m'a fait signer un papier à l'embauche, et si je travaille pour vous je ne peux pas aller dans une autre compagnie.

— Vous voulez dire que vous êtes en contrat exclusif à vie?

— Si ça signifie que moi et ma famille appartenons à la compagnie, oui, c'est ça.

Franklin étudia la liste des renvendications dressée par les grévistes, puis la compara aux accords passés entre patrons et personnel dans des secteurs d'activité comparables. La conclusion s'imposait : Global et les autres compagnies de messagerie tenaient leurs employés dans un étau d'acier. Convaincu de la légitimité de ces demandes, Franklin rédigea un plan très simple pour remédier à cette exploitation.

— Hausse des salaires, réduction des horaires, meilleures conditions de travail, lut Rose, sarcastique. Y a-t-il quelque chose qu'ils ne réclament *pas*?

— Pour l'amour de Dieu, Rose! Sors de ton bureau, va parler à ces ouvriers. *Tes* ouvriers. Va donc voir comment ils vivent, et tu comprendras qu'ils ne demandent rien de plus que le strict nécessaire.

— J'ai offert aux grévistes de leur rendre leur emploi s'ils reprenaient le travail. L'ultimatum expire demain. S'ils ne sont pas à leur poste alors, ils n'auront qu'eux-mêmes à blâmer pour les conséquences. Mais d'une façon ou d'une autre Global fonctionnera.

*

Le moment de l'ultimatum arriva, fut dépassé. Des camions bâchés apparurent sur les quais de l'Hudson, devant les entrepôts de Global. Des centaines de grévistes armés de gourdins, de chaînes et d'autres armes improvisées virent la longue file de véhicules s'immobiliser à quelques dizaines de mètres des grilles qu'ils gardaient.

— J'attends vos ordres, madame, dit Arthur Gladstone.

C'était un homme trapu, au visage mangé par une énorme moustache et d'épais favoris. Mais son regard surtout attirait l'attention, car ses yeux avaient la froideur vigilante du policier. Du toit où ils dominaient la scène, Gladstone surveillait les gardes de Global qui maintenaient un étroit passage entre les grilles fermées des entrepôts bloquées par les grévistes et les camions emplis de briseurs de grève. A côté de lui, Rose Jefferson frissonnait dans le vent froid venu du fleuve.

— Maudits soient-ils! marmonna-t-elle. Pourquoi ont-ils voulu en arriver là?

Gladstone ne répondit pas. Cette réflexion, il l'avait entendue maintes et maintes fois dans la bouche des patrons, que ce soit dans les mines, le textile ou la sidérurgie. Pas un secteur important de l'économie américaine qui n'ait eu un jour ou l'autre recours à ses services. Comme tous les autres, Rose Jefferson arriverait seule à l'inévitable conclusion.

110

A ce moment précis, la jeune femme pensait à tout le fret bloqué à cause de cette grève stupide, aux contrats non respectés et aux pertes déjà enregistrées.

J'ai une responsabilité à assumer envers ma clientèle. Envers la réputation de Global. Parce que Global doit vivre.

Elle aurait voulu que Franklin fût là pour la soutenir dans sa décision. Le fait qu'il ait déserté les rangs et qu'il la considérât comme l'ennemie la faisait beaucoup souffrir, mais l'avenir de Global était en jeu.

— Allez-y, Mr. Gladstone, dit-elle posément. Envoyez vos hommes libérer mes biens.

*

Avec une certaine nervosité, les grévistes surveillaient la rangée de camions bâchés devant eux. Quelques injures fusèrent en direction de leurs invisibles occupants. Les meneurs faisaient les cent pas devant leurs troupes pour contenir la tension. Comme leurs camarades de révolte, ce n'étaient pas des bagarreurs mais des pères de famille au visage creusé par le labeur. Mais s'ils priaient pour que toute violence soit évitée, ils savaient aussi qu'ils ne pouvaient plus reculer : ils avaient engagé dans cette cause ce qu'on leur avait laissé d'honneur.

— Sainte Marie mère de Dieu!

A ce cri, tous les regards se tournèrent vers les camions. De l'arrière de chaque véhicule descendaient prestement des dizaines d'hommes. Tous étaient armés de longues matraques et coiffés de la casquette verte qui identifiait les hommes de Gladstone. Les grévistes reculèrent jusqu'aux grilles. Les gardes de Global s'étaient déjà éclipsés, peu désireux de prendre part à l'affrontement.

— Pas de panique! Gardez vos positions!

Franklin Jefferson arriva en courant vers les grévistes.

— Ils ne vous feront rien! cria-t-il en s'interposant entre les deux groupes. Je suis avec vous. Il y a encore une solution. Il n'est pas nécessaire de se battre!

— Et pourquoi ceux-là sont venus, alors? lança un meneur.

Franklin leva les deux bras pour réclamer l'attention de tous. Puis il tourna les talons et d'un pas résolu se dirigea vers le lieutenant de Gladstone.

*

Rose agrippa la manche de Gladstone.

— Là! C'est mon frère! Il faut arrêter vos hommes!

Le briseur de grèves ne lui accorda pas un regard et continua de surveiller les événements.

– Trop tard, madame. Mr. Jefferson n'a rien à faire là, et mes hommes ont des ordres. Vous pouvez être certaine qu'ils seront exécutés.

Rose ne put s'en empêcher : de toutes ses forces elle hurla le prénom de son frère.

*

– Monsieur, je m'appelle Franklin Jefferson. Ma sœur et moi-même sommes les propriétaires de ces entrepôts. Je dois vous demander de ne pas aller plus loin, sinon je me verrai dans l'obligation de vous faire arrêter par la police pour violation de propriété.

Le lieutenant de Gladstone, un géant irlandais aux cheveux d'un roux flamboyant, le toisa sans aménité.

– Z'êtes avec eux ? grogna-t-il.

– Oui, monsieur. Je crois comprendre que vous voulez...

– Alors si t'es avec eux, voilà pour toi !

La matraque écrasa les côtes de Franklin. Un autre coup le toucha aux reins, un troisième à l'entrejambe. Il roula sur le sol.

Un rugissement monta dans l'air et les nervis de Gladstone chargèrent. Franklin fut piétiné sans merci, et un soulier ferré écrasa sa mâchoire. Avant de perdre conscience, sa dernière pensée fut pour Rose, et sans qu'il s'en rende compte ses yeux s'emplirent de larmes.

*

A la fin de la journée, après la bataille, cinquante-deux hommes furent emmenés à l'hôpital, presque tous grévistes. Trois moururent avant l'aube.

Mais la violence ne s'arrêta pas pour autant. Pendant tout le mois qui suivit, les mêmes scènes se répétèrent dans les différents entrepôts de Global en grève. Devant le nombre sans cesse croissant des blessés et des morts, William Gaynor, le maire de New York, prit la décision d'intervenir. Il menaça d'arrêter les camions transportant les forces de Gladstone et mobilisa une bonne partie de la police pour affirmer sa détermination. Les deux parties déposèrent les armes et sous la vigilance de Gaynor une trêve fut conclue. A contrecœur, Rose accepta de réintégrer les grévistes, à l'exception des quelques meneurs jetés en prison pour émeute. Elle désigna également des représentants pour discuter avec ceux des grévistes. De leur côté, les ouvriers reprirent le travail. Global Entreprises retrouva son rythme de production habituel.

– Quarante mille dollars, répéta Rose en grimaçant.

Elle venait de terminer le rapport d'Eric Gollant sur le coût des grèves. Dans d'autres circonstances, ce prix aurait pu lui paraître relativement léger. Mais elle ne pouvait plus mesurer la gravité des événements uniquement en dollars.

Elle s'était ruée au secours de son frère dès qu'elle l'avait vu tomber. Aidée d'une escouade de gardes de Global, elle l'avait soustrait à la mêlée et l'avait conduit à l'hôpital.

Dans son malheur, son frère avait eu de la chance. Il ne souffrait d'aucun traumatisme, et grâce à sa solide constitution ses côtes fêlées se ressoudèrent rapidement. De même l'énorme hématome à sa mâchoire disparut peu à peu. Rose vint le voir tous les jours à l'hôpital, mais il lui interdisait l'entrée de sa chambre et elle n'osa jamais enfreindre cette volonté, bien qu'elle en souffrît plus qu'elle ne voulait l'admettre. Pendant sa convalescence, il écrivit des lettres de condoléances aux familles des grévistes tués dans les affrontements. Il envoya également un courrier à Hugh O'Neill lui enjoignant de s'assurer que les veuves et les enfants des disparus étaient correctement indemnisés. Il lui ordonna de prélever ces sommes sur ses revenus personnels, car il voulait éviter toute ingérence de Global.

C'était la première fois depuis son entrée dans la compagnie que Franklin se sentait libre, indépendant. Monk était la seule personne à qui il se confiait.

— Rose se fait un sang d'encre à ton sujet, dit le journaliste en s'asseyant sur le bord de la fenêtre, et son impressionnante carrure éclipsa la vue de l'East River sous les couleurs automnales. Elle ne se pardonne pas ce qui est arrivé. Et elle ne le fera pas tant que tu ne lui auras pas pardonné.

— Ce n'est pas mon pardon qu'elle doit rechercher, répliqua Franklin, maussade. Je suis toujours vivant.

— Allons, tu ne peux pas croire qu'elle ait voulu ce qui s'est passé.

— Peut-être. Mais c'est elle qui a engagé Gladstone et ses tueurs. Et elle savait de quoi ils sont capables. Non, je ne peux plus travailler avec Rose, ni retourner à Global et faire comme si rien de tout cela n'était arrivé. Je respecte les gens que nous employons, Monk. Et j'ai l'impression que jamais plus je ne pourrai les regarder en face.

Monk comprenait le combat intérieur que livrait son ami. Franklin avait suivi les exigences de sa conscience sans se rendre compte du prix à payer : la destruction de tous les espoirs mis en lui par Rose.

— J'ai toujours essayé de faire ce que j'estimais être juste, poursuivit Franklin. J'ai cru Rose quand elle parlait de mes devoirs envers notre grand-père et la compagnie, et c'est pourquoi je suis entré à Global. J'ai cru au tableau qu'elle me peignait, et au conte de fées de Lower Broadway, mais tout cela est aussi éloigné de la vérité que ce qui s'est passé sur les quais de l'Hudson l'est de la justice. J'ai essayé d'agir comme il le fallait... et j'ai échoué.

Le tour pris par la conversation mettait Monk très mal à l'aise.

– Ne prends pas de décision hâtive. Tu as beaucoup à considérer. Il te faudra du temps pour remettre tout en perspective.

– Oh, c'est déjà fait, murmura Franklin d'une voix lasse. Je sais où je dois aller et ce que je dois faire.

– Où ?

– Au même endroit que toi.

Tout d'abord Monk ne comprit pas. Quand il saisit enfin, une extrême tristesse s'empara de lui.

*

Steven adorait les grandes réceptions pour lesquelles Talbot House était à juste titre renommée. Bien qu'il n'ait que neuf ans, le garçon prenait un air très sérieux quand sa mère le présentait. Rose lui permettait de rester une heure et, s'il supportait mal cette restriction, il en profitait pleinement. Il déambulait entre les groupes d'invités, évitant autant que possible ces femmes qui voulaient toujours lui caresser les cheveux pour se rapprocher des hommes. Steven aimait l'odeur d'eau de Cologne et de cigare qui flottait autour d'eux. Et il apprenait beaucoup en les observant. Ainsi il savait que les rires sonores trahissent souvent une blessure profonde, alors qu'un certain calme, empreint d'une autorité naturelle, appartient à ceux qui sont sûrs d'eux. Ces hommes-là le fascinaient. Ils ressemblaient à son père.

Quand sa mère avait annoncé l'annulation de la réception de Thanksgiving à cause de la convalescence de Franklin, Steven avait ruminé de sombres pensées. Personne n'en avait rien suspecté, car l'enfant était passé maître dans l'art de la dissimulation, et il avait pris soin de jeter les peluches qu'il avait massacrées à coups de ciseaux pour extérioriser sa rage.

Assis à côté de sa mère pendant le dîner, Steven lançait des regards obliques à son oncle. Il savait tout du contentieux entre les deux adultes, comme du recours de sa mère aux briseurs de grève et de l'interposition ridicule de Franklin. L'enfant n'avait jamais éprouvé une once d'affection pour son oncle, cet homme trop faible, et il ne comprenait pas celle que lui portait Rose. Longtemps il s'était interrogé sur cet aveuglement avant d'en tirer la conclusion logique : les gens vivaient d'illusions qu'ils se refusaient à reconnaître. Dans l'esprit de Steven, c'était là une grave faiblesse à ne pas oublier, peut-être à utiliser, mais surtout dont il fallait se méfier.

Le garçon mangea en silence, sans rien perdre de la conversation anodine des deux adultes, même s'il savait qu'ils ne diraient rien d'important en sa présence. Il termina rapidement sa part de gâteau, vida son verre de lait et sortit de table en s'excusant. Avec un sourire angélique, il annonça qu'il allait jouer dans sa chambre. Naturellement, ils le crurent.

*

– Rose...

– Franklin...

Ils s'entre-regardèrent un moment avant d'éclater tous deux d'un rire gêné.

– Toi d'abord, dit Franklin.

Rose maîtrisa sa nervosité. Cent fois elle avait répété ces phrases durant les jours écoulés, mais à présent elle craignait de ne plus se les rappeler.

– Je veux te dire que je suis sincèrement désolée, fit-elle très vite. Pour ce qui t'est arrivé. Pour tout ce qui est arrivé.

– C'est du passé, répondit doucement Franklin. Tu as fait ce qui te semblait nécessaire, et les choses ont échappé à ton contrôle...

Rose se permit un discret soupir de soulagement. Elle n'avait jamais été très douée pour les excuses, surtout quand elle pensait avoir raison. Cette chose étant réglée, elle saisit son offre de paix sans tarder.

– Merci, Franklin. Alors il est temps que tu reviennes. J'ai besoin de toi.

– Je ne peux pas faire ça, Rose. J'ai pris d'autres engagements. Je me suis enrôlé dans les Marines.

D'un geste brusque Rose posa sa tasse dans la soucoupe, et le tintement de la porcelaine lui parut décuplé.

Non, ce n'est pas possible...

– Les... Marines ?

– Je pars combattre en Europe. Mon convoi appareille dans trois jours.

Quoi que tu dises, reste calme. Tu peux encore le dissuader.

– Ne crois-tu pas que nous aurions dû en discuter avant que tu ne prennes cette décision ?

– Non. Cette décision est la mienne uniquement. Elle n'appartient ni à toi, ni à personne d'autre.

– Et je suppose que Monk n'y est pour rien ? J'ai entendu dire que lui aussi partait...

– Non. En fait il a même essayé de me faire changer d'avis.

Rose sentait ses bonnes résolutions céder sous l'aigreur.

– Sans grand succès, commenta-t-elle, sarcastique.

– Je ne veux pas me disputer avec toi, Rose. J'ai une obligation envers mon pays... et envers moi-même. J'espérais que tu pourrais comprendre.

Cette fois Rose n'y tint plus :

– Et ton obligation envers moi ? Envers la compagnie ? Et envers tout ce que j'ai fait pour t'y donner une place ? Tu l'oublies ?

– Après ce qui s'est passé, je ne vous dois plus rien, à toi ou à Global, déclara Franklin avec un calme inébranlable.

C'était la première fois de sa vie que Rose se trouvait totalement impuissante face à son frère. En trois jours elle ne pourrait le dissuader, et elle sentait même qu'insister aurait pour seul effet de conforter Franklin dans sa détermination.

– C'est un choc terrible pour moi, murmura-t-elle.

– Je ne le fais pas dans ce but, Rose.

Elle le fixa d'un regard vide et un sourire amer étira ses lèvres.

– Bien sûr que si. C'est la seule raison qui ait pu te pousser à prendre cette décision.

*

Cette nuit-là, Rose ne dormit pas. Un à un elle imaginait des arguments et des stratagèmes qu'elle devait ensuite rejeter. A l'aube elle savait qu'il ne lui restait qu'un espoir. Elle téléphona à Monk McQueen.

– Je ne vous appelle pas pour vous chercher querelle, dit-elle dès qu'elle entendit sa voix ensommeillée. Franklin m'a annoncé qu'il s'était engagé dans les Marines et... que vous n'y étiez pour rien. Promettez-moi seulement une chose, Monk, je vous en prie : vous le ramènerez vivant, n'est-ce pas ?

– Rose...

– Promettez-le-moi !

Un silence, puis :

– Oui, je vous le promets.

Monk raccrocha. Rose reposa le récepteur et contempla les ocres magnifiques de l'automne par la fenêtre. Un rayon de soleil vint réchauffer la pièce.

Maintenant je suis seule. Encore une fois. Pour faire ce qui doit être fait. Seule.

*

Dans sa chambre doucement éclairée par un grand globe lumineux, Steven dormait d'un sommeil paisible. Il avait espionné son oncle et sa mère derrière la porte de la salle à manger et avait entendu toute la conversation avant d'aller se coucher d'un pas joyeux. Franklin était un des deux adultes qu'un jour ou l'autre il devrait écarter pour récupérer ce que son père lui avait légué. Steven n'avait aucune idée précise de la façon dont il parviendrait à ce résultat, mais il venait soudain de comprendre que peut-être il n'aurait rien à faire du tout. A neuf ans, il savait très bien que les soldats qui partent à la guerre reviennent souvent blessés. Quand ils reviennent.

DEUXIÈME PARTIE

12

Même les yeux clos, il voyait le soleil, disque d'or trop pur sur le rideau cramoisi de ses paupières. Sa chaleur était un poids invisible qui l'écrasait, le pénétrait avant de se perdre dans le sol. Il inspira à pleins poumons, grisé par l'image multicolore des boutons d'or, des coquelicots et des bleuets qui formaient sa couche. Les fragrances des fleurs écrasées se mêlaient au parfum puissant de l'herbe printanière, en une symphonie menée par les grillons, les criquets et les cigales. Sa tête dodelina mollement, et un sourire de plaisir inconscient détendit ses lèvres.

*

Franklin Jefferson ouvrit les yeux et leva le bras pour les protéger du soleil. Mais il n'y avait pas de soleil ici, rien que des nuages sombres qui charriaient une nouvelle promesse de pluie dans le ciel blafard du petit matin.

Franklin roula sur lui-même. Il grogna en écrasant son paquetage qui remplaçait les fleurs de son rêve. La verte prairie autour de lui était en réalité une tranchée boueuse envahie par les relents corporels de ses compagnons harassés, Marines hagards qui comme lui attendaient le prochain assaut, baïonnette au fusil.

Avec un grand luxe de précautions, Franklin se hissa jusqu'au sommet de la tranchée pour scruter les lignes ennemies, de l'autre côté d'un champ dévasté où naguère avaient sans doute poussé du blé ou du seigle. Là-bas, quelques roses miraculeusement sauvées avaient été soufflées par la bataille jusque sur les barbelés défendant les positions allemandes.

Franklin se laissa glisser au fond de la tranchée. Son rêve n'avait été qu'une courte évasion, et à présent il savait très bien où il se trouvait. Le bois Belleau, en ce mois de juin pourri d'une

117

année 1918 qui n'en finissait pas, tenait du cauchemar. Et il était réel.

*

— Allez, McQueen, il est temps de mettre un peu de ce délicieux ragoût dans ta grande carcasse!

Franklin enjamba deux Marines accroupis en travers de la tranchée. Il s'assit près de son ami et lui donna sa platée avec son morceau de pain.

Monk renifla et fit la grimace.

— T'en prie, pas ça au réveil...

— Estime-toi heureux, répliqua Franklin d'un ton enjoué. Les Frisés en sont aux saucisses de rats.

Monk trempa son pain dans le brouet pour le ramollir un peu. Dans la tranchée, les soldats émergeaient du peu de repos volé à la peur, au froid et aux cauchemars. Le vent tourna, apportant l'odeur pestilentielle de latrines invisibles.

— Alors, qu'est-ce que tu en penses? demanda Franklin en morcelant sa viande de la pointe de sa baïonnette. Tu crois que l'ami Fritz va venir en balade, aujourd'hui?

— Pas aujourd'hui. Il va encore pleuvoir des cordes. A mon avis, les Allemands ne risqueront pas une offensive dans ces conditions.

La 2e division de Marines tenait Belleau, au nord-ouest de Château-Thierry, depuis maintenant six jours. L'ordre était simple : conserver la position à tout prix, jusqu'à l'arrivée des renforts franco-américains. Une semaine plus tôt, les 1re et 2e divisions avaient stoppé net la progression allemande lors de combats très coûteux en vies humaines, et le général « Black Jack » Pershing avait affirmé que ses soldats n'étaient pas morts en vain.

— C'est exactement pour ça que les Frisés vont contre-attaquer, reprit Franklin. Ils le font toujours par mauvais temps, quand on pense qu'ils vont s'enterrer.

Avant que Monk puisse objecter, le sergent se glissa auprès d'eux. C'était un militaire de carrière au physique d'ours, vétéran des guerres contre l'Espagne.

— Eh bien, les gars, un autre jour de merde s'annonce, on dirait, maugréa-t-il. Des volontaires pour aller voir ce que les rejetons du Kaiser nous mijotent?

Aussitôt Franklin leva la main.

Comme si le sergent ne le savait pas! songea Monk avec aigreur.

Dès l'arrivée de la section sur le front, Jefferson s'était proposé pour toutes les missions périlleuses, et il était revenu de chacune sans une égratignure, par quelque miracle frisant l'absurde, ce qui lui avait vite valu la réputation de porte-bonheur parmi ses camarades. C'était un aspect de sa personnalité que Monk avait jusque-là ignoré.

118

La métamorphose de Franklin Jefferson avait commencé peu après le départ du vieux transport de troupes *Hatteras* de Brooklyn. Au milieu de l'océan, une tempête avait rudement secoué le navire, et la quasi-totalité des Marines avait succombé au mal de mer. Lui-même excellent marin, Monk n'avait pourtant pas échappé au sort commun. Mais pas Frankie, comme l'avaient surnommé les hommes de la compagnie Bravo. Il s'improvisa leur ange gardien, changeant les couvertures souillées, nettoyant, vidant les tinettes, écoutant patiemment les confessions interminables de jeunes gars persuadés d'être à l'article de la mort, les réconfortant. Il assista même le médecin du bord lors d'une appendicectomie.

Quand le *Hatteras* accosta au Havre, Frankie s'était fait plus d'amis qu'il ne pouvait en compter. Tout le monde connaissait son passé, mais si quelqu'un osait une réflexion sur « ce fils de riche venant jouer à la guerre », on lui conseillait vertement de la fermer. Pour ces hommes en route vers l'enfer, Frankie était un des leurs, sans restriction.

Monk n'avait jamais décelé ce tempérament de leader en son ami, et pourtant les soldats de la compagnie en vinrent naturellement à entourer Frankie pendant la progression américaine. S'ils écoutaient les ordres des officiers, c'était Frankie qu'ils suivaient quand il fallait monter à l'assaut. Tandis que l'offensive américaine repoussait l'ennemi kilomètre par kilomètre, contre un horrible tribut de part et d'autre, la réputation de Frankie se mua en légende. Sur l'Aisne où la résistance allemande fut d'une exceptionnelle dureté, il attaqua seul un blindé, détruisit la tourelle d'une grenade et tua tout l'équipage à la baïonnette. Une autre fois il affronta la mitraille des Allemands pour ramener deux blessés dans les lignes alliées. Les trois hommes s'en tirèrent.

Le récit de ses exploits avait vite fait le tour de la division. Mais qu'un des soldats vînt le féliciter et Frankie répondait avec un embarras non feint. Le général Black Jack Pershing, qui tint à le décorer personnellement, fit autant l'éloge de sa modestie que de sa bravoure. D'autres pensaient que Jefferson était tout simplement timide. Seul Monk, qui notait avec précision chaque fait d'armes de son ami, connaissait la vérité telle que Franklin la lui avait confiée avant l'embarquement, à Brooklyn : il était allé à la guerre pour rencontrer son destin. Et quel qu'il dût être, Monk était convaincu que ce n'était pas la mort dans la boue d'une tranchée française.

*

— OK, les gars. Prêts ?

Il ne manquait jamais de volontaires pour accompagner Frankie en patrouille de reconnaissance. Le sentiment général était que rien ne pouvait vous arriver tant que vous étiez avec Jefferson.

– On a repéré des mouvements dans les tranchées ennemies, sergent? demanda Monk.

– Rien du tout. Mais faut qu'on sache si ces saligauds sont encore là ou s'ils se sont repliés durant la nuit.

– Oh, ils sont là, grogna Frankie en ajustant les sangles de son paquetage. Ils font la grasse matinée, c'est tout.

– Si c'est le cas, on va les réveiller en douceur...

Le troisième de la patrouille était un soldat du Kentucky aux mains calleuses et jaunies dans les champs de tabac. On le surnommait Bluegrass Boy.

– Et toi, joue pas au héros, vu? le prévint le sergent. Vous vous contentez d'atteindre la colline là-bas pour jeter un coup d'œil. S'ils sont toujours dans leurs lignes en face, faites-le savoir par signe. L'artillerie se chargera du boulot. Compris?

– Bon sang, ce vieux Frankie est toute l'artillerie dont on a besoin! répliqua l'homme du Kentucky en riant.

Les trois soldats rampèrent hors de la tranchée et progressèrent lentement dans le *no man's land* dévasté, le fusil coincé au creux de leurs coudes. Après une trentaine de mètres Frankie fit signe de s'arrêter.

– Très calme, murmura-t-il.

– Ouais, même pas un ronflement, enchaîna Bluegrass Boy. On pourrait aller là-bas et frapper à leur porte...

– On va à la colline, rappela Monk avec fermeté.

La colline en question n'était guère plus qu'un monticule de terre soulevé par le labourage constant de l'artillerie. Le trio gravit la pente à plat ventre jusqu'au sommet. Ils risquèrent un œil prudent. Les tranchées allemandes étaient à une dizaine de mètres seulement.

– Ben ça... bougonna Bluegrass Boy. Se sont taillés, les Frisés...

Frankie se redressa de quelques centimètres. Les tranchées étaient vides.

– Je ne sais pas. S'ils étaient partis, on aurait dû les entendre bouger pendant la nuit. Ils n'auraient pu aller que vers ces arbres, là-bas. Ça aurait fait du bruit...

– Bah, même s'ils sont là-bas, on peut occuper leurs trous, Frankie, non?

Jefferson hésitait. Les premières lignes ennemies paraissaient désertées, mais d'où ils se trouvaient la vue était limitée. D'autres Allemands pouvaient se cacher un peu plus loin dans le réseau des tranchées.

– Non!

Son avertissement vint trop tard. Bluegrass Boy avait fait signe à leurs lignes, et les Marines sortaient de leur abri au pas de course sans même se baisser, certains de ne rien risquer.

– Quelque chose ne va pas! cria Frankie à Monk.

Bluegrass Boy se relevait pour mieux regarder les tranchées ennemies.

— Non!

La balle lui transperça la gorge au même instant, et il s'effondra d'un bloc auprès de Frankie. Celui-ci lui prit la tête au creux du bras. Bluegrass Boy fixa sur lui un regard halluciné, déjà voilé par l'agonie.

— Ça va aller, on va te tirer de là, vieux! Je te le promets!

L'enfer se déchaîna soudain. L'artillerie légère et les armes individuelles des Allemands crachèrent un torrent de feu et de fer sur les Marines qui avançaient à découvert. L'hécatombe fut immédiate et horrible. Effaré, Franklin vit ses camarades de misère tomber par dizaines.

Comme inconscient devant une telle horreur, Franklin se redressait lentement.

— Il faut... faire quelque chose.

— Couche-toi! hurla Monk en le plaquant au sol. On ne peut rien faire! *Rien!*

McQueen le maintint de force contre la terre humide. Il vit le regard halluciné de Franklin et comprit que son ami venait d'entrevoir sa destinée.

13

A deux kilomètres derrière les lignes américaines, les trois cents habitants du village de Saint-Eustache remarquèrent à peine le tir d'artillerie. Ils vivaient avec cet enfer à portée d'oreille depuis des années, depuis que les armées de cinq nations modelaient leur existence.

Les enfants de France avaient été les premiers à passer par les rues aux pavés centenaires en direction de la frontière, troupes fières et joyeuses, persuadées de leur invincibilité. Quelques mois plus tard le village était transformé en hôpital de campagne. Les Belges traversèrent Saint-Eustache, puis les Canadiens et les Anglais. L'œil triste, les villageois regardaient ces hommes jeunes et confiants s'éloigner au son du fifre et du tambour par le pont qui enjambait la petite rivière. Les soldats sifflaient les filles et lançaient des apostrophes bravaches aux habitants à leurs fenêtres. Et si ces troupes pensaient que leurs larmes étaient dues à la joie et au soulagement, les villageois ne leur en voulaient pas. Comment ces jeunes hommes auraient-ils pu savoir que les spectateurs de leur cortège voyaient en eux les fantômes de fils, de maris, de pères?

La guerre épargna le village pendant un an. A l'automne 1915, l'offensive allemande déployée sur un front de quatre-vingts kilomètres engloutit un tiers du territoire français. Des centaines de villes et de villages tombèrent sous le joug ennemi. Mais une fois de plus Saint-Eustache échappa à la destruction. Les blessés alliés laissés pendant la retraite par manque de moyens de transport furent répartis dans des camps en Allemagne, remplacés par des blessés allemands. Et Berlin, comme auparavant le haut commandement allié, déclara Saint-Eustache zone non combattante.

Quand ils l'apprirent, les habitants du village remercièrent le ciel. Les hommes encore valides continuaient à cultiver ce qu'ils pouvaient de leurs champs. Les Allemands réquisitionnaient davantage, mais c'était là un prix bien léger à payer pour rester en vie. Pour les femmes, le changement fut encore moins perceptible. Il leur fallait toujours laver les draps, changer les pansements, poser des attelles et exécuter les instructions des médecins. Pour elles, la peur et la résignation de ces jeunes soldats étaient les mêmes quelle que soit leur nationalité. C'est avec le même stoïcisme que Saint-Eustache accueillit les Américains quand les troupes d'occupation changèrent pour la troisième fois, le 16 janvier.

*

Ce cauchemar prendra-t-il fin un jour ?

Michelle Lecroix s'écarta du blessé et jeta un regard anxieux par la fenêtre en direction du bombardement qui venait de commencer. C'était une femme menue, au corps mince et à l'éclatante chevelure rousse. Ses pommettes hautes soulignaient l'ovale doux de son visage, mais son menton trahissait un caractère affirmé. Ses yeux d'un bleu profond contrastant avec le feu de ses cheveux attiraient irrésistiblement l'attention. A croiser ce regard limpide, plus d'un soldat avait senti son cœur se serrer. Dans un tel tourbillon d'horreur, les yeux de Michelle Lecroix rappelaient à chacun que la beauté existait encore.

Depuis l'arrivée des premiers blessés quatre ans plus tôt, Michelle, qui n'avait alors que quatorze ans, avait travaillé à l'infirmerie aménagée dans l'ancienne fromagerie. Elle était la fille d'un fermier français de la région et d'une Anglaise qui avait délaissé sa terre d'origine pour un mari qui non seulement l'adorait mais aussi l'encourageait à pratiquer sa passion : la sculpture.

Michelle avait commencé comme aide-infirmière. Bien que, de par son enfance dans une ferme, elle ait su à quel point la nature peut être cruelle, rien ne l'avait préparée au carnage de la guerre. Entre ses mains passaient des hommes ayant perdu un bras, une jambe, la vue, ou dont le visage n'avait plus rien d'humain. Les premiers temps elle avait reculé devant de telles monstruosités, mais le flot des horreurs ne s'était pas tari et Michelle avait fini par blinder sa sensibilité. Quand le nombre des blessés était trop grand, elle aidait les chirurgiens. A seize ans elle pensa avoir vu toutes les formes d'atrocités que l'homme peut infliger à son semblable.

Pendant les journées, qui s'étiraient souvent tard dans la nuit, elle parvenait à conserver un calme apparent qui trompait tout le monde. Mais le maintien de cette façade avait son prix. Le sommeil de Michelle était hanté de cauchemars continus. Accablée par la souffrance dans laquelle la guerre la plongeait, elle lui arrachait de précieux moments de solitude en se réfugiant à l'écart, à un coude de la rivière proche. Là, assise, genoux ramassés contre elle et tête basse, elle tentait d'échapper au monde atroce qui l'étouffait.

Michelle aurait tant aimé pouvoir se confier, épancher tous ces sentiments qu'elle devait refouler dans les bras d'un homme, entendre quelqu'un lui murmurer qu'elle n'était plus seule et le croire. Mais, malgré son désir, elle repoussait toutes les avances des soldats. Non que certains ne fussent attirants. Elle ne pouvait simplement pas oublier les lits voisins sur lesquels souffraient des débris humains, et toujours elle songeait que ce jeune homme au sourire lumineux dont elle aurait pu tomber amoureuse finirait certainement ainsi.

— Eh, vous êtes glacée! Qu'est-ce qu'il y a?

Michelle baissa les yeux vers le soldat dont elle tenait la main. Elle chassa aussitôt l'ombre qui était tombée sur son visage.

— Ce n'est rien, dit-elle d'une voix douce.

— Ça doit être mon jour de chance, reprit le blessé. Vous me serrez la main depuis assez longtemps pour qu'on nous croie fiancés!

Une nouvelle salve d'artillerie fit trembler les vitres de la salle. Michelle frissonna malgré elle.

— Pas de bile à se faire, fit le Marine d'une voix assurée qui ne pouvait appartenir qu'à une jeune recrue. Nos gars ont sûrement décidé qu'il était temps de botter un peu le cul de l'ami Fritz pour lui montrer la direction de Berlin!

Michelle s'approcha d'une fenêtre.

— Non, je ne crois pas...

— Que voulez-vous dire? Ce sont nos canons, bien sûr. Non?

Michelle se retourna vers le jeune soldat et lui adressa un petit sourire triste.

— Non, c'est l'artillerie allemande. Croyez-moi, je les ai assez entendus pour faire la différence. C'est la contre-attaque.

*

Les douze heures qui suivirent furent les plus chaotiques de la vie de Michelle. Dès que les Allemands eurent percé les lignes alliées, les Américains ordonnèrent l'évacuation. Un par un on vida les lits. Chaque véhicule disponible, charrette, camion, remorque, tout fut réquisitionné pour le repli. Prise dans le maelström, Michelle travailla dans une sorte de fièvre nerveuse. Elle décida quels blessés pouvaient partir par ces moyens de fortune et lesquels devaient attendre une ambulance, expliqua à des soldats hébétés comment changer les pansements de leurs camarades et leur donna le nécessaire.

Les heures passèrent dans une ambiance d'exode hystérique, et Saint-Eustache devint un immense convoi. Tous les véhicules devaient passer par le pont, seule sortie vers la route principale. L'orage éclata et une pluie drue se mit à tomber, embourbant en quelques minutes plusieurs chariots. Les chevaux hennissaient de terreur à chaque roulement de tonnerre et les hommes juraient, au bord de la panique, en poussant de l'épaule pour dégager les véhicules surchargés.

La canonnade se rapprochait de minute en minute. Enfin le moment que Michelle redoutait tant arriva : dans le brouillard de la pluie qui noyait la campagne environnante, elle aperçut les premiers blessés qui arrivaient du front en clopinant.

Dès qu'elle vit la première silhouette approcher de Saint-Eustache, Michelle pressa ses derniers alités dans les ambulances. Puis elle arracha les draps souillés et les remplaça avec des gestes fébriles. Quand le premier blessé replié du front entra en titubant dans la grande salle, elle était prête. Mais elle éprouva un choc en découvrant l'expression de défaite sur le visage du jeune Américain, et elle sentit son cœur se serrer. Les Marines n'avaient pas tenu. Les Allemands allaient revenir.

*

Par quelque ironie du sort, c'est grâce à leur position avancée au sommet de la butte qu'ils eurent la vie sauve. Alors que le tir de barrage de l'artillerie ennemie s'intensifiait et que les soldats allemands jaillissaient de leurs tranchées, Frankie sortit de son état de choc. Il se jeta sur Monk et ils roulèrent tous deux en bas de la butte. Une seconde plus tard un obus explosait à la place qu'ils avaient occupée. La déflagration les sépara et l'onde de choc leur brûla les poumons. Franklin entendit Monk hurler et rampa vers lui.

Le ciel tournoyait follement devant les yeux de Frankie tandis qu'il essayait d'aspirer un air inexistant. A travers les brumes de la douleur, il tendit la main vers son ami. Ses doigts effleuraient le corps de Monk quand l'univers explosa de nouveau. Une pluie de terre, de pierres et de débris divers cingla Frankie, et il se tordit sous la grêle. D'un effort surhumain il se jeta sur le côté et couvrit Monk de son corps. Soudain une masse brûlante le frappa à la tête, derrière l'oreille. Il eut l'impression qu'un fer rougi se plantait dans son crâne et hurla.

La rapidité de la contre-attaque allemande prit les troupes alliées et la population française par surprise. En moins de vingt-quatre heures les troupes du Kaiser avaient progressé de quelque quarante kilomètres sur un front de cent. À la tombée du jour, alors que les derniers Marines se repliaient dans le plus grand désordre, les habitants de Saint-Eustache virent émerger des bois voisins les premiers soldats allemands.

Comme tout le monde, Michelle pensait que cette nouvelle occupation ne différerait pas de la précédente. Les Allemands réquisitionneraient l'infirmerie pour leurs propres blessés. Mais cette fois, ce fut différent.

En regardant les troupes ennemies qui investissaient le village, Michelle ne put retenir un frisson d'appréhension. Ces soldats n'étaient pas de jeunes recrues mais des combattants de longue date à l'expression dure. Ils passaient de maison en maison avec des mouvements précis et aboyaient des ordres, traînaient au-dehors les Marines qui s'étaient cachés dans les caves et les greniers. Les civils qui les avaient hébergés étaient brutalement regroupés devant l'église, en une ligne devant les soldats capturés. Le reste de la population fut rapidement rassemblée sur la place, surveillée de près par les Allemands qui les entouraient.

Le commandant du régiment, un homme grand et sec au maintien de Prussien et à l'énorme moustache recourbée, avança devant les prisonniers d'un pas raide. Il parcourut les rangs sans un mot avant de s'arrêter devant le postier.

— Niez-vous avoir caché un ennemi chez vous? demanda-t-il dans un français laborieux.

Casquette à la main, l'homme secoua la tête négativement sans oser regarder l'Allemand.

— Vous cachez quelqu'un d'autre?

— Non, major, je le jure.

L'officier contempla le Français un moment avant de reculer de deux pas, un rictus méprisant aux lèvres.

— Vous le jurez?

— Sur ma vie, major!

— Sur votre vie... répéta l'Allemand d'un ton amusé.

Il se retourna vers les villageois et leur cria:

— Vous l'avez entendu! Il a juré sur sa vie qu'il ne cachait personne chez lui!

Il fit un geste et deux soldats sortirent du bureau de poste, traînant entre eux un aviateur américain blessé qu'ils laissèrent tomber aux pieds de leur supérieur. Le major baissa les yeux vers le prisonnier à demi inconscient qui gémissait de douleur. Il dégaina son pistolet et pointa le canon entre les yeux terrifiés de l'Américain.

– Sur votre vie! C'est ce que vous avez dit, n'est-ce pas?

Horrifié, le postier acquiesça et détourna le regard de l'aviateur condamné.

Pardonnez-moi, l'implora-t-il en pensée. *J'ai fait ce que j'ai pu...*

La détonation roula sur la place du village. Après un instant de silence, un cri de surprise monta de la foule. L'aviateur était toujours vivant, mais le postier avait reçu la balle en plein cœur et était tombé d'une pièce, mort même avant de toucher le sol.

D'un geste théâtral, le Prussien rengaina son arme.

– Je ne tire pas sur les hommes blessés et sans défense qui ont combattu avec honneur, lança-t-il à la foule. Mais j'exécuterai sans merci tous les menteurs et les agents de l'ennemi. Et le major Wolfgang Von Ott n'a qu'une parole.

*

Michelle Lecroix, Émile Radisson, le vieux médecin du village, et le major se tenaient à l'entrée de l'infirmerie. Michelle observait l'efficacité allemande à l'œuvre. Avant même que les sentinelles aient pris leur poste, les équipes médicales du régiment s'étaient installées dans la grande salle et mises au travail.

Michelle coula un regard vif vers le major. Même sans sa particule, elle aurait reconnu son lignage à ces yeux gris et froids, à ce visage dur. Von Ott était un Prussien de la vieille école, aussi raide que ses principes. Il se tourna vers elle.

– Dites-moi, mademoiselle Lecroix, êtes-vous choquée par ce que j'ai fait sur la place?

Michelle sentit la main de Radisson se crisper sur son bras en signe d'avertissement, mais elle l'ignora.

– J'ai trouvé cela abject, dit-elle calmement.

– Ce postier était de votre famille?

– Non, mais il avait une femme, une fille et des petits-enfants.

– Nous avons tous une famille, mademoiselle. La mienne a été tuée par les troupes françaises pendant l'offensive en Alsace-Lorraine. Quant au postier, je lui avais donné une chance. Il ne l'a pas saisie.

– Quel danger représentait-il pour vous? lança la jeune femme. Ce n'était qu'un vieil homme qui essayait de protéger un soldat blessé!

– Je n'ai pas à vous expliquer ce que mes hommes ont enduré, fit-il avec un large geste du bras pour désigner la salle. Vous le voyez vous-même. Je ne tolérerai pas qu'ils courent le moindre danger. Les gens ici respecteront mes troupes et obéiront aux ordres donnés. Alors tout se passera bien. Mais si on essaie de nous trahir, j'ai montré à tous les conséquences prévisibles.

*

Je suis en vie...

Monk McQueen ouvrit les yeux. Franklin gisait à côté de lui, un bras passé sur sa poitrine. Le silence autour d'eux était incroyable, assourdissant par contraste avec le vacarme de la bataille.

Doucement, Monk bougea d'abord ses pieds, puis ses jambes. Pour autant qu'il pût en juger, rien de cassé. Il se tâta la poitrine, les bras et enfin le visage. Ses mains étaient pleines de sang et pourtant il se savait indemne.

C'est pour cette raison qu'ils ne m'ont pas transpercé d'un coup de baïonnette, comprit-il. *Avec tout ce sang sur moi, ils m'ont cru mort.*

Il repoussa le bras de Franklin et roula sur lui-même pour se redresser. Il examina le corps de son ami et ne détecta aucune blessure. Mais quand il lui ôta son casque, il vit aussitôt le trou sombre au-dessus de l'oreille droite, près de la tempe.

Doux Jésus!

La balle n'était pas sortie, comme il le constata en tournant le crâne de Franklin. Et il fut soulagé en décelant un pouls faible mais régulier à sa gorge.

— Tiens bon, lui murmura-t-il. Je vais te sortir de là.

Franklin se mit soudain à gémir et ouvrit les yeux. Monk le bâillonna d'une main et lui fit un signe négatif de la tête. Une lueur de compréhension passa dans les yeux du blessé. Avec une prudente lenteur, Monk se redressa pour jeter un œil alentour. Des cadavres de Marines jonchaient le sol dans toutes les directions. Quand il fut certain qu'aucun ennemi ne se trouvait à proximité, il se releva.

Pas de prisonniers... Ils nous ont massacrés et ont achevé les blessés à la baïonnette. On ne s'embarrasse pas de prisonniers pendant une contre-offensive...

La commotion, la brutalité du raisonnement et l'horreur du spectacle le firent vomir. Il resta un long moment plié en deux, les yeux fermés.

Il entendit Franklin gémir et se reprit. Avec douceur il le prit par les aisselles et l'assit.

— Il faut que tu te lèves, vieux!

— Sais pas si je pourrai... Mal de crâne... L'impression de me noyer...

— Lève-toi! Tu devrais être mort et tu ne l'es pas. Alors, bon sang, tu vas te mettre debout et nous allons nous tirer d'ici!

De façon incroyable, Franklin réussit à sourire.

— Il faut toujours que tu aies le dernier mot, hein, Monk?

Il soulagea un peu McQueen en s'appuyant sur son épaule.

— Un pas après l'autre, lui murmura Monk sans cesser de surveiller le charnier d'un regard inquiet.

Ils atteignirent enfin les bois et Monk se sentit un peu plus en sécurité. Pourtant, puisqu'ils avaient enfoncé les lignes américaines, les Allemands avaient sans doute investi aussi la petite forêt devant eux. Selon la profondeur de leur avancée, ils avaient pu établir un nouveau front à n'importe quel point entre ici et Saint-Eustache. En ce cas il faudrait qu'ils traversent les lignes ennemies pour rejoindre la sécurité du village.

Leur progression était pénible à l'extrême, mais en dépit de leur fatigue et de la respiration inquiétante de Franklin, Monk refusa de s'arrêter. Portant à moitié son ami, il avançait mètre par mètre. Faire une halte prenait dans son esprit enfiévré des allures de condamnation à mort.

Après ce qui lui parut une éternité, Monk guida Franklin à l'abri de buissons denses et le coucha avec précaution sur le sol.

— Bizarre, ça ne ressemble pas à Paris, marmonna Franklin.

— Tais-toi et bois ça, chuchota Monk en lui collant sa gourde aux lèvres.

Ils prirent quelques minutes de repos puis repartirent. Monk décida de suivre une sente de chasseur. Le risque était réel car les Allemands pouvaient l'utiliser également. Néanmoins, c'était encore beaucoup plus sûr que d'emprunter la route, et ils pouvaient progresser plus rapidement qu'entre les fourrés.

Après environ deux kilomètres, Monk s'arrêta brusquement. Il aurait juré avoir entendu des pas plus loin dans la forêt. Il tendit l'oreille et le bruit suspect lui sembla aller crescendo. Le doute ne fut bientôt plus permis. Il discerna la marche d'une demi-douzaine d'hommes au moins. Il poussa Franklin dans les buissons.

— Ne respire même pas! souffla-t-il.

Les yeux brillants de fièvre, Franklin agrippa son bras.

— Si quelque chose doit arriver, fit-il dans un râle, promets-moi de me laisser... et de sauver ta peau.

— Pas question, vieux!

— Quelqu'un doit dire à Rose... (Son visage se tordit de douleur.) Oh, j'ai si mal...

Les pas se rapprochaient. Monk ôta la baïonnette du canon de son arme et rampa jusqu'à la lisière des buissons, près de la sente. A croupetons, il gagna alors un érable et se redressa lentement derrière le tronc.

Les pas se rapprochaient. Une seule personne, cette fois. Monk avait sa chance. Avec l'effet de surprise, il pouvait égorger le soldat en un instant. Il se prépara à bondir.

14

Saint-Eustache était astreint au couvre-feu dès la tombée de la nuit. Alors les rues étaient désertes et les maisons plongées dans l'obscurité. La seule lumière existante était celle qui brûlait dans le bureau du major Von Ott, dans la mairie réquisitionnée, derrière les fenêtres masquées de tissu noir.

Le pharmacien était l'avant-dernier villageois à passer à l'interrogatoire. Pendant une demi-heure de terreur, il avait répondu en bégayant aux questions que le Prussien lui aboyait au visage, en priant pour être cru. Puisqu'il ne parlait pas anglais, comment aurait-il pu entendre quoi que ce soit sur la stratégie des Alliés ?

Le pharmacien salua le major d'une courbette prononcée avant de sortir de la pièce. Il éprouva un élan de compassion pour celui qui devait lui succéder, Serge Picard, le boulanger du village. Ce dernier attendait son tour avec une anxiété visible.

— Refermez la porte, ordonna sèchement le major.

Picard obéit et vint s'asseoir sur la chaise devant le bureau de l'officier. Von Ott ne chercha même pas à cacher la répugnance que lui inspirait cet homme replet, à la peau huileuse, qui s'était spontanément présenté à lui pour trahir ses compatriotes. Picard avait un visage porcin et de petits yeux trop brillants. Et ses manières décontractées dès la porte refermée déplaisaient beaucoup au Prussien. Mais le boulanger était un informateur précieux.

— Alors, mon capitaine, dit Picard avec désinvolture, un sourire satisfait aux lèvres. Avez-vous attrapé quelque menu fretin dans vos filets ?

— Vous savez très bien que ces interrogatoires n'ont pour but que d'assurer votre couverture, répliqua Von Ott.

Le boulanger se rengorgea.

— Je suis heureux que vous appréciiez mon importance. Grâce à moi, vous êtes en sécurité à Saint-Eustache.

Non, le seul traître ici, c'est toi, songea Von Ott. *Judas pour les tiens...*

Mais le major, qui avait lu les rapports louangeurs de ses prédécesseurs, devait admettre qu'au fil des années le boulanger avait prouvé son utilité.

— Vous comptez rester longtemps, cette fois ? demanda Picard, ironique.

— Assez pour que vous soyez occupé, rétorqua Von Ott avec un humour involontaire. Ce que vous êtes déjà, j'espère...

— A l'exception de cet infortuné postier, personne ne cache de soldats alliés dans le village, assura Picard. J'en ai la certitude.

— Et les caches d'armes?

— Les Américains ont emporté tout leur matériel.

Picard omit de préciser que lui-même avait stocké dans sa cave farine, sucre et même beurre volés à la cantine ambulante pendant la retraite des Alliés. De telles réserves valaient de l'or.

— Êtes-vous certain que personne à Saint-Eustache ne soupçonne votre... collaboration?

— Absolument.

— Parfait. Pendant la poursuite de l'offensive, il est vital que vous me communiquiez toute information — et je dis bien toute information — se rapportant aux Américains et à leurs déplacements de troupes. Compris?

— N'ayez crainte, major. Je suis entièrement à votre disposition. Maintenant, si vous n'avez rien de plus à me demander...

— Non. Un de mes hommes va vous raccompagner, à cause du couvre-feu.

— Je préférerais un laissez-passer.

— Ce serait une mesure exceptionnelle, donc dangereuse.

— Pas s'il y avait une bonne raison de le délivrer, répondit Picard d'un ton suave. Par exemple à un boulanger qui doit se lever en plein milieu de la nuit pour faire le pain pour vos troupes...

Von Ott était las de discuter avec cet individu qu'il devait supporter mais qui le dégoûtait. Il appela l'adjudant et fit préparer le laissez-passer qu'il signa. Quand il sortit de la mairie, Picard se voûta et baissa la tête, pour donner à tout observateur l'image d'un innocent accablé. Mais intérieurement il était des plus joyeux. Dans sa poche il serrait le précieux laissez-passer, impatient de voir l'expression de Michelle Lecroix quand il se présenterait à sa porte.

*

Monk se rendit compte de deux choses à l'instant même où il enserrait les épaules de l'inconnu et s'apprêtait à lui ouvrir la gorge de sa baïonnette : sa victime impuissante avait de longs cheveux roux et des yeux d'un bleu extraordinaire. Une femme.

Le tranchant de la baïonnette se figea à quelques millimètres de la gorge.

— Qui êtes-vous? souffla Monk en français.

Michelle essaya sans succès de se libérer de l'étreinte d'acier de l'inconnu.

— Je... je m'appelle Michelle Lecroix, balbutia-t-elle en anglais.

Monk desserra sa prise, surpris d'entendre parler anglais.

— Combien d'Allemands dans la patrouille?

— Je... je ne sais pas.

— Où se trouve le gros des troupes? A quelle distance de Saint-Eustache?

130

Michelle le regarda comme s'il était fou.

— Quelle distance? Mais, monsieur, les Allemands *occupent* le village.

Lentement Monk libéra la jeune femme. Saint-Eustache occupé... Les ennemis partout autour d'eux... et la blessure de Franklin qui le tuait peu à peu...

D'une main timide, Michelle effleura la manche de l'Américain. L'homme n'était plus menaçant, seulement plongé dans des pensées qu'elle devina aisément.

— Vous ne pouvez pas rester ici, monsieur. La patrouille vous trouvera.

— Je ne peux pas partir non plus! fit Monk en l'entraînant dans le fourré où gisait Franklin.

Michelle s'accroupit et examina rapidement le blessé.

— Il faut le soigner d'urgence, décréta-t-elle.

— Et où donc? A l'infirmerie allemande, peut-être?

— Je le soignerai, moi. Je suis infirmière et j'habite tout près d'ici. Si nous pouvons éviter la patrouille et mettre votre ami en sécurité, je m'occuperai de lui.

Monk hésitait. Pouvait-il faire confiance à cette femme qu'il avait failli tuer quelques secondes plus tôt? Était-elle vraiment ce qu'elle prétendait? Si elle le trahissait... Mais s'il ne tentait rien, Franklin mourrait, c'était une certitude. La seule qui comptât.

— Que proposez-vous?

— Je vais retourner sur le chemin forestier, dit Michelle d'une voix rapide. Les Allemands vont sans doute m'interpeller, mais ils me reconnaîtront. Pendant que je retiendrai leur attention, dépassez-les avec votre ami.

Monk l'observa un instant. Il n'avait pas le choix, de toute façon.

— Je suis obligé de vous faire confiance, dit-il en lui serrant le poignet. Si vous nous donnez aux Frisés, je vous jure que je vous tuerai. Vous me comprenez?

Michelle parut moins impressionnée que vexée.

— C'est très clair, monsieur.

L'instant suivant, les ténèbres avalèrent la jeune femme.

*

Comme l'avait espéré Michelle, un des soldats la reconnut immédiatement et la patrouille l'entoura. Les lanternes dévoilaient des visages jeunes, souriant de cette heureuse rencontre. Elle repoussa gentiment leur proposition de la raccompagner jusqu'à la ferme et, dès qu'elle les eut entraînés assez loin de la position approximative des deux Américains, elle prit congé d'eux. Elle les regardait s'éloigner vers Saint-Eustache quand les buissons derrière elle frissonnèrent.

— Bien joué, fit Monk en émergeant de la végétation.

Michelle ignora le compliment.

— Il faut amener votre ami en sûreté au plus vite. Il a besoin d'être opéré.

Ils soulevèrent Franklin et se mirent en marche.

★

Serge Picard alla directement à l'infirmerie, où on lui apprit que Michelle Lecroix était sortie peu avant. Il décida de passer à la boulangerie pour prendre une miche de pain puis d'emprunter un raccourci qui le mènerait directement chez Michelle. Le fait qu'elle ait toujours poliment repoussé ses avances ne le décourageait pas le moins du monde. Il était persuadé qu'elle l'aimait en secret et qu'un jour elle serait sa femme. Depuis son adolescence, et malgré l'obésité qui déformait son corps, Picard était possédé de cette idée. Après tout, n'était-elle pas la seule au village à ne jamais s'être moquée de lui ? Ce signe ne l'avait pas trompé.

Serge Picard avait été ravi de la déclaration de guerre. Tous les jeunes prétendants possibles de Saint-Eustache étaient partis pour le front, alors que son obésité l'exemptait de prendre les armes. De plus il avait su négocier avec les régiments cantonnés ici de juteux contrats d'approvisionnement en pain. La boulangerie léguée par son père disparu avait prospéré au-delà de ses espérances. La guerre allait faire de lui un homme riche.

Pourtant, à mesure que les mois passaient sans voir la victoire décisive d'un camp ou de l'autre, Picard sentit son rêve lui échapper. Au lieu d'accourir auprès de lui aux premiers dangers, Michelle se donna à plein temps à son travail d'infirmière au chevet des soldats blessés. Durant ces quatre ans d'hostilités, Picard avait vu des dizaines d'hommes tomber amoureux de Michelle. Les prétendants étaient beaucoup plus nombreux qu'auparavant, même s'ils restaient moins longtemps, et Serge Picard vécut dans la hantise constante de voir un jour un de ces inconnus ravir le cœur de celle qui lui était destinée.

Il finit pourtant par trouver une consolation. Les Allemands étaient prêts à payer très cher une collaboration efficace et discrète, et il ne tarda pas à leur fournir les renseignements qu'ils désiraient contre une grasse rétribution. Picard ne se considérait pas comme un traître. Après tout, les Canadiens, Anglais et Belges qu'il dénonçait étaient tout aussi étrangers que les Allemands. Picard ne voyait jamais leur visage, ce qui le rendait d'autant plus insensible à leur destin, le plus souvent tragique. Et ce que lui donnaient les Allemands en échange lui permettrait d'offrir à Michelle tout ce qu'elle pouvait désirer.

En dépit de l'air frais de la nuit, Picard transpirait abondamment tandis qu'il se hâtait de traverser le champ. Devant lui se

132

découpait la silhouette de la ferme des Lecroix. A la simple pensée de Michelle, Picard sentit une nouvelle vague de chaleur l'envahir. Bientôt il n'y aurait plus de soldats pour menacer leur bonheur. Dès la fin de la guerre elle deviendrait sa femme. Ils vivraient dans le petit appartement au-dessus de la boulangerie, et pendant la journée elle tiendrait la caisse. Ils feraient tout ensemble et jamais plus elle ne s'éloignerait de lui.

Picard était tellement obsédé par son rêve qu'il faillit ne pas repérer le petit groupe qui avançait vers la grange – deux silhouettes en soutenant une troisième, affaissée. Il s'immobilisa brusquement, le souffle court.

Des soldats alliés!

Les nuages s'écartèrent et un rayon de lune baigna le bout du champ. Picard reconnut alors Michelle Lecroix.

*

– Allongez-le ici, dit Michelle.

Elle désigna le matelas de paille dans un coin de la grange, là où avant la guerre dormait le garçon de ferme.

– Il y a une autre lanterne derrière les stalles, murmura-t-elle à Monk.

Il installa Franklin sur le lit de paille et partit à la recherche de la seconde lanterne.

A la lumière de celle qu'elle avait posée sur le sol, Michelle prit un peu d'eau à la vieille pompe et se mit en devoir de nettoyer la blessure de l'Américain. Pour la première fois elle détailla vraiment Franklin, et la beauté mâle de ses traits la frappa, ainsi que son épaisse chevelure d'un blond presque blanc et ses longs cils recourbés. Elle sentait dans cet homme plus qu'une simple beauté physique. Il se dégageait de lui une force, une volonté de vivre qui lui avaient interdit de crier dans ses moments de lucidité, malgré sa souffrance évidente.

– Comment s'appelle-t-il ? s'entendit-elle demander.

– Franklin Jefferson. Moi, c'est Monk McQueen.

– Franklin... (Elle prit son visage dans ses mains et lui murmura :) Franklin, il faut être fort, très fort...

– Vous êtes une sacrée bonne infirmière, dit Monk en disposant sur son ami une couverture de selle. Où avez-vous appris l'anglais ?

– Ma mère était anglaise. La balle presse sur le cerveau. Il faut l'ôter.

– Alors il faut que je trouve un moyen de rejoindre nos lignes.

– Il ne supportera jamais le trajet. Même si vous parveniez à éviter les Allemands.

– Que faire d'autre ? Si on ne tente rien, il va mourir !

Michelle se mordit la lèvre. Ce n'est qu'en arrivant à l'abri de la grange qu'elle s'était rendu compte de ce qu'elle avait fait. Le major Von Ott avait été très clair : tous ceux qui aidaient les Alliés risquaient la mort.

— Vous allez bien ? s'enquit Monk en voyant l'ombre qui passait sur son visage.

Il sentait l'odeur douce de ses cheveux, où la lumière de la lanterne accrochait des reflets fugitifs.

Quand elle se retourna vers lui, il eut l'impression que ses immenses prunelles bleues l'engloutissaient.

— Ce n'est rien.

— Je sais ce que vous pensez, dit Monk, et je ne vous en veux pas. Vous avez déjà pris beaucoup trop de risques pour nous. Laissez-moi quelques heures de repos et nous serons partis avant minuit.

— Et où irez-vous ? Vous ne savez même pas où se trouvent vos troupes, et les Allemands sont partout.

— Il faudra bien courir le risque.

— Non ! C'est un risque qui tuerait Franklin !

Monk fut saisi par sa véhémence.

— Non, reprit Michelle plus calmement. Voilà ce que nous allons faire. Vous allez rester ici tous les deux. Les patrouilles allemandes ont déjà fouillé la grange, ils ne reviendront pas cette nuit. Et demain j'amènerai le docteur ici pour soigner votre ami... Franklin.

— En plein jour ?

— C'est souvent ainsi qu'on ne se fait pas remarquer.

Malgré sa détermination à monter la garde, Monk céda à la fatigue. Pas plus le martèlement de la pluie que le chant matinal des oiseaux ne le tirèrent de son sommeil. Ce fut la pétarade d'un moteur qui l'éveilla en sursaut.

Saisissant son fusil, il se glissa jusqu'à l'entrée de la grange. Par une fenêtre à la vitre poussiéreuse, il vit un véhicule de l'armée allemande se garer à quelques mètres. Deux soldats en descendirent, suivis d'un vieil homme et d'une jeune femme à la chevelure rousse.

Monk retint son souffle en regardant Michelle Lecroix qui parlait aux soldats en désignant la grange. Les deux Allemands s'en approchèrent d'un pas nonchalant.

Je lui ai fait confiance et elle nous a trahis !

Tremblant de fureur, il leva son fusil déjà chargé et la visa. Quoi qu'il arrivât, la première balle serait pour elle.

*

— Ah, mon vieux, cette fois vous êtes bon pour l'opération ! fit le Dr Radisson à l'homme.

Son patient, un fermier de belle stature vêtu d'une blouse

ample, assis sur le lit devant lui, soupira avec mauvaise humeur tandis que le médecin l'auscultait. Une blessure profonde et assez vilaine marquait le centre du mollet droit de l'homme, et le médecin paraissait s'y intéresser beaucoup, il se redressa et fronça les sourcils.

– Il faut l'emmener à l'infirmerie immédiatement. Je ne peux rien faire ici.

Les deux soldats allemands qui avaient accompagné Radisson et Michelle dans la ferme échangèrent un regard de connivence. Sans l'alcool que le fermier avait visiblement ingurgité en quantité, il aurait sans doute hurlé de douleur.

Michelle s'approcha de son père et lui entoura les épaules d'une couverture.

– Tout ira bien, papa, lui murmura-t-elle.

D'une main déformée par les travaux de la ferme, M. Lecroix caressa la joue de sa fille.

– Il va falloir que vous l'ameniez jusqu'à la voiture, messieurs, dit le médecin aux soldats. Couchez-le sur la banquette arrière. Je suivrai avec la carriole des Lecroix.

Ils acquiescèrent et soulevèrent le blessé avec précaution. Michelle déposa un baiser sur la joue de son père, qui lui adressa un clin d'œil discret. Michelle et Radisson regardèrent la voiture repartir, puis le médecin se tourna vers la jeune femme :

– Maintenant, au travail. Vous savez ce que vous devez faire.

Tandis qu'il se dirigeait vers la grange, Michelle courut jusqu'à la carriole et guida le cheval vers un petit chemin de terre. Le fossé qui le bordait allait en s'approfondissant. Derrière le rideau d'un bosquet d'arbres elle arrêta l'attelage, détacha le cheval et poussa la carriole dans le fossé. Satisfaite de sa mise en scène elle revint avec l'animal à la ferme.

– Comment va-t-il ? souffla-t-elle en entrant dans la grange dont elle referma la porte.

Elle remarqua alors que McQueen braquait son fusil sur le médecin. Nullement impressionné par cette menace, Radisson lui adressa une moue désabusée avant de se concentrer de nouveau sur le blessé.

– Notre visiteur américain aimerait savoir ce que les Allemands faisaient chez vous, laissa-t-il tomber.

Le visage tendu de McQueen renseigna Michelle sur les soupçons qu'il avait.

– Vous avez vu l'homme qu'ils ont emmené en voiture ? lui dit-elle précipitamment. C'est mon père. Il a été blessé à la jambe par un sanglier, il y a quelques années. Il ne souffre pas mais il s'est réouvert la plaie afin d'être emmené à l'hôpital. Ainsi le docteur avait une raison de venir ici, pour l'examiner. Et nous avons renversé la carriole dans le fossé, comme si c'était un accident pour expliquer notre retard.

— Bon sang, grommela Monk en baissant son fusil. Désolé...
Mais tout ce que vous avez fait ne servira peut-être à rien, hélas...
En voyant l'incompréhension de Michelle, il ajouta :
— Le docteur dit que la balle s'est fragmentée à l'intérieur du
crâne. Il ne pourra pas atteindre tous les éclats pour les ôter.
Radisson acquiesça gravement.
— De plus je ne peux que deviner à quelle profondeur se trouve
la partie principale de la balle. Si elle est trop proche du cerveau,
la retirer risque de provoquer une hémorragie incontrôlable.
— Mais si vous ne faites rien, il va mourir! s'exclama Michelle,
des accents de panique dans la voix.
— Eh, calmez-vous, OK? Je ne vais pas mourir. Mais il faudra
m'amputer si vous continuez à me serrer la main aussi fort...
Michelle poussa un petit cri en entendant la voix faible de
Franklin. Elle sentit la légère pression de sa main dans la sienne et
la relâcha.
— Je n'ai pas dit de la laisser choir comme une patate trop
chaude, murmura Franklin avec une ébauche de sourire. Mainte-
nant que je suis sûr que vous êtes réelle, j'aimerais que vous disiez
à ces gars de me préparer un vermouth bien tassé avant de m'enle-
ver du crâne ce cadeau des Frisés. J'ai un mal de tête vraiment
tuant.
Michelle ne put cacher son soulagement et son émotion.
— Vous allez vivre, lui promit-elle. On va vous ôter la balle et
vous vivrez!
Monk fut saisi par la ferveur qu'elle mettait dans ses paroles.
— Combien de temps prendra l'opération?
— Une heure, peut-être plus, répondit le médecin. Difficile à
dire tant que je n'ai pas commencé.
Radisson préparait déjà un tampon de chloroforme tandis que
Michelle lui tendait la seringue de morphine. La dose n'était pas
complète, mais elle espérait que cela suffirait à calmer un peu la
douleur.
Monk regarda autour de lui avec désespoir. Ce qu'il vivait était
proche de la folie! Comment un homme pouvait-il être opéré
avec succès dans de telles conditions? Allongé dans une grange
sur une paillasse sale, à la lueur de deux lanternes, alors que les
mulots couinaient dans l'obscurité autour d'eux! Et si par quelque
miracle Franklin survivait, comment pourrait-il échapper à
l'infection?
— Monk... (Il se retourna vers elle en sentant sa main lui effleu-
rer le bras.) Je sais que Franklin est votre ami. Croyez-moi, ayez
confiance. Rien ne lui arrivera.
Monk ne sut que répondre. Il voulait croire de toutes ses forces
à ce que disait la Française, mais... Il se souvint alors de son père,
transporté par les deux soldats allemands. Ces gens avaient déjà
versé leur sang, littéralement, pour leur venir en aide. Que pouvait-il demander de plus?

– Allez-y, murmura-t-il en regardant Franklin par-dessus l'épaule de la jeune femme. Moi, je vais faire ce que j'ai réappris depuis peu.

– Quoi donc ?

– Je vais prier.

15

– Je ne peux rien de plus.

Le Dr Radisson s'essuya les mains sur une serviette déjà maculée de sang et alluma une cigarette. Derrière lui, Monk regardait Michelle terminer le bandage autour de la tête de Franklin.

– Il va s'en sortir ?

Avant que le médecin puisse répondre, la jeune femme se tourna vers Monk.

– Bien sûr, dit-elle avec une conviction farouche.

McQueen interrogea Radisson du regard.

– Certains fragments étaient logés trop profondément pour que je puisse les ôter. Je ne peux pas assurer qu'ils ne causeront pas une pression dommageable.

– Et si je l'amenais à un hôpital de l'armée ? S'il était rapatrié ?

Radisson eut un haussement d'épaules.

– Sans vouloir être immodeste, je doute que les médecins de l'armée puissent faire mieux que moi. Quant aux spécialistes de votre pays, je ne suis pas assez au courant de vos dernières techniques pour me prononcer... Mais une chose est certaine : votre ami doit se reposer. Dans son état actuel, il est intransportable.

– Franklin sera en sécurité ici, promit la jeune femme en s'approchant de Monk. Avec la morphine, il restera endormi jusqu'à la fin de la journée. J'essayerai de m'en procurer encore à l'infirmerie.

Radisson consulta son antique montre de gousset.

– Il serait d'ailleurs temps que nous nous y rendions, fit-il. Même notre « accident » de carriole n'expliquera pas un retard plus long.

Monk aida Michelle à rassembler les linges souillés de sang.

– Il faut que j'essaie d'atteindre mes lignes, dit-il. S'il y a une contre-offensive en préparation, je veux être sûr que dès Saint-Eustache libéré une unité médicale s'occupe de Franklin.

– Vous n'irez pas loin en plein jour avec cet uniforme, protesta Michelle.

– Votre père est à peu près de ma taille. Si vous voulez bien me donner de quoi me changer, je partirai vers l'ouest. Avec un peu de chance, j'éviterai les patrouilles allemandes si je progresse à l'écart des routes et des villages.

– Vous devriez attendre la nuit, insista Michelle.

– Non, j'en ai assez d'attendre... (Il la prit par les épaules.) Jamais je n'oublierai ce que vous avez fait pour nous. Si je peux faire quelque chose pour vous...

Michelle lui sourit et déposa un baiser amical sur sa joue rugueuse de barbe.

– La meilleure chose que vous puissiez faire est de rejoindre sans encombre vos lignes et de revenir chercher Franklin. Ces temps-ci, il ne faut pas trop en demander au Tout-Puissant.

*

Serge Picard avait froid, il était harassé et affamé. La pluie avait trempé ses vêtements dès les premières minutes où il avait surveillé la ferme des Lecroix. Son estomac émettait des gargouillements de protestation et il rêvait d'un repas plantureux. Mais il se refusait à bouger.

Après une nuit blanche passée dans l'indécision, il était retourné à son point d'observation dès l'aube. En voyant les Allemands arriver, il avait cru que Michelle avait enfin retrouvé son bon sens et dénoncé les deux Américains. Son soulagement s'était vite évanoui devant le stratagème évident de la jeune femme.

Après le départ des soldats allemands avec le vieux Lecroix, tout était resté calme pendant des heures. Puisque le Dr Radisson et Michelle étaient demeurés dans la grange, Picard supposa qu'ils soignaient le blessé. Il résista à la tentation de retourner au village pour démontrer à ce Prussien guindé de Von Ott combien ses hommes étaient stupides : des dizaines de ses soldats étaient passés à quelques mètres sans trouver les deux Américains. Mais s'il agissait ainsi, le major ferait exécuter Michelle, il ne pouvait en douter. Jamais il ne parviendrait à le convaincre d'épargner celle qu'il aimait. L'idée que Michelle courût de tels risques rongeait le boulanger. Puis il songea qu'il connaissait un secret qu'elle désirerait garder par tous les moyens...

Il vit le plus corpulent des deux Américains sortir de la grange, vêtu de vêtements de paysan que Michelle était allée chercher. L'homme s'éloigna dans les bois en jetant des coups d'œil furtifs autour de lui. Peu après c'était au tour de Michelle et de Radisson de quitter la ferme. D'où il se trouvait, Picard les vit aller jusqu'à la carriole renversée et la redresser. Michelle retourna prendre le cheval, qu'elle attela. Puis ils s'éloignèrent en direction du village.

S'ils laissent l'autre Américain seul, c'est qu'il ne peut pas voyager. Peut-être est-il mort.

La curiosité tenaillait Picard. Il finit par abandonner sa position et approcha prudemment de la grange. Le loquet grinça quand il le releva, et sa gorge se serra d'appréhension.

Et s'il est armé?

Il rassembla tout son courage et poussa la porte d'un coup. Dans la grange il n'y avait nulle trace d'une présence humaine. Les stalles étaient vides, de même que la paillasse dans le coin. Le boulanger mit un temps avant de trouver la trappe dans le sol, sous la paille et la poussière. Quand il l'ouvrit, la lumière du soleil emplit le petit réduit et éclaira l'homme allongé sur le matelas. Le blessé semblait inconscient, sa respiration irrégulière et sifflante.

*

Michelle Lecroix était épuisée. Dès qu'elle atteignit Saint-Eustache avec le Dr Radisson, l'infirmerie les accapara tous deux. Les blessés arrivaient toujours plus nombreux du front, et ce ne fut que vers minuit que la jeune femme put ramener son père dans la carriole. Il avait été opéré, sa jambe bandée, et il souriait du bon tour joué aux Allemands. Alors que l'attelage approchait de la ferme, Michelle sentit son cœur s'emballer. Le visage de l'Américain avait hanté ses pensées depuis son départ, et elle était impatiente de le revoir.

Michelle coucha son père dans sa chambre puis ressortit avec une lanterne et courut jusqu'à la grange. Elle fut soulagée de constater que la trappe était toujours camouflée sous la paille. Elle descendit dans la cache et prit très doucement Franklin dans ses bras. Le geste était spontané, mais elle en comprit la profondeur en sentant la chaleur de Franklin contre elle.

Elle examina le bandage et fut heureuse de ne découvrir aucune trace de sang. Elle l'observa tandis qu'il léchait dans son sommeil le linge imbibé d'eau qu'elle pressait contre ses lèvres.

Comment pouvait-elle éprouver autant de tendresse pour cet étranger avec qui elle n'avait échangé que quelques mots? Et n'était-ce vraiment que de la tendresse, ou...

Un bruit de pas qui approchaient la fit sursauter.

Mon Dieu! Les Allemands! Ils ont vu la lanterne!

Terrifiée, elle leva les yeux vers l'ouverture. Une ombre s'encadra dans la trappe et Michelle serra ses poings contre sa bouche pour ne pas hurler. Alors elle reconnut le visage gras de Serge Picard.

*

— Mon Dieu, Serge! Vous avez failli me faire mourir de peur!

Michelle était tellement soulagée qu'elle tremblait de tout son corps. Elle se hissa hors de la cache non sans effort.

— Que faites-vous ici à cette heure de la nuit?

Picard passa une langue nerveuse sur ses lèvres. Avec ses cheveux défaits retombant sur ses épaules et sa poitrine, elle était plus désirable que jamais.

— Qui est-ce ? éluda-t-il

D'une voix tendue, Michelle le lui expliqua.

— Serge, je suis tellement contente de vous voir, dit-elle en conclusion. Vous croyez que vous pourriez nous trouver un peu de nourriture ? Nous n'avons plus rien à la ferme.

— Pour vous, Michelle, je ferais n'importe quoi, répondit-il avec une passion mal maîtrisée.

Elle lui sourit et désigna Franklin.

— C'est pour lui, Serge, pas pour moi.

Le boulanger regarda le blessé un long moment.

— Michelle, fit-il d'un ton hésitant, ce que vous faites est très dangereux.

— Quel choix avais-je ? Je ne pouvais quand même pas le livrer aux Allemands.

— C'est exactement ce que vous auriez dû faire, au contraire, rétorqua Picard avec une fermeté qui l'étonna lui-même. Et vous le pouvez toujours. Vous n'avez qu'à dire que vous l'avez découvert près de la grange et que vous avez pansé ses blessures avant d'aller prévenir les autorités.

— Serge, vous ne parlez pas sérieusement ! s'exclama Michelle. A la seconde où le médecin allemand défera ce bandage, il verra les points de suture et comprendra. Radisson est le seul praticien français à des kilomètres à la ronde, vous le savez. Il sera arrêté, comme mon père et moi.

— Non, Michelle, ce peut être différent, dit Picard en lui saisissant les mains. Si vous faites votre devoir, si vous expliquez au major Von Ott que...

— Mon devoir ? coupa Michelle, choquée. Mon devoir est de jeter les Boches hors de mon pays qu'ils ont ravagé !

— Je vous en prie, Michelle, écoutez-moi, fit le boulanger d'une voix douce. Tôt ou tard, Von Ott découvrira que vous cachez un Américain.

— Et comment, Serge ? Comment pourrait-il le découvrir ? A part moi, il n'y a que trois personnes qui soient au courant de sa présence ici. Je fais entière confiance aux deux premières. Dites-moi que je peux vous faire confiance aussi, Serge, s'il vous plaît !

Il hésita. S'il gardait le silence, peut-être deviendrait-il un héros à ses yeux ?

Un héros tant qu'aucun autre homme ne te la vole, murmura une voix goguenarde dans son esprit. *Combien de temps crois-tu qu'elle restera avec toi quand les autres reviendront au village ? Et puis, es-tu prêt à risquer la fortune que tu as amassée ?*

— Non, Michelle. Je ne peux pas vous laisser courir de tels risques. Si vous ne le faites pas, j'irai parler au major. Je le dois.

La jeune femme ne pouvait croire ce qu'elle entendait. Elle agrippa Picard et le força à la regarder.

— Serge, vous ne... vous ne travaillez pas pour les Allemands, n'est-ce pas ? Ce n'est pas possible !

A Saint-Eustache, tout le monde pensait que Picard fournissait les Allemands parce qu'il y était contraint, et nul n'aurait songé à le critiquer. Mais si ce n'était pas le cas?

Elle se força à écouter le boulanger qui se lançait dans une déclaration d'amour insensée. Il lui dit combien il l'idolâtrait, que tout ce qu'il avait fait c'était pour elle. Cette confession abasourdit Michelle autant qu'elle l'écœura.

— Ça suffit! s'écria-t-elle, révoltée. Sortez d'ici! Maintenant! Je ne veux plus jamais vous revoir!

Picard paraissait totalement désemparé.

— Mais Michelle, je vous aime... Vous êtes à moi...

— *A vous?* Comment pouvez-vous dire une chose pareille? Je croyais vous connaître, Serge. Comment pouvez-vous trahir ceux avec qui vous avez toujours vécu?

Il y eut un moment de silence.

— Je vous aime, répéta-t-il enfin, d'un ton plus assuré. Ai-je tort?

— Moi, je ne vous aime pas, Serge!

— Vous m'aimerez, Michelle...

— Après ce que vous avez fait?

— Tout cela, je l'ai fait pour vous. Pour vous...

— Non, Serge, pour vous. Uniquement. Partez maintenant. Nous n'avons plus rien à nous dire.

Il commença à obéir puis se ravisa et se retourna.

— Non, Michelle, dit-il doucement. Nous avons encore beaucoup à nous dire. Et nous aurons toute la vie pour le faire.

Michelle se mit à trembler en voyant la lueur dans les yeux porcins de Picard.

— Serge...

— Ce n'est pas à cause de l'Américain, n'est-ce pas? susurra-t-il. Vous ne seriez pas tombée amoureuse de lui?

Elle vit aussitôt le danger.

— Bien sûr que non!

— Alors peu vous importe que je le dénonce, n'est-ce pas? dit-il en avançant d'un pas lent vers elle.

— Vous ne pouvez pas! s'écria-t-elle. Je ne vous laisserai pas faire.

— Mais pourquoi, ma chère? Pourquoi ne le livrerais-je pas à mon bon ami, le major Von Ott?

Michelle serra les poings et ses yeux lancèrent des éclairs.

— Parce que ce serait le condamner à mort!

— Il ne m'intéresse pas, dit Picard en se rapprochant encore. Vous seule m'intéressez, Michelle...

Elle sentait maintenant son odeur, aussi désagréable que le reste de sa personnalité. Elle frissonna de dégoût quand il lui caressa les seins. A présent, elle savait ce qu'il voulait pour le prix de son silence.

— Je ne pourrais vous aimer si vous lui faisiez du mal, Serge, se força-t-elle à murmurer. Jamais je ne pourrais aimer un meurtrier.

Mon Dieu! Que suis-je en train de faire...

— Je ne lui ferai aucun mal, ma douce, dit Picard en se pressant contre elle. Si...

Ses mains glissèrent sous son chemisier et il se mit à lui pétrir la poitrine avec avidité. Michelle enfonça ses ongles dans le dos de l'homme et serra les mâchoires pour ne pas crier.

Si tu résistes, Franklin mourra...

Elle se sentit basculée jusqu'au sol sous le poids du boulanger. Ses mains parcouraient son corps avec des mouvements d'une fébrilité répugnante, relevant sa jupe et remontant le long des cuisses...

— Michelle... Oh, Michelle...

Elle détourna la tête, et ses cheveux masquèrent son profil et ses larmes de honte. Et soudain une brûlure terrible lui déchira le sexe. Elle hurla en frappant le dos de Picard des deux poings. La torture s'étira un temps indéfini, puis une inconscience salvatrice l'engloutit et elle sombra dans les ténèbres.

*

A quelques mètres de là, dans l'obscurité de la cache, Franklin subissait les cris de la jeune femme comme autant de coups de poignard. Il avait tout entendu et avait voulu l'appeler, mais les mots n'avaient pas franchi ses lèvres. Il maudit la faiblesse qui le laissait impuissant. Tandis que Picard grognait de plaisir en écrasant Michelle de son poids, il s'entendit murmurer encore et encore :

— Je le tuerai, mon ange. Je te jure, je le tuerai...

16

L'attaque américaine fut si brutale qu'elle prit les Allemands totalement au dépourvu. Leurs lignes enfoncées, ils reculèrent en désordre sur plusieurs kilomètres. Monk se trouva ainsi rejoint par les siens alors qu'il ne savait comment éviter les Allemands. Exténué, il s'était arrêté à portée de voix de leurs tranchées et s'était endormi dans un fossé asséché. Quand l'artillerie alliée pilonna l'ennemi, il se pelotonna au fond de son trou et attendit. Des soldats passèrent tout près de lui sans le voir. Puis tout se calma.

Il se releva et sortit de son abri de fortune. Les alentours étaient déserts. Il reprit sa progression d'un pas d'automate. Arrivé devant une rivière trop large pour être franchie à gué, il longea la berge jusqu'à un pont et scruta un long moment l'endroit. Une fois sur ce passage obligé, il offrirait une cible parfaite... Mais il n'avait pas vraiment le choix.

C'est au milieu du pont que le jeune soldat l'interpella.

– On ne bouge plus! ordonna-t-il en anglais en sortant des fourrés pour se planter en face de Monk, le fusil braqué.

– Me menace pas, petit, on est du même bord, grogna McQueen.

Il arracha la plaque d'identification pendue à son cou et la jeta aux pieds du jeune soldat ébahi.

*

Le chaos qui avait suivi l'attaque fut indescriptible. Bloquées après quelques kilomètres, les forces américaines tardaient à reprendre une organisation cohérente sur l'arrière-front. McQueen dut se démener une journée entière pour retrouver son unité et se voir donner un uniforme et un paquetage complet. Sa demande d'être renvoyé au front ne fut suivie d'aucun effet.

– Nous ne bougeons plus d'un pouce, lui dit son capitaine. Bon sang, nous ne savons plus quoi faire de tous les Frisés que nous avons capturés! Ce n'est pas la résistance de l'ennemi qui nous a stoppés, mais tous ces prisonniers!

Monk commençait à désespérer quand il apprit que le général Black Jack Pershing était cantonné non loin de là. Son officier d'ordonnance était une vieille connaissance de Monk qui se souvenait de Franklin. Il introduisit McQueen dans la tente du général.

– Vaudrait mieux avoir une bonne raison de venir me voir, fils, gronda Pershing en levant le nez de la table couverte de cartes d'état-major.

Monk lui résuma ce qui était arrivé à son unité et décrivit la gravité de la blessure de Franklin.

– Il a besoin d'aide, mon général, conclut-il. Je vous demande l'autorisation d'aller le chercher.

Pershing fut impressionné par la détermination de Monk et par cette preuve de loyauté.

– Jefferson, tu dis, fils?

– Oui, mon général.

– Celui que j'ai décoré sur le front?

– Lui-même.

– Eh bien, fils, ne reste pas planté là! Prends le nombre d'hommes que tu veux et ramène-le!

– *Merci, mon général!*

*

Assise dans la cuisine de la ferme, Michelle Lecroix réfléchissait à sa situation. Depuis cette première nuit, Picard était revenu quotidiennement abuser d'elle dans la grange. Et elle avait beau se nettoyer avec une application rageuse, elle se sentait toujours souillée.

Mais le boulanger ne s'en tint pas là. Il se mit à passer à l'infirmerie à n'importe quelle heure de la journée pour l'embrasser et la caresser avec des airs de propriétaire. Les autres infirmières ne tardèrent pas à lui adresser des clins d'œil complices. Tout Saint-Eustache sut bientôt que Michelle était tombée amoureuse de Picard.

Elle affrontait la situation avec courage. Les Allemands n'occuperaient pas le village éternellement, et dès que les Américains reviendraient elle révélerait la traîtrise du boulanger. En attendant, chacun de ses attouchements renforçait la haine qu'elle éprouvait envers lui.

Néanmoins, Picard tenait parole. Il semblait avoir totalement oublié la présence du blessé dans la grange. Et il dévoila ses trésors à Michelle. La jeune femme fut scandalisée par tout ce qu'avait amassé Picard tandis que le reste du village mourait de faim. Mais les vivres et les médicaments qu'elle prenait dans ses réserves aidaient Franklin à se remettre peu à peu. Bien qu'il souffrît toujours de névralgies et de pertes de conscience sporadiques, elle avait toutes les raisons de penser que le pire était passé.

Mais elle était mortifiée de ce que l'Américain connaissait son secret. Quand elle venait lui apporter à manger, elle le lisait dans ses yeux, et c'était presque plus douloureux que les outrages que lui faisait subir Picard.

*

Michelle avait préparé le repas de Franklin plus tôt qu'à l'habitude, bien avant l'arrivée de Picard. Mais quand elle atteignit la grange, la porte en était déjà entrouverte.

Il ne peut pas être là aussi tôt!

Elle se glissa à l'intérieur et s'apprêtait à appeler Picard quand une large main la bâillonna. Une allumette craqua et elle se retrouva nez à nez avec Monk McQueen.

– Tout va bien? chuchota-t-il en la libérant.

Elle acquiesça.

– Franklin?

– En sécurité. Il va mieux.

– En état de bouger?

– Oui... Oui, je crois.

Le cœur de Michelle débordait d'allégresse : les Américains étaient revenus! Mais ses espoirs furent de courte durée. Monk lui expliqua qu'ils s'étaient infiltrés jusqu'ici uniquement pour emmener Franklin Jefferson. Les lignes alliées se trouvaient encore à plusieurs kilomètres de Saint-Eustache. Monk vit le désarroi assombrir le visage de la jeune femme.

– Mais nous reviendrons bientôt, ajouta-t-il pour la rassurer. Nous allons repousser les Allemands, c'est simplement une question de temps.

Monk s'approcha de la trappe, l'ouvrit et descendit auprès de Franklin. Celui-ci marmonna en s'éveillant.

– Ferme-la, sauf pour me dire que tu te sens assez en forme pour aller faire un tour avec nous, grommela Monk en cachant son émotion. Le vieux Black Jack veut te voir. Ça a à voir avec une autre médaille, je crois bien...

Franklin se redressa sur un coude et palpa son bandage.

– Ça ira. Je peux vous suivre. Mais je n'irai nulle part. Pas encore.

– Tu parles! Si tu crois que j'ai fait tout ce chemin pour...

– Écoute-moi! murmura Franklin d'une voix tendue. Tu ne sais pas ce qui s'est passé ici...

Monk resta de longues minutes auprès de son ami, à combattre la nausée qui lui montait dans la gorge. Il avait du mal à croire ce qu'il entendait, mais quand il leva les yeux vers Michelle, il vit que c'était vrai.

*

Les coups contre la porte réveillèrent Picard en sursaut. Avec un grognement mécontent, il quitta son lit.

– Ça va, ça va! J'arrive...

Ses derniers mots furent couverts par le craquement du bois comme la porte d'entrée était arrachée de ses gonds. Les soldats allemands s'engouffrèrent dans la pièce. Les deux premiers saisirent le boulanger et le plaquèrent contre le mur tandis que les autres s'éparpillaient dans l'appartement et commençaient une fouille en règle.

– Mais... que faites-vous? s'écria Picard.

– Nous voulons simplement voir quels ingrédients... spéciaux vous utilisez pour votre pain, fit le major Von Ott en pénétrant à son tour dans la pièce.

– Je ne comprends rien, bredouilla le boulanger en essayant de retenir d'une main son pantalon de pyjama qui glissait. Quels ingrédients spéciaux? Que cherchez-vous?

Un sourire glacé aux lèvres, Von Ott s'approcha.

– Nous le saurons très vite, vous ne croyez pas?

– *Herr Major!*

Le Prussien alla dans la cuisine où un des soldats venait de tirer un baluchon de sous l'évier. Il le prit et retourna dans la chambre. Ouvrant le linge, il fit tomber un à un les vêtements qu'il contenait devant Picard.

– Une veste de soldat américain tachée de sang à l'épaule. Une chemise du même uniforme, des sous-vêtements et chaussettes... Très généreux de votre part de partager votre linge avec l'ennemi, boulanger...

Il le frappa au visage avec violence, plusieurs fois, puis lui saisit les cheveux et lui releva la tête. Picard saignait de la bouche, et il avait au moins deux dents brisées.

– Traître, grinça Von Ott. Comment avez-vous osé?

– Mais je ne comprends pas! se défendit Picard dans un gargouillis. Je vous jure que...

– Et ces vêtements? Inutile de nier. Et ça?

Le major brandit les papiers militaires trouvés avec les vêtements sous le nez du prisonnier.

– Je n'ai rien à voir avec les Américains! J'ai toujours été loyal envers vous...

Von Ott recula d'un pas.

– Sortez-le d'ici, ordonna-t-il à ses hommes.

Tenant toujours son pantalon de pyjama, Picard fut traîné en bas, puis à l'extérieur. Quand il vit les gens du village attroupés, il se sentit honteux d'être ainsi exposé, ridicule et à demi nu.

– Michelle!

Dans un sursaut d'énergie il se libéra de l'emprise des deux soldats et tituba jusqu'à la jeune femme qui était immobile au milieu de la rue. Il s'écroula à ses pieds et leva vers elle un regard implorant.

– Michelle...

C'est dans les prunelles bleues de la jeune femme qu'il lut soudain la vérité.

– Pourquoi, Michelle? balbutia-t-il. Je vous aimais...

– J'espère que vous pourrirez en enfer pour ce que vous m'avez fait!

Elle recula et lui cracha au visage. Les deux soldats allemands saisirent Picard par les aisselles et le remirent debout. Les habitants de Saint-Eustache s'écartèrent. Au même moment, Von Ott sortit de la boulangerie, l'uniforme américain au poing.

– Emmenez-le sur la place! ordonna-t-il. (Puis se tournant vers Michelle, il claqua des talons avec une inclinaison brève du buste :) Comme vous le soupçonniez, mademoiselle, votre amant travaillait bien pour l'ennemi. Vous avez fait votre devoir.

Michelle n'entendit ni ces paroles ni les cris de supplication de Picard. Un gouffre étrange venait de s'ouvrir dans son esprit, qu'elle n'était pas sûre de pouvoir combler un jour.

– Putain!

La première pierre l'atteignit à l'épaule et elle poussa un petit cri de douleur. La seconde lui érafla la jambe.

– Collabo!

Michelle recula en voyant les villageois se baisser un à un pour ramasser des pierres.

– Comment peux-tu dénoncer un tel homme? cria une femme. Honte sur toi!

– Catin boche! Tu paieras!

Une grêle de pierres la fouetta et Michelle se mit à courir. Elle sentait à peine les coups et il lui semblait que quelqu'un d'autre fuyait, comme si elle vivait un rêve. Seule la voix de Monk McQueen résonnait dans son esprit. Elle se souvenait de son regard quand il était sorti de la cache où gisait Franklin.

– Picard doit payer, avait-il dit d'un ton de calme condamnation.

Michelle avait protesté, l'avait supplié d'oublier toute l'histoire. Mais ce faisant, elle s'était rendu compte que cela lui serait impossible. Sa peau la brûlait partout où il l'avait touchée. Alors elle avait écouté Monk...

– Je m'introduirai dans l'appartement de Picard pendant son absence et j'y cacherai mon uniforme. Demain matin vous irez voir Von Ott et vous lui direz que Picard a caché des soldats alliés blessés. Ensuite éloignez-vous, Michelle. Partez. Les Allemands feront le reste.

Michelle continuait à courir, distançant rapidement ses quelques poursuivants. Elle ne ralentit pas en dépassant la patrouille qui traînait Picard sur la place.

Les événements se déroulaient exactement comme l'avait prévu Monk, se dit-elle sans cesser de fuir alors qu'elle avait déjà dépassé les limites du village. Une unique détonation résonna dans la nuit. Michelle s'arrêta et ses jambes se dérobèrent sous elle. Elle s'écroula sur le sol en sanglotant.

*

Quand Michelle atteignit la ferme, son père et Monk l'attendaient. Elle expliqua ce qui s'était passé à Saint-Eustache, et Monk dit aussitôt :

– Bon, alors vous n'avez pas le choix : vous devez partir avec moi. Si tout le monde croit que vous étiez de mèche avec les Allemands votre vie est en danger. J'ai parlé de vous au général Pershing. Vous serez en sécurité avec nous.

– Mais je ne peux pas abandonner mon père!

– Il le faut, intervint celui-ci avec calme. Je connais les gens du village. Quels que soient leurs sentiments à ton égard, ils ne me feront rien.

Malgré ses réticences, Michelle savait que son père avait raison. La vérité au sujet de Serge Picard finirait bien par éclater, et elle ne serait plus exclue. Mais en attendant ce jour, Saint-Eustache lui resterait hostile, c'était une évidence.

— Nous allons rejoindre nos lignes, dit Monk pour répondre à la question muette qu'il lisait dans les yeux de la jeune femme. Franklin et les autres ont déjà dû les atteindre à l'heure qu'il est. (Sa voix se fit plus douce quand il dit :) Vous le verrez bientôt.

Mais que pourrai-je lui dire ? Et lui, que pourra-t-il dire à une femme qui s'est ainsi avilie, même si c'était pour le sauver !

— Vous feriez bien de vous préparer, dit Monk avec gentillesse. Nous allons effectuer un grand détour. La route sera longue.

*

Quand ils rejoignirent les lignes alliées, ce fut pour apprendre que Franklin avait été transféré dans un hôpital à Paris. Michelle en éprouva à la fois une grande déception et un certain soulagement. A présent elle devait rassembler les morceaux de sa vie que sa fuite de Saint-Eustache avait irrémédiablement transformée.

Là encore Monk lui fut d'un grand secours. Il parla au directeur de l'hôpital qui trouva à employer la jeune femme. Grâce à ses talents, elle se retrouva bientôt à la tête du service des grands brûlés. Son anglais s'améliora ainsi que son savoir professionnel grâce à la fréquentation quotidienne de l'équipe médicale américaine. L'été passa en un éclair.

Le 15 septembre 1918, les troupes du général Pershing lancèrent une offensive d'envergure à Saint-Mihiel et firent quinze mille prisonniers en moins de deux semaines. A la mi-octobre, les batailles de l'Argonne et d'Ypres étaient entrées dans l'histoire, et les Allemands sentaient le vent de la défaite. Le 28 octobre, une mutinerie éclata au quartier général de la flotte allemande à Kiel. Dix jours plus tard, une révolte ravageait Munich. Le jour suivant, 8 novembre, le Kaiser Guillaume II abdiquait, ouvrant ainsi la voie aux pourparlers pour un armistice. Et le 11 novembre les armes se taisaient définitivement sur le front.

*

— Vous êtes de retour ! Et sain et sauf !

Michelle se jeta au cou de Monk alors qu'il entrait dans l'hôpital, silhouette imposante sanglée dans un uniforme impeccable.

— J'étais tellement inquiète pour vous quand j'ai appris que vous étiez reparti pour le front ! s'exclama-t-elle.

McQueen éclata d'un rire joyeux.

— Figurez-vous que je faisais route vers Berlin avec quelques milliers d'amis, il y a de cela deux semaines, quand Black Jack s'est lassé de casser du Frisé et est retourné vers Paris. Et comme je fais partie de son état-major...

– Vous êtes dans l'état-major du général? Je suis impressionnée, Monk!

– Sûrement moins que moi... dit Monk avant de reprendre son sérieux. J'ai cru comprendre que Saint-Eustache s'était repenti de vous avoir aussi mal jugée?

Michelle rougit de gêne.

– Ce n'était rien...

Mais McQueen connaissait toute l'histoire. Quand le général Pershing avait repris Saint-Eustache, il savait déjà tout de la bravoure de la jeune femme. Offusqué en apprenant que les villageois la croyaient à la solde des Allemands et rêvaient de la pendre, il avait décidé de réparer cette injustice. Il avait donc fait venir Michelle dans son village et là, devant toute la population réunie, avait célébré son courage et ses actions passées. Le général avait conclu cette petite cérémonie en lui décernant lui-même la *President's Medal*, plus haute décoration américaine qu'un civil pouvait recevoir.

– Vous pouvez retourner à Saint-Eustache, si vous le voulez, dit Monk.

– Je n'ai plus de raison d'y retourner, lui répondit-elle, et ses yeux s'emplirent de larmes. Mon père a succombé à une crise cardiaque quelques jours après ma réhabilitation.

– Je suis désolé, Michelle, fit Monk avec sincérité. Je ne savais pas...

Elle hocha la tête et lui fit un pauvre sourire. Elle n'osait lui dire combien elle s'était sentie nue et honteuse devant ces gens. Bien sûr, ils avaient appris que Serge Picard était un traître, mais cela faisait d'elle la catin du traître, et non une héroïne. Elle avait entendu des murmures malveillants, surpris des phrases où l'on s'interrogeait sur ce qu'elle avait pu soutirer au boulanger avant de le dénoncer. Et c'est pour cela que jamais elle ne remettrait les pieds à Saint-Eustache.

– Je suppose que vous n'avez pas eu de nouvelles de Franklin, dit Monk pour changer de sujet.

– Non.

– Vous n'avez pas essayé d'en avoir?

– Monk, comment faire? Je l'ai à peine connu...

– Vous auriez pu désirer savoir s'il allait bien, offrit McQueen.

– Je suis certaine qu'il va bien. (*Mais combien de fois ai-je rêvé de lui, combien de fois ai-je prié pour qu'il se rétablisse...*) D'ailleurs, maintenant il est à New York, et il doit attendre votre retour avec impatience.

– Non, il n'est pas là-bas, fit Monk avec un petit sourire.

Quand il lui dit le reste, la jeune femme faillit s'évanouir.

Michelle avançait d'un pas souple entre les milliers de tentes qui avaient été dressées autour de Saint-Mihiel. La plupart étaient des bivouacs de soldats, mais d'autres servaient d'infirmeries de campagne, de dépôts de vivres, de postes administratifs. La circulation, humaine, mécanique et animale, était intense et bruyante. Partout flottait la fine poussière soulevée par les roues, les pieds des hommes et les sabots des chevaux. Michelle avançait, insouciante des sifflets et des réflexions admiratives des soldats.

Franklin Jefferson lui apparut exactement comme elle l'avait imaginé. Ses cheveux d'un blond pâle étaient coiffés en arrière, et ses yeux bleus disaient la même joie que le léger sourire qui détendait ses traits. Il avait repris du poids et, dans ses vêtements bien ajustés, son corps d'athlète se mouvait avec aisance. Michelle remarqua pour la première fois l'harmonie naturelle de sa personne. Elle en oublia presque le bandage qui lui entourait encore le crâne au niveau des tempes.

— Franklin ?

— Bonjour, Michelle.

Il vint vers elle d'un pas curieusement lent.

— Je ne voulais pas vous quitter, Michelle. Et je ne vous quitterai plus. Sauf si vous ne voulez pas de moi...

Ces paroles étourdirent la jeune femme, mais quand il effleura sa joue puis ses cheveux d'une main hésitante, un frisson de bonheur la parcourut.

— Après tout ce que vous avez fait pour moi, comment avez-vous pu croire que je pourrais cesser de penser à vous, de rêver de vous un seul instant ? murmura-t-il.

Elle retint un petit cri quand il l'enserra de ses bras et l'attira vers lui avec douceur, jusqu'à ce qu'elle sente son souffle caresser son cou.

— Je... Je ne savais pas ce que vous étiez devenu...

— J'aurais écrit plus tôt mais le médecin m'a conseillé d'attendre d'aller mieux... Michelle, je voulais être sûr d'être totalement remis, d'être vraiment redevenu moi-même pour vous.

Elle se renversa un peu en arrière et toucha sa tempe bandée du bout des doigts.

— Je vais bien, Michelle, je le jure. Et je n'ai jamais cessé de vous aimer. Depuis le premier jour.

Michelle leva son visage vers lui, offrant ses lèvres. Il se pencha vers elle.

— Rien ne viendra plus nous séparer, Michelle. Je te le promets.

Leurs lèvres se joignirent.

TROISIÈME PARTIE

17

Rose Jefferson était venue attendre Franklin au centre de débarquement militaire de Brooklyn. Laissant Overland Avenue, la Rolls-Royce Silver Ghost s'était engagée dans les rues étroites et mal pavées jusqu'aux installations de l'armée. Les grilles de la Capitainerie du port s'ouvrirent comme par magie devant le véhicule.

Le capitaine du port guida sa visiteuse de marque jusqu'à un endroit écarté de la foule d'où elle pourrait surveiller le débarquement sans être bousculée, car le tohu-bohu était général devant les barrières et les guichets du service d'immigration.

C'est Monk qu'elle vit le premier. Un sac en toile de jute jeté négligemment sur son épaule massive, il piétinait avec les soldats qui se pressaient vers les guichets.

Rose cria son nom et lui fit un signe, bien qu'elle sût qu'il ne pouvait l'entendre dans le vacarme ambiant. Pourtant il tourna la tête dans sa direction et lui répondit en agitant la main. Puis il désigna sa gauche et Rose se mit sur la pointe des pieds pour tenter d'apercevoir ce qu'il lui montrait. Elle eut à peine le temps de distinguer une chevelure d'un blond presque blanc que les mouvements de la foule l'engloutissaient aussitôt.

Rose crispa ses mains sur la barrière et laissa le soulagement l'envahir. C'était donc vrai. Franklin avait réchappé de l'horrible boucherie. Il était revenu.

Mais il y a eu tellement de changements ici pendant son absence. Global Entreprises n'existe presque plus, du moins pas telle qu'il l'a connue... Ce sera donc un nouveau départ pour nous deux. Oui, il s'adaptera...

*

En 1918, les compagnies de messagerie qui avaient tant fait pour le développement de la nation américaine périclitaient.

151

Après les grèves très dures de 1917, soutenues par l'opinion publique qui s'était indignée des salaires et des conditions de travail misérables des employés, les compagnies de messagerie durent batailler dur pour simplement survivre. En effet, la Commission Alcorn avait attaqué la profession sur son point faible : les tarifs. Ceux-ci étaient tellement divers qu'ils rendaient toute comptabilité aléatoire. La CCI imposa une tarification par zone et poids. Si les compagnies de messagerie désiraient modifier celle-ci, calculée au plus juste, elles devaient en faire la demande à la CCI, qui refusait neuf fois sur dix. Leurs profits baissèrent de façon dramatique, en particulier ceux de Global.

A la différence de ses concurrents, qui voulaient se battre jusqu'au bout, Rose n'avait aucune intention de suivre une voie qui ne pouvait, selon elle, que mener à l'autodestruction. Bien qu'il lui en coûtât, elle réduisit donc l'activité de Global de manière drastique.

Une semaine avant l'armistice, Global fermait plus de vingt mille kilomètres de lignes express et deux mille six cents bureaux sur tout le territoire. Un peu plus de trente mille personnes se retrouvèrent sans emploi. Puis Rose revendit le réseau restant sans trop de difficulté aux autres compagnies. Par ces mesures Global évita le sort de la quasi-totalité des messageries, abandonnant un domaine condamné au bon moment avec assez de liquidités pour se lancer dans une autre aventure.

*

– Rose !

Elle fit volte-face et le vit à l'autre bout de l'allée.

– Oh, Franklin !

Il se tenait immobile, mains enfoncées dans les poches, son habituel sourire au coin des lèvres. Elle fit quelques pas vers lui puis se mit à courir.

Elle le vit soudain se détourner. Perplexe, Rose s'arrêta net. Il ouvrit les bras et son sourire s'agrandit. L'instant suivant une jeune femme rousse s'y précipitait, dans un élan qui ne laissait aucune équivoque. Franklin éclata d'un rire ravi et la fit tournoyer avant de la reposer sur le sol à côté de lui. D'un bras possessif il lui entoura la taille.

Rose était figée sur place, furieuse que son frère ait écrit également à quelque ancienne conquête pour lui dire de venir l'attendre. Et d'ailleurs, qui était-elle ? Rose ne se souvenait pas de son visage.

Elle n'eut pas à poser la question : un anneau d'or brillait à l'annulaire gauche de Franklin.

Non, ce n'est pas possible !

Rose braqua son regard sur la jeune femme rousse et son

visage devint livide. L'inconnue portait elle aussi une alliance en or.

Doux Jésus, qu'a-t-il fait ?

18

La lumière grise de l'aube pénétrait à peine les fenêtres aux vitres embuées de l'orangerie. Assise dans la pénombre, sa tasse de thé entre ses mains sur les genoux, Rose regardait fixement devant elle, indifférente à la beauté des plantes qui l'entouraient.

Elle ne se souvenait que très vaguement de la veille. Le choc avait été si profond qu'elle avait agi d'une façon mécanique, comme une automate. Sans doute s'était-elle montrée aimable envers cette femme. De ce qu'elle se rappelait de leur conversation à trois, dans la voiture et à Talbot House, Michelle Lecroix était française, infirmière et sans famille. Elle avait rencontré Franklin dans un endroit nommé Saint-Eustache et ils s'étaient mariés civilement à Saint-Mihiel. Franklin avait raconté qu'elle était une véritable héroïne, mais ce ne pouvait être là qu'une exagération due à l'aveuglement amoureux. La seule chose dont Rose ne doutait pas, c'est qu'elle fût son épouse. Non seulement son frère n'arrêtait pas de s'extasier sur leur union, ce qui hérissait Rose, mais chaque fois qu'elle voyait leurs alliances son cœur se serrait.

Tous les projets qu'elle avait si longtemps attendu de réaliser avec son frère étaient compromis de même que la réconciliation dont elle avait planifié chaque étape. Une personne les séparait. Rose se jura de prendre tout le temps nécessaire pour percer à jour cette intruse. Michelle Lecroix n'était peut-être que la jeune innocente dont elle donnait l'image. Mais elle pouvait aussi se révéler être une intrigante couvant de sombres projets. Rose devait en avoir le cœur net.

Parce que maintenant il la considère comme partie intégrante de la famille, parce qu'elle peut être couchée dans son testament, et qu'en cas de malheur ce testament ferait entrer une inconnue dans Global...

Cette pensée terrorisait Rose et la rendait folle de rage. Néanmoins elle impliquait aussi de nouvelles possibilités. Franklin était tellement consumé d'amour pour Michelle Lecroix qu'il ne s'était même pas posé une question pourtant indispensable : en dehors de ce qu'elle ressentait pour lui, son épouse parviendrait-elle à trouver sa place dans un monde aussi nouveau pour elle ? Peut-être la solution du problème n'était pas d'essayer de persuader Franklin de son erreur mais bien plutôt de faire sentir à Michelle qu'elle ne pourrait jamais s'insérer dans leur univers. Ainsi son frère ne pourrait blâmer Rose quand Michelle déciderait de partir.

*

Michelle s'éveilla en sursaut. Pendant quelques secondes elle se sentit perdue. Puis elle toucha le corps assoupi de Franklin et ses craintes s'envolèrent, mais le sommeil avait fui avec elles.

Elle quitta le lit sans bruit et enfila une robe d'intérieur de satin doublé. La lumière des réverbères s'insinuait dans la chambre tapissée de jaune d'or. Elle regarda autour d'elle en retenant inconsciemment son souffle. Le luxe de Talbot House la laissait pantoise. Rien que dans cette pièce ce n'étaient que meubles précieux et anciens, et le reste de l'immense maison était à l'avenant. Depuis son arrivée ici elle avait l'impression d'être un voyageur du temps entré par hasard dans le palais magnifique de quelque royaume de rêve. Pour la première fois elle se trouvait seule, face à la demeure. Elle décida de l'explorer.

Elle traversa le palier et descendit l'escalier monumental jusqu'à l'entrée principale. Les statues grecques et romaines la regardèrent de leurs yeux morts entre les colonnes corinthiennes. Quand elle entra dans la grande galerie, elle fut comme à chaque fois écrasée par les dimensions de l'endroit. A une dizaine de mètres au-dessus d'elle le plafond d'acajou se perdait dans les ténèbres, tandis qu'aux murs trônaient des toiles signées de noms de légende : le Titien, Rubens, Goya... Un immense tapis couvrait en partie le parquet marqueté. Pour Michelle, cette pièce aurait pu être une des salles du Louvre.

Elle passa dans la bibliothèque, tout aussi imposante. Les murs disparaissaient derrière les rayonnages garnis de volumes rares. Soudain ce fut trop et Michelle sortit en hâte de la pièce. Elle alla se réfugier dans l'énorme cuisine où flottait encore l'odeur du pain cuit la veille. Tandis qu'elle se faisait chauffer un peu de café, Michelle songea à Rose. Elle était consciente de la réticence avec laquelle sa belle-sœur l'avait accueillie, comme de sa surveillance discrète. Et elle devinait que Rose ne l'avait guère jugée à la hauteur de sa nouvelle situation. Franklin l'avait mise en garde contre le tempérament possessif de sa sœur, et Michelle comprenait assez bien les raisons d'un tel sentiment. Elle tenta d'imaginer comment elle réagirait elle-même si elle devait brusquement partager un frère aussi proche que Franklin l'avait été de Rose. De plus celle-ci était veuve, avec un enfant à élever et un empire financier à diriger. Michelle se dit qu'elle devait prendre tout cela en considération, et comprendre. Ou du moins essayer.

Mais Rose fera-t-elle de même ? M'acceptera-t-elle ? Ce monde m'acceptera-t-il ?

154

Perdue dans ses pensées, la jeune femme prit sa tasse et passa dans l'orangerie.

— Bonjour, Michelle. Vous êtes une lève-tôt, comme moi, à ce que je vois.

Michelle tressaillit et la tasse cliqueta sur la soucoupe.

— Rose! Excusez-moi, je croyais que personne n'était encore levé...

Pendant une poignée de secondes les deux femmes se firent face sans trop savoir quelle attitude adopter.

Et pourquoi pas? se dit Rose.

Avec un geste amical, elle invita Michelle à s'approcher.

— Venez vous asseoir avec moi, ma chère. Voilà une occasion rêvée pour apprendre à nous connaître un peu mieux, ne trouvez-vous pas?

— Oui... Merci.

Avec un sourire poli, Rose désigna la chaise en face de la sienne à Michelle qui s'assit.

— Et maintenant je veux que vous me disiez tout de vous, confia-t-elle d'une voix feutrée. Vous ne pouvez vous imaginer à quel point cela m'intéresse.

*

Le lendemain, l'Amérique célébrait la fin de la « der des ders ». A Madison Square, les vétérans défilèrent en une longue parade sous un arc de triomphe bâti pour la circonstance, tandis que des enfants mettaient joyeusement le feu à des effigies du Kaiser détrôné.

Pour Michelle, les jours qui la séparaient de Noël furent un tourbillon de folie. New York l'étourdissait de bruit et de frénésie, le gigantisme et le luxe de la ville l'écrasaient. Il semblait impossible de s'adapter au rythme d'une cité qui bougeait aussi vite, parlait une douzaine de langues et ne s'arrêtait pour personne.

La cadence était d'autant plus folle que Franklin avait insisté pour lui présenter toutes ses connaissances. Ils rencontrèrent ses amis d'enfance ou d'études dans les meilleurs restaurants de New York et aux soirées du *21's*, le night-club à la mode qui occupait tout un hôtel particulier.

Le mode de vie à Talbot House était tout aussi étonnant. Quand sous la pression de Franklin elle annonça son intention de renouveler sa garde-robe qui tenait dans une petite valise, Rose lui donna une liste de magasins et lui assura qu'il lui suffirait de signer un reçu pour ses achats. Apparemment, les Jefferson payaient rarement en liquide. Néanmoins, on avait appris à Michelle la combinaison du coffre dans sa chambre afin qu'elle puisse se servir des mille dollars déposés là en cas de besoin.

La Française faisait de réels efforts pour s'accoutumer à Talbot

House, mais dès que Franklin s'absentait elle se sentait perdue. Ses tentatives pour lier connaissance avec les domestiques se heurtèrent au mur poli de leur réserve. Quant à Steven, le fils de Rose, s'il s'était montré correct quand sa mère les avait présentés, Michelle percevait sa réticence soupçonneuse. Quoi qu'elle fît pour établir des rapports amicaux, il se dérobait.

Les seuls moments où Michelle se sentait à l'aise dans cette demeure immense étaient le soir, quand elle retrouvait Franklin et l'intimité de leur chambre. Lors de sa nuit de noces, elle avait découvert en lui un amant expérimenté, tendre et passionné, qui avait su gommer de sa mémoire le souvenir de Serge Picard. Après tant d'années passées à voir mourir des hommes entre ses bras, elle pouvait enfin se donner corps et âme à celui qu'elle aimait et qui lui avait promis d'être toujours là pour elle.

*

— Tu es ravissante, dit Franklin.

Le compliment fit rougir Michelle, mais elle dut admettre que les heures passées à se préparer pour le repas de Noël avaient porté leurs fruits. Sa robe de satin vert pâle aux bretelles dorées était du plus bel effet et mettait en valeur sa beauté naturelle. C'était le cadeau de Noël de Rose. Sa chevelure rousse retombait en une cascade de boucles artistement arrangées sur ses épaules, qui contrastait avec les pendentifs d'émeraude et le collier de brillants.

Depuis deux jours des livreurs apportaient des montagnes de victuailles, tandis qu'une armée de domestiques engagés pour l'occasion toilettaient la grande salle où se tiendrait le banquet. D'après les préparatifs, Michelle estimait que le dîner rassemblerait une soixantaine de convives. Une telle tablée la rendait un peu nerveuse, mais elle ne pouvait échapper au rituel.

Alors qu'elle descendait le grand escalier au bras de Franklin, elle fut horrifiée de découvrir au moins une centaine d'invités qui discutaient en petits groupes.

— Rose, qu'as-tu fait ? dit à mi-voix Franklin en embrassant sa sœur qui les attendait en bas des marches. Tu nous avais promis un Noël calme. Quelques amis, avais-tu dit...

— Oh, Franklin, ne sois pas aussi dur avec moi, répondit Rose avec une petite moue mutine. Ce sont tous des amis. Et puis, tout le monde voulait connaître la mariée...

La soirée fut éblouissante de luxe et de bon goût. Les mets les plus raffinés se succédaient à la table de banquet, tandis que les convives devisaient aimablement. Mais pour Michelle ce fut une épreuve interminable. Rose l'avait placée auprès d'une certaine Amelia Richardson, membre très en vue de la haute société new-yorkaise, redoutée pour ses commérages et ses jugements caustiques. Dès les premiers instants Michelle se sentit mal à l'aise. Quand le repas arriva enfin à son terme, Rose l'entraîna dans le petit salon. Amelia s'assit à côté d'elle et vissa une cigarette dans un long fume-cigarette en ivoire.

— Quel appétit vous avez montré, ma chère! dit-elle d'un ton ironique. Vous mangiez pour deux, peut-être?

Peu habituée à ce genre d'allusion, Michelle la regarda avec des yeux ronds.

— Pardon?

Amelia lui décocha un clin d'œil complice.

— Vous savez bien : vous êtes enceinte?

— Mais non! Pas du tout! s'exclama Michelle en rougissant jusqu'à la racine des cheveux.

Sa gêne s'accrut en constatant que la plupart des invités présents dans le salon s'étaient tournés vers elle.

— Allons, racontez-moi, reprit Amelia Richardson. Comment avez-vous rencontré Franklin?

— A Saint-Eustache. J'y étais infirmière pendant la guerre.

— Quel dévouement, commenta sa tortionnaire du bout des lèvres. Et d'où vient votre famille, ma chère?

— De Saint-Eustache, madame.

— Le village leur appartient, je suppose?

— Pardon?

— Je veux dire, vous êtes les principaux propriétaires de la région, n'est-ce pas?

— Eh bien, mon père possédait sa propre ferme, oui.

— Une *ferme*?

Michelle sentit qu'elle perdait pied.

— Oui. Elle avait appartenu à son père, et à son grand-père avant lui...

— Combien avait-il d'employés?

— Aucun, il travaillait lui-même sa terre.

Amelia Richardson marqua un temps d'arrêt, comme si elle ne pouvait croire l'information.

— Oh, je vois. Votre père était donc un fermier, laissa-t-elle tomber comme une condamnation.

Dans le salon, chuchotements ironiques et gloussements étouffés fusèrent ici et là. Michelle comprit qu'elle était la risée de la soirée, et la honte se mêla à la colère.

Mais pourquoi me traite-t-on ainsi?

Elle était tellement perdue qu'elle ne vit pas Rose, à la porte du salon, qui savourait la scène.

19

En attendant l'arrivée de Franklin, Rose contempla avec satisfaction la nouvelle disposition du bureau de Lower Broadway. Les tentures trop sombres avaient été remplacées par des tissus d'un beige agréable, et des toiles dynamiques de Remington avaient pris la place des paysages mornes choisis par Simon Talbot. Rose estimait que cette pièce reflétait bien l'esprit d'une entreprise à la conquête de l'avenir.

Avec un mélange d'excitation et d'appréhension, elle baissa les yeux sur les épais dossiers empilés sur le bureau. Son projet était maintenant prêt, et le moment d'agir approchait.

En 1864, le Congrès avait voté une loi qui devait avoir des répercussions considérables sur les compagnies de messagerie. Elle autorisait la création de mandats postaux afin d'éviter que les postiers ne soient attaqués et détroussés de l'argent liquide qu'ils convoyaient jusqu'alors. La taxe apposée à ce système était de dix cents pour chaque part de dix dollars, et en 1880 la poste avait vendu des mandats pour une valeur de cent millions de dollars.

Rose avait l'intention de défier le gouvernement sur ce terrain en créant le mandat Global. Comme les autres compagnies de messagerie cherchaient désespérément de nouveaux débouchés, elle avait entouré la préparation de ce projet du plus grand secret.

Après avoir soigneusement étudié le fonctionnement de la poste, elle avait découvert que celle-ci rencontrait de sérieux problèmes avec ses mandats, malgré leur indéniable succès. Toute personne désirant acquérir un mandat postal devait parler anglais et savoir lire cette langue pour remplir le formulaire administratif, ce qui représentait un blocage insurmontable pour beaucoup d'immigrants et d'illettrés et assurait la fortune des escrocs qui se proposaient de les aider.

Une autre faiblesse du système était son extrême fragilité face aux contrefaçons et falsifications. Afin de limiter celles-ci, tout mandat ne pouvait être remboursé que dans un bureau de poste spécifique et prévenu à l'avance du montant. Ce système compliquait grandement le paiement des mandats. Des gens devaient patienter des jours avant confirmation de la validité de leurs titres, et les mécontents étaient légion.

Pour les mandats Global, Rose avait élaboré une solution originale. Elle imagina un ordre infalsifiable avec un système de coupons de différentes valeurs où les sommes marquées en chiffres seraient compréhensibles de tous. Et Global ne prendrait qu'une commission de huit cents pour dix dollars.

Rose n'en espérait pas des profits immédiats. Il fallait amorcer l'opération avec une campagne de publicité coûteuse, puis mettre en place l'infrastructure nécessaire dans les quatre mille deux cent douze agences Global disséminées sur tout le territoire.

Une fois le projet national bouclé, Rose s'était intéressée à son application hors des frontières américaines. Depuis la Renaissance, le système le plus fiable était celui des lettres de crédit. Mais cette méthode avait ses inconvénients : les délais d'authentification étaient un handicap dans le monde moderne. De plus la conversion des monnaies laissait le porteur à la merci des banquiers, lesquels n'hésitaient pas à profiter de cette aubaine.

Or Rose avait en tête de s'attacher une clientèle en plein développement : les touristes. Pour cela elle devait concevoir un système pratique et rapide. L'idée d'un chèque de voyage signé à l'achat et contresigné au remboursement dans la monnaie choisie par son possesseur lui vint bientôt. Cela évitait les complications et les délais. Durant les deux dernières années, le cours des monnaies face au dollar était devenu assez stable pour garantir une conversion à taux fixe. C'était pour Rose un argument de poids. Les touristes munis de chèques de voyage Global ne seraient plus désarmés devant des banquiers peu scrupuleux.

Elle établit une liste de banques anglaises avec lesquelles Global avait déjà commercé régulièrement et de manière satisfaisante. Les chèques de voyage seraient d'abord lancés en Grande-Bretagne, en manière de test. Ses partenaires lui assureraient un important réseau de distribution, condition *sine qua non* du succès de l'opération.

Rose jeta un coup d'œil à la pendule ouvragée sur la cheminée, en se demandant où pouvait bien être son frère. Mais elle jugula aussitôt ce début d'impatience. Franklin avait dit qu'il viendrait, et elle savait qu'il tiendrait parole.

Rose était très fière des faits d'armes de Franklin, de ses médailles et de ses citations. Elle estimait que la guerre l'avait mûri et responsabilisé : il devait maintenant être prêt à assumer son rôle dans l'entreprise familiale.

Rose allait appuyer sur le bouton de l'interphone quand la voix de Mary Kirkpatrick grésilla dans le petit haut-parleur :

— Mr. Jefferson est arrivé, madame.

— Envoyez-le-moi, dit Rose en souriant.

*

A l'insu de sa sœur, Franklin se trouvait à Lower Broadway depuis plusieurs heures déjà. Il était arrivé bien avant le personnel et avait déambulé dans ces bureaux qui lui rappelaient une autre vie. Ici rien n'avait vraiment changé. Franklin, lui, n'était plus le même homme.

159

A l'arrivée du personnel, il se réfugia dans son bureau. Dans cette pièce aussi tout était exactement semblable. Tableaux, bibelots et meubles avaient été soigneusement nettoyés, et il imaginait sans peine les consignes de sa sœur : « *Je veux que tout soit prêt en permanence pour le retour de Mr. Jefferson, exactement comme c'était lors de son départ.* »

Franklin secoua la tête avec une grimace et se massa la tempe de la pointe des doigts pour apaiser la douleur. Rose allait être déçue.

★

Pendant deux heures, Rose lui exposa ses projets, refusant une à une ses objections ou ses craintes. Finalement il dut admettre que les deux opérations paraissaient très solides.

— Il me tarde que nous nous lancions dans cette aventure! s'exclama Rose que cette conversation avait enflammée.

— Non, Rose.

Elle le dévisagea un instant, bouche bée.

— Non quoi?

— Ce ne sera pas « nous », Rose. Je ne reprends pas ma place dans la compagnie. Et tu n'avais aucun droit de le penser.

Le cœur battant la chamade, Rose se laissa aller contre le dossier de son fauteuil. Il lui fallut quelques secondes pour reprendre son aplomb.

— Je vois. Et peux-tu me dire pourquoi?

— La grève des entrepôts de l'Hudson, Rose, souviens-toi.

— C'était une erreur terrible, des deux côtés, Franklin. Mais j'ai payé pour mes fautes, j'ai dédommagé autant que je le pouvais les familles des victimes. C'était une tragédie, oui, mais tu ne peux me la reprocher éternellement.

— Et je n'en ai pas l'intention, dit-il. Mais depuis j'ai beaucoup changé, Rose. Ce que je suis maintenant...

— Tu veux dire ce que tu es devenu.

Il secoua la tête avec tristesse.

— Non, Rose, j'ai toujours été ainsi. J'ai simplememt appris à me connaître.

Rose serra les lèvres et le considéra un instant. Le tour que prenait l'entretien la déstabilisait. Elle devait reprendre l'avantage.

— Je suis prête à admettre les erreurs passées, Franklin. Es-tu prêt à accepter tes responsabilités présentes?

— Pendant mon absence, tu as prouvé que tu étais capable de diriger seule Global. Regarde tout ce que tu as fait par toi-même. Tu n'as pas besoin de moi.

— Ce que j'ai fait, je l'ai fait pour nous deux, Franklin, répondit-elle. Et cela n'a pas été aisé.

— Je ne suggérais rien de tel. Mais c'est ton choix. Permets-moi de faire le mien.

Rose allait argumenter encore mais le ton de son frère l'en dissuada. Le presser un peu plus aurait pour seul effet de renforcer sa détermination. Elle devait changer de stratégie.

– Que veux-tu, alors ?

Franklin inspira lentement.

– Je t'aiderai à lancer les mandats Global. Ensuite je démissionnerai.

– Je suis désolée, mais je ne peux l'accepter.

Franklin la regarda avec incrédulité.

– Mais tu n'as pas le choix, Rose.

– Alors j'ai une autre solution à te proposer. Acceptes-tu de m'écouter ?

– Bien sûr.

– Je vais être très prise par le lancement des mandats ici, en Amérique. Or je veux déclencher rapidement l'opération des chèques de voyage en Angleterre. Les négociations seront aussi ardues là-bas qu'ici, et Global aura besoin d'un représentant à Londres pour les mener à bien. Il n'y a qu'une personne en qui j'aie suffisamment confiance pour lui offrir cette charge : toi, Franklin. Je te demande donc de m'aider dans un premier temps avec les mandats, puis de t'occuper des chèques de voyage à Londres.

Franklin réfléchit à la proposition et vit immédiatement l'avantage qu'elle offrait. Cinq mille kilomètres de distance entre eux... L'opportunité de commencer une nouvelle vie pour lui et Michelle...

– J'accepte, mais à titre d'essai, dit-il enfin.

– C'est d'accord.

Elle contourna le bureau et embrassa son frère. Dans les circonstances présentes, elle avait sauvé ce qui pouvait l'être. Et elle avait gagné un atout appréciable : du temps.

Le lancement des mandats prendrait au moins une année pleine. Dans un tel délai, beaucoup d'événements pouvaient survenir qui modifieraient la décision de son frère.

*

– Je suis désolé, Miss Jefferson, mais l'erreur de diagnostic est exclue.

Le Dr William Harris avait parlé avec une grande tristesse, mais il se devait de dire la vérité. C'était un homme petit et mince, aux tempes argentées, réputé comme l'un des meilleurs spécialistes en neurologie de l'armée américaine. Derrière lui le mur était couvert de diplômes prestigieux et de citations militaires.

Le visage décomposé, Rose regardait fixement par la fenêtre la neige ouatant la ville où l'on préparait dans la joie les fêtes de fin d'année.

— Il n'y a aucun moyen d'extraire le fragment de shrapnel logé dans le crâne de votre frère, reprit le praticien. Le morceau de métal presse de plus en plus sur le cerveau, et le phénomène s'accentuera fatalement. Votre frère souffrira d'abord d'étourdissements et de pertes de mémoire momentanées, puis ses fonctions motrices seront atteintes...

— Et il mourra, termina Rose d'une voix blanche.

Harris ne répondit pas.

— Combien de temps lui reste-t-il à vivre ?

— Impossible à dire. Un an, deux, peut-être cinq... Je suis sincèrement désolé, mais nous ne pouvons que faire des estimations. Vous consulterez certainement d'autres spécialistes, bien sûr, mais je suis malheureusement persuadé que leurs conclusions seront identiques aux miennes.

Rose apprécia la courtoisie de Harris, mais elle n'avait pas besoin d'autres opinions. Le dossier médical posé sur le bureau du neurologue en contenait déjà plusieurs, toutes concordantes.

— Dans des cas semblables, l'armée contacte toujours un parent proche avant de prévenir le... patient, dit Harris. Voulez-vous que je parle à votre frère ?

Rose se tourna vers lui.

— Pour lui dire quoi, docteur ? Qu'il agonise lentement sans même le savoir ? Que jamais il ne verra ses petits-enfants, ni même peut-être ses enfants ?

Harris ne put cacher son indignation.

— Miss Jefferson, ce n'est pas correct. Ni pour votre frère ni pour sa femme. Ils ont le droit de savoir ce que l'avenir leur réserve. Leur mentir par omission serait...

— Je me moque totalement de sa femme, coupa sèchement Rose.

— Eh bien, peut-être ne le devriez-vous pas ! rétorqua Harris avec colère. Elle est non seulement la compagne de votre frère, elle lui a sauvé la vie ! Sans elle, il serait sans doute déjà mort.

— A moins qu'il n'ait été opéré correctement ! lança Rose. J'en ai assez d'entendre parler de la bravoure de Michelle, de sa bonté et de son intelligence, docteur ! Si Franklin avait reçu les soins adéquats au lieu d'un vague pansement dans une grange puant le fumier, il n'aurait rien aujourd'hui !

Harris comprit qu'il était inutile de discuter ce sujet. Rose Jefferson ne changerait pas d'avis. Mais il était de son devoir de praticien de lui ôter tout pouvoir de décision.

— Madame, reprit-il plus calmement, vous avez tout à fait le droit de penser qu'il vaut mieux ne rien dire à votre frère, mais en ce qui me concerne, j'ai le devoir de le prévenir de ce qui l'attend. Il aura besoin de soins réguliers et d'un traitement approprié.

— Et que lui direz-vous ? Qu'il lui reste exactement deux ans, trois mois et sept jours à vivre ?

– Non, bien sûr...

– Qu'il souffrira d'étourdissements chaque lundi, mercredi et vendredi à onze heures précises ?

– Miss Jefferson, vous déraisonnez !

– Non, docteur. Je dis simplement que vous ne pouvez rien dire à Franklin tant que vous êtes aussi imprécis. Vous, vous n'aurez pas à vivre avec l'incertitude et l'angoisse. Mais lui ? Trouvez-vous cela juste ?

– Cela ne l'est peut-être pas, reconnut Harris, accablé. Mais c'est mon devoir.

Rose tendit la main et lui agrippa la manche.

– Je vous supplie, je vous implore de ne rien faire. En dehors de mon fils, Franklin est tout ce qui me reste au monde. Je le prendrai sous mon entière responsabilité. Donnez-moi les documents à signer. Je vous indemniserai, vous, l'armée, le gouvernement s'il le faut ! Personne d'autre que moi n'aura à dépenser un dollar ou à faire quoi que ce soit pour mon frère. Je m'occuperai totalement de lui. Je le jure.

Le praticien dégagea son bras et baissa la tête. La situation était pour le moins ambiguë, il ne pouvait que le reconnaître, et il ne savait que décider. Rose vit son hésitation et soudain un plan germa dans son esprit. Un plan dangereux car elle ne savait rien du médecin. Mais la situation exigeait une action immédiate, quel que soit le risque.

– Docteur Harris, puis-je vous demander votre âge ?

– Pardon ?

– Quel âge avez-vous, docteur ?

– Quarante-trois ans, mais pourquoi...

– J'en déduis que vos vingt ans de service armé approchent de leur fin.

– Oui. Dans quelques mois.

– Avez-vous l'intention d'ouvrir un cabinet privé ?

Désorienté, William Harris haussa les épaules. Malgré ses états de service et un savoir-faire incontesté dans sa spécialité, il n'avait aucune fortune personnelle et sa solde ne lui permettrait pas d'ouvrir le cabinet dont il rêvait.

– Docteur, je vais vous prier de m'écouter avec la plus grande attention. Je ne veux pas insulter votre probité professionnelle, dont je ne doute pas, et je ne veux pas que vous vous mépreniez sur le sens de ce que je vais vous dire...

Avec cet instinct du mot juste dont elle usait à merveille, Rose lui offrit alors de l'établir dans un cabinet privé. Elle présenta la chose comme une récompense pour sa compréhension et non comme un pot-de-vin. Éberlué et bien qu'il n'eût aucun doute sur la nature de ces propos, William Harris fut emporté par le maelström de réflexions qu'ils déclenchèrent. A l'approche de la retraite, il n'avait en banque que cinq mille dollars pieusement économisés sur sa solde de capitaine. Souvent, dans ses différentes affectations, il avait caressé le rêve de s'établir à son compte une fois son temps écoulé, et de fonder cette famille que sa vie errante de soldat lui interdisait. A quarante-trois ans, après vingt ans de dévouement dans la boue, la sueur et le sang, il n'aspirait qu'à goûter quelques années de bonheur et d'aisance. C'était exactement ce que lui offrait Rose Jefferson, qui lui précisa qu'étant donné les circonstances elle désirait une réponse sur-le-champ.

— Votre offre est très généreuse, Miss Jefferson, dit-il après un long silence. Et je l'accepte. Néanmoins j'insiste sur certaines conditions, auxquelles rien ne me fera renoncer : tout d'abord, vous signerez une déclaration ôtant toute responsabilité à l'armée concernant votre frère ; ensuite je veux que vous déposiez par écrit et sur votre honneur qu'après avoir entendu mon avis sur la condition de Mr. Jefferson et malgré mes demandes répétées de le prévenir ainsi que son épouse, vous avez décidé de le confier à mes soins exclusifs pour la durée de sa vie, et que si à n'importe quel moment vous étiez en désaccord avec mes prescriptions médicales, je ne pourrais être tenu responsable des conséquences.

— Ces conditions sont justifiées, docteur. Mon avocat rédigera les documents légaux pour la décharge.

Ils se serrèrent brièvement la main.

— Croyez-moi, conclut Rose, c'est mieux ainsi.

— Je souhaite que vous ayez raison, Miss Jefferson. Plus pour votre frère que pour moi.

*

Dans le silence de son bureau, Rose restait immobile dans son fauteuil à regarder fixement les tableaux sans les voir.

Penser que son frère vivait ses dernières années la vidait de tout courage. Elle s'était révoltée en lisant les termes froids des rapports médicaux, mais leur implacable réalité avait fini par avoir raison d'elle. Franklin était condamné. Du moins, se dit-elle pour se consoler, il ne saurait rien de cette fatalité qui le rongeait déjà. Quand le moment viendrait de lui apprendre la vérité, elle la lui dirait elle-même. Elle trouverait un moyen.

Ses pensées glissèrent vers Michelle. Le Dr Harris assurait qu'elle n'était pas au courant de l'état de son mari. Mais ce n'était que pure spéculation de sa part. Après tout, la Française avait été la première à soigner Franklin. C'était une infirmière compétente... Et si elle avait compris avant tout le monde les conséquences à long terme de la blessure ? Elle avait sans doute eu de multiples occasions de prendre connaissance de son dossier médical... avant son mariage.

Dans cette hypothèse, Michelle avait très bien pu accepter de passer quelques années avec un homme qui l'aimait, avec pour

164

seul objectif l'avenir qui s'ouvrirait à elle après le décès de Franklin...

Recouvrant un peu de son énergie coutumière, Rose rédigea une note cryptique pour se souvenir de bien vérifier la façon dont le Dr Harris décrirait la condition de Franklin. S'il prenait à son frère l'envie de changer les termes de son testament pour y inclure sa femme, Rose serait ainsi en mesure de le faire annuler en arguant que Franklin n'était pas « sain de corps et d'esprit » lors de la rédaction du codicille. Jamais elle ne laisserait Michelle Lecroix toucher un dollar de cet héritage.

Elle repensa au marché conclu avec Franklin quelques heures avant l'appel du Dr Harris lui demandant de venir le voir. Si elle avait su ce qu'allait lui révéler le praticien, jamais elle n'aurait insisté pour que Franklin reste dans la compagnie. Mais elle ne pouvait revenir sur leur accord sans éveiller la suspicion de son frère, qui risquait alors de chercher la raison d'un tel revirement jusqu'à ce qu'il découvre la terrible vérité.

Dans le calme de son bureau directorial, Rose Jefferson se mit à pleurer doucement. Tout son pouvoir, son argent et son influence ne pouvaient l'aider : rien ne pouvait ôter du crâne de Franklin le simple fragment de métal qui le condamnait.

20

Michelle se servit une tasse de café et regarda par la fenêtre de la bibliothèque de Talbot House. Le vent froid de mars giflait les vitres par bourrasques, et la lumière lugubre qui baignait la Cinquième Avenue correspondait très bien à l'état d'esprit de la jeune femme.

Franklin était absent la plupart du temps, et Michelle, habituée depuis sa plus tendre enfance à des journées de travail, se retrouvait désœuvrée. Albany dirigeait la maison avec discrétion et efficacité, mais il refusa poliment et très fermement ses offres d'aide. Le silence qui régnait la plupart du temps dans la demeure lui pesait. Bien qu'il y ait six domestiques. Elle ne les voyait que très rarement ou quand elle les sonnait. Alors l'un d'eux apparaissait comme par magie pour exécuter ses ordres. Cette curieuse ambiance donnait à Michelle l'impression d'être épiée en permanence.

Quand elle sortait avec Franklin, Michelle prenait soin de toujours rester auprès de lui et de parler aussi peu que ce soit avant le repas ou à table. Toujours elle suggérait à Franklin de prendre congé aussi tôt que le permettait la bienséance. En retour de cette attitude réservée, elle était généralement ignorée par les autres convives, ce dont elle ne se plaignait pas, au contraire.

Lorsque Franklin lui annonça qu'ils partiraient pour l'Europe à la fin de l'année, Michelle put difficilement cacher sa joie et son soulagement. En attendant ce jour béni, elle continua d'observer, d'écouter et d'apprendre. Pour occuper son temps elle prit l'habitude de s'enfermer dans la bibliothèque où elle lisait à voix haute les grands auteurs américains. Elle était lasse de ces compliments ironiques sur son « joli accent ».

— Veuillez m'excuser, madame, dit Albany en entrant dans la pièce. Mr. McQueen désirerait vous voir. Dois-je l'introduire ?

— Oui, bien sûr !

Michelle était ravie. C'était la première visite personnelle qu'elle recevait à Talbot House depuis son installation.

— Monk ! Quel plaisir de vous voir !

Elle l'enserra de ses bras dans une étreinte affectueuse. Un peu gêné, Monk la repoussa doucement en souriant.

— Vous êtes radieuse... Comme toujours.

Michelle rosit sous le compliment.

— Je peux vous offrir une tasse de café ?

— Avec plaisir. Où est votre chenapan de mari ?

— Il est déjà parti au bureau.

Monk fronça les sourcils et consulta sa montre.

— C'est un peu tôt pour lui, non ?

— Plus maintenant. Il travaille beaucoup...

La note de tristesse n'échappa pas au journaliste. Lui aussi avait été surpris du retour de son ami à Lower Broadway après ce qui s'était produit entre lui et sa sœur. Mais Franklin lui avait expliqué que ce n'était là qu'un accord temporaire.

A la fin de l'année, il partait avec Michelle pour l'Europe. Il n'avait pas donné d'autres détails à Monk, qui ne s'était pas permis d'en demander.

— Je vous ai amené quelque chose, dit-il en plaçant deux volumes reliés sur la table à côté du service à café.

Michelle lut les titres :

— *L'Étiquette américaine et les règles du savoir-vivre; Le Manuel Hills des convenances sociales.*

Monk eut une grimace comique.

— Indispensables pour toute hôtesse à New York. Les meilleures familles nord-américaines mettent ces bouquins dans le berceau de leur enfant.

Michelle feuilleta le *Manuel Hills* et découvrit une mine de renseignements pratiques sur la façon complexe de se comporter dans la bonne société new-yorkaise. Personne n'avait jamais proposé de lui en enseigner les rudiments, mais à présent elle pourrait les apprendre elle-même. Loin de la vexer, l'attention de Monk la toucha.

— Je vais m'y plonger dès aujourd'hui. Dieu sait que j'ai du temps à y consacrer...

166

— C'est justement une autre chose dont je voulais vous parler, fit Monk. Ne croyez-vous pas qu'il serait temps que vous vous investissiez dans quelque activité?

— J'aimerais beaucoup, reconnut Michelle, mais je ne sais pas ce que je pourrais faire. A moins que vous m'offriez un emploi?

Monk lui avait déjà dit que la porte de *La Sentinelle* lui était ouverte, et elle lui avait rendu visite. Mais l'activité frénétique qui régnait dans les locaux du journal l'avait un peu surprise, bien que ce fût un contraste agréable avec la morne ambiance de Talbot House.

Monk eut un sourire amusé.

— Ce n'est pas exactement ce que j'avais en tête. Mais voici quelques idées qui pourraient peut-être vous intéresser...

*

Il fallut deux jours à Michelle pour rassembler son courage et aller parler à Rose de la première idée soufflée par Monk. Elle lui offrit de donner des leçons de français à Steven.

— Oh, Michelle, c'est tellement gentil de votre part! J'en parle-rai à son directeur d'école.

Le lendemain Michelle trouva dans une librairie une méthode d'apprentissage du français. Elle espérait que cette initiative aide-rait Steven à surmonter cette indifférence à son égard qui au fil des mois s'était transformée en hostilité.

Michelle n'avait jamais connu d'enfant semblable à Steven. Il n'avait que dix ans mais paraissait beaucoup plus mûr qu'on ne l'est à cet âge, plus sombre et plus renfermé aussi. Tout d'abord elle avait cru sa froideur dirigée uniquement contre elle, mais elle s'était vite rendu compte que le garçon n'invitait que très rare-ment des camarades à Talbot House et, dans ces occasions, se montrait autoritaire et exigeant. Visiblement, certains des enfants invités le craignaient.

Michelle n'en parla jamais à Rose. La mère se montrait d'une possessivité féroce avec Steven. Franklin avait raconté à Michelle que l'enfant avait été témoin du suicide de son père, et elle comprenait le traumatisme que cela avait pu entraîner. Pourtant elle jugeait l'attitude de Rose irresponsable. Celle-ci couvrait l'enfant de cadeaux, lui octroyant généreusement tout ce dont il pouvait avoir besoin — sauf sa présence et son amour. Non qu'elle n'aimât point l'enfant, mais elle lui préférait Global. Steven deve-nait un être renfermé, faux et d'un égoïsme étrange.

Quand Rose revint à Talbot House ce soir-là, Michelle lui annonça qu'elle était prête à s'occuper des cours de français de Steven.

— Oh, je suis terriblement désolée, ma chère, s'excusa Rose. J'ai parlé avec son conseiller d'études, et il estime que Steven n'est pas encore prêt à ce surcroît de travail. Copperfield School est

167

reconnue pour ses méthodes d'enseignement progressives, et je suis sûre qu'ils savent ce qu'ils font. Je suis vraiment touchée par votre offre, mais...

— Si vous le pensez... dit Michelle en cachant tant bien que mal sa déception.

Rose lui sourit.

— Je suis heureuse que vous le compreniez.

Ce que Michelle comprit alors, c'est que Rose n'avait pas abordé ce sujet avec le directeur de Copperfield School. Et qu'elle n'en avait jamais eu l'intention.

*

Michelle remarqua quelques autres particularités dans le comportement de Rose à son égard. Elle mettait un point d'honneur à l'accompagner pour choisir ses robes et lui glissait toujours quelques critiques enrobées dans un flot d'amabilités. De même, elle avait à l'évidence donné des ordres pour que Michelle ne puisse se mêler de l'aménagement ou de la décoration de Talbot House.

Mais Michelle refusait de baisser les bras. Apprenant que Rose s'occupait de nombreuses œuvres de charité, elle décida de montrer qu'elle aussi pouvait payer de sa personne et offrit de participer bénévolement au service dans un des hôpitaux de la ville.

— C'est une excellente idée, approuva Rose avec entrain. Je vais arranger cela.

Le rendez-vous fut fixé au Roosevelt Hospital, et Michelle y arriva en avance, munie de ses brevets d'infirmière militaire. Éblouie par la compétence du personnel et le matériel disponible, elle se réjouissait déjà de travailler à leur côté quand Rose arriva et l'emmena au dernier étage. Là, autour d'une table où étaient assises huit dames aux manières fort guindées, coiffées et habillées comme pour prendre le thé au *Waldorf*, elle dut subir des papotages interminables à propos du lieu de la prochaine fête de charité, de son thème et du prix d'entrée. Après une bonne demi-heure, Michelle se tourna vers Rose et lui chuchota à l'oreille :

— Nous ne sommes pas ici pour travailler ?

Rose lui jeta un regard désapprobateur, ce qui attira l'attention de ces dames.

— Qu'y a-t-il, Rose ? demanda l'une d'elles.

— Michelle me demandait simplement si nous étions venues ici pour travailler.

Le silence qui suivit était écrasant. Enfin Amelia Richardson, que Michelle n'avait que trop vue le soir de Noël, prit la parole :

— Mais ma chère, nous sommes en train de travailler. Une fête de charité est un événement important qui demande beaucoup d'organisation, et un grand sens des responsabilités. Vous ne vous attendiez quand même pas à ce que nous vidions les bassins des malades ?

*

Au printemps 1919, Rose prit du recul par rapport à la marche journalière de Global pour se consacrer au lancement des chèques de voyage. Ce qui restait des messageries fut délégué à des managers ayant fait leurs preuves, sous la supervision d'Eric Gollant, tandis que Hugh O'Neill surveillait le patrimoine foncier et locatif, devenu énorme avec les années. Franklin avait pour responsabilité de recruter une équipe de vente de haut niveau et d'ouvrir des négociations discrètes avec les principales banques de New York. Les banquiers montrèrent un scepticisme prudent devant ce projet.

En juin et pour la première fois depuis qu'elle avait pris la direction de Global, Rose quitta New York pour s'installer dans la suite présidentielle du *Willard Hotel* de Washington, d'où elle entreprit de vaincre tous les obstacles dressés par le gouvernement fédéral. Et ils ne manquaient pas.

Le directeur de l'imprimerie des monnaies vit d'un très mauvais œil sa demande. Il fallut qu'elle rassemble une brochette de sénateurs et de membres du Congrès pour le convaincre qu'elle ne cherchait pas à s'attaquer au tout-puissant dollar.

Puis ce fut le secrétaire au Trésor qui entra en lice. Confronté à des législateurs qui soutenaient le projet de Rose Jefferson – en bonne partie parce que cela réouvrirait des agences de Global dans leur État –, il prit ces pressions pour un défi et porta l'affaire devant les hautes instances de la Maison Blanche, décidé à enterrer les mandats Global une fois pour toutes.

Rose prit la menace au sérieux et répliqua sans tarder. Après avoir charmé un des membres de l'équipe présidentielle lors d'un dîner mondain, elle obtint d'être invitée à un déjeuner très fermé avec le président en personne. Et elle eut le plaisir d'entendre Woodrow Wilson dire au secrétaire au Trésor de la laisser lancer son opération.

L'étape suivante était la définition du modèle de mandat. Rose se montra très exigeante et refusa plusieurs maquettes, avant de fixer son choix à la fin du mois de juillet. Le mandat portait un G stylisé barré du nom de la compagnie ; un emplacement était prévu en bas pour les signatures de Rose et Franklin Jefferson ; le tout formait un entrelacs compliqué de courbes, sur fond bleu foncé.

– Il donne une impression de stabilité, de puissance, commenta Rose, très fière du prototype.

La semaine suivante les journaux annonçaient le lancement des mandats Global. En geste de remerciement, Rose envoya le premier mandat de cent dollars émis au président Woodrow Wilson. Et elle le fit immédiatement porter dans les frais généraux.

*

Durant son séjour à Washington, Rose resta en contact régulier avec Lower Broadway. Elle téléphonait à Franklin tous les deux jours, et les nouvelles qu'il lui communiquait n'auraient pu la réjouir plus. Devant l'imprimatur gouvernemental, les banques avaient inversé leur position. Mais elle ne fut réellement rassurée que lorsqu'elle téléphona à Eric Gollant. Il lui apprit que Franklin avait fait signer les plus grands hôtels de New York, qui désormais accepteraient directement les mandats Global en paiement. Quant à Hugh O'Neill, il lui certifia que l'équipe de vente était déjà en place et au travail.

De telles nouvelles étaient un nectar dont Rose se délectait. Elle avait toujours su que les médecins n'étaient pas infaillibles, même lorsqu'ils étaient aussi qualifiés que William Harris. Depuis qu'elle avait été prévenue de la condition de son frère, Rose avait lu tout ce qui concernait ces soldats vivant avec des fragments de balle ou d'obus dans le crâne. Beaucoup menaient une existence tout à fait normale et productive. Et il n'y avait aucune raison pour que ce ne fût pas le cas de Franklin.

Le jour où Rose quitta la capitale fédérale pour inspecter les premières ventes de mandats Global dans le pays, son enthousiasme n'avait jamais été aussi grand.

*

Ce même jour, deux événements bouleversèrent la vie de Michelle.

Dès le départ de Rose de Talbot House, l'ambiance s'y était considérablement détendue. Michelle surprit les domestiques qui se moquaient des manies de leur maîtresse quand ils ne se croyaient pas entendus. Elle tira avantage de ce léger relâchement et réussit à engager la conversation. En quelques jours elle avait établi avec eux des relations amicales et les domestiques lui racontèrent mille et un ragots concernant Rose et ses invités habituels.

Ceux-ci, en revanche, cessèrent de se manifester dès que Rose eut quitté Talbot House. Cette indifférence que Michelle avait tant voulu vaincre l'aurait profondément blessée s'il n'y avait eu la présence réconfortante de Franklin. Il lui révéla enfin ce sur quoi il travaillait avec tant d'ardeur depuis plusieurs mois.

— Je suis désolé de ce jeu de cache-cache, s'excusa-t-il le premier soir où ils prirent seuls leur repas. Rose insistait pour que je garde le secret absolu.

170

Michelle ne se vexa pas, et quand il lui expliqua avec force détails le mécanisme des mandats Global, elle l'écouta avec une attention réelle. Lorsqu'il eut terminé, elle s'exclama :

– Y a-t-il quelque chose que je puisse faire pour t'aider ?

Son enthousiasme fit rire Franklin.

– J'étais loin de penser que tu serais intéressée par un sujet aussi ennuyeux !

– Ce n'est pas du tout ennuyeux, affirma-t-elle avec feu. Je trouve cela passionnant !

Cet engouement se mua très vite en un intérêt solide pour le sujet. Durant les semaines suivantes Michelle s'initia aux arcanes de l'économie, dévora l'histoire de Global et se plongea dans les rapports que Franklin lui fournissait. Peu à peu, Michelle se rendit compte que la compagnie était un empire financier monstrueux, et elle finit par avoir la certitude qu'elle pouvait jouer un rôle positif dans son évolution.

– Voilà ce que je te propose, dit Franklin lorsqu'elle lui fit part de cette conviction. Pourquoi ne parfais-tu pas tes connaissances en la matière jusqu'à ce que nous partions pour Londres ? Là-bas, quand nous lancerons les chèques de voyage, il y aura tout le travail dont tu peux rêver !

Michelle l'embrassa avec fougue. Elle ne l'avait jamais autant aimé qu'à ce moment.

La table de la bibliothèque devint son bureau, et elle y étudia autant d'heures que Franklin passait à Lower Broadway. Lorsqu'il rentrait, ils passaient en revue le travail de la journée, comparaient notes et suggestions. Quand il la jugea prête, il lui présenta le projet ultra-secret, rédigé par Rose, de chèques de voyage en Europe.

– Lis-le attentivement et dis-moi ce que tu en penses, lui enjoignit-il en lui donnant le dossier.

Michelle s'y attaqua avant que Franklin soit sorti de la bibliothèque. Les feuillets couverts de l'écriture précise de Rose lui apprirent comment celle-ci projetait de défier la plus importante compagnie de voyage au monde, Cooks. Rose avait inscrit pour Franklin les noms des hommes qui contrôlaient les grandes banques anglaises dont l'influence s'étendait sur tout le globe. Le premier objectif était de les persuader d'honorer le chèque de voyage Global. Le fait que cette nouvelle monnaie n'avait jamais été testée constituait un handicap majeur. En revanche, elle aurait l'intérêt indéniable de libérer les touristes américains de l'emprise de Cooks sur leurs itinéraires et leurs moyens de transport. Largement accepté, le chèque de voyage permettrait à n'importe qui d'aller où bon lui semblait au moment choisi par lui, au lieu d'être à la merci des circuits Cooks.

Le second angle d'attaque défini par Rose consistait à convaincre les compagnies ferroviaires et maritimes d'accepter le chèque de voyage comme mode de paiement. Si la manœuvre réussissait, elle torpillerait un peu plus le monopole de Cooks.

Michelle comprit que le lancement de l'opération dépendait essentiellement de deux facteurs : rapidité et secret. Que Cooks ait le moindre soupçon de ce qui se préparait et la compagnie de voyage pourrait peser de tout son poids financier non seulement pour combattre directement Rose mais également pour inciter ses clients à refuser les chèques. Les pertes de Global seraient colossales, dangereuses peut-être.

Plus elle examinait le plan de Rose et plus Michelle était impressionnée par son audace. La délicatesse requise pour mener les négociations devrait être extrême, l'attention au moindre détail sans faute aucune. Quant à la pression qui reposerait sur les épaules de Franklin...

Soudain, alertée par un léger bruit, Michelle sursauta et, du coude, renversa la bouteille d'encre sur ses notes.

— Steven ! Tu as failli me faire mourir de peur !

Les yeux pâles du garçon étaient fixés sur elle. Michelle voulut bouger mais s'en sentit soudain incapable. Cet enfant de dix ans en culottes courtes et chemise blanche sous sa veste bleue d'écolier l'hypnotisait littéralement.

— Que fais-tu ici ? dit-elle d'une voix mal assurée. Pourquoi n'es-tu pas à l'école ?

— Il n'y a pas classe aujourd'hui, rétorqua-t-il sans ciller. C'est jour de sports.

— Je ne savais...

— Bien sûr vous ne pouviez pas savoir. Vous êtes une étrangère.

— Steven, ce n'est pas très aimable de...

— Je n'ai pas à être aimable avec vous. Vous êtes une étrangère ! Vous n'êtes pas comme nous, et vous devriez partir. Ne prétendez pas que vous voulez travailler, ce n'est qu'une ruse pour nous voler notre argent. Je vous ai entendue parler avec oncle Franklin !

Malgré elle, les yeux de Michelle s'emplirent de larmes.

— Je ne veux pas de votre argent, Steven ! Pourquoi es-tu aussi cruel avec moi ? Que t'ai-je fait ?

Steven sourit. Sans hâte il s'approcha de la table, prit la bouteille d'encre et renversa ce qui restait de liquide sur la robe de Michelle. Pas un instant il ne la quitta des yeux.

— Je peux vous faire ce que je veux, dit-il.

Puis il tourna les talons et sortit de la bibliothèque.

Pétrifiée, Michelle regarda la porte se refermer sur le garçon. Elle entendit le crissement du gravier, puis le ronflement du moteur de la limousine des Jefferson qui s'éloignait rapidement.

Tremblant de tout son corps, Michelle se leva et nettoya la table du mieux qu'elle put. Sa peur se mua en une brusque colère quand elle constata que sa robe était irrémédiablement souillée. Elle sortit de la bibliothèque en courant et monta dans sa chambre, où elle déboutonna son vêtement d'une main tremblante de rage. Quand Steven reviendrait, elle exigerait une explication et des excuses, et elle les obtiendrait!

Michelle ouvrait la porte de la penderie quand elle remarqua un tas de ses sous-vêtements sur le lit.

Qu'est-ce que...

Michelle poussa un cri d'effroi en découvrant les lingeries de soie et de satin lacérées. L'image de Steven qui la toisait de son regard glacé s'imposa à son esprit.

Je peux vous faire tout ce que je veux...

21

A New York, Copperfield School, située sur Murray Hill, était une institution incontournable, l'école de tous les futurs dirigeants du pays. Brillant ancien élève de l'établissement, Franklin n'eut aucune difficulté à persuader le directeur de le laisser s'entretenir en privé avec Steven. On envoya chercher l'enfant sur le terrain de jeux.

Pendant qu'il attendait, Franklin se massa longuement les tempes en priant pour que la souffrance diminue un peu. Il ne pouvait croire la scène qu'il avait découverte à son retour à Talbot House : Michelle assise comme une statue au bout du lit, le visage baigné de larmes, et derrière elle sa lingerie sauvagement détruite à coups de ciseaux... Sa rage avait décuplé quand elle lui avait narré son affrontement avec Steven.

La porte de la salle de classe s'ouvrit et Steven fut introduit par le directeur en personne. Les vêtements de l'enfant et ses chaussures de sport étaient couverts de boue.

— Si vous avez besoin de moi, Mr. Jefferson, dit le directeur avant de ressortir, je serai dans mon bureau.

— Assieds-toi, Steven.

Le garçon ne bougea pas. Immobile à deux mètres de son oncle, bien campé sur ses jambes, il le défiait de son regard pâle.

— Mère va bien? demanda-t-il.

— Oui. Mais ce n'est pas d'elle que je suis venu te parler. Steven, qu'as-tu fait à Michelle dans la bibliothèque?

Un sourire méprisant effleura les lèvres de l'enfant.

— Je ne sais pas de quoi vous voulez parler, oncle Franklin.

— Tu n'as pas renversé de l'encre sur sa robe?

— Non. Elle l'a fait elle-même.

— Et auparavant, tu n'es pas allé dans notre chambre?

— Non.

Une douleur fulgurante traversa le crâne de Franklin et il ferma les yeux. Pendant un instant il se sentit au bord de l'évanouissement.

— Est-ce que... est-ce que tu as touché à quelque chose dans la penderie de ta tante?

— Ce n'est pas ma tante!

— *Ce n'est pas ce que je te demande! As-tu oui ou non déchiré les affaires de Michelle?*

— Je ne sais rien de ses vêtements puants! Je peux partir, maintenant?

Et sans attendre de réponse le garçon tourna les talons. Il eut le temps de faire un pas vers la porte avant que Franklin le saisisse et le fasse pirouetter vers lui. Les doigts de l'homme se crispèrent sur les épaules de l'enfant. Celui-ci était terrifié, mais il lui tint tête.

— As-tu déchiré les sous-vêtements de Michelle? gronda Franklin.

— Et même si c'était vrai?

Les doigts de l'adulte lui broyèrent les épaules.

— Je veux que tu te mettes bien ça dans la tête, martela Franklin. Si jamais tu te conduis encore incorrectement avec Michelle, si jamais tu essaies de lui faire mal d'une façon ou d'une autre, je te punirai moi-même.

— Vous n'oseriez pas! cria Steven. Je le dirais à Mère!

Franklin inspira à fond pour se calmer et relâcha l'enfant.

— Inutile. Je vais lui en parler moi-même.

Steven n'aurait pu dire ce qui le posséda alors. En un instant toute sa haine pour Michelle se cristallisa dans une fureur glaciale. Il se racla la gorge et cracha au visage de l'adulte.

Franklin recula comme s'il avait été frappé. La douleur et la colère l'aveuglaient. A travers un brouillard rouge, le visage moqueur de Serge Picard le narguait.

Dans son bureau, à une pièce de là, le directeur sursauta en entendant un bruit de verre brisé. Il se précipita dans le couloir à temps pour voir Franklin émerger du panneau vitré de la porte, tenant Steven à bout de bras, une expression de rage meurtrière déformant son visage. L'enfant essayait sauvagement de lui griffer le visage et de lui donner des coups de ses jambes ensanglantées.

— Mr. Jefferson!

Franklin repoussa le directeur d'un geste brutal.

— Espèce de fumier, rugit-il. Jamais plus tu ne feras de mal!

Horrifié, le directeur vit Franklin Jefferson soulever son neveu et le projeter à travers la vitre brisée. L'enfant hurla comme les crocs de verre entaillaient ses bras.

Il est devenu fou! songea le directeur en se relevant.

Il plongea sur Franklin pour l'empêcher de saisir de nouveau l'enfant.

— Arrêtez, monsieur! Ne le touchez plus ou j'appelle la police!

S'interposant, le directeur regarda Franklin Jefferson qui reculait en titubant dans le couloir, une expression de douleur hagarde sur le visage. Puis il fit brusquement demi-tour, bouscula élèves et maîtres qui arrivaient et prit la fuite.

– Laissez-le partir! cria le directeur en se penchant sur Steven qui gémissait de douleur. Et appelez l'infirmière! Vite!

– Faut-il prévenir la police? demanda quelqu'un.

– Non, non! Pas de police!

En dépit du drame qui venait de se dérouler, il fallait protéger la réputation de Copperfield School. De plus la famille concernée n'était autre que les Jefferson. Le directeur savait exactement ce qu'il devait faire.

*

Rose lut son courrier dès qu'elle repassa au *Willard Hotel* après deux jours de tournée. En dehors des habituelles notes professionnelles, toutes très positives, plusieurs messages émanant de Monk, de Michelle et du Dr Henry Wright la pressaient d'appeler New York. Ce qu'elle fit aussitôt. Quand elle reposa le combiné, son visage avait pris une teinte cendreuse. Pendant quelques secondes le choc de ce qu'elle avait entendu la laissa sans force. Mais elle parvint à surmonter son émotion et demanda à ce que ses bagages soient faits et une place réservée sur le prochain Capitol Express. Puis elle appela Talbot House. Ce fut Monk qui répondit.

*

A une heure du matin le lendemain, Rose se tenait au chevet de son fils. Apparemment endormi, Steven respirait avec régularité, et la veilleuse projetait une faible lumière bleuâtre sur son visage tuméfié, pansé au front et au menton.

– Il n'y a aucun dommage permanent, murmura le Dr Wright. Pas de fracture, et les coupures ne laisseront pas de cicatrice. Dieu merci, les éclats de verre n'ont pas touché les yeux. Cet enfant a eu de la chance dans son malheur, Rose. Je lui ai administré un sédatif léger pour l'aider à dormir. Demain il aura retrouvé toute sa vitalité.

– Qu'est-il arrivé? dit Rose en caressant les cheveux de son fils avec une douceur toute maternelle.

En arrivant, Rose avait ignoré Michelle et Monk, qui l'attendaient au rez-de-chaussée, pour monter directement dans la chambre de Steven. Embarrassé, le Dr Wright s'absorba dans la contemplation de son stéthoscope.

– D'après le directeur de l'école, votre frère a jeté Steven à travers une porte vitrée.

– C'est impossible!

– Vous devriez en parler au directeur, éluda le praticien.

175

– La police est au courant?

– Non.

Rose en fut soulagée.

– Je pense pouvoir compter sur votre discrétion, docteur.

C'était une recommandation plus qu'une question.

– Bien sûr, fit le Dr Wright en refermant son sac en cuir. Il va bien, Rose, croyez-moi. Je repasserai demain.

Rose ne l'entendit même pas partir. Elle s'était assise au bord du lit et avait pris la main de son fils. Intérieurement elle essayait de neutraliser l'angoisse qui la tenaillait depuis son départ de Washington.

Comment Franklin a-t-il pu commettre une telle horreur?

Rose considérait comme une bénédiction d'avoir un fils aussi bien élevé que Steven. Il était très populaire auprès de ses camarades, et prenait souvent la direction de leurs jeux. Ses professeurs ne tarissaient pas d'éloges sur la perfection de son travail, et aucun domestique ne s'était jamais plaint de lui.

Bien qu'il ne parût pas souffrir de l'absence de père, Rose l'avait toujours gardé auprès d'elle autant que le lui permettaient ses charges professionnelles. C'est ainsi qu'elle avait préféré qu'il reste à Talbot House plutôt que de l'envoyer dans un pensionnat. C'était sa façon de le protéger et de lui montrer son amour. Mais cela ne signifiait nullement qu'elle le couvait. Global l'accaparait et elle lui avait appris à se débrouiller seul. Pour compenser le peu de temps qu'elle pouvait lui consacrer, elle lui racontait parfois des histoires merveilleuses sur son arrière-grand-père et la compagnie qu'il avait créée et qui un jour lui reviendrait. Rien ne faisait plus plaisir à Rose que de voir les yeux de son fils s'illuminer quand elle lui parlait ainsi de son avenir.

– Je suis tellement désolée, chéri, chuchota Rose. Cela ne se reproduira plus jamais, je t'en fais la promesse.

Elle déposa un baiser sur la joue de l'enfant et sortit sans bruit de la chambre.

Steven compta lentement jusqu'à dix, puis il ouvrit les yeux. La douleur causée par ses ecchymoses et ses estafilades ne le gênait pas du tout. En fait, il était très content. A présent sa mère comprendrait certainement qu'oncle Franklin était fou et que tout était la faute de Michelle. Il ne faisait guère de doute qu'elle écarterait la Française au plus vite. Et si elle tardait à le faire, Steven avait en réserve quelques autres surprises pour Michelle Lecroix.

*

– Où est Franklin? dit Rose en pénétrant dans le salon.

– Il n'est pas ici, répondit Michelle. Personne ne l'a vu depuis... depuis ce qui s'est passé à l'école. Je m'inquiète beaucoup pour lui...

Une peur brutale serra l'estomac de Rose.

— Vous voulez dire qu'il n'a même pas téléphoné?

— Rien du tout, intervint Monk. Comme Michelle n'arrivait pas à le joindre à Global, elle m'a appelé. J'ai essayé chez ses amis et à ses clubs. Personne n'a eu de nouvelles de lui.

Rose se laissa tomber sur l'ottomane.

— Je ne comprends pas... Pourquoi a-t-il disparu? (Elle regarda Michelle et sa voix se durcit.) Il s'est passé quelque chose ici, n'est-ce pas?

Michelle hésita. Elle imaginait les sentiments de Rose en découvrant l'état de son fils, et elle ne voulait pas la blesser plus encore. Mais elle ne pouvait lui cacher la vérité. D'une voix lente elle lui raconta l'incident de la bibliothèque et ce qu'elle avait trouvé dans sa chambre.

— Je ne savais que penser, dit-elle. J'étais terrifiée. Alors j'ai appelé Franklin et il est rentré. Quand il a vu ce qu'avait fait Steven, il est parti aussitôt pour l'école.

Rose retenait à grand-peine sa colère.

— Vous avez dit à Franklin que Steven était celui qui avait lacéré votre lingerie? Michelle, je n'ai jamais rien entendu d'aussi ridicule! Steven est incapable d'agir ainsi!

La Française serra les dents.

— Vous voulez que je vous montre de quoi il est capable?

— Vous devenez hystérique! lança Rose.

Michelle se maîtrisa et lui fit face.

— Votre fils me déteste, affirma-t-elle posément. Depuis le premier jour où je suis arrivée ici.

Rose eut un soupir exaspéré.

— Ah, maintenant je comprends tout! Vous avez accusé Steven sans aucune preuve, l'avez dit à Franklin qui s'est précipité à l'école pour punir mon fils.

— Pas le punir, Rose, corrigea Monk. D'après le directeur, Franklin a complètement perdu le contrôle de ses actes. Je suis soulagé de savoir que Steven n'a rien, mais la conduite de Franklin et sa disparition m'inquiètent beaucoup.

— J'aurai le fin mot de ce qui s'est passé à Copperfield School, assura Rose. Quant à Franklin, il a sans doute honte de ce qu'il a fait.

— J'en suis sûre, Rose, dit Michelle. Mais seulement s'il en est conscient. Ces derniers temps, il s'est plaint de maux de tête et d'étourdissements. Jamais encore il n'avait souffert de ce genre de choses, et rien dans son comportement n'a jamais laissé prévoir qu'il pourrait un jour agir comme le directeur jure qu'il l'a fait. C'est anormal. Je vais appeler le Dr Harris.

— Qu'est-ce que cela vous donnera?

Michelle planta son regard dans celui de Rose.

— Si Franklin a quitté l'école dans ce même état de rage

incompréhensible, qui sait ce qui a pu lui arriver depuis? Il peut avoir été blessé, lui aussi. Peut-être même a-t-il eu un accident...

— Michelle, vous vous inquiétez à l'excès.

— Peut-être. Mais il s'agit de mon mari, et je me soucie autant de lui que vous de votre fils.

Sur ces mots Michelle quitta le salon. Rose secoua la tête avec une moue de mécontentement.

— Michelle est à bout de nerfs, décréta-t-elle. Franklin est un homme responsable, pour l'amour du ciel! Vous parlez de lui comme si c'était un invalide.

Elle fut soudain horrifiée par ses derniers mots, prononcés par inadvertance. Mais Monk ne parut pas le remarquer.

— Non, Rose. Michelle parle de lui comme une femme inquiète pour son mari. Et moi comme un ami... Mais vous, Rose? Vous n'êtes pas inquiète?

Rose lui lança un regard venimeux.

— Quelle bassesse, Monk!

Sur ce, elle se retira, sans ajouter un mot. Une fois dans ses appartements à l'étage, elle décrocha le téléphone et composa le numéro du docteur. Il était temps de lui rappeler le contrat qu'il avait passé avec elle, et les conséquences qu'il encourrait s'il ne le respectait pas.

*

Le Dr Harris les reçut avec une amabilité quelque peu raide, mais il ne put leur être d'aucun secours pour expliquer la crise de Franklin. Derrière le masque du professionnel, Harris était écœuré par sa position. Quand Michelle lui montra le flacon de pilules qu'elle avait trouvé dans l'armoire à pharmacie de leur salle de bains, il eut du mal à garder son calme de façade. Il avait donné à Franklin assez de ce médicament très puissant pour annihiler tout vertige ou douleur pendant un an, selon ses estimations. Or, à peine six mois plus tard, le flacon était aux deux tiers vides. Le praticien ne voyait que deux explications : Franklin n'avait pas su doser ces pilules... ou le mal se développait beaucoup plus rapidement que prévu.

Il rassura tant bien que mal l'épouse de Franklin Jefferson et l'homme qui l'accompagnait, les assurant qu'il ne fallait pas s'inquiéter de ce qui n'était sans doute qu'une saute d'humeur ayant dégénéré à cause de la tension professionnelle subie ces derniers mois par Mr. Jefferson. Mais il demanda à son épouse de le faire venir pour une consultation dès qu'il réapparaîtrait, par simple mesure de précaution, ajouta-t-il en mentant avec un aplomb qu'il préféra oublier aussitôt...

Sortis de chez le neurologue, Monk et Michelle téléphonèrent à tous les grands hôtels, mais aucun n'avait reçu Mr. Jefferson.

Alors Monk emmena la femme de son ami dans une exploration en règle de tous les bars et night-clubs qu'il avait fréquentés avec Franklin du temps de leur jeunesse. Leurs recherches durèrent jusqu'à l'aube mais se soldèrent par un échec complet. Franklin restait introuvable.

Alors qu'ils reprenaient le chemin de Talbot House, Michelle sentit ses derniers espoirs se diluer dans la lumière froide du petit matin. Elle n'avait plus le choix, à présent. Elle appellerait la police dès leur retour.

— Prévenir la police est la seule chose à faire, dit Monk qui avait deviné ses pensées. Ne laissez pas Rose vous en dissuader, Michelle.

Elle s'arrêta et le regarda avec un sourire las.

— Franklin est mon mari. Rose n'a pas à se mêler de mes décisions le concernant.

*

Alors que les premières lumières de l'aube teintaient de gris sa chambre, Rose se leva pour la centième fois du bureau Louis XIV et arpenta la pièce d'un mur à l'autre. Elle n'avait pas dormi de la nuit.

Elle passa dans la salle de bains et pressa un linge humide sur son visage marqué par le manque de sommeil. Puis elle se brossa les cheveux et descendit au rez-de-chaussée pour se préparer un thé. Où Monk et Michelle pouvaient-ils bien se trouver à cet instant ? Toute la nuit elle avait redouté d'entendre la sonnerie du téléphone tout en le souhaitant ardemment. Le fait qu'ils n'aient pas appelé signifiait que leurs démarches n'avaient eu aucun résultat.

Rose alla s'installer dans la bibliothèque pour boire son thé. Là elle prit son carnet d'adresses. Elle n'avait plus d'autre choix que de contacter la police afin d'organiser des recherches sur une grande échelle. Mais tout d'abord il fallait préparer une explication pour la presse, qui aurait forcément vent de l'incident, et la diffuser à qui de droit. Rose composait le numéro personnel du commissaire principal quand le carillon de la porte d'entrée résonna.

Elle courut ouvrir.

— Miss Rose Jefferson ?

— Oh, mon Dieu !

Deux policiers encadraient Franklin. Son costume était déchiré et sali, son visage éraflé. Une ecchymose de belle taille lui fermait presque complètement l'œil gauche. Rose l'étreignit un instant.

— Aidez-le, fit-elle en reculant et en ouvrant le chemin.

Les deux policiers soutinrent Franklin jusqu'au salon où il s'assit lourdement dans un fauteuil. Elle prit son visage dans ses mains avec douceur.

– Que t'est-il arrivé ?

Son frère leva sur elle un regard vague. Il cligna plusieurs fois des yeux, et deux larmes coulèrent sur ses joues.

– Je... Je ne sais pas, dit-il enfin. Je ne me souviens de rien...

Embarrassés, les deux policiers s'étaient écartés et attendaient.

– Nous l'avons trouvé qui errait dans la Bowery, Miss Jefferson, expliqua le plus grand avec un fort accent irlandais. Par chance il avait toujours son portefeuille. Le voleur lui a pris son argent, bien sûr, mais il n'a pas touché à ses papiers.

– Je vois, murmura Rose.

La vue de son frère l'emplissait d'une compassion comme elle en avait rarement ressenti. Mais elle se reprit aussitôt. Il fallait régler immédiatement certains détails.

– Si vous voulez bien me suivre, messieurs.

Elle conduisit les deux policiers dans la bibliothèque et leur demanda d'attendre pendant qu'elle appelait le commissaire principal. Quelques minutes plus tard, elle passait le récepteur à l'Irlandais. A ses réponses déférentes et brèves, elle constata sans surprise que la situation prenait la tournure escomptée.

– J'ai une dette envers vous, messieurs, dit-elle dès qu'il eut raccroché. Soyez assurés que je veillerai à ce qu'elle ne reste pas impayée.

Les deux policiers effleurèrent leur casquette de l'index, dans un geste identique.

– On n'a fait que notre devoir, madame, fit l'Irlandais. Puisque rien de très grave ne s'est passé, et si Mr. Jefferson ou vous-même ne désirez pas porter plainte, nous ne ferons pas de rapport.

– Je pense que c'est mieux ainsi. Merci.

Elle les raccompagna et revint en hâte auprès de Franklin, qui paraissait sortir de son hébétude.

– Michelle est là-haut ? demanda-t-il d'une voix plus ferme.

– Elle est partie avec Monk à ta recherche. Je pense qu'ils ne devraient pas tarder à revenir. Je vais sonner Albany pour qu'il te fasse couler un bain. Et il faut que tu te débarrasses de ces haillons. Je vais appeler le Dr Harris.

Franklin leva la main pour lui intimer le silence.

– Comment va Steven ?

Rose se raidit légèrement.

– Tu te souviens donc...

– Seulement que je me suis querellé avec lui et que je lui ai fait mal. Ensuite, plus rien...

– Il va se remettre, Franklin. Tu peux lui parler plus tard et...

– Non, Rose. C'est à toi de lui parler.

Le ton sec de son frère la prit au dépourvu.

– Que veux-tu dire ?

– Rose, Steven t'a-t-il dit comment il s'est conduit avec Michelle ? Ce qu'il lui a fait ?

– J'ai entendu la version de Michelle, lâcha-t-elle avec mauvaise humeur. Et pour être franche, je l'ai trouvée ridicule et outrageante.

Tristement, Franklin secoua la tête.

– Steven l'a reconnu devant moi.

– Franklin, c'est absurde! D'ailleurs nous ne devrions pas en parler maintenant, après tout ce que tu viens de vivre.

– Si, Rose. Nous allons en parler maintenant. J'aurais dû aborder le sujet avec toi depuis longtemps, d'ailleurs. Tu ne vois donc pas? Steven n'a fait que suivre ton exemple.

– Moi?

– Oui, Rose. Du jour où Michelle est arrivée dans cette maison, tu as tout fait pour lui rendre la vie aussi désagréable que possible. Tu savais très bien qu'elle n'avait pas reçu la même éducation que nous, et au lieu de l'aider à s'adapter tu as multiplié les occasions de l'humilier et de la ridiculiser devant tout le monde. Tu as décidé qu'elle n'était pas assez bien pour moi et tu t'es employée à faire coïncider la réalité avec tes désirs, comme d'habitude. Jusqu'à tenter de briser notre mariage. Voilà ce que je pense, Rose.

Sa sœur éclata d'un rire aigre.

– Quelle imagination! Mais tu as raison sur un point: j'étais inquiète parce que je ne savais rien d'elle et...

– Jamais tu n'as essayé de vraiment la connaître, coupa Franklin. Laisse-moi te dire quelque chose sur ma femme, quelque chose dont elle ne parle jamais. Elle a fait preuve d'un bien plus grand courage que moi pendant la guerre. Quand j'étais allongé dans cette cache, dans la grange de son père, elle s'est sacrifiée pour me protéger.

– C'est-à-dire?

– Un collaborateur avait découvert qu'elle me cachait. Pour prix de son silence, il voulait coucher avec elle. S'il avait parlé, les Allemands m'auraient fusillé. Michelle lui a cédé pour me sauver la vie. J'ai du mal à imaginer plus grande preuve d'amour, Rose. Qu'en penses-tu?

Une expression de mépris envahit les traits de Rose.

– Pour moi, c'est un comportement de prostituée, dit-elle d'une voix dure.

– Comment peux-tu dire une chose pareille?

– Parce que c'est la vérité! Et depuis que Michelle Lecroix est entrée dans nos vies, nous n'avons eu que des ennuis! (Brusquement elle se radoucit et se pencha pour prendre les mains de Franklin dans les siennes. Son expression se fit presque implorante.) J'ai toujours essayé d'agir au mieux pour nous, Franklin. Nous sommes une famille...

– Une famille dont Michelle fait aussi partie, Rose, ce que tu refuses d'accepter. En la blessant tu nous blesses tous, et moi en particulier.

Des voix s'élevèrent dans le hall d'entrée. Franklin se leva et pendant une seconde interrogea sa sœur du regard. Mais elle secoua la tête lentement, son visage redevenu un masque de pierre.

— Je t'aime beaucoup, Rose. Mais je regrette que Dieu t'ait donné aussi peu de cœur.

Elle le regarda sortir du salon. Elle dut retenir un cri de rage en entendant les exclamations de soulagement dans le hall.

*

Le lendemain, Franklin et sa femme se rendirent chez le Dr William Harris. Après un examen poussé de son patient, le médecin le déclara en parfaite santé, malgré les ecchymoses et les éraflures.

— Je vous avais mis en garde au sujet de ces pilules, dit-il en tapotant le flacon. Elles sont très puissantes. Vous en avez sans doute pris une et vous aurez bu de l'alcool ensuite. Le mélange expliquerait l'amnésie partielle qui vous a frappé.

Michelle se tourna vers Franklin.

— Est-ce ce qui s'est produit ?

Il eut une moue d'ignorance.

— Je le suppose, en tout cas.

Michelle n'était pas convaincue par cette explication. Franklin s'accordait tout juste un verre de vin au repas, de temps en temps. Néanmoins elle respectait l'avis de Harris. Franklin lui faisait visiblement confiance et s'entendait très bien avec l'ancien médecin militaire, à présent établi dans une pratique privée. De plus, Harris paraissait tout à fait compétent.

— Docteur, dit-elle pourtant d'un ton hésitant, n'allez pas croire que je mette en doute votre diagnostic, mais... se peut-il que ce qui vient d'arriver à Franklin ait un rapport avec cette vieille blessure à la tête ?

William Harris eut un sourire tolérant.

— Mrs. Jefferson, je reconnais qu'il n'est pas très naturel de transporter des fragments de métal à l'intérieur de sa boîte crânienne, mais des milliers d'anciens soldats vivent cette situation sans aucun problème. Je suis sûr que ces névralgies ne sont que le symptôme d'une trop grande tension due au surmenage. Quelques vacances seraient sans doute le meilleur remède.

— Tu sais, je pense que le Dr Harris n'a pas eu une mauvaise idée, déclara Franklin dès qu'ils furent sortis du cabinet médical. Nous n'avons jamais eu de vraie lune de miel...

— Chaque jour est une lune de miel pour nous.

Mais malgré son sourire, Michelle repassait en esprit les paroles de Harris. Elle avait été infirmière et avait entendu maintes fois des médecins mentir avec un aplomb tout aussi remarquable à leurs malades. Sans pouvoir s'expliquer pourquoi, cette entrevue avec le médecin ne l'avait pas totalement rassurée.

– Eh bien, si tu ne veux pas d'une lune de miel, j'ai là un substitut qui ne devrait pas te déplaire.

Il lui tendit un document soigneusement plié.

– Un bail de six mois pour une maison meublée. Notre maison, Michelle.

Michelle le regarda avec une joie teintée d'incrédulité.

– Oh! Franklin!

Mais tandis qu'elle l'embrassait fougueusement, elle comprit soudain la raison du malaise qu'elle éprouvait. Malgré toutes ses phrases apaisantes, le Dr Harris n'avait jamais répondu franchement à sa question.

22

Par un jour morne de janvier, Monk McQueen descendit les marches du *21's* et se fraya un chemin jusqu'au bar. Il commanda un verre et contempla son visage morose dans la glace de la desserte. Ce jour, 16 janvier 1920, la Chambre des représentants venait de voter le Volstead Act. La Prohibition faisait maintenant acte. Il lui porta un toast silencieux et jeta un coup d'œil inintéressé aux serveurs qui régalaient pour la dernière fois la clientèle.

Mais ce n'était pas le Volstead Act qui rendait le journaliste d'aussi mauvaise humeur. Sa tristesse avait une tout autre cause : le départ de ses deux amis, Michelle et Franklin Jefferson.

Leur déménagement de Talbot House avait tout déclenché. A la surprise générale, et au grand plaisir de Monk, Michelle s'était épanouie en devenant la maîtresse d'une jolie maison dans la 72e Rue Est, à un jet de pierre de Central Park. A sa première visite, Monk avait été très heureux de voir comment elle avait transformé cette ancienne demeure d'ambassadeur, austère et trop meublée, en une maison gaie et accueillante. Un allègement du mobilier, quelques bouquets de fleurs aux endroits stratégiques et des tableaux de goût aux murs avaient suffi. Une fois le couple installé, Michelle avait organisé une pendaison de crémaillère, invitant tous les amis de Franklin et quelques personnalités de New York. Rose n'y avait pas assisté, prétextant un engagement antérieur. Ce soir-là, Monk fut ébloui par la beauté de Michelle.

Elle avait abandonné les traiteurs habituels pour faire elle-même son marché et préparait des menus originaux, souvent exotiques. Elle préférait recevoir, plutôt que la bonne société traditionnelle, des artistes, écrivains et autres personnalités plus marginales. L'adresse des Jefferson devint bientôt un des lieux les plus courus de New York, l'endroit où l'on pouvait rencontrer les célébrités présentes ou à venir.

Mais Monk se rendit très vite compte que Michelle n'avait pas pour seule ambition de tenir salon. Elle lui demanda où elle pourrait parfaire ses connaissances en économie, et il lui indiqua les meilleurs professeurs de Columbia, qu'elle contacta aussitôt pour prendre des cours particuliers. Et les progrès qu'elle fit le laissèrent pantois. Elle s'investissait avec une telle joie dans ces études que Monk ne pouvait qu'être heureux pour elle, après la période pour le moins délicate vécue à Talbot House. Michelle semblait s'être découvert une véritable passion, et bien qu'elle prétendît se documenter uniquement pour aider Franklin, qui était débordé de travail, il était clair qu'elle en avait non seulement le goût mais aussi les capacités.

Grâce à l'aide de Monk, qui connaissait bien le milieu financier, elle secondait très utilement Franklin en recevant ses partenaires d'affaires, prenant soin de ménager les rivalités et les susceptibilités quand elle en invitait plusieurs. Ils trouvaient chez elle leurs plats préférés, l'alcool ou le vin qu'ils affectionnaient, et les meilleures marques de cigares lorsqu'ils discutaient ensuite avec leurs hôtes dans le salon.

Car Michelle prenait une part de plus en plus active, quoique discrète, aux tâches de Franklin. Grâce aux mille et une indications transmises par Monk, elle connaissait exactement la situation de chacun de leurs invités, et le journaliste la vit plus d'une fois donner à un Franklin très intéressé des conseils fort judicieux sur l'attitude à adopter avec tel ou tel financier. Il lui demandait d'ailleurs de plus en plus souvent son avis et en tenait compte.

Monk passait beaucoup de temps chez ses deux amis, qui le recevaient toujours avec joie. Le trio s'entendait parfaitement et rien ne semblait devoir assombrir leur affection mutuelle. De fait, il ne se rendit compte de ce qui lui arrivait que la veille de leur départ pour l'Europe.

Il était tombé amoureux de Michelle.

Monk finit son verre d'un trait, aussi triste que les gens autour de lui, mais pour une raison bien différente. Mais il remerciait le hasard d'avoir mis un océan entre eux.

*

Bien qu'elle comptât les jours qui restaient avant le départ de son frère, Rose Jefferson n'y fit aucune allusion, pas plus à Lower Broadway qu'à Talbot House, et ses proches comme ses collaborateurs apprirent très vite à ne pas aborder ce sujet.

Elle compensa la peine de voir Franklin partir par une activité débordante. Les mandats Global semblaient promis à un bel avenir, et dans tout le pays les petites banques avaient suivi l'exemple des établissements plus grands. Les équipes de vente sous la responsabilité de Franklin accomplissaient un travail en tous points admirable, et elle ne pouvait que se féliciter de la manière dont son frère s'était investi dans le projet. Il avait considérablement contribué au succès des mandats Global.

Le jour de son départ, elle déclina son invitation à déjeuner en compagnie de Monk et de Michelle pour le retrouver dans la salle d'attente des première classe. Avant d'y entrer elle avait attendu que Michelle embarque. La Française avait deviné que Rose viendrait voir son frère et avait eu le tact de leur ménager ainsi le temps d'une entrevue.

Franklin avait fort bien compris la manœuvre, et quand Rose entra dans la salle d'attente juste après le départ de sa femme, il l'accueillit avec une tristesse non dissimulée.

— Tu n'as même pas pu te forcer à venir lui dire au revoir, fit-il après qu'ils se furent embrassés.

— Je t'en prie, Franklin, ne nous disputons pas... (Rose se força à sourire.) Envoie-moi un câble dès ton arrivée, comme tu me l'as promis, rappela-t-elle. Et va d'abord voir Sir Manfred Smith, à la Barclays. Il t'attend...

Franklin ne put que sourire.

— Rose, ça fait la centième fois que tu me le dis !

— Tu as raison, excuse-moi. Mais n'oublie pas de contacter ton nouveau médecin, Sir Dennis Pritchard. Harris l'a chaudement recommandé.

Franklin acquiesça, et son visage s'assombrit.

— Et toi, Rose ? Ça ira ?

Elle eut un rire nerveux.

— Bien sûr, idiot ! Tout ira bien pour moi.

— J'aimerais tant que tu aies quelqu'un à tes côtés.

— J'ai Steven.

— Tu sais ce que je veux dire. Peut-être est-il temps pour toi de te trouver un mari...

— J'en ai eu un, répliqua-t-elle. Et nous savons tous deux comment cela s'est terminé.

— Ça ne m'empêche pas de me faire du souci pour toi et de souhaiter ton bonheur, dit gentiment Franklin.

La cloche sonna, sauvant Rose d'une situation où elle se sentait totalement désarmée. Franklin embrassa une dernière fois sa sœur avant de se hâter vers la passerelle d'embarquement.

Quand le *Neptune* appareilla, une pluie de confettis et de serpentins jetés par-dessus bord arrosa la foule venue saluer son départ. Une minute, Rose suivit des yeux le majestueux navire qui s'éloignait lentement, puis elle rejoignit la limousine où attendait Steven.

— Nous pouvons rentrer à la maison, maintenant ?

— Bien sûr, chéri.

Il ne me reste plus que toi, à présent, songea-t-elle. *Tu feras ce que Franklin ne peut faire. Tu es mon espoir et l'avenir de Global. Mon fils...*

Mais, tandis que le chauffeur démarrait, Rose cessa de penser à ce lointain futur qui attendait Steven. Elle avait des problèmes plus immédiats à régler. L'émotion de la conversation passée, Rose jugeait assez ironique la remarque de son frère. Elle éprouvait effectivement le besoin d'un homme à ses côtés. Mais il n'était pas question d'un mari. En dépit de tout son amour pour Franklin, elle avait fini par accepter l'idée qu'elle devrait trouver dans un avenir proche quelqu'un pour le remplacer. Elle frissonna en songeant à cette quête froide et solitaire.

23

Lorsqu'elle monta à bord du *Neptune*, Michelle eut l'impression d'entrer dans un palace.

De par sa lecture assidue des livres sur les conventions sociales, elle savait que la première soirée était informelle. Les hommes n'étaient pas obligés de porter le smoking et les femmes pouvaient apparaître en simples robes de cocktail. Elle choisit une création de Worth couleur corail avec une ceinture en perles.

En ce mois de janvier, la plupart des passagers étaient de riches Européens retournant chez eux. Leur nombre dépassait de beaucoup celui des Américains. A la réception de bienvenue, entre autres personnalités de la noblesse continentale, Michelle fut présentée au duc de Chambord, qui insista pour qu'elle l'appelle simplement Christophe, et à sa ravissante compagne Lady Patricia Farmington. A table elle se retrouva placée à côté de lui.

— Pardonnez-moi cette question, madame, mais je suis sûr de vous connaître. Paris, peut-être ?

— Je ne crois pas, murmura Michelle, très gênée.

Mais le duc refusa de s'avouer vaincu. Pendant tout le repas ils devisèrent agréablement de choses et d'autres, et soudain il parut avoir trouvé la réponse à sa question.

— Mais bien sûr, je vous connais! s'exclama-t-il.

De sa fourchette il fit tinter son verre à vin pour attirer l'attention des autres convives.

— Mesdames et messieurs, déclara-t-il, j'ai le plaisir de vous annoncer que je viens de résoudre un petit mystère qui me hantait depuis le début de la soirée. Cette charmante dame à ma droite, que vous connaissez tous sous le nom de Mme Franklin Jefferson, n'est autre que Michelle Lecroix, héroïne de mon pays, la France, et une de ses filles les plus remarquables.

Michelle rougit d'embarras quand Christophe entreprit de narrer ses exploits à l'assemblée.

— Votre modestie vous honore, madame, conclut-il. Néanmoins, ayant moi-même servi mon pays, acceptez que je vous rende hommage.

Immédiatement le capitaine fit servir du champagne, et les toasts se succédèrent.

— Je suis très fier de toi, ma chérie, lui murmura Franklin.

— Et n'oublions pas son époux, le courageux Mr. Franklin Jefferson, ajouta le duc de Chambord. Jamais Légion d'honneur ne fut mieux attribuée!

Franklin se leva et remercia le duc et les invités pour leur amabilité.

Après cette première soirée, Franklin et Michelle devinrent le centre de la vie sociale à bord. Bientôt ils eurent reçu tant d'invitations émanant des plus grandes et des plus nobles familles européennes qu'ils ne savaient lesquelles accepter. Ils étaient de toutes les fêtes, mais ils consacraient plusieurs heures par jour à revoir point par point la stratégie qu'adopterait Franklin pour le lancement des chèques de voyage. Ils étudièrent les banques qu'ils devaient contacter, leur poids financier et surtout leurs rapports avec Cooks. Franklin demandait très souvent l'avis de sa femme pour un détail ou un autre, et la plupart du temps il se rangeait à son jugement, qu'il savait sûr et basé sur une réelle connaissance du sujet. Ils discutaient alors en associés et non en époux, et la confiance de Franklin était pour Michelle le plus précieux des diplômes.

*

Le *Neptune* possédait la salle de jeu la plus luxueuse qui ait jamais existé sur un paquebot. C'était tout simplement un petit casino, avec une roulette et un chemin de fer, ainsi que plusieurs salons particuliers où l'on pouvait jouer en toute tranquillité aux cartes.

Lors de leur quatrième nuit à bord, Franklin se trouvait justement dans un de ces salons. Assis dans un fauteuil de cuir des plus confortables, le cigare aux lèvres et un excellent cognac à portée de main, il sourit en ajoutant une plaquette de cent dollars à la mise et en rejetant une carte. La chance était avec lui et il était pour l'instant largement gagnant.

Il remporta encore la partie grâce au roi que le serveur lui donna. Alors qu'il ramassait ses gains et s'accordait une gorgée de cognac, la douleur à sa tempe revint une fois de plus. Il se massa de deux doigts en espérant qu'elle disparaîtrait comme ces derniers jours. Sa main gauche alla toucher le flacon de pilules dans sa poche et il se sentit un peu rassuré. Il n'avait pas parlé à Michelle de ces névralgies pour ne pas l'inquiéter inutilement, car elles ne duraient jamais longtemps. Mais elles devenaient de plus en plus fréquentes. Il tira une bouffée de son havane et se concentra sur les nouvelles cartes qu'on venait de lui distribuer.

Soudain il entendit un coup de feu.

— Où est Bluegrass Boy ? s'écria-t-il.

Autour de la table, les autres joueurs se figèrent, interloqués.

— J'ai dit : où est Bluegrass Boy ?

Le cœur de Franklin battait à tout rompre. La mélodie jouée par l'orchestre dans le salon principal s'était transformée en un grondement lointain de tir d'artillerie, les rires et les voix des passagers étaient devenus les cris des soldats qui jaillissaient des tranchées pour donner l'assaut.

— Non, Bluegrass Boy ! Baisse-toi !

Franklin repoussa sa chaise et bondit sur le joueur à sa droite, le faisant tomber au sol pour aussitôt le couvrir de son corps.

— Ils nous guettent, tu ne comprends donc pas ? murmura-t-il en fouillant des yeux la brume du champ de bataille.

Il prit la tête du passager paralysé de terreur et se mit à la bercer doucement.

— Oh, Bluegrass Boy... Pourquoi ne m'as-tu pas écouté ?

★

— Nous ne savons pas ce qui lui a pris, Mrs. Jefferson, dit le médecin du bord. Il jouait tranquillement aux cartes et brusquement il a agi comme s'il était attaqué, ce qui n'était pas le cas, vous vous en doutez.

Michelle regarda son mari qui dormait dans leur lit. Malgré la puissance du sédatif, son corps tressautait et son visage se crispait spasmodiquement. Il geignit et ses doigts griffèrent le drap.

Michelle emmena le médecin hors de la chambre.

— Mon mari a fait la guerre, expliqua-t-elle. Comme beaucoup d'autres il a vu des horreurs, et parfois elles lui reviennent à l'esprit avec une telle vivacité...

Lui-même vétéran, le praticien l'assura de toute sa compréhension.

— Assurez-vous qu'il suive bien son traitement, Mrs. Jefferson, ajouta-t-il. J'arrangerai les choses avec le capitaine.

Quand le médecin fut parti, Michelle alla s'asseoir sur une chaise près du lit. Refoulant l'angoisse qui montait en elle, la jeune femme éponsa la sueur qui perlait au front de son mari avec un linge. Beaucoup plus tard, lorsque Franklin plongea enfin dans un sommeil profond, Michelle sortit les notes rédigées d'après les entretiens avec le Dr William Harris. Elle les lut et les relut, cherchant l'indice qui lui permettrait de comprendre ce qui arrivait à Franklin. Mais elle ne découvrit rien. Pourtant, elle en était de plus en plus convaincue, le neurologue leur avait caché quelque chose.

*

En s'éveillant au matin, Franklin fut étonné de constater que son pyjama était trempé de sueur. Il s'en débarrassa et prit un bain revigorant. Puis il s'habilla. Des plaquettes de cent dollars étaient posées en tas sur la commode, résultat d'une soirée de jeu fort réussie. Curieusement, il ne se souvenait pas d'avoir quitté la table de poker ni d'être revenu dans leur suite.

Alors qu'il s'examinait dans le miroir, il remarqua le regard que sa femme encore couchée posait sur lui.

— Bonjour, mon amour, dit-il en venant l'embrasser. Nous avons dormi tard, mm ?

Michelle réussit à sourire.

— Comment te sens-tu ce matin, mon chéri ?

— Moi ? En pleine forme. Et regarde ! (Il prit une poignée de plaquettes.) Nous allons pouvoir écumer les boutiques du bord ! Tu prendras ton petit déjeuner dans la salle de restaurant ?

— Bien sûr.

— Alors on se rejoint là-bas.

Il lui envoya un baiser et sortit de la suite en sifflotant.

Michelle resta allongée encore un moment, les yeux fixés au plafond de la chambre. Il était clair que Franklin ne se rappelait rien. Elle ne savait ce qui l'effrayait le plus, du comportement aberrant de son mari ou de cette amnésie. Elle n'était sûre que d'une chose : dès qu'ils atteindraient Londres, elle le conduirait chez Sir Dennis Pritchard, son nouveau médecin.

*

Pour leur dernière soirée à bord, Michelle et Franklin avaient accepté l'invitation de leurs nouveaux amis, Christophe et Patricia, qui organisaient un cocktail d'adieu.

Michelle avait tout autant sympathisé avec la jeune femme blonde qu'avec le duc de Chambord. Lady Patricia possédait le charme de ces gens que l'on juge souvent légers et insouciants parce qu'ils profitent de la vie avec un appétit insatiable. Pourtant Michelle la savait beaucoup plus réfléchie qu'elle ne le laissait paraître.

Pendant que les deux femmes s'occupaient des derniers préparatifs de cette soirée, les invités commencèrent à arriver. Bientôt la fête battait son plein, et il y avait un tel monde que Michelle ne remarqua pas l'absence de son mari, jusqu'à ce que Christophe la lui révèle.

– Je vais aller le chercher, proposa-t-il.

– Ne vous donnez pas cette peine, s'empressa de répondre Michelle.

Christophe la prit par le bras.

– Tout le monde à bord est au courant de sa crise de l'autre soir. Certains pensent qu'il avait trop bu, d'autres qu'il est épileptique. J'ai été au front, Michelle, et je sais qu'il y a des souvenirs qu'un homme ne peut gommer de sa mémoire. Laissez-moi vous accompagner, je vous prie.

Touchée par sa sympathie, Michelle accepta. Lorsqu'ils entrèrent dans la suite, elle fut heureuse qu'il soit à ses côtés. Le salon était dévasté. Le sol était jonché de débris de miroirs brisés. Les meubles avaient été renversés, les rideaux et les tableaux lacérés. De la chambre s'élevait un gémissement sourd.

– Je vais chercher le médecin, murmura Christophe.

– Non! Pas avant que je l'aie vu.

Michelle poussa la porte de la chambre et découvrit la même dévastation. Dans un coin de la pièce, pelotonné sur le sol, son mari tremblait de tout son corps. Il lui jeta un regard affolé.

– Michelle... Michelle, ils arrivent, je les entends! Ils vont me trouver...

Il se croit dans la grange! Oh! mon Dieu...

Elle s'agenouilla auprès de lui et se mit à lui parler doucement, en français, comme à cette époque qui lui semblait maintenant si lointaine mais que lui revivait comme un cauchemar.

– Il a besoin d'un médecin, Michelle, dit Christophe du seuil de la chambre.

– Non! Il a besoin de moi! Je vous en prie, Christophe, retournez dire aux autres que Franklin ne se sent pas bien. Vous saurez comment faire... J'ai confiance en vous, Christophe.

– Si vous êtes sûre... dit le Français d'un ton dubitatif.

– Je le suis. Laissez-moi m'occuper de lui. Si son état s'aggrave, je vous promets de vous appeler.

A contrecœur, Christophe partit, non parce qu'il le voulait, mais parce qu'il estimait que, dans de telles circonstances, Franklin Jefferson méritait de conserver ce qui lui restait de dignité.

Michelle fit couler un bain, dévêtit son mari et le força à s'installer dans la baignoire. L'eau chaude et parfumée parut un peu le calmer. Elle en profita pour ranger ce qui pouvait l'être dans le salon, avant de revenir auprès de lui et de lui faire boire un verre d'eau où elle avait dissous deux sédatifs. Elle le mit ensuite au lit, et il s'endormit presque aussitôt.

Une heure plus tard, épuisée, elle s'assit et fondit en larmes. Elle voulait de toute son âme s'accrocher à l'idée que le lendemain ils seraient à Londres, où il aurait toute l'attention médicale nécessaire. Jusque-là, elle ne le quitterait pas un instant.

Elle allait se changer quand on frappa à la porte. Croyant au retour de Christophe, elle se précipita pour ouvrir.

– Veuillez me pardonner cette visite impromptue, Mrs. Jefferson, dit le commandant du *Neptune*. Puis-je entrer?

Michelle acquiesça sans un mot. Elle lui sut gré de ne faire aucune réflexion en découvrant le chaos qui régnait encore dans la suite.

– Mrs. Jefferson, dit-il avec gentillesse, je pense qu'il serait plus sage à tous points de vue que votre mari soit transféré à l'infirmerie.

– J'apprécie à sa juste valeur votre sollicitude à l'égard de mon mari, commandant, mais...

– J'ai peur de devoir insister, madame. Je suis terriblement désolé du mal qui le touche, mais je pense qu'il représente un danger potentiel, pour lui-même comme pour les autres passagers. C'est pourquoi je me vois obligé de le faire surveiller par le service médical. (Il lui effleura le bras en signe de sympathie.) Si vous le désirez, j'enverrai un message radio pour qu'une ambulance l'attende au débarquement.

– Ce ne sera peut-être pas nécessaire si vous me permettez d'utiliser votre liaison téléphone. Je voudrais prévenir le Dr Dennis Pritchard, de Harley Street, à Londres.

– Bien sûr, madame.

24

Huit jours après le départ de Franklin, Rose reçut un câble de Michelle lui assurant qu'ils étaient bien arrivés et s'étaient installés dans leur nouveau foyer. Rose répondit en envoyant ses meilleurs vœux de séjour, et en rappelant à Franklin de la joindre dès qu'il ouvrirait les négociations avec les banquiers anglais. Elle allait quitter son bureau quand le Dr Harris lui téléphona.

– Je viens de recevoir un message urgent de Sir Dennis Pritchard, l'informa-t-il. Il veut que je lui envoie le dossier médical complet de Franklin au plus tôt.

– Alors envoyez-lui uniquement le dernier bilan physique, répondit Rose, imperturbable.

Le médecin marqua un temps.

– Miss Jefferson, ne pensez-vous pas qu'il serait plus judicieux que Pritchard sache tout? Ces renseignements seraient garantis par le secret médical, de toute façon.

Bien sûr, reconnut-elle mentalement. Mais pouvait-elle avoir confiance en la discrétion totale de Pritchard? Après tout, elle ne le connaissait que de réputation. Et il risquait de se révéler moins accommodant que Harris.

– Non. Le dernier bilan de santé, rien de plus, répéta-t-elle. Et si vous croyez nécessaire d'y ajouter quoi que ce soit de votre plume, je suis certaine que vous le ferez avec la plus grande circonspection...

Et comme le message de son confrère londonien ne faisait aucune allusion à ce qui s'était passé durant la traversée, le Dr Harris ne vit aucune raison d'insister.

★

En trois mois les mandats Global connurent un succès certain, et leur vente dépassa le cap des cinq millions de dollars sans montrer aucun signe d'essoufflement, bien au contraire. Rose doubla les équipes de vente et acheta le building adjacent aux anciens bureaux de Lower Broadway.

Bien qu'elle affirmât les laisser entièrement libres de leurs options de travail pour leur secteur et ne les juger que sur les résultats, elle surveillait ses directeurs régionaux de près. Dans leurs dossiers étaient consignés leurs méthodes, leur statut conjugal, leurs qualités et défauts, leurs ambitions déclarées, etc. Elle nota avec un certain orgueil que tous témoignaient d'un attachement considérable pour Global. Il est vrai qu'ils touchaient un pourcentage sur chaque dollar qu'ils faisaient entrer dans les caisses de la compagnie. Un de ces directeurs, pourtant, éclipsait tous les autres par ses résultats.

Il s'agissait d'un homme de vingt-cinq ans nommé Harry Taylor qui s'occupait de la branche de Chicago, après la mort accidentelle de l'homme placé là par Franklin. Depuis sa prise de fonctions, les ventes avaient augmenté avec régularité, jusqu'à dépasser celles du bureau central. En y réfléchissant, Rose s'aperçut qu'elle n'avait jamais rencontré Harry Taylor. Ses notes de frais n'indiquaient aucun passage à New York, et il n'avait jamais participé aux réunions au sommet qu'elle tenait à dates fixes. Pourtant cet homme faisait gagner des millions de dollars à Global. Intriguée, Rose décida d'aller lui rendre visite à Chicago.

★

Harry Taylor ne ressemblait pas du tout à l'image que s'en était faite Rose. Ses directeurs régionaux étaient tous des hommes durs, individualistes, exigeants. Harry Taylor, lui, était d'un caractère aimable, étranger à toute rodomontade. De six ans plus jeune qu'elle, c'était un homme grand et bien découplé aux cheveux blonds et aux yeux verts. Son sourire avait le charme du naturel, et il dirigeait son bureau sans aucun cérémonial mais avec une efficacité patente. Ses collaborateurs étaient visiblement prêts à tout pour lui et l'adoraient.

Son bureau directorial affichait la même sobriété. Cette simplicité plut à Rose.

— Voilà une agréable surprise, dit-il quand elle se présenta. J'espère que la direction générale est contente de nous ?

— Tout à fait, Mr. Taylor. En fait je me demandais si vous accepteriez de partager avec moi le secret de votre réussite.

Harry Taylor se leva.

— Venez, alors.

Au lieu de lui faire visiter les bureaux, comme elle s'y attendait, il l'emmena en ville. Pendant toute la journée ils allèrent de petits commerces en boutiques, d'un bout à l'autre de la cité. Chacun de ces endroits, au chiffre d'affaires sans doute fort modeste, vendait des mandats Global, et partout Taylor fut reçu comme un vieil ami.

— C'est ici que les gens viennent tous les jours, pas dans les grands hôtels et les banques. Je touche une clientèle peu fortunée mais très vaste. C'est ce qui fait la différence.

Rose jugea l'idée très ingénieuse dans sa simplicité. Ce soir-là, tandis qu'ils soupaient dans un des meilleurs restaurants de la ville, elle le lui dit.

— Ça semblait être la chose à faire, répondit-il avec modestie.

Rose avait pensé rester un jour, deux au plus à Chicago. A la fin de la semaine elle n'était toujours pas repartie. Harry Taylor se montrait un hôte très agréable. Tout en visitant des clients, il s'efforçait de lui faire connaître la ville. Mais il y avait plus, et Rose s'en rendit compte. Elle se sentait attirée par lui. Harry Taylor était un homme au charme certain; tout semblait lui réussir dans l'existence, mais il considérait cet état de choses avec une indifférence prudente. Et cette attitude détachée séduisait beaucoup Rose.

Elle venait de prendre un bain et s'essuyait les cheveux, se préparant pour dîner avec Harry, quand le carillon tinta. Elle se souvint alors qu'elle attendait une missive importante de New York.

— C'est ouvert! cria-t-elle. Posez-le sur la table.

Elle finit de se frictionner la tête avant d'aller dans le salon pour prendre connaissance du courrier.

— C'est cela que vous attendiez ? dit Harry Taylor en lui tendant la lettre.

Rose rougit violemment. Elle ne s'attendait pas à trouver quelqu'un ici, et surtout pas Harry. Soudain elle se sentait très embarrassée de sa tenue, de ce peignoir de bain qui collait à son corps, révélant toutes ses courbes. Elle n'était ni maquillée ni coiffée. Pourtant Harry s'approchait d'elle...

— Harry, s'il vous plaît...

— Chhhtt, murmura-t-il.

Sa main se posa doucement sur la joue de la jeune femme et il releva son visage vers le sien. Rose trembla quand il embrassa ses lèvres. Elle voulait lui dire d'arrêter, mais elle avait peur d'en être incapable et de proférer d'autres mots si elle parlait...

Prise d'un vertige délicieux dont elle avait oublié l'existence, Rose s'abandonna à lui.

*

— Eh, que vous est-il arrivé? Je me faisais du souci!

Le pouls de Rose s'était accéléré d'un coup, et elle dut faire un effort pour parler d'une voix calme:

— Comment saviez-vous que je serais ici?

Dans le combiné elle entendit Harry Taylor partir d'un rire amusé.

— Et où auriez-vous pu vous trouver? Pas dans votre chambre, j'y suis seul.

Rose se jugea soudain ridicule. Après avoir fait l'amour avec une passion qui l'avait éblouie, tous deux s'étaient assoupis. Elle s'était réveillée quelques heures plus tard. Le clair de lune nimbait la chambre d'une lumière pâle. Elle s'était tournée vers l'homme qui dormait à côté d'elle et l'avait longuement contemplé. L'amour, la peur, l'affection, la satisfaction se bousculaient dans son esprit. Elle avait quitté l'appartement sans un bruit, avait pris un taxi et s'était rendue directement aux bureaux de Chicago. Les équipes de nettoyage finissaient leur travail. Elle avait ordonné à l'un des gardiens de lui amener du café et avait passé les trois dernières heures assise au bureau de Harry devant des dossiers ouverts. Mais elle n'en avait pas lu une seule ligne.

— Je peux vous inviter pour le petit déjeuner? suggéra Taylor.

— Non! Je veux dire, je suis déjà ici et...

Elle ne savait que lui répondre. Depuis son réveil elle ne cessait de penser à lui et à la nuit passée. Elle avait enfreint deux de ses règles personnelles les plus strictes: ne jamais s'attacher à un homme, encore moins à un employé. Harry était les deux, mais aussi tellement plus...

— Je comprends, Rose, dit-il. Je promets de ne pas vous mettre dans l'embarras. Laissez-moi trente minutes et nous pourrons prendre un petit déjeuner de travail avec mes vendeurs.

— Harry, je ne voudrais pas que vous pensiez...

Les mots lui manquèrent. Que ne voulait-elle pas qu'il pense? Et que désirait-elle qu'il comprenne?

— Ne vous inquiétez pas, Rose. Nous pourrons en parler plus tard.

Elle murmura une réponse inintelligible et raccrocha.

Soyez maudit, Harry Taylor!

*

Comme elle prolongeait son séjour à Chicago, Lower Broadway lui adressait chaque jour des résumés des activités de Global.

Pleine d'une énergie nouvelle, Rose y répondait avec rapidité et efficacité, ce qui lui laissait beaucoup de temps à consacrer à Harry. Harry, qui venait la rejoindre dans sa suite chaque soir, avec un bouquet de fleurs, une bouteille de vin fin ou quelque cadeau original. Harry, qui ne permettait pas aux mots de briser le lien frêle qui les unissait, mais qui savait exactement ce qu'elle désirait, quand et comment le lui donner... Harry, qui n'exigeait rien en retour de sa passion évidente. Et Rose se demandait si elle le satisfaisait pleinement ou s'il était assez sage pour se montrer patient. Jamais ils ne parlaient avant ou après avoir fait l'amour, et dans la lumière du petit matin il rassurait ses craintes en lui prouvant encore ses sentiments de la façon la plus explicite.

Pendant une de leurs journées de travail, il la mit au courant d'une idée qui lui était venue :

— Les gens paient des factures mensuelles, n'est-ce pas ? Gaz, électricité, eau, téléphone...

— C'est exact, oui.

— Et si nous parvenions à décider les services publics à accepter que nous leur transmettions les règlements de façon groupée ? Rien que dans Chicago, nous avons plusieurs milliers de points de vente. Les gens pourraient y acheter l'équivalent de leurs factures en mandats Global, plus la petite commission, et nous nous chargerions de transférer les fonds collectés aux services intéressés.

— J'aime cette idée, dit Rose avec enthousiasme. Mais les services publics accepteront-ils ?

Les yeux de Harry brillèrent.

— Par le plus grand des hasards, il se trouve que je connais personnellement le responsable des services publics de Chicago.

Rose ne put s'empêcher de rire. Harry semblait capable de résoudre les problèmes d'un claquement de doigts. Plus elle passait de temps avec lui et plus elle pensait avoir trouvé l'homme qu'elle avait décidé de rechercher ce matin froid, après le départ de Franklin. Malgré elle son esprit se mit à échafauder des hypothèses. Peut-être pourrait-elle former Harry afin qu'il aille discrètement à Londres surveiller les progrès de son frère. Mais elle devait d'abord en savoir plus sur son compte. Beaucoup plus. Et il faudrait qu'elle s'attache Harry d'une façon qui annihile chez lui toute pensée de trahison.

Le responsable des services publics de Chicago était un ancien avocat du nom d'Alan Hirsh. Rose fut impressionnée par le respect qu'il témoignait envers Harry et par l'amabilité de ses manières. Il promit de leur donner une réponse dès qu'il aurait étudié les détails de leur proposition.

Elle hésita presque à demander au service de sécurité de Global une enquête complémentaire. Au dernier moment pourtant, elle envoya le câble.

Après un passé des plus prestigieux dans les services de renseignements américains, Michelangelo Pecorella avait proposé ses services à Global. La création du mandat Global requérait une protection de qualité contre toutes les fraudes possibles, et Rose Jefferson avait accepté cette offre qui venait à point. Michelangelo Pecorella avait pris le poste de directeur du service de sécurité créé pour l'occasion. Très vite l'Italien aux manières douces avait prouvé sa valeur.

— Mr. Pecorella, quelle surprise, dit Rose en l'accueillant dans sa suite. Ma petite demande d'enquête sur Mr. Taylor ne nécessitait pas que vous vous déplaciez à Chicago...

— C'est ce que j'ai pensé tout d'abord, répondit Pecorella. Et si mes recherches n'avaient pas révélé des liens étroits entre Mr. Taylor et le responsable des services publics municipaux, je me serais contenté de vous envoyer un rapport de routine.

Une anxiété soudaine était née en Rose.

— Quels liens?

L'Italien lui tendit un document.

— Je pense que cela est assez clair.

La copie de lettre l'était, en effet. Hirsh demandait à Taylor de le rejoindre dans son équipe, et il lui proposait d'appliquer son idée de collecte des paiements sans y inclure Global. Ils créeraient leur propre agence de collecte, dont Hirsh offrait par avance la direction à Taylor.

Rose se mordit la lèvre et poursuivit sa lecture. Jointe à la lettre se trouvait une copie de contrat signé par Hirsh deux semaines auparavant.

La première fois que Harry et moi avons fait l'amour... Une coïncidence?

— La signature de Mr. Taylor n'apparaît pas sur ce contrat, remarqua-t-elle en espérant que Pecorella ne percevait pas l'émotion dans sa voix.

— Elle est peut-être sur l'original, mais je n'ai pu me le procurer.

— Mais que signifie ce contrat?

La réponse lui paraissait tellement claire que Pecorella haussa les sourcils avec étonnement.

— Mr. Taylor vous a proposé un système extrêmement intéressant pour la société, qui peut l'implanter dans toutes les villes de quelque importance. Mais s'il choisit l'offre de Mr. Hirsh...

Rose n'avait pas besoin d'en entendre plus. S'il agissait ainsi, Harry priverait Global de revenus importants.

— A-t-on un moyen d'arrêter Hirsh? s'enquit-elle.

— Nous avons à Chicago bon nombre d'amis haut placés qui

n'attendent qu'une occasion de l'évincer de son poste. Je pense que cette raison suffirait.

— Pourrions-nous leur fournir ce renseignement, à la condition qu'ils nous assurent qu'ensuite le mandat Global soit effectivement utilisé pour collecter les paiements de factures?

— Je ne vois aucun obstacle à cela, Miss Jefferson. Néanmoins il faut agir vite, avant que Mr. Taylor n'annonce publiquement sa décision, si du moins il l'a prise.

— Allez-y, alors, dit Rose d'une voix blanche.

— Et Mr. Taylor?

— Je m'en occuperai personnellement.

— Très bien, madame. Y a-t-il autre chose?

— Oui. Faites accrocher mon wagon particulier au premier train pour New York.

25

Six messages de Harry Taylor l'attendaient à New York quand Rose y arriva. Elle donna pour consigne stricte à ses collaborateurs et son personnel à Talbot House de ne pas l'autoriser à la joindre, même s'il insistait.

Rose se jeta dans le travail avec une énergie féroce. Mr. Pecorella l'informait de ce qui se passait à Chicago. Moins d'une semaine plus tard elle apprit avec satisfaction la démission de Mr. Hirsh et l'annonce faite par les services publics de Chicago qui acceptaient de confier la collecte des paiements de factures à Global, par l'intermédiaire de ses mandats. La compagnie s'était vu attribuer cette concession à titre unique.

Rose sortait des bureaux de Lower Broadway et allait monter dans sa voiture quand quelqu'un la saisit par le bras.

— Nous devons parler.

Ces trois mots affolèrent son cœur.

— Que faites-vous ici? s'exclama-t-elle.

Le chauffeur était sorti de la limousine et approchait pour prêter main-forte à sa patronne.

— J'ai besoin de vous parler, Rose, dit Harry Taylor en plantant son regard dans celui de la jeune femme.

Celle-ci hésita, puis fit signe au chauffeur de ne pas intervenir.

— Il n'y a rien à dire.

— Pas d'accord.

Rose remarqua que les passants commençaient à les dévisager.

— Montons dans la voiture.

— Dois-je vous ramener à Talbot House, madame? demanda le chauffeur quand ils furent installés.

— Oui. Je suis sûre que nous pouvons déposer Mr. Taylor en chemin.

— Comment avez-vous fait ? dit Harry Taylor d'une voix douce. Comment vous êtes-vous procuré une copie de la proposition de contrat ?

— J'ai un service de protection efficace, rétorqua-t-elle. Vous avez enfreint votre contrat avec Global, Harry. J'ai dû prendre les mesures qui s'imposaient pour protéger les intérêts de la compagnie.

— Je n'ai jamais signé le contrat que m'a proposé Hirsh, rappela Harry. Il me l'a mis en main il y a déjà plusieurs mois. Et il a essayé de me débaucher de Global depuis, mais je n'ai jamais cédé. Rappelez-vous que c'est moi qui vous ai fait part de cette idée de collecte des paiements. Quand vous avez appris l'existence de ce contrat, pourquoi ne m'en avez-vous pas parlé ? Je vous aurais tout expliqué.

Rose gardait les yeux fixés sur son reflet dans la vitre de la portière.

— Je ne voulais pas prendre ce risque, murmura-t-elle.

— Un risque ? Avec moi ? Vous aviez donc peur que j'essaie de trahir la compagnie ?

— Vous auriez pu être tenté. Votre idée était très bonne. La compagnie aurait perdu beaucoup d'argent si vous aviez joué double jeu.

Harry réfléchit un moment, puis demanda au chauffeur de se garer le long du trottoir. Il ouvrit aussitôt la portière et sortit, pour se pencher vers l'intérieur.

— Est-ce uniquement à cause de la compagnie que vous avez agi ainsi, Rose ?

— Bien sûr, répondit-elle trop vite.

— Vous mentez mal, Rose. Ce que vous m'avez pris, vous ne l'avez pas volé : je vous l'ai donné. Vous auriez pu me faire confiance... Mais pourquoi ne vous faites-vous pas confiance à vous-même ?

Il referma la portière et s'éloigna. Après quelques secondes, Rose ordonna au chauffeur de redémarrer.

Il s'en va... Je suis en train de le perdre !

— A la maison, dit-elle, la gorge serrée.

Le plan qu'elle avait échafaudé ne serait rien sans Harry Taylor. Et la sensation de vide qui l'avait saisie était presque intolérable.

Elle se fit déposer devant l'entrée principale au lieu de passer comme à son habitude par la porte cochère. Alors qu'elle attendait qu'Albany vienne lui ouvrir, une odeur qu'elle ne pouvait oublier flotta jusqu'à elle : elle fit volte-face.

— Vous pensiez vraiment que je vous abandonnerais ?

Albany ouvrit la porte et ils entrèrent dans le hall. Sans réfléchir Rose mena Harry dans la bibliothèque dont elle verrouilla les portes. Ils voulaient tous deux la même chose et les mots étaient inutiles. Ils se jetèrent l'un sur l'autre et firent l'amour presque brutalement, sur le luxueux tapis.

*

Après avoir pris un bain et s'être changée, Rose fit servir un repas froid dans le salon du premier étage, puis elle donna sa soirée à Albany.

— Que savez-vous de moi, Harry? demanda-t-elle en garnissant son assiette.

Il s'avéra qu'il savait beaucoup de choses sur elle, mais elle n'en fut pas surprise.

— Et où avez-vous appris tout cela?

— Dans les journaux, les magazines, par les bavardages à Global et ailleurs. Mais ce n'est que la face publique derrière laquelle s'abrite une femme très secrète. J'en sais très peu sur vous, en fait.

— Alors laissez-moi vous éclairer, dit-elle d'une voix douce.

Elle choisit des sujets sans danger — son grand-père, la croissance de Global, les plans qu'elle avait pour la compagnie. En revanche, elle glissa sur son mariage avec Simon et les rêves qu'elle nourrissait pour Steven. Mais chaque mot qu'elle prononçait en appelait dix autres qu'elle devait refouler. Elle se rendait compte maintenant combien elle s'était refermée sur elle-même, combien elle s'était protégée des simples contacts humains. Pourtant, malgré tout son désir de se confier à cet homme, sa réserve tint bon.

— Vous êtes une femme fascinante, dit Harry avec une évidente sincérité. Mais en dépit de tout ce que nous nous sommes dit, j'ai toujours l'impression que nous ne parlons pas de ce que nous désirons.

— Et de quoi s'agirait-il? demanda-t-elle paresseusement.

— Ce que nous allons faire tous les deux. Je ne pourrais pas supporter de rentrer à Chicago en vous laissant ici.

— Moi non plus, murmura-t-elle. C'est pourquoi je pense que vous devriez rester à New York.

— Et que vais-je faire ici?

— De grandes choses, souffla-t-elle en souriant.

*

Harry Taylor avait rejoint Rose à New York parce qu'elle lui avait fait quelque chose que jamais personne n'avait réussi avant elle : lui voler une idée et l'en exclure, alors qu'il ne souhaitait que la partager avec elle. Il en avait été grandement blessé, plus qu'il ne l'aurait cru possible.

Sans vraiment s'en rendre compte, Harry avait offert à Rose quelque chose qu'il n'avait jamais su donner à ses autres maîtresses : un amour comme il n'en avait pas ressenti depuis tant de temps qu'il n'en gardait pas le souvenir. Rose avait été celle qui avait fait jaillir ce sentiment. Et, en partant pour New York sans même le prévenir, elle avait jeté cet amour comme on se débarrasse d'un bagage encombrant.

Après son arrivée à New York, bien sûr, sa colère se calma. Mais il ressentait toujours le besoin de corriger l'injustice qui avait marqué le début de leur relation. Harry Taylor décida qu'à New York il aurait sa revanche.

★

Tout le monde connaissait la brillante carrière de Harry Taylor à Chicago. Aussi sa nomination à Lower Broadway ne fut-elle pas une surprise. Ses émoluments en étonnèrent bien quelques-uns, car ils égalaient les plus gros salaires. Mais Rose le nomma directeur national des ventes, ce qui justifiait amplement cette augmentation.

En dehors de Lower Broadway, les commentaires allaient bon train. Rose et Harry Taylor furent souvent vus ensemble en public, et certains journaux suggérèrent l'existence d'une liaison. Le fait que Rose ne démentît pas enflamma un peu plus les imaginations.

Harry se moquait éperdument de ce que la presse pouvait écrire. New York l'avait envoûté. Dès qu'il était arrivé il avait compris que cette ville était taillée à sa mesure. Partout il voyait des possibilités de gagner de l'argent, et avec l'aide de Rose il avait la certitude de pouvoir y parvenir.

Il avait établi ses quartiers temporaires au *Waldorf*, où Rose vint le voir un jour et examina d'un œil critique sa garde-robe.

— Il faut la renouveler, décréta-t-elle.

Deux semaines et un bon millier de dollars plus tard, Harry possédait les meilleurs costumes. La dépense suivante fut une voiture, indispensable selon Rose.

— Mais rien de trop voyant, précisa-t-elle. Peut-être une Jaguar...

Ensuite elle aborda la question d'un appartement.

— Il est toujours préférable d'avoir quelque chose de modeste dans un quartier réputé plutôt qu'un château dans des faubourgs mal famés.

Quand Harry se renseigna sur les prix des « modestes appartements », il fit la grimace.

— A ce rythme, je serai sur la paille avant Noël, lui dit-il.

Rose rit de son étonnement.

— Allons! Un appartement est un bon investissement.

Un peu à contrecœur, il signa pour l'achat d'un appartement sur Park Avenue.

— Voilà, dit Rose alors qu'ils soupaient chez *Delmonico's*. Maintenant je peux venir vous voir sans craindre ce que pense le directeur du *Waldorf*.

— Le directeur du *Waldorf* ne se permettrait pas de penser quoi que ce soit sans votre permission, Rose, fit-il avec une pointe d'ironie.

Rose lui répondit d'un sourire. Harry ne paraissait pas se rendre compte qu'il était à peu près dans la même position. Rose avait surveillé de près ses dépenses, et elles avaient excédé de beaucoup les fonds dont il disposait réellement. Or cet argent qu'il lui restait maintenant à rembourser, il ne pouvait le gagner que d'une façon : en faisant exactement ce qu'elle désirait.

26

A Londres, Franklin et Michelle s'installèrent dans une grande demeure de Berkeley Square appartenant à un ami de Franklin parti pour un long voyage en Orient.

L'endroit plut immédiatement à Michelle. La place était ombragée de platanes, et ses autres habitants étaient tous gens de bonne compagnie. Au numéro 50 se trouvait une maison réputée hantée, et juste à côté le foyer de Clementine Churchill qu'elle partageait avec son fils Winston. Les domestiques se révélèrent efficaces et très aimables, à la grande satisfaction des arrivants.

Malgré son désir d'arranger à son goût l'intérieur de la maison, Michelle était trop préoccupée par l'état de son mari pour s'adonner à ce genre de futilités avant qu'il ait vu le médecin, ce qui se produisit trois jours après leur débarquement en Angleterre.

*

— Je suis désolé, Mrs. Jefferson, mais je suis dans l'incapacité de définir ce qui produit ces crises chez votre mari. Mon confrère le Dr Harris m'a fait parvenir un double de son dernier bilan médical, et je dois dire que j'en arrive aux mêmes conclusions que lui : votre mari est en parfaite santé.

Michelle considéra sombrement le praticien. Sir Dennis Pritchard était un homme de fière allure, aux traits nobles et aux cheveux grisonnants. C'était aussi et surtout un chirurgien réputé, spécialiste des complications cérébrales et membre du Collège royal de chirurgie. Ses manières simples et directes choquaient peut-être certains de ses clients, mais Michelle y voyait une honnêteté rassurante. Elle sentait qu'elle pouvait faire confiance à Pritchard : il ne chercherait pas à dissimuler la vérité.

— Ce qui est arrivé à mon mari sur le *Neptune* n'est pas d'un homme en parfaite santé, fit-elle remarquer.

Dans la pièce adjacente au bureau de Sir Dennis, Franklin se rhabillait en sifflotant gaiement.

— J'ai lu le rapport du médecin de bord. Il est clair que votre mari souffre d'un dysfonctionnement à manifestations ponctuelles. Ce que nous ne savons pas, c'est la cause de ces troubles.

— Il me semble évident que c'est sa blessure à la tête.

Mais Sir Dennis eut une moue dubitative.

— Pas obligatoirement. Il pourrait y avoir une douzaine d'autres explications tout aussi valables. Je ne veux pas vous inquiéter, mais nous ne pouvons écarter l'hypothèse d'une tumeur au cerveau.

Michelle blêmit.

— Que pouvez-vous faire pour lui, docteur ?

— J'ai bien peur qu'il faille lui faire subir toute une batterie de tests complémentaires, dont certains ne sont guère agréables. Je vais également écrire au Dr Harris pour lui demander l'intégralité du dossier de votre mari.

— Il y a autre chose que vous pourriez lui demander de vous faire parvenir, dit lentement Michelle. Son dossier médical militaire.

Pritchard acquiesça. Michelle prit le flacon de pilules posé sur le bureau et le montra au médecin.

— Doit-il continuer à les prendre ?

Cette fois, Sir Dennis fronça les sourcils, l'air assez mécontent.

— C'est une autre chose qui pose problème, je vous l'avoue. Je n'ai trouvé aucune ordonnance dans les documents envoyés par le Dr Harris. Sans analyse d'un laboratoire, je suis incapable de vous dire ce que sont ces pilules. Avec tout le respect que je lui dois, je trouve cette façon de procéder quelque peu critiquable de la part de mon confrère.

Michelle était effarée de la légèreté du Dr Harris.

— C'est plus que critiquable ! s'exclama-t-elle avec colère. Je ne peux pas croire qu'il ait oublié une telle chose !

— Et pourtant...

La porte s'ouvrit et Michelle, sur une impulsion subite, glissa au Dr Pritchard :

— Je vous en prie, mettez la main sur son dossier militaire.

— Alors, docteur ? fit Franklin en avançant vers le bureau. Quel est le verdict ? (Il s'arrêta pour déposer un baiser sur le front de sa femme.) Vous croyez que je survivrai ?

— Je n'en doute pas, Mr. Jefferson, fit le Dr Pritchard en souriant aimablement de la plaisanterie. Mais il y a quelques petits détails que j'aimerais discuter avec vous, si cela ne vous ennuie pas...

*

Après qu'ils eurent quitté Harley Street, Michelle et Franklin revinrent en taxi jusqu'à Berkeley Square. Pendant le trajet, Franklin proposa qu'ils s'arrêtent au *Savoy* pour prendre un thé.

— Pritchard m'a dit d'être prudent dans nos sorties jusqu'à ce qu'il ait terminé tous les tests, fit Franklin en soufflant sur son thé fumant. Ça ferait mauvais effet si je tombais la tête la première dans ma soupe.

Michelle essaya de sourire à sa bonne humeur.

— Tu iras bien, lui assura-t-elle. Nous limiterons les sorties. Laisse-moi m'occuper de tout.

— Peut-être devrais-je prévenir Rose... réfléchit-il à haute voix.

— Je ne crois pas que ce soit une très bonne idée, répliqua Michelle. Nous ne savons pas exactement ce que tu as, et je suis sûre que cela aurait pour seul effet de l'inquiéter.

Une intervention de Rose dans leur vie était la dernière chose que souhaitait Michelle actuellement.

— Oui, tu as sans doute raison. Mais s'il m'arrivait quelque chose...

— Rien ne t'arrivera! coupa Michelle avec une détermination farouche. Après tout ce que nous avons enduré, je ne te lâche plus.

Franklin lui prit la main et la regarda au fond des yeux.

— Comment puis-je avoir autant de chance?

*

Si Londres l'avait charmée dès le premier jour, Michelle appréhendait un peu la vie sociale qu'elle devrait y mener durant leur séjour. La capitale anglaise comptait assez d'expatriés américains que Rose connaissait pour que Michelle craigne le pire. Son salut vint d'une façon tout à fait inespérée. Le premier visiteur à Berkeley Square ne fut pas un des membres du cercle Jefferson, mais Lady Patricia Farmington.

— Christophe n'est pas avec vous? s'étonna Michelle après avoir embrassé son amie.

Patricia émit un soupir théâtral.

— Hélas, non! Sans doute arpente-t-il les salles d'un de ses châteaux, à moins qu'il ne prépare ses cheveaux pour Deauville. La noblesse a ses privilèges mais aussi ses obligations.

Patricia prit en main l'intégration du couple dans la bonne société londonienne. Les Américains qui se pavanaient à Belgravia ou Knightsbridge ne tardèrent pas à réviser leur jugement. Leur chère Rose n'avait-elle pas commis une petite erreur d'appréciation? Après tout, la noblesse continentale était connue pour savoir détecter la place exacte de chacun sur l'échelle sociale d'un simple coup d'œil. Et il semblait bien que Michelle Jefferson était accueillie à bras ouverts par les plus grandes familles. Peu à peu les réticences de la colonie américaine s'estompèrent et les invitations s'accumulèrent à Berkeley Square.

Durant les dîners et les soirées, Michelle gardait un œil vigilant sur son mari. A sa grande satisfaction, Franklin buvait peu, mangeait de façon raisonnable et trouvait toujours une excuse pour qu'ils partent tôt. Pourtant elle avait l'impression qu'il dissimulait une tension intérieure constante.

Après de nombreuses prises de sang, analyses d'urine et autres tests répétés qui épuisèrent Franklin, Sir Dennis Pritchard leur avoua sa perplexité. Il leur demanda d'annuler tout déplacement ou engagement social prévu pour le mois de mars.

— Tous les documents envoyés par le Dr Harris contredisent ce que vous avez vécu, Mr. Jefferson. D'après votre dossier, vous êtes en pleine forme physique. Si ces derniers tests ne donnent aucun résultat, nous devrons envisager une ponction de la moelle épinière et du liquide encéphalo-rachidien. C'est une procédure très fatigante pour le patient, et vous devrez vous reposer plusieurs semaines ensuite.

— Et son dossier militaire ? interrogea Michelle.

— Harris m'a écrit qu'il essayait toujours de l'obtenir auprès des autorités compétentes. Apparemment, ils ne l'ont jamais fait suivre.

— C'est une explication qui me laisse sceptique, déclara Michelle d'un ton sec.

— Je partage votre sentiment, madame. C'est pourquoi j'ai pris la liberté d'exposer la situation à un collègue qui connaît fort bien ce genre de problèmes administratifs. Il pense que l'hôpital où votre mari a été soigné un temps à Paris pourrait avoir gardé un double de son dossier.

— Alors je leur écris aujourd'hui même. Et si cela ne suffit pas, j'irai les voir en personne.

Sir Dennis la regarda d'un œil circonspect.

— La seconde solution me paraît meilleure. Ces pilules que vous m'avez données... J'ai reçu du laboratoire les résultats de leur analyse. Ce que le Dr Harris a prescrit à votre mari, Mrs. Jefferson, est l'analgésique le plus puissant qui soit. Vous ne le saviez pas, n'est-ce pas ?

— Non !

— C'est ce que je pensais. Et j'en déduis que le Dr Harris ne nous a pas dit tout ce qu'il sait ou soupçonne...

*

Michelle aurait voulu partir le jour même pour Paris, mais Franklin avait commencé à prendre contact avec les différents banquiers. Les entrevues autour de leur table de Berkeley Square se succédèrent à un rythme soutenu, et elle ne pouvait l'abandonner dans une période aussi chargée. Elle dut se contenter d'envoyer un courrier à l'hôpital du Val-de-Grâce à Paris, demandant à l'administrateur des archives de lui transmettre le dossier de son mari. Mais les semaines s'écoulèrent sans qu'elle reçoive de réponse, malgré plusieurs lettres successives.

Début mars, son inquiétude tourna au désespoir. L'hôpital français ne s'était toujours pas manifesté, et la date des tests de Franklin approchait. Elle ne pouvait le quitter maintenant.

Le jour de son admission au Grosvenor Hospital, elle l'accompagna et se montra tellement nerveuse qu'elle frôla l'incident avec les infirmières. Ils étaient convenus d'un mensonge à l'intention de leurs relations : Franklin souffrait d'une grippe aggravée, ce qui expliquerait non seulement son hospitalisation mais aussi sa future convalescence. De plus le prétexte de la contamination éviterait toute visite. Si la communauté bancaire anglaise avait appris la raison réelle de son indisponibilité passagère, les négociations en cours auraient été en grand danger de capoter. L'image de stabilité et de confiance que Franklin avait réussi à donner aurait été irrémédiablement ruinée.

Après sa première nuit seule à Berkeley Square, où elle dormit à peine et très mal, Michelle se rendit à l'hôpital. Elle dut attendre plusieurs heures avant de voir son mari, qu'on avait ramené dans sa chambre, et le Dr Pritchard.

Franklin avait une apparence cadavérique. Il semblait avoir maigri de plusieurs kilos, ses joues étaient creusées et son teint livide. Mais il dormait paisiblement.

— J'aurai les premiers résultats dans deux ou trois jours, dit le Dr Pritchard quand ils furent sortis de la chambre. Rassurez-vous, votre mari est sous sédatif et souffre aussi peu qu'il est possible. (Après une pause, il demanda :) Avez-vous des nouvelles de Paris ?

Michelle eut un geste négatif.

— Si ces tests ne donnent rien, vous pourriez peut-être en profiter pour vous rendre là-bas.

— Et le laisser seul ?

— Mrs. Jefferson, dit Sir Dennis avec douceur, votre mari reçoit les meilleurs soins. Il est très entouré. La meilleure façon de l'aider actuellement est de vous procurer son dossier médical militaire... A moins, bien sûr, qu'une autre raison vous retienne ici ?

— Non, aucune.

Michelle ne pouvait avouer au praticien l'angoisse qui la rongeait : depuis trois mois, avant même leur départ de New York, Franklin n'avait pu avoir de rapports sexuels avec elle. Elle lisait dans ses yeux son désir et, après leurs essais infructueux, toute l'humiliation qu'il ressentait. Tout d'abord, Michelle avait cru qu'il était simplement épuisé par le travail qu'il fournissait chaque jour. Puis il y avait eu l'incident avec Steven et la disparition de son mari. Elle avait toujours pensé qu'il y avait un lien entre ces deux faits.

Aussi douloureuse que soit cette constatation, Michelle fut encore plus affligée par une autre pensée : pourquoi, après le nombre de fois où ils avaient fait l'amour depuis qu'ils étaient ensemble, n'avait-elle jamais été enceinte ?

27

Lorsque Michelle arriva à Paris, il pleuvait. C'est trempée qu'elle parvint à l'hôpital du Val-de-Grâce, où on la fit patienter sur un banc inconfortable pendant plus d'une heure avant de lui annoncer que le directeur des archives était parti déjeuner. Elle se rendit donc au restaurant *Le Coq d'Or*. Là le maître d'hôtel lui apprit que M. Desmarais, qui était un habitué des lieux, déjeunait avec des amis dans un salon privé et qu'il était donc hors de question de le déranger. Michelle dut provoquer un esclandre pour voir l'archiviste. Avec un déplaisir marqué, celui-ci lui affirma qu'il avait bien répondu aux lettres dont elle lui montra les doubles et que, sans doute, son courrier s'était égaré. De toute façon, ajouta-t-il, le dossier de son mari n'était plus en sa possession puisque cette partie des archives avait été transférée à l'hôpital américain de Neuilly.

Elle s'y rendit donc et fut accueillie par le Dr Ernie Stillwater, qui sut se montrer beaucoup plus civil que M. Desmarais. Après avoir poliment écouté sa requête, il eut une moue embarrassée.

— C'est vrai, madame, ces dossiers nous ont bien été transmis. Par malchance ils ont été déplacés de nouveau pour rejoindre les archives de l'armée, à Paris. Et pour obtenir le dossier de votre mari, je crains qu'il ne vous faille une autorisation militaire. Cela pourrait prendre du temps, madame. Beaucoup de temps.

— Je ne sais pas si mon mari peut s'offrir ce luxe.

Elle lui expliqua brièvement les crises de Franklin et le besoin urgent du dossier qu'avait Sir Dennis Pritchard. Le nom du praticien parut impressionner Stillwater. Michelle saisit l'occasion.

— Docteur, y a-t-il un moyen pour que vous vous fassiez remettre ces papiers en notre nom ? Après tout, ils ont été archivés ici, et il reste encore beaucoup de militaires américains à Paris...

L'éclat qui passa dans les yeux du médecin prouva à Michelle qu'il comprenait son idée.

— Eh bien... Je pense que ce serait là une requête tout à fait recevable, oui, dit-il avec un sourire complice. Voyons, à quelle adresse pourrions-nous prétendre que vous habitiez ?

Michelle réfléchit un instant puis opta pour la première adresse qui lui vint à l'esprit : celle du *Coq d'Or*.

— Bon choix, commenta Stillwater en notant ces coordonnées. La cuisine y est excellente, bien que je trouve la clientèle exécrable.

*

Les premières analyses des prélèvements de moelle épinière et de liquide encéphalo-rachidien n'avaient donné aucune indication. Pendant la convalescence de Franklin, Michelle avait fait le projet qu'ils partent ensemble dans un climat plus agréable que le froid humide de Londres. Elle pensait au sud de l'Espagne, et Sir Dennis donna son plein accord. Mais Franklin ne voulut pas en entendre parler.

— J'ai déjà perdu trop de temps, dit-il à sa femme en lui désignant les lettres dans lesquelles ses contacts de la City lui souhaitaient un prompt rétablissement de sa « grippe ». Ils savent maintenant que j'ai quelque chose à leur proposer, et ils n'attendront pas très longtemps encore.

Malgré sa déception, Michelle abandonna l'idée d'un séjour au soleil.

L'emploi du temps de Franklin fut très vite surchargé. Ayant établi des liens professionnels avec les principaux banquiers, Franklin tourna son attention vers les représentants de la Banque d'Angleterre, arbitre suprême de la politique fiscale et monétaire du pays. A cause du secret total qui devait entourer ces travaux préparatoires, les rendez-vous eurent lieu dans les endroits les plus curieux, à des heures pour le moins inhabituelles.

Ces horaires erratiques et la tension continue qu'occasionnaient ces subterfuges accrurent encore la fatigue de Franklin. Privé du repos dont il avait un si grand besoin, il se mit à faire de fréquents cauchemars durant son sommeil. Les migraines réapparurent : cela commençait par un élancement persistant aux tempes pour finir par des éclairs de douleur qui lui vrillaient le crâne. Une nuit, la souffrance fut telle qu'il hurla durant des heures. Appelé par Michelle, Sir Dennis examina rapidement son patient avant de lui faire une injection de morphine. Le lendemain il donnait à Michelle une trousse contenant plusieurs seringues prêtes à l'emploi.

Chaque attaque dévorait un peu plus des forces vives de Franklin, et il lui fallait toujours plus de temps pour se remettre. Durant le printemps, Michelle se vit forcée d'assumer plusieurs rôles. Elle continua d'organiser leur vie sociale tout en réduisant au maximum leurs engagements; dans le même temps elle réendossa son uniforme d'infirmière pour s'occuper de son mari; elle dut aussi prendre une part plus importante dans la préparation des rendez-vous de Franklin avec les différents banquiers. A la veille de l'été, Michelle connaissait aussi bien les méandres du milieu financier britannique que lui.

Mais après quelques semaines, elle aussi commença à ressentir les effets d'une telle tension. Elle priait pour avoir une réponse positive du Dr Ernie Stillwater, mais le télégramme qu'il lui adressait chaque semaine était toujours le même : aucun résultat à sa demande pour l'instant. Ce fut pourtant Franklin et non elle qui aborda le sujet :

— Je ne sais pas combien de temps encore je pourrai travailler de façon efficace, lui dit-il un jour. Je sais que l'idée de prévenir Rose ne t'enchante pas, et je partage ta position. Mais je ne pense pas que nous ayons le choix. La situation devient critique, il faut bien l'admettre. Si j'échoue dans mes négociations, tout le travail accompli par Rose depuis des mois sera anéanti.

Tout le travail accompli par toi, corrigea Michelle mentalement.

Elle était déchirée entre le désir de soulager Franklin, ce que Rose pouvait certainement arranger, et la volonté de garder leur vie aussi loin que possible de l'influence de Talbot House. Le dilemme qu'elle affrontait devait se lire sur son visage car Franklin lui prit la main avec un sourire.

— Pourquoi ne pas accorder encore un peu de temps à Pritchard ? suggéra-t-il. Après tous ces tests, il arrivera bien à un résultat...

Michelle embrassa son mari et se serra contre lui.

— D'accord, dit-elle.

*

Pour Rose, le printemps de cette année 1920 avait été l'une des périodes les plus productives de son existence. Le mandat Global était une réussite nationale qui s'affirmait chaque jour un peu plus. En revanche, elle s'inquiétait beaucoup des progrès trop lents à son goût de son frère. Certes elle n'ignorait pas qu'il lui fallait du temps pour contacter les personnes nécessaires à la bonne marche de son plan, mais après quelques mois elle avait commencé à se poser des questions sur l'évolution de la situation outre-Atlantique. Si Franklin se montrait trop timoré, il risquait de manquer la conjoncture parfaite pour le lancement des chèques de voyage.

Elle fut réellement alarmée lorsque William Harris vint la trouver. Il lui apprit que son confrère londonien ne cessait de lui réclamer le dossier médical militaire de Franklin. Rose reprit tous les courriers de son frère et les relut d'un œil neuf. Mais rien dans le ton positif des lettres ne laissait supposer une reprise des crises dont il avait souffert avant son départ.

Peut-être ne me dit-il pas tout... Ou plutôt peut-être quelqu'un l'a-t-il persuadé de ne pas tout me dire...

La deuxième hypothèse lui parut immédiatement plus plausible, et le nom de la personne qui dictait cette attitude à son frère était évident : Michelle.

Rose ne pouvait laisser un projet aussi important courir à la catastrophe sans intervenir. Mais elle était bloquée aux États-Unis. Si les mandats Global étaient sur la bonne voie, il fallait encore quelques mois avant qu'ils soient solidement implantés sur tout le territoire. Certaines banques n'attendaient que le premier signe de faiblesse pour lancer leurs propres mandats. Jusqu'alors elles s'en étaient gardées à cause de l'avance prise par Rose. Mais si Global ne s'implantait pas fermement sur le marché, la concurrence n'hésiterait pas longtemps. Or il fallait encore quelques mois pour consolider ce succès, et dans une telle période Rose ne pouvait envisager de s'absenter. Quant aux personnes de confiance qui avaient la stature nécessaire pour la représenter en Angleterre, elle en eut vite dressé la liste. Hugh O'Neill et Eric Gollant étaient déjà surchargés de tâches qu'ils connaissaient parfaitement. Restait donc Harry.

Mais son amant était-il prêt à endosser une telle responsabilité ? Plus important encore, pouvait-elle lui faire entière confiance pour une opération aussi délicate que les chèques de voyage ? Elle résolut d'adopter une solution médiane et de l'envoyer en Angleterre sans lui expliquer totalement le rôle qu'il endosserait auprès de Franklin.

Lorsqu'elle lui révéla – en partie – son projet de chèques de voyage, Harry Taylor fut ébahi de l'audace et de l'intelligence d'un tel plan. Rose lui précisa qu'elle l'envoyait maintenant en Angleterre afin qu'il se familiarise avec le pays. Dans un premier temps il aiderait Franklin et, quand celui-ci aurait eu l'accord des grands établissements bancaires, il mettrait sur pied une force de vente qui devrait frapper partout dès la phase active déclenchée. Mais elle ne fit aucune allusion aux malaises de son frère, auquel elle écrivit par ailleurs une lettre pour le prévenir de l'arrivée de Taylor. Elle regrettait de mentir ainsi à Franklin, mais elle était convaincue qu'elle n'avait pas d'autre choix.

28

La seule personne à l'avoir renseigné sur Michelle ayant été Rose, Harry s'attendait à être accueilli à Berkeley Square par une mégère française, laquelle s'acquitterait de ses devoirs d'hôtesse avant de partir se coucher, laissant avec tact Franklin et lui discuter de leurs affaires. La réalité qu'il découvrit le surprit d'autant plus.

Après avoir été introduit dans le salon par un domestique discret, il se présenta à la maîtresse de maison. Loin de la caricature qu'il s'en était faite, Michelle Jefferson lui apparut comme une jeune femme d'une éclatante beauté, moulée dans un fourreau de soie rose de Callot. Sa crinière rousse cascadait sur ses épaules et ses yeux captaient la lumière des appliques. Harry fut tellement abasourdi qu'il en resta muet tandis que Michelle le présentait à son mari et aux autres invités du soir. Une jeune Anglaise blonde retint également son attention. Elle lui sourit et lui adressa un clin d'œil malicieux. Il songea que, s'il se trouvait placé à côté de Lady Patricia Farmington lors du dîner, cela constituerait un très bon présage pour son séjour à Londres.

Durant tout le repas, Michelle observa Harry Taylor. Il paraissait d'un abord plaisant et amusait ses voisins avec des anecdotes et des traits d'humour. Et sans le savoir il leur avait évité d'avoir à prévenir Rose des problèmes de santé de Franklin. Pourtant la jeune femme sentait chez l'envoyé de Global quelque chose qu'elle ne parvenait pas à définir et qui la rendait méfiante.

Quand la lettre de Rose les informant de l'arrivée de Harry leur était parvenue, Michelle avait aussitôt eu des soupçons.

– Je ne comprends pas, avait-elle confié à Franklin. Cet homme est son amant, et il est aussi, d'après Rose, un génie de la vente et du marketing. Si la moitié de ce qu'elle prétend sur son compte est vrai, pourquoi ne lui dit-elle rien de l'opération en cours avec les banques anglaises ? Tôt ou tard il faudra bien qu'il soit mis au courant. Et alors il t'accusera ainsi que Rose de lui avoir caché une partie de la vérité.

– Cela ne me plaît pas non plus, lui avait répondu son mari. Mais c'est ainsi que travaille Rose. Elle doit avoir de bonnes raisons. Quelles qu'elles soient et que nous les approuvions ou non, j'ai de quoi occuper Taylor sans qu'il se doute de rien. Lorsque le jour viendra de lui dire la vérité, ce sera à Rose de le faire. D'ici là, nous en aurons fini avec Global.

Néanmoins le subterfuge de Rose ne plaisait pas à Michelle. Après le départ des autres invités, elle resta à écouter Harry parler de la politique commerciale de l'entreprise. Il paraissait capable et prêt à suivre les conseils de Franklin. D'autre part, Michelle avait remarqué l'attention qu'il avait portée à Lady Patricia durant toute la soirée. Peut-être Rose s'était-elle lassée de son amant, ce qui pouvait expliquer qu'elle l'ait nommé ici afin de l'écarter.

Mais la situation déplaisait fort à Michelle. Franklin était sur le point d'emporter l'accord des banquiers anglais, et il lui fallait éviter toute complication. Elle décida que le séduisant Mr. Taylor méritait d'être étroitement surveillé.

*

Grâce aux fonds alloués par Rose et à l'entregent de Lady Patricia, Harry trouva un magnifique appartement dans Belgravia. Une fois installé, il devint un visiteur régulier de Berkeley Square. Franklin était d'un caractère facile et Harry s'entendait bien avec lui. Pourtant il ne tarda pas à noter certaines anomalies. La première était la présence constante de Michelle lors de leurs discussions. Elle semblait en savoir autant que son mari sur le projet des chèques de voyage. Connaissant l'antipathie marquée de Rose pour sa belle-sœur, Harry se demandait si elle savait le rôle que jouait Michelle dans les affaires de Global.

Et puis la Française exerçait sur son mari une surveillance discrète mais de tous les instants. Si leurs discussions tendaient à s'étirer tard dans la soirée, elle trouvait toujours un prétexte pour y mettre fin. De même Harry se rendit compte que Franklin commençait rarement sa journée avant dix heures du matin. Dans les cocktails et les soirées, les Jefferson étaient toujours dans les premiers partis.

Enfin et surtout, Harry n'aimait pas du tout les réticences de Franklin à le présenter aux autres banquiers américains. Chaque fois qu'il abordait ce sujet, Franklin lui répondait qu'ils auraient bien le temps de s'en occuper plus tard, mais de façon tellement évasive que Harry sentait qu'il lui cachait quelque chose.

Malgré ces quelques interrogations, Harry appréciait la compagnie du couple. Bientôt les Jefferson, Harry Taylor et Lady Patricia Farmington devinrent un quatuor connu du Tout-Londres.

Traditionnellement, la fête donnée à l'ambassade américaine pour le 4-Juillet était l'un des événements majeurs de l'été. Cette célébration de l'Independence Day donnait l'occasion au corps diplomatique d'honorer leurs hôtes britanniques et à tous les expatriés de se rassembler. Puisque tous les banquiers anglais avec qui négociait Franklin seraient présents, il décida en accord avec Michelle que ce jour était tout indiqué pour dévoiler le projet des chèques de voyage. L'ambassadeur, qui savait que beaucoup de négociations secrètes avaient lieu pendant la commémoration, ne fit aucune difficulté pour réserver la salle de conférence à Franklin.

Alors que la date de la fête approchait, Michelle remarqua l'inquiétude croissante de son mari. Il devenait également plus irritable et, bien qu'il dormît de longues heures chaque nuit, sa faculté de concentration diminua de façon alarmante. Pourtant il continuait de se dire prêt.

– Nous n'aurons jamais une meilleure occasion.

Le 4 juillet, le soleil était au rendez-vous. Les *ladies* en robes élégantes paradaient sous les parasols blancs dans les jardins de l'ambassade, tandis que les hommes en habits d'été sirotaient mint julep et thé glacé en devisant. Le buffet fut servi assez tôt sous de grands dais de toile, afin que les invités puissent ensuite profiter pleinement du feu d'artifice.

Michelle resta auprès de Franklin et constata avec plaisir qu'il semblait détendu et qu'il appréciait les réjouissances. Bientôt il aurait terminé son travail et ils pourraient enfin laisser Global derrière eux.

Juste avant que le feu d'artifice ne commence, Michelle et Patricia se retrouvèrent aux toilettes pour dames.

– Vous et Harry vous êtes beaucoup fréquentés ces derniers temps, dit Michelle d'un ton dégagé.

A la roseur qui envahit les joues de son amie, elle devina que les rumeurs d'une liaison entre Harry et elle n'étaient peut-être pas sans fondement.

– Il est terriblement adorable, dit Patricia, sur la défensive.

– Et Christophe ?

Patricia eut un haussement d'épaules plein de coquetterie.

– Vous n'aimez pas Harry ? Franklin semble pourtant avoir une très bonne opinion de lui.

Michelle sourit à son amie avec gentillesse.

Dans un coin du jardin Franklin et Harry déambulaient en discutant paisiblement. Ils arrivèrent sur l'esplanade dallée où les Gianelli, la célèbre famille de pyrotechniciens, mettaient la dernière main au feu d'artifice.

– Exactement comme là-bas, fit Harry d'un ton rêveur en approchant des chandelles romaines.

Le crépuscule alourdissait les ombres. Harry tenta d'orienter la conversation sur les chèques de voyage, mais Franklin ne le suivit pas sur ce terrain.

– Je n'en parle pas en dehors du bureau, souvenez-vous, dit-il d'un ton un peu sec.

Harry cacha sa déception en s'intéressant aux fusées disposées tout autour d'eux. Il se baissa un instant pour examiner leur système de mise à feu. En se relevant, il sortit de sa poche un étui à cigares et en offrit un à Franklin.

Il craqua une allumette pour allumer les havanes.

– *Signore !* S'il vous plaît ! Pas de feu ! *Signore !*

Les deux hommes se retournèrent et virent l'un des frères Gianelli qui accourait en agitant les bras.

– De quoi parle-t-il ? maugréa Taylor.

Au même moment la brise coucha la flamme sur l'allumette, brûlant ses doigts.

– Non, *signore !*

Harry jeta l'allumette au loin d'un geste réflexe. Encore incandescente, elle tomba très exactement sur la mèche principale qui commandait la mise à feu des trois quarts des fusées.

Avec une explosion sèche une chandelle romaine partit la première. La poudre détona et elle passa à moins d'un mètre des deux hommes dans une lueur éblouissante. Puis le ciel s'embrasa. Franklin roula au sol. Des fusées jonchaient encore l'esplanade à côté de leur socle, et elles fusèrent vers les bosquets en rase-mottes, tourbillonnant et se désintégrant contre le tronc des arbres avec des sifflements suraigus.

Quand Franklin releva la tête, il ne vit qu'un mur de flammes. Il ne vit pas les frères Gianelli qui tentaient frénétiquement de couper les mèches encore intactes, mais des soldats allemands qui chargeaient leurs pièces d'artillerie.

Il se mit à ramper vers le bord de l'esplanade. Ses doigts rencontrèrent un objet qu'il saisit. Serrant le manche du marteau dans son poing, il bondit sur ses pieds et se rua sur l'ennemi.

De l'autre côté du jardin, les invités contemplaient le feu d'artifice avec des cris d'admiration. Michelle vit l'ambassadeur froncer les sourcils et consulter sa montre. D'après le programme de la soirée, le feu d'artifice ne devait pas commencer avant encore vingt bonnes minutes. De plus les fusées paraissaient exploser sans ordre esthétique, même si la foule des invités ne semblait pas s'en rendre compte et savourait son plaisir. Soudain inquiète, Michelle regarda autour d'elle, mais Franklin n'était visible nulle part, pas plus que Harry d'ailleurs. Elle se glissa à travers les buissons pour rejoindre plus vite l'allée qui menait à l'esplanade et se mit à courir, le cœur serré par une brusque angoisse.

Comment as-tu pu être aussi inconsciente? Un feu d'artifice!

Elle parvint à l'esplanade où flottait un brouillard de fumée blanchâtre. L'odeur de poudre était presque insupportable, et un picotement irrésistible la fit pleurer. Malgré ses larmes et la fumée, elle distingua les frères Gianelli qui versaient des seaux d'eau sur les restes enflammés des fusées et la végétation brûlée. Et plus loin, une forme agenouillée, immobile, la tête rejetée en arrière. Franklin.

Elle se précipita jusqu'à lui.

— Je les ai arrêtés, grogna-t-il. Ils étaient des centaines mais je les ai tous tués...

Il laissa tomber le marteau et s'écroula, secoué de sanglots convulsifs. Des volutes de fumée émergea Harry, le visage noirci comme celui de Franklin, et les yeux écarquillés.

— Que s'est-il passé? interrogea-t-elle.

— Un accident stupide, fit-il d'une voix tremblante. Les fusées sont parties alors que nous étions en plein milieu. Et Franklin est devenu comme fou.

— Aidez-moi à le relever!

— Il faut appeler un médecin!

— Plus tard.

Soutenant Franklin tant bien que mal, ils rejoignirent le parking où attendait leur chauffeur. A trois ils installèrent Franklin sur la banquette arrière de la limousine.

— Nous serons bientôt à la maison, mon chéri, lui murmurat-elle. Tout ira bien.

Franklin serra sa main dans la sienne.

— Il faut... que je retourne là-bas... (Il ferma les yeux quand la douleur lui transperça le crâne.) Je dois faire quelque chose... Peux pas me souvenir... Peux pas...

Michelle se rendit compte que la portière était toujours ouverte et que Harry entendait tout.

— Retournez à l'ambassade et appelez Sir Dennis Pritchard, ditelle en griffonnant deux séries de chiffres sur un morceau de papier. Voici le numéro de son domicile et celui du Grosvenor Hospital. Dites-lui ce qui s'est passé et demandez-lui de nous rejoindre à Berkeley Square.

— Et si quelqu'un me pose des questions ? Que dois-je dire ?

Elle lui lança un regard impérieux.

— Et pourquoi pas la vérité ? Il y a eu un accident, Franklin est en état de choc et nous le ramenons à la maison.

Michelle claqua la portière et entoura Franklin de ses deux bras, essayant de décider ce qu'elle devait faire. Son instinct la pressait de conduire son mari chez eux, où il serait en sécurité. Puis elle se souvint des banquiers.

Tout le travail qu'il a fourni devait aboutir ce soir...

Elle baissa les yeux sur le visage cireux de son mari. Sa peau était devenue froide et moite, et il respirait par à-coups.

On frappa à la vitre.

— Pritchard est en route, annonça Harry, essoufflé. Avec une infirmière. Et l'ambassadeur désire savoir si Franklin va bien.

A présent je dois prendre une décision, songea Michelle. *Je peux ramener Franklin à Berkeley Square, mais alors tout son travail n'aura servi à rien, et Rose demandera des explications. Notre vie deviendra un enfer. Ou je peux prendre la place de Franklin... Décide-toi, Michelle !*

Michelle sortit de la limousine et se tint très près de Taylor.

— Je veux que vous le raccompagniez à Berkeley Square, ditelle à voix basse. Décrivez très exactement à Pritchard ce qui s'est passé et restez auprès de Franklin jusqu'à mon retour.

— Vous ne venez pas avec lui ?

— Je n'ai pas le temps de vous expliquer maintenant. Je vous rejoindrai dès que possible.

Elle prit la sacoche de Franklin sur la banquette, donna des instructions au chauffeur et se hâta vers l'ambassade. Quelques personnes étaient arrivées au bord de l'esplanade, et le père Gianelli pestait en italien devant un chef du protocole imperturbable. Michelle les évita soigneusement et pénétra dans l'ambassade. Elle sonna le secrétaire du diplomate qui la conduisit aussitôt dans son bureau.

214

– Heureux de savoir que votre mari n'a rien de grave, dit l'ambassadeur. Un peu choqué, m'a dit votre ami.

Michelle lui décocha son sourire le plus rassurant.

– Je crois que Franklin et Mr. Taylor se trouvaient un peu trop près des fusées pour leur confort. Ils sont rentrés se changer.

– Alors votre mari n'assistera pas à la petite réunion qu'il avait arrangée ?

– Non, monsieur l'ambassadeur. Mais je prendrai sa place.

Le diplomate ne cacha pas son étonnement.

– Vous me pardonnerez de vous le demander, madame, mais êtes-vous bien certaine de vouloir le remplacer ?

– Tout à fait certaine.

– Alors ces messieurs attendent dans la salle de conférence.

Michelle ignora son ton quelque peu condescendant et le suivit dans le couloir. Il était de toute façon trop tard pour reculer. L'ambassadeur ouvrit la double porte et annonça :

– Messieurs, Mrs. Franklin Jefferson.

Leurs réactions allèrent de l'incrédulité à un amusement ironique, et malgré leurs salutations affables elle perçut l'aura de puissance qui les nimbait. Ces hommes étaient les créateurs d'empires financiers, et ils connaissaient leur poids. Elle n'était rien.

Ils ont mangé à ma table, se dit Michelle en pestant intérieurement contre son impressionnabilité, *ils m'écouteront !*

L'ambassadeur fit les présentations puis sortit. Pendant quelques secondes, un silence total régna dans la salle.

– Eh bien, Mrs. Jefferson, dit Sir Manfred Smith, le représentant de Barclays, nous espérons tous que Mr. Jefferson n'a rien.

– Il se porte parfaitement bien, Sir Manfred.

– Et vous êtes habilitée à parler en son nom ?

– Oui.

Sir Manfred consulta ses confrères du regard. Si des signes furent échangés, Michelle ne les saisit pas.

– Très bien, Mrs. Jefferson. Vous avez toute notre attention.

*

Harry Taylor n'avait encore jamais éprouvé une telle peur. En fait, il était au bord de la panique. Franklin Jefferson était pelotonné contre la portière et tremblait de façon incontrôlable, en gémissant sans cesse comme un animal blessé. Il pressait ses tempes de ses poings crispés, en proie à une souffrance terrible. Harry ne savait que faire, et il aurait aimé que le chauffeur accélère encore.

Après ce qui lui parut une éternité, la limousine atteignit Berkeley Square. Harry fut soulagé de voir une femme en blouse blanche accourir, suivie d'un homme à la prestance certaine qui se présenta comme étant Sir Dennis Pritchard. Harry les regarda emmener Franklin à l'intérieur, puis il les suivit d'un pas lent.

Dans la bibliothèque il se servit une large dose de whisky et attendit que ses nerfs se calment. Même alors il ne pouvait empêcher son esprit de s'enfiévrer. Il venait d'avoir la preuve que Franklin Jefferson était malade. Très malade. Mais qui d'autre était au courant de son état ? Michelle, bien sûr. Et son médecin. En dehors d'eux, personne certainement. Harry n'avait jamais entendu la moindre allusion à une telle perte de contrôle de la part de Franklin. Pas même dans la bouche de Rose...

Cette constatation le stupéfia. A présent certains faits prenaient tout leur sens : l'attention permanente de Michelle pour son mari, le rôle prépondérant de la jeune femme dans ses affaires... Mais à New York, Rose ne lui avait jamais suggéré que son frère pouvait être malade et que c'était là une des raisons de sa mission à Londres.

Parce qu'elle n'a pas voulu me le dire ? Ou parce qu'elle ne le sait pas ?

Un mystère presque palpable planait sur la maison Jefferson, et Harry saisit l'occasion qui lui était offerte. Tout le monde étant au premier, au chevet de Franklin, il se glissa dans le bureau de celui-ci. Il doutait d'y trouver quelque indice qui le renseignerait sur le mal dont souffrait Franklin, mais ce n'était pas ce qu'il recherchait pour l'instant. Il voulait savoir pourquoi Michelle, l'épouse loyale et attentionnée, n'avait pas raccompagné son mari. Seule une raison de première importance pouvait motiver ce comportement. Une raison en rapport avec le projet des chèques de voyage ?

Il commença par l'endroit le plus logique : le bureau de Franklin. Sachant qu'il pouvait être découvert à tout moment, il fouilla rapidement les tiroirs ouverts avant de concentrer toute son attention sur celui du bas, le seul fermé à clé. Harry sortit de sa poche son coupe-ongles et ouvrit la lame miniature. Comme il s'y attendait, la serrure était plus décorative qu'utilitaire, et elle céda presque immédiatement. Il prit l'épais dossier à couverture de cuir et l'ouvrit. En reconnaissant aussitôt l'écriture précise de Rose, il sut qu'il avait eu la main heureuse.

Ainsi donc elle m'a menti en m'envoyant ici... Les banques américaines n'ont rien à voir avec les chèques de voyage. C'est l'agrément des banques anglaises qu'elle convoite...

A mesure qu'il lisait, son admiration pour Rose grandissait, ainsi que sa colère. Rose l'avait berné depuis la première minute. Michelle et Franklin s'étaient contentés de conforter le mensonge.

L'esprit de Harry travaillait furieusement. La seule raison pour laquelle Michelle était restée à l'ambassade ne pouvait être qu'une entrevue avec les banquiers anglais. Il était maintenant persuadé que Rose ne soupçonnait pas l'état de Franklin ni le rôle de sa belle-sœur dans une opération aussi cruciale pour Global. En une seconde, la possibilité d'utiliser tous ces éléments lui apparut clairement. Il lui faudrait non seulement choisir la stratégie la plus avantageuse pour se rendre indispensable à Rose, mais aussi le faire d'une telle façon que, lorsque le château de cartes s'écroulerait, nul ne puisse soupçonner son rôle.

Tout en poursuivant sa lecture, Harry échafaudait déjà des plans. Ce furent les propres phrases de Rose qui lui donnèrent la solution.

— Mr. Taylor?

Harry était tellement absorbé par ses réflexions qu'il n'avait pas entendu la porte s'ouvrir. Le cœur battant mais la tête toujours penchée, adoptant instantanément une expression sombre et inquiète, il se tourna vers l'arrivant.

— Oui?

— Je voulais simplement vous prévenir que je retournais au Grosvenor Hospital, dit Sir Dennis Pritchard. Si vous pouvez dire à Mrs. Jefferson de m'y appeler dès son arrivée ici...

— Bien sûr, docteur. Comment va Franklin?

— Il s'est endormi. Mon infirmière restera à son chevet pour la nuit.

Harry perçut d'autres mouvements dans l'escalier et le hall d'entrée. Le dossier lui brûlait les doigts. Si seulement il avait pu l'emporter... Dans son état, Franklin n'aurait peut-être pas remarqué l'absence du document pendant un jour ou deux, mais il y avait Michelle. Conscient du regard que posait sur lui le chirurgien, Harry referma le dossier d'un geste las et le replaça dans le tiroir qu'il repoussa.

— Y a-t-il quelque chose que je puisse faire pour Franklin? demanda-t-il en raccompagnant le médecin à la porte d'entrée.

— Je pense que vous avez déjà fait beaucoup pour lui, répondit Pritchard en scrutant son visage avec insistance. Vous n'êtes pas blessé, n'est-ce pas?

— Non. Rien que de la poussière et de la poudre.

— Lavez-vous sans tarder. Une coupure pourrait s'infecter.

Dès que Sir Dennis fut parti, un domestique conduisit Harry à l'une des chambres d'hôtes. Il fit une toilette rapide puis alla jusqu'aux appartements des maîtres de maison. Il lui restait quelque chose à tenter.

L'infirmière assise sur le bord du lit où reposait Franklin était une jeune femme au corps épais et au visage sans grâce. Harry ne fut pas surpris de ne pas voir d'alliance à son doigt. Il savait combien ce genre de femme pouvait être sensible à un peu de gentillesse.

— Il va bien? s'enquit-il à voix basse, après avoir tambouriné doucement à la porte ouverte.

– Mon Dieu, oui... Vous devez être Mr...

– Taylor. Mais je vous en prie, appelez-moi Harry. C'est terrible, ce qui lui arrive.

– Vous êtes au courant, alors ?

Il acquiesça gravement.

– Oui, c'est horrible, reprit l'infirmière. Nous avons tout essayé pour l'aider.

– J'aimerais tant pouvoir l'aider, moi aussi, dit-il en la regardant dans les yeux. Vous comprenez, au cas où il lui arriverait ce genre de chose quand je suis seul avec lui. Peut-être pourriez-vous me dire ce que je dois faire ?

– C'est très gentil de votre part, approuva la jeune femme sans aucune méfiance. Vous devez être un très bon ami à lui, n'est-ce pas ? Oh, inutile de parler aussi bas, il ne se réveillera pas : la morphine a déjà fait son effet.

La morphine !

Harry s'approcha. Il était impatient d'apprendre la suite.

29

Michelle termina sa présentation, referma le dossier préparé par Franklin et reprit son souffle.

– Des questions, messieurs ?

Les banquiers restèrent silencieux. De nouveau ce fut Sir Manfred qui vint à son secours.

– Auriez-vous la bonté de nous excuser quelques instants, Mrs. Jefferson, afin que nous puissions discuter de votre proposition entre nous ?

Michelle se sentit rougir, mais c'est d'une voix calme qu'elle répondit :

– Bien sûr.

Elle fit une sortie aussi digne qu'elle en était capable. Une fois dans le couloir, elle s'adossa quelques secondes contre le mur et se détendit enfin. C'était fini. Elle avait fait de son mieux, le reste échappait à son pouvoir. Elle se hâta dans l'ambassade pour trouver un téléphone.

Ce fut Hastings, le domestique, qui lui répondit. Il lui assura que Mr. Jefferson était bien arrivé et que Sir Dennis Pritchard était venu puis reparti. Michelle parla brièvement à l'infirmière et lui promit de rentrer dès que possible.

Alors qu'elle revenait vers la salle de conférence, elle eut la surprise de voir que les portes en étaient ouvertes et que les banquiers s'éparpillaient déjà. Sir Manfred vint à sa rencontre.

– Nous avons été très impressionnés par votre présentation du projet. Permettez-moi de vous complimenter pour la grâce que vous avez su insuffler à ce sujet aride, étant donné les circonstances.

Le cœur de Michelle bondit dans sa poitrine.

— Vous avez pris votre décision, alors?

Sir Manfred sourit poliment.

— Nous allons étudier votre proposition et nous vous donnerons notre réponse dans les plus brefs délais... (En voyant la déception envahir le visage de la jeune femme, il ajouta :) Personnellement, je ne doute pas que les chèques de voyage soient un produit qui intéresse autant Barclays que Global.

— Merci, Sir Manfred, répondit-elle avec gratitude. Mon mari sera heureux de l'apprendre.

Elle prit congé de l'ambassadeur et quitta la réception. A Berkeley Square, elle monta directement voir Franklin. Il dormait d'un sommeil calme et l'infirmière lui affirma que tout allait bien. Rassurée, Michelle redescendit et trouva Harry dans la bibliothèque.

— Vous devez être exténué, lui dit-elle.

— Je suis heureux d'avoir pu rendre service, fit-il en se levant de son fauteuil.

— Merci pour tout, Harry. Vous devriez aller vous reposer... (Après une hésitation, elle poursuivit :) Et, je vous en prie, ne dites rien de ce qui est arrivé à Franklin. Il ne s'est pas senti très bien ces derniers temps, mais nous préférerions que cela ne s'ébruite pas.

Il leva une main dans un geste rassurant et sourit.

— Je comprends, Michelle.

Il sortit d'un pas alerte, la conscience tranquille : il ne trahirait rien de la conduite de Franklin, du moins pour le moment. Mais il y avait d'autres domaines où il pouvait d'ores et déjà agir. Son plan était certes dangereux, mais s'il fonctionnait Michelle et Franklin seraient écartés de Global. Rose s'en chargerait. Ensuite, elle ne pourrait qu'appeler la seule personne capable de les remplacer : lui.

*

Le lendemain matin Harry s'attela à la rédaction de la lettre. Elle nécessita plusieurs brouillons avant qu'il s'en estime satisfait. Les termes employés traduisaient exactement ce qu'il voulait dire. Après l'avoir signée et cachetée, il la porta lui-même jusqu'à son destinataire. Puis il rentra chez lui et attendit. Il déçut sans doute Lady Patricia en annulant leur souper, mais sa patience fut récompensée. A une heure du matin, le téléphone sonna et une voix posée lui donna des instructions.

*

A la lumière de l'unique lampe brûlant dans son bureau, Sir Thomas Ballantine paraissait tout à fait ses soixante-quinze ans. Son crâne était parsemé de taches de sénescence que ses cheveux blancs raréfiés ne pouvaient cacher. Parcourues de veines bleuâtres sous une peau translucide, ses mains étaient déformées par l'arthrite. Elles serraient la missive de Harry Taylor quand celui-ci entra dans la pièce.

— Votre lettre m'a intrigué, dit-il d'une voix grinçante. Elle suggère beaucoup mais explique peu...

— C'est bien pourquoi je savais que vous voudriez me voir, répliqua Harry.

Sir Thomas Ballantine expira lentement dans un long sifflement. Il détestait l'impertinence, en particulier venant d'un étranger qu'il avait admis chez lui, l'endroit le plus protégé d'un univers très protégé. Pourtant ce qu'était Harry Taylor et surtout ce qu'il pouvait peut-être offrir méritaient sans doute un peu de patience. Sir Thomas avait lu sa lettre plusieurs fois :

« Bien que nous n'ayons pas eu le plaisir de nous rencontrer, il serait dans votre intérêt et dans celui de la compagnie dont vous êtes le président de prêter quelque attention à ce que j'ai à vous dire... »

Taylor poursuivait en rappelant le succès des mandats Global aux États-Unis. Rose Jefferson n'avait pas l'intention de s'en tenir là, disait-il, car elle avait le projet de lancer sa compagnie à l'assaut du marché international. Il concluait en affirmant avoir en sa possession des renseignements de grande valeur concernant ces plans, et il demandait une entrevue au président de Cooks.

Sir Thomas savait par ses services de renseignements que son visiteur avait eu quelques difficultés avec sa patronne, dont il était — ou avait été — l'amant. Ces situations sentimentales engendraient souvent des blessures profondes et le désir de se venger et il était possible que ce fût le cas ici.

— Vous sous-entendez que Rose Jefferson s'apprêterait à entrer en compétition avec Cooks, fit-il de sa voix éraillée. Vous avez une preuve ?

— La nuit dernière, dit Harry en croisant ses jambes, lors de la commémoration du 4-Juillet à l'ambassade des États-Unis, Franklin Jefferson devait avoir un entretien très... discret avec les directeurs de Barclays et d'autres banques de la City. Qu'en déduisez-vous ?

— Que devrais-je en déduire ? rétorqua Sir Thomas avec humeur.

— Que Jefferson voulait annoncer à la Barclays et aux autres que Global était disposé à s'implanter en Grande-Bretagne et dans toute l'Europe. L'entrevue était si cruciale que, lorsque Jefferson a été légèrement blessé par le feu d'artifice, sa femme a repris le flambeau des négociations...

A présent Sir Thomas Ballantine était réellement intéressé. En vue de cette réunion, il avait fallu que Franklin Jefferson contacte et persuade les banquiers un à un. Or le président de Cooks n'avait eu aucun écho de ces rencontres au sommet.

— Et pourquoi courtise-t-il ainsi les banques ? s'enquit Sir Thomas dans la pénombre.

— Et pourquoi Rose Jefferson a-t-elle contacté la First National, la Bankers Fidelity et d'autres géants américains ? fit Harry. Parce qu'elle voulait être sûre qu'ils accepteraient et qu'ils vendraient les mandats Global.

Mais le directeur de Cooks restait encore sceptique.

— Vous voulez dire qu'elle compte implanter son système de mandat en Europe ? Ici, en Angleterre, nous avons des lois très strictes s'appliquant aux devises étrangères. Un mandat en dollars serait sans valeur. Personne ne lui en donnerait un shilling.

— Qui a dit qu'il s'agissait de dollars ? Ou qu'il s'agissait de mandats Global ? Je suis à peu près persuadé que la Banque d'Angleterre est disposée à accepter si elle ne l'a déjà fait oralement. Et si vous ajoutez les autres grandes banques londoniennes...

— Parlez-moi de ces chèques de voyage.

Harry lui rapporta presque mot pour mot ce qu'il avait lu dans le projet de Rose. Malgré son impassibilité de façade, Sir Thomas était très attentif à ses propos. Si les grandes banques anglaises acceptaient les chèques de voyage parce qu'ils garantissaient un profit, les établissements plus petits ne tarderaient pas à les imiter, puis les hôtels et les transporteurs maritimes et ferroviaires, c'est-à-dire le cœur même de Cooks Tours. Au lieu de payer Cooks pour la totalité de son voyage, un touriste serait libre d'aller où il le désirait en signant simplement des chèques de voyage ici et là en paiement de ses trajets et de ses divers frais de séjour.

— Je suppose que vous avez des preuves tangibles pour appuyer vos dires ? grinça Sir Thomas.

Harry Taylor savait que c'était le moment le plus délicat de l'entretien. Il expliqua posément la situation au vieil homme, ajoutant qu'il préférait ne pas courir le risque de se faire démasquer en subtilisant le dossier de Rose.

Sir Thomas le crut, parce que son récit était plausible mais surtout parce qu'en venant ici Taylor s'était placé à sa merci. A présent Taylor n'avait pas besoin d'être pris la main dans le sac pour être radié du personnel de Global ou jeté en prison. Il suffisait à Sir Thomas d'envoyer un câble à New York pour régler le sort de son visiteur. Ce qui impliquait l'évidente question :

— En admettant que tout ce que vous venez de dire soit vrai, qu'espérez-vous tirer de ces révélations, Mr. Taylor ?

— Deux choses, répondit Harry avec calme. Tout d'abord, si je peux démontrer que Frankin Jefferson est incompétent, je deviens son successeur pour Global en Europe. En second lieu, si les choses ne tournaient pas à mon avantage, je désire disposer d'une alternative valable. Dans cette hypothèse, je ne demanderais pas d'argent si je venais vous revoir, Sir Thomas, mais simplement que vous vous souveniez du service que je vous rends si je me représente un jour devant vous.

Dans la pénombre de la pièce, Sir Thomas Ballantine n'eut aucune difficulté à masquer sa surprise. A tout le moins il s'était attendu à ce que Taylor exige un compte en banque bien rempli en Suisse.

Vous êtes très intelligent, Mr. Taylor, mais vous n'êtes pas assez dur. Il vous reste encore beaucoup à apprendre...

— Très bien. Vos conditions me semblent acceptables. Je vais enquêter sur les éléments que vous m'avez donnés. Vous serez averti de ma décision très bientôt.

Harry avait du mal à croire qu'il avait atteint son but. Assis dans la pièce mal éclairée, il se demandait ce qu'il pouvait encore ajouter.

— Autre chose, Mr. Taylor ?

— Non...

Oh si, Mr. Taylor, songea Sir Thomas en sonnant son secrétaire de nuit. *Vous commencez tout juste à ressentir ce que c'est que d'être un Pilate. Essayez de vous y accoutumer, Mr. Taylor. Jamais vous ne vous en déferez. Vous n'êtes pas assez dur pour cela...*

*

Franklin ne recouvra pas de forces suffisantes pour quitter le lit avant le lendemain à la mi-journée. Michelle remercia l'infirmière pour sa présence attentive et aida son mari à sortir dans le jardin.

— Quelles aberrations ai-je encore commises hier soir ? s'enquit-il, morose.

Sa voix était encore pâteuse à cause de la morphine, et sa pâleur n'était qu'un des signes de son extrême fatigue.

— Personne n'a rien vu, lui affirma Michelle avant de lui raconter ce qui s'était passé et la vitesse avec laquelle Harry l'avait ramené chez eux. Dieu merci, Sir Dennis est arrivé très vite... Je me sens tellement coupable de t'avoir laissé ainsi...

Franklin lui prit la main avec un sourire de gratitude.

— Et Harry, que sait-il de tout cela ?

Elle lui raconta l'explication qu'elle avait donnée.

— Il est plus malin que ça, estima-t-il. Mais je crois qu'on peut avoir confiance en lui.

Michelle aurait aimé partager cette opinion, mais cela lui était impossible. Pour l'instant, néanmoins, des sujets plus importants devaient être traités. Elle lui narra la présentation des chèques de voyage devant les banquiers anglais.

– Tu es incroyable! la complimenta Franklin. C'est comme s'ils avaient signé.

– Il faut encore attendre leur décision finale, lui rappela-t-elle, prudente.

– Avec Sir Manfred de notre côté, ce n'est qu'une formalité, ma chérie.

Avant qu'elle puisse répondre, Hastings apparut et lui présenta un câble tout juste reçu.

Elle déchira l'enveloppe et lut les trois phrases avec avidité. Pour la première fois, elle eut l'impression que le cauchemar allait peut-être finir : le Dr Ernie Stillwater avait réussi à récupérer le dossier médical militaire de Franklin et l'avait aussitôt envoyé à Londres. Dans deux ou trois jours, Sir Dennis pourrait le consulter.

*

Vers dix heures du matin, Sir Thomas Ballantine avait disposé toutes ses pièces sur l'échiquier. Il avait appelé les directeurs des trois plus grandes banques du pays et les avait invités séparément. Tour à tour il savoura le déjeuner, le thé et le souper, tandis que chacun essayait de deviner la raison de cette entrevue. Ce n'était qu'à la dernière minute qu'il portait le coup, en quelques phrases sèches : il informait son invité qu'il était au courant de l'entrevue avec Michelle et de ce qu'elle y avait exposé. Bien sûr il connaissait les projets de Rose Jefferson, leur disait-il en se délectant de leur mine effarée. Ravi de son effet, il les voyait s'empêtrer dans des explications paniquées et lui jurer que jamais ils ne concluraient un accord avec Global puisque un de leurs plus gros clients en prenait ombrage. Il se montrait ensuite magnanime, en leur assurant que l'argent de Cooks resterait dans leurs coffres tant qu'ils se comprenaient bien sur ce point précis : en aucune circonstance, en aucune façon ils ne devaient traiter avec Rose Jefferson ni participer au développement des chèques de voyage Global.

Alors que son chauffeur le ramenait dans la City, Sir Thomas s'interrogea sur ce qu'il devait faire de Harry Taylor. Il avait connu beaucoup d'hommes de sa sorte, aventuriers tout juste bons à être utilisés une fois avant de s'en débarrasser. Tous avaient ce même défaut qui causait leur perte : ils se croyaient plus retors qu'autrui. Sir Thomas sourit. D'une façon ou d'une autre, Harry Taylor recevrait la juste rétribution de ses actes. Il n'avait aucun besoin de lui pour cela.

Durant les quarante-huit heures qui suivirent, Michelle ne tint pas en place. Elle sursautait chaque fois que le téléphone sonnait et courait à la porte au premier tintement de carillon.

— Inutile d'attendre plus longtemps, lui apprit Franklin le troisième jour. Je viens d'avoir Sir Manfred au bout du fil. Il veut me voir immédiatement.

— Oh, mon chéri! C'est merveilleux!

— Je pense que tu devrais venir avec moi. Après tout, c'est toi qui l'as convaincu.

Mais Michelle refusa, arguant qu'il était celui qui devait traiter les affaires de Global. Cinq minutes après son départ, Sir Dennis Pritchard appelait.

— Je viens de recevoir le dossier médical militaire de Paris, Mrs. Jefferson. Il faut que je vous voie, vous et votre mari, dans les plus brefs délais.

Lorsqu'elle lui apprit que Franklin venait de s'absenter, le médecin n'hésita qu'une seconde :

— Alors venez. Je vous expliquerai tout en premier. Ensuite il est impératif que votre mari soit hospitalisé au plus tôt.

— Ce ne peut pas être vrai, dit Michelle en dévisageant Sir Dennis. Il doit y avoir une erreur.

Le médecin aurait aimé la réconforter par un mensonge, mais son éthique s'y opposait.

— Je souhaiterais que ce soit possible, Mrs. Jefferson, mais votre mari a été opéré par l'un des plus grands neurochirurgiens français, lui-même assisté de spécialistes américains. Le maximum a été fait.

Et le maximum n'avait pas suffi. Lors de son séjour dans l'hôpital parisien, Franklin avait bénéficié d'un traitement spécial grâce à l'intervention personnelle du général Pershing, et c'est le Dr de Beaubien qui s'était occupé de lui. Ses notes préliminaires prouvaient que le neurochirurgien avait d'abord jugé l'opération assez banale. Pourtant, dès un examen plus approfondi, le médecin avait dû réviser ces conclusions hâtives : des éclats de shrapnel s'étaient logés à la base de la colonne vertébrale. Toute tentative de les extraire causerait au mieux une paralysie partielle ou totale, et plus probablement la mort. Bien que l'évolution prévisible du cas fût une pression progressive du métal entraînant des troubles de plus en plus sévères, le neurochirurgien avait pris la décision d'annuler l'opération.

— Mais... pourquoi ne m'en ont-ils rien dit ? balbutia Michelle.

— Le Dr de Beaubien déclare ici avoir transmis cette responsabilité particulière à l'armée, comme c'est la règle.

— Mais pourquoi l'armée n'a-t-elle rien dit?

Sir Dennis choisit ses mots avec soin.

— Ce que je vais dire n'est rien de plus qu'une spéculation personnelle, Mrs. Jefferson, mais je crois que c'est ainsi que se sont passées les choses. L'armée a envoyé une notification écrite à votre mari, directement ou par l'intermédiaire de son médecin de l'époque, donc à New York. Pour une raison que j'ignore, le message a été soit intercepté, soit perdu, soit délibérément tenu secret.

— Par Harris! s'exclama Michelle, horrifiée.

— Harris a certainement un rôle dans cette affaire, oui. Mais j'ai du mal à croire qu'il ait commis une faute aussi grave de sa propre initiative.

L'énormité de ce qu'impliquaient les propos de Sir Dennis abasourdit la jeune femme.

— Rose... Rose lui a caché la vérité! Mais pourquoi?

— C'est possible, bien sûr. J'ai bien peur que vous deviez lui poser vous-même la question. Croyez-moi, je suis moi aussi curieux de connaître son explication.

— Elle s'expliquera! s'écria Michelle. Ce qu'elle a fait est monstrueux!

— Mais d'abord nous devons parler à votre mari, lui rappela le médecin avec fermeté. Il a le droit de savoir...

— Mais il doit bien y avoir quelque chose que vous pouvez tenter! La chirurgie a fait des progrès et...

— Rien qui puisse aider votre mari, déclara gravement Sir Dennis, refusant malgré toute sa compassion de donner de faux espoirs à cette femme qu'il admirait. Nous pouvons essayer de contrôler l'état de Franklin, mais...

Les dernières forces de Michelle l'abandonnèrent d'un coup et elle s'effondra en pleurs contre la poitrine du médecin.

*

Sir Manfred Smith se leva à l'entrée de Franklin Jefferson dans son bureau. A l'inverse de certains de ses collègues, il éprouvait de la sympathie pour l'Américain. Et en voyant l'enthousiasme dont rayonnait son visiteur, il n'en détesta que plus ce qu'il allait faire.

— J'ai cru comprendre que votre regrettable accident à l'ambassade ne vous a laissé aucune séquelle?

— Du tout, je vous remercie.

— Je dois dire que votre épouse a remarquablement exposé votre projet, poursuivit le banquier. Malheureusement, le conseil directorial de Barclays ne pense pas que nous puissions participer à la commercialisation des chèques de voyage Global.

Un frisson glacé parcourut l'échine de Franklin.

– Je... Je ne suis pas sûr de comprendre, bégaya-t-il. Michelle m'avait dit que vous aimiez l'idée et que vous alliez encourager les autres à l'adopter...

– J'admets avoir donné cette impression à Mrs. Jefferson, dit Sir Manfred sombrement. Et je ne puis que vous exprimer mes regrets sincères pour m'être ainsi avancé. Mais je n'avais aucun droit de parler pour mes collègues.

– Mais... qu'est-ce qui a changé? Vous étiez d'accord, et la Banque d'Angleterre avait donné son feu vert. Je ne comprends pas...

– Mr. Jefferson, je ne suis pas en droit de vous communiquer les détails de nos délibérations. Mais sachez que nous avons des responsabilités envers nos clients, et que certains estiment notre soutien à vos projets préjudiciable à leurs intérêts et à ceux de la banque.

Franklin ne savait que dire. Tout avait paru si prometteur. Il ne pouvait croire à un refus aussi brutal.

– Peut-être pourrions-nous renégocier certaines clauses du contrat? proposa-t-il d'une voix faible.

– J'ai bien peur que non, Mr. Jefferson. J'en suis sincèrement désolé, croyez-le.

Sans trop savoir comment, Franklin se retrouva sur le trottoir de Bartholomew Lane. Quand la limousine approcha, il fit signe au chauffeur qu'il préférait marcher. Il se dirigea vers Cornhill Street où la Westminster Bank avait ses bureaux. Une demi-heure plus tard, il ressortait de la bâtisse, bouleversé. Le président de la banque avait été très net : son établissement ne passerait aucun contrat avec Global.

L'esprit en déroute, il marcha d'un pas d'automate jusqu'à Gracechurch Street. Il trouva le directeur de la London-India Bank dans son bureau, terminant un copieux déjeuner.

– Je suis surpris que vous n'ayez pas reçu notre réponse écrite, Mr. Jefferson, fit aussitôt le gros homme sans cacher son déplaisir à cette visite inopinée. Je l'ai fait envoyer par coursier à la première heure ce matin. Mais puisque vous êtes là, je vous annonce donc moi-même que notre banque n'est pas intéressée par votre projet.

Le directeur voulut passer devant lui pour sortir, mais Franklin le saisit par les revers de son veston.

– Vous pourriez au moins me dire pourquoi! lui hurla-t-il au visage.

Du coin de l'œil, le directeur vit les deux membres du service de sécurité qui entraient dans la pièce.

– Décision collégiale! lança-t-il. Et maintenant, veuillez me laisser, je vous prie!

Avant que Franklin ait eu le temps d'obtempérer, deux poignes puissantes lui saisirent les bras. Avec un grondement de bête fauve il donna un coup de talon en arrière. Le garde sur sa gauche le lâcha en hurlant de douleur. Aussitôt Franklin frappa l'autre au plexus du poing. L'homme s'écroula sans un bruit.

Franklin bondit sur le directeur terrifié et le plaqua contre le mur.

— Qui vous a fait changer d'avis? rugit-il.

Le gros homme gémit mais ne répondit pas. La main de Franklin frappa si vite qu'il ne la vit même pas. Le nez éclaté, le directeur se mit à pleurer.

— Qui?

— Cooks! geignit le gros homme. Il... il interdit que nous fassions affaire avec vous...

Franklin le jeta au sol et fonça hors du bureau. Il dévala les escaliers sous les regards étonnés des employés et sortit en courant sur le trottoir. Une fureur noire décuplait son énergie tandis qu'il se ruait vers Lombard Street. Il ne ralentit son allure qu'en voyant la grande enseigne accrochée au sommet de la bâtisse abritant les bureaux de Cooks.

Comment Cooks avait-il pu avoir vent de leur projet? Malgré leur défection, il était certain que les banquiers avaient respecté le secret qui entourait leurs tractations. Et à part eux, seules Rose et Michelle étaient au courant de l'implication des banques anglaises...

Soudain indécis, Franklin se mit à marcher nerveusement de long en large sur le trottoir d'en face. Une sueur glacée couvrait son corps et son crâne vibrait d'une douleur lancinante.

Il suivit d'un regard absent la Rolls-Royce noire qui venait s'arrêter devant l'entrée des bureaux. Puis il comprit que seule une personnalité de marque pouvait être ainsi véhiculée. L'instant suivant, deux hommes émergeaient du building. L'un était voûté par l'âge, et il reconnut immédiatement Sir Thomas Ballantine. Il allait crier pour attirer son attention quand il identifia l'autre, beaucoup plus jeune, qui serrait la main du vieil homme avant de s'éloigner. C'était Harry Taylor.

La douleur explosa dans le cerveau de Franklin avec violence et il se sentit plonger dans un gouffre sans fond où personne n'entendait ses cris.

*

— Redites-moi exactement ce qui s'est passé, ordonna Michelle.

Le chauffeur raconta une nouvelle fois la sortie précipitée de Franklin hors de la London-India Bank et comment il l'avait perdu de vue dans la foule des passants.

— Savez-vous ce qui a causé sa réaction?

— Non, madame, mais il paraissait furieux. Il était déjà très énervé quand il est sorti de la Barclays.

227

Mon Dieu!

Michelle se tourna vers le domestique.

– Vous dites que Franklin est passé ici?

Hastings hocha la tête.

– Il est entré en courant comme s'il avait le diable à ses trousses. Il s'est précipité dans son bureau et y est resté un peu moins d'une minute avant de repartir. C'était comme s'il ne m'avait pas vu, madame.

– Et vous n'avez pas essayé de l'arrêter?

Hastings baissa les yeux.

– Excusez-moi, madame, je sais que Mr. Jefferson est malade. Mais si vous aviez vu son regard comme je l'ai vu... Il était... dans un état second. Pour dire la vérité, madame, il m'a fait peur.

Michelle secoua la tête tristement.

– Non, Hastings. C'est moi qui devrais m'excuser. Vous ne pouviez rien faire... (Elle regarda les deux hommes à tour de rôle.) Il n'a vraiment rien dit qui aurait pu vous donner une idée de l'endroit où il est allé?

– Non, madame.

Michelle était désemparée. Pour mettre son mari dans cet état, son entrevue à la Barclays avait dû très mal se passer... Et il était revenu ici prendre quelque chose, mais quoi?

Le Lüger!

Elle entra dans le bureau de Franklin et alla directement au panneau amovible dans le mur. Là, son mari gardait un Lüger en parfait état, trophée de guerre que lui avait offert Monk et qu'il lui arrivait de nettoyer et de graisser de temps à autre. L'arme avait disparu. Et Michelle savait qu'elle était chargée.

Abasourdie par ce qu'impliquait sa découverte, elle se retourna lentement et balaya la pièce du regard. Son attention fut attirée par le bureau et elle s'approcha. La serrure du tiroir inférieur avait été forcée. Le dossier des chèques de voyage s'y trouvait toujours, mais elle se souvenait de l'avoir rangé à l'envers, or il était maintenant à l'endroit... L'esprit enfiévré par tant d'événements, elle se tourna vers la cache dans le mur, revint au tiroir...

Pourquoi as-tu pris le Lüger, Franklin? Qui a pu te faire si mal que ce soit la seule chose à laquelle tu aies pensé? Sir Manfred Smith...

L'association d'idées la fit frissonner. Depuis la dernière fois où elle avait refermé le tiroir, après sa présentation du projet à l'ambassade des États-Unis, ils n'avaient reçu aucun invité, sauf...

– Harry, murmura-t-elle.

*

C'est d'excellente humeur que Harry Taylor regagna son appartement de Belgravia. Quelques heures plus tôt, Sir Thomas Ballantine l'avait accueilli avec un sourire satisfait.

– Vos informations étaient exactes, lui avait-il dit de sa voix grinçante. Vous pouvez être certain que Rose Jefferson n'ira nulle part avec ces chèques de voyage. Si vous voulez profiter de la situation, je vous conseille de le faire maintenant.

Harry avait à peine besoin du conseil. Sur le chemin du retour, il composait mentalement le texte du câble qu'il allait envoyer à Rose.

Et Rose fera le reste pour moi, songea-t-il en ouvrant la porte de son appartement.

– Bonjour, Harry.

Dans le salon, assis dans un fauteuil face à l'entrée, Franklin pointait sur lui un énorme pistolet. Harry ouvrait la bouche pour parler quand il vit les yeux de Franklin. Des yeux sans vie, froids comme la mort. Ou la pire des folies.

– Approchez, Harry.

Taylor obéit et s'engagea de trois pas dans le salon.

– Pourquoi avez-vous fait cela, Harry? Pourquoi m'avez-vous trahi?

L'intonation sinistre dans la voix de Franklin le fit frémir.

– Je n'ai jamais rien fait de la sorte, répondit-il prudemment.

– Ah oui? Et que faisiez-vous en compagnie de Sir Thomas Ballantine, ce matin?

Harry savait qu'il aurait dû répondre sur-le-champ, avec assurance. Mais il était humain et une expression de surprise passa sur son visage.

– Je vous ai posé une question, Harry.

– Il vous dira tout, Franklin. Il dira tout ce que vous voudrez à la police. Mais ne faites pas...

Michelle apparut à la porte de l'appartement.

– Michelle, Dieu merci, vous êtes là! s'exclama aussitôt Harry.

– Ne bougez pas, Taylor! hurla Franklin.

Il regarda sa femme et pour la première fois sa main fut prise d'un léger tremblement.

– Tu sais ce qu'il nous a fait? murmura-t-il.

– Oui, mon chéri, je sais, répondit Michelle avec tout le calme qu'elle pouvait rassembler. Et il paiera pour cela, je te le jure. Mais pas si tu le tues.

Franklin ne semblait pas l'avoir entendue.

– Savez-vous combien d'hommes j'ai tués, Harry? Des douzaines. Peut-être des centaines. Et c'étaient des soldats, des types bien meilleurs que vous... Je pourrais vous tuer si facilement, Harry...

Michelle était terrifiée par la lueur de folie qui dansait maintenant dans les prunelles de son mari.

– Franklin, dit-elle avec douceur, tu te souviens de Paris et du chirurgien qui s'occupait de toi?

Il la dévisagea une seconde.

229

– Je ne suis jamais allé à Paris! De quoi parles-tu?

– Mais si, mon chéri! Tu devais être opéré à cause de ta blessure, mais...

Harry choisit ce moment pour agir. Franklin avait légèrement baissé son arme et son attention était fixée sur sa femme. Harry jugea qu'il pouvait atteindre l'entrée avant qu'il ne réagisse. Il se trompait.

L'instinct du soldat guida Franklin. En voyant la silhouette qui bondissait, son poignet corrigea la ligne de tir et il appuya sur la détente. La détonation roula dans la pièce comme un coup de tonnerre. Le projectile aurait dû atteindre Harry en pleine course, bien avant qu'il atteigne le hall. Mais au lieu de passer devant Michelle, il se jeta derrière elle. Et c'est le cri de Michelle qui brisa définitivement l'esprit de Franklin.

Le temps s'arrêta. Les deux hommes se figèrent, les yeux rivés à la fleur pourpre qui avait éclos sur sa robe de satin blanc juste au-dessus de la poitrine. Elle s'écroula dans un mouvement d'une lenteur irréelle. Harry regarda alors Franklin, avec sur son visage une résignation totale. Il savait qu'il allait mourir, lui aussi.

Le Lüger tomba sur le sol avec un claquement sec. Franklin se leva et fit un pas en avant. Puis un second, et un troisième. Le regard halluciné braqué droit devant lui, il passa à côté du corps de sa femme sans plus la remarquer que si elle était invisible. Ce n'est qu'en entendant la porte s'ouvrir puis se refermer que Harry souffla lentement. Il se rendit compte qu'il avait retenu sa respiration tout ce temps.

30

Le corps de géant de Monk McQueen était affalé sur le divan occupant un coin de son bureau à *La Sentinelle*. Il avait du mal à se rappeler un détail quelconque de la soirée précédente où il avait dignement fêté son anniversaire, au *21's*. Mais à sa bouche pâteuse et à son mal de tête, il savait qu'il avait sévèrement enfreint la Prohibition avec ses amis.

– Mr. McQueen!

Monk grimaça.

– Ne criez pas, Jimmy! grogna-t-il.

Le rédacteur lui mit un câble ouvert à vingt centimètres du nez.

– Ça vient juste d'arriver. Vous feriez bien de le lire.

Monk fronça les sourcils et fit un effort louable pour le décrypter. Les quelques lignes le dessoûlèrent immédiatement.

MRS. MICHELLE JEFFERSON BLESSÉE PAR BALLE. ÉTAT STATIONNAIRE SATISFAISANT MAIS ELLE RÉCLAME VOTRE PRÉSENCE. INCIDENT AUCUNE CORRÉLATION AVEC GLOBAL. ATTENDS VOTRE RÉPONSE.

Dr Dennis PRITCHARD
Grosvenor Hospital – Londres

— Quand est-ce arrivé ?
— Il y a dix minutes à peine.
— Rien sur le télex ?
— Pas un écho.
— Des appels de Rose ?

Le rédacteur secoua la tête négativement.

— Trouvez-moi une place sur le premier bateau en partance pour Southampton, fit Monk en s'asseyant.

— C'est déjà fait, Mr. McQueen. Une place réservée. Départ cet après-midi.

— Merci, Jimmy... Qui d'autre est au courant ?

— L'opérateur du câble.

— Dites-lui de la boucler. Maintenant allez me chercher de l'argent et prévenez ma domestique de préparer une valise.

De nouveau seul dans son bureau, Monk relut le câble et en saisit toute la gravité. Qui avait tiré sur Michelle ? Pour quelle raison ? Et où était Franklin ?

Tout en griffonnant sa réponse pour Londres, Monk ne cessait de se poser ces questions et des dizaines d'autres. Il espérait que le bateau que Jimmy Pearce lui avait choisi possédait un bon télégraphiste. Il aurait du travail.

*

— Je commence à croire que Mr. Jefferson nous a filé entre les doigts, fit l'inspecteur Geoffrey Rawlins de Scotland Yard en allumant une cigarette.

Le quartier habituellement calme de Mayfair était en pleine révolution. La police de Londres et les meilleurs limiers de Scotland Yard avaient investi l'endroit. Les rues étaient bloquées, les moindres passages surveillés, les habitants interrogés par des policiers au visage sévère qui voulaient savoir s'ils avaient vu quelqu'un de suspect dans les parages. Même s'ils répondaient par la négative, les résidents de Mayfair étaient poliment mais fermement invités à coopérer. Jardins, terrasses et garages étaient systématiquement fouillés.

Assis en face de Harry Taylor dans l'appartement de celui-ci, l'inspecteur Rawlins contemplait l'Américain d'un regard indéchiffrable.

— Ce que je ne comprends pas, dit-il en tirant sur sa cigarette, c'est pourquoi Mr. Jefferson n'a tiré que sur sa femme. Pourquoi pas sur vous aussi? Et pourquoi a-t-il abandonné son arme et est-il parti ainsi?

— Franklin n'a plus toute sa raison, inspecteur, répondit Harry d'un ton mesuré. Ses actes ne sont pas rationnels.

Un agent de police entra dans la pièce et murmura quelques mots à l'oreille de Rawlins, puis il repartit.

— Eh bien, si nous mettons la main sur Mr. Jefferson, il n'aura plus à répondre que de tentative de meurtre, annonça-t-il. D'après Pritchard, la vie de Mrs. Jefferson n'est pas en danger.

— Dieu soit loué! s'exclama Harry avec ferveur. Inspecteur, j'ai fait tout ce que j'ai pu pour vous aider, mais j'ai également des responsabilités envers Miss Jefferson et Global. Ce soir, tous les journaux feront leur une avec ce drame. Je dois la prévenir avant qu'elle ne l'apprenne en passant devant un kiosque à New York.

— Oui, bien sûr, Mr. Taylor. Où pourrai-je vous joindre si j'avais des questions complémentaires à vous poser?

— Au *Ritz*. Après ce qui est arrivé, je ne peux pas rester ici...

Si Michelle parle, vous aurez beaucoup de questions complémentaires à me poser!

Il jeta quelques vêtements et son nécessaire de toilette dans une valise et sortit de l'immeuble. Une demi-heure plus tard il était installé dans une suite du *Ritz*, et il composait son message pour Rose. Il le rédigea avec beaucoup d'application afin de présenter les faits sous l'éclairage désiré. Franklin avait tiré sur Michelle, qui était gravement blessée, puis il avait disparu. La police avait déclenché une chasse à l'homme d'envergure pour le retrouver. Harry prenait la situation en charge et ferait au mieux pour protéger les intérêts des Jefferson jusqu'à l'arrivée de Rose.

Il relut son texte. Dès que Michelle serait en état de parler, cette version serait très certainement contestée. D'après ce qu'elle avait dit quand elle essayait de calmer son mari, Harry avait la certitude que Michelle avait appris son sabotage des chèques de voyage Global. Pourtant Franklin n'avait pu lui dire qu'il l'avait vu en compagnie de Sir Thomas Ballantine.

Même sans cela, Rawlins pourrait très bien en déduire que c'est moi que Franklin voulait abattre et non sa femme...

Harry ne sous-estimait pas les capacités de l'inspecteur aux manières taciturnes. Pour l'instant néanmoins, Rawlins pouvait difficilement l'accuser. Après tout, il n'avait pas appuyé sur la détente.

*

Le câble de Harry Taylor fut transmis à quatre heures de l'après-midi, heure de Londres, soit trois heures après que celui de Sir Dennis Pritchard eut atteint Monk McQueen. Cette différence horaire était cruciale. Alors que le câble de Harry arrivait à Lower Broadway, le bateau emmenant Monk vers Southampton appareillait. La liaison suivante avec l'Angleterre ne partirait que deux jours plus tard.

A New York, la nervosité de Rose Jefferson était à son paroxysme depuis déjà plusieurs jours. L'Independence Day était passé sans qu'elle ait de nouvelles de Franklin. Quand elle rentrait à Talbot House le soir, et malgré tous ses efforts pour endiguer son inquiétude, elle ne pouvait trouver le sommeil avant une heure avancée de la nuit. A Lower Broadway, elle se montrait d'une humeur exécrable et son travail s'en ressentait. Le 6 juillet, elle commença à croire qu'une catastrophe s'était produite en Angleterre. Elle allait appeler Mary Kirkpatrick et lui dire de réserver une place sur le prochain bateau pour Southampton quand celle-ci fit irruption sans frapper dans son bureau et lui tendit un câble.

— Ça vient juste d'arriver, expliqua-t-elle en haletant.

Rose prit le papier et le déplia. La longueur du texte était de bon augure. Elle lut avidement. Et le monde lui parut s'effondrer autour d'elle.

— Mary... Laissez-moi... S'il vous plaît...

— Quelque chose ne va pas, Rose ?

— Partez !

Mary Kirkpatrick sortie, Rose lissa le papier sur le bureau devant elle et se força à relire lentement les quelques phrases. Mais ses yeux étaient embués de larmes et sa vision se brouilla. Dans le déferlement de pensées qui balayait son esprit, l'une revenait sans cesse, accompagnée d'une souffrance presque physique :

Que lui ai-je fait ?

31

Les bateaux où avaient pris place Monk et Rose étaient à peine à un tiers de leur trajet quand Michelle reprit connaissance au Grosvenor Hospital.

Sa première sensation fut celle de la lumière douce qui baignait sa chambre. Puis la douleur dans son épaule. Elle tâtonna d'une main et rencontra le gros bandage.

— Vous allez vous remettre très vite, dit Sir Dennis Pritchard en s'approchant d'elle.

Il lui prit la main et eut un sourire de réconfort.

— Franklin... balbutia-t-elle en braquant sur lui un regard implorant.

À contrecœur, le médecin lui fit part de la disparition de son mari.

– La police ne l'a pas encore retrouvé, mais croyez-moi, ce n'est qu'une question de temps. Ils font le maximum.

Il s'attendait à ce qu'elle éclate en sanglots et pensait déjà à lui administrer un sédatif, mais la jeune femme détourna simplement la tête. Les paroles de Pritchard l'atterraient. Elle avait l'impression de tomber dans un vide affreux. En même temps, elle se revoyait, entrant dans l'appartement de Harry, avec Franklin qui braquait le Lüger sur Harry, et celui-ci qui bondissait derrière elle. Et la détonation...

Ce qui était arrivé à son mari était pire que tout ce qu'elle avait imaginé, et son intuition lui disait que même si la police le retrouvait vivant jamais le mal ne serait réparé.

Les mains crispées sur le drap pour les empêcher de trembler, elle se tourna vers Pritchard.

– Je veux parler à la police. Maintenant.

*

Quatre heures après que son bateau eut accosté à Southampton, Monk McQueen arrivait à Berkeley Square. Durant toute la traversée il était resté en contact avec New York d'où Jimmy Pearce lui relayait les dernières informations. Chaque fois qu'un câble lui parvenait, Monk s'attendait à apprendre l'arrestation de Franklin par la police. Six jours s'étaient écoulés sans que cela se produise, à son grand étonnement.

Le journaliste montra son passeport au *bobby* en faction devant la porte et pénétra dans la maison. Dans le salon, un homme de grande taille à l'allure distinguée se leva pour l'accueillir et se présenta. C'était Sir Dennis Pritchard.

– Comment va-t-elle ? s'enquit Monk.

– Mrs. Jefferson se remet très bien, rassurez-vous, dit le médecin. La balle l'a blessée au niveau de l'épaule. L'os mettra du temps à se ressouder mais aucune artère n'a été touchée, ni aucun organe vital. Le projectile était blindé, et la plaie est donc très nette.

De son expérience de soldat, Monk comprit que les jours de Michelle n'étaient pas en danger.

– Néanmoins il s'agit de beaucoup plus que d'une simple blessure par balle. Mrs. Jefferson a subi une terrible épreuve, Mr. McQueen. C'est pourquoi je vous demanderai de ne pas la fatiguer. Elle a besoin de beaucoup de repos.

– Bien sûr.

La gorge serrée, il monta au premier et entra dans la chambre. Assise dans son lit contre des oreillers empilés, elle était plus pâle et plus mince que dans son souvenir, mais toujours aussi belle. Michelle fixa sur lui un regard où se mêlaient la surprise et la joie. Mais Monk vit que l'étincelle d'innocence avait disparu à jamais de ses yeux magnifiques.

Elle tendit sa main pour l'accueillir et il vint s'asseoir sur le bord du lit.

— Monk... murmura-t-elle.

Avec beaucoup de douceur il se pencha vers elle et, prenant garde de ne pas toucher son épaule blessée, déposa deux baisers sur ses joues humides de larmes. Sept mois s'étaient écoulés depuis leur dernière rencontre, mais pas un jour n'avait passé sans qu'il pense à elle, à son rire perlé, à son parfum doux.

— Comment vous sentez-vous, Michelle?

— Je me remets lentement. Je ne peux pas vous dire combien je suis heureuse que vous soyez là.

Elle essuya ses larmes avec un mouchoir.

— Franklin?

Monk secoua la tête.

— Ils ne l'ont pas encore retrouvé.

— Vous, vous le retrouverez.

Monk fut saisi par la conviction qu'elle avait mise dans cette phrase.

— Michelle, je ne sais pas ce que je pourrais faire...

— Vous connaissez Franklin mieux que quiconque. Vous le retrouverez. Vous devez le retrouver...

Monk n'avait aucune envie de faire des promesses qu'il ne pourrait tenir. Mais puisque la police ne progressait pas, il n'avait pas le choix.

— Je dois savoir ce qui s'est passé, Michelle.

Il fut attristé par la douleur qui emplit les yeux de la jeune femme.

— Il y a tant de choses... Vous n'allez pas me croire, pourtant je vous jure que c'est la vérité.

— Je vous croirai, Michelle.

Lentement, avec application, elle lui narra le début du cauchemar, alors qu'ils étaient encore à New York, les examens répétés et les tests douloureux auxquels s'était soumis Franklin. Elle lui résuma ses longues recherches du dossier médical militaire à Paris, et comment le Dr Pritchard avait appris la vérité. Monk avait du mal à accepter certaines des révélations qu'il entendait.

— Vous voulez dire que Franklin ne sait toujours pas ce qui lui arrive?

— Nous n'avons pas eu le temps de le lui dire. Tout est arrivé si vite quand Harry Taylor s'en est mêlé.

Les yeux du journaliste s'étrécirent.

— Taylor? Qu'a-t-il à voir avec tout cela?

Michelle lui expliqua que Rose avait envoyé Taylor à Londres pour y mettre sur pied une équipe de vente pour les chèques de voyage, en insistant sur le fait qu'elle ne lui avait rien dit des travaux d'approche de Franklin avec les banquiers anglais. Elle lui fit part de sa méfiance à l'égard de Taylor, puis de sa découverte du tiroir forcé.

– Je suis allée immédiatement à l'appartement de Harry. Franklin était déjà là, et il accusait Harry de l'avoir trahi. J'ai essayé de calmer Franklin... Je sais que j'aurais pu y parvenir si Harry n'avait pas tenté de s'enfuir... Franklin tirait sur lui, Monk, pas sur moi...

Monk était ébahi. Il savait pas mal de choses sur Harry Taylor, mais apparemment c'était encore bien peu.

– Qu'avez-vous dit à la police ?

Elle eut un pâle sourire.

– La vérité. Que Harry Taylor avait d'une façon ou d'une autre saboté les négociations de Franklin. Quand il l'a découvert, Franklin a perdu la tête. J'ai juré qu'il n'avait jamais eu l'intention de blesser quiconque, et que le coup était parti par accident.

– Ils vous ont crue ?

– Je ne le pense pas... (Elle serra un peu plus fort la main de Monk.) Je n'aurais jamais dû laisser les choses en arriver là. Si je l'avais ramené moi-même ici le 4 juillet, rien de tout cela ne serait arrivé. Franklin avait travaillé si dur et...

– Vous n'êtes pas responsable, Michelle. Vous devez le croire !

– Franklin savait qu'il ne pourrait pas tenir encore très long-temps avec une telle pression, dit-elle tristement. Il voulait le dire à Rose et c'est moi qui l'en ai dissuadé. Je n'ai pas supporté l'idée qu'elle s'immisce de nouveau dans notre vie... (Elle regarda Monk.) Vous croyez qu'elle était au courant de l'état de Franklin depuis le début, n'est-ce pas ?

– J'en suis persuadé, oui.

– Mais pourquoi ne lui a-t-elle rien dit ? Pourquoi nous l'avoir caché ?

Monk commençait à avoir son idée sur la question, mais le moment lui parut mal choisi pour la confier à Michelle.

– Il faut que vous vous reposiez, Michelle.

Il allait se relever mais elle lui saisit le bras.

– Où allez-vous ?

– Parler à la police.

– Mais vous reviendrez, n'est-ce pas, Monk ? Vous resterez avec moi ?

– Je reviendrai. Je vous le promets.

Au rez-de-chaussée, Monk se servit un whisky et le but à petites gorgées tout en réfléchissant. Ce qu'avait fait Rose était tout sim-plement inexcusable. Mais elle n'était pas seule en cause. Elle n'avait pu prendre connaissance du dossier médical de Franklin que grâce à la complicité d'un médecin militaire... quelqu'un comme Harris. Ce même Harris qui, peu après être devenu le médecin traitant de Franklin, avait soudain disposé de fonds suffi-sants pour ouvrir un cabinet privé sur Park Avenue.

Elle a acheté son silence...

Monk maîtrisa sa colère naissante. Il lui fallait garder l'esprit clair pour résoudre la dernière énigme : si Rose était au courant de la condition de Franklin, pourquoi l'avait-elle envoyé à Londres ? Il eut beau tourner et retourner le problème en tous sens, la réponse lui échappait.

Il posa le verre vide sur un meuble et sortit. Le *bobby* de faction lui indiqua le chemin de Scotland Yard.

*

Monk passa le restant de la journée avec Rawlins. L'inspecteur était morose. Toutes les recherches étaient jusqu'alors restées sans effet.

— J'aimerais que vous m'autorisiez à placer un appel personnel dans les journaux, lui dit Monk. S'il le voit, il se manifestera peut-être. Et le même genre de démarche pourrait être entrepris à la BBC.

— Excellente idée, approuva le policier. S'il vous contacte, vous nous en avertirez aussitôt, bien entendu.

— Ça peut dépendre de certaines choses, inspecteur. Me laisserez-vous faire mes propres recherches ?

Rawlins resta pensif un moment.

— Je ne vois pas pourquoi je vous l'interdirais.

— Merci. J'aimerais vous poser une question : d'après vous, sur qui Franklin a-t-il voulu tirer ?

— Je ne suis pas certain de vous suivre, Mr. McQueen...

— Michelle m'a dit que vous n'étiez pas convaincu de sa version des faits. Elle pense que Harry Taylor vous en a donné une assez différente.

— Il n'est pas dans mes habitudes de discuter de la validité des témoignages avec le public, Mr. McQueen.

— Je ne vous demande pas de divulguer une information confidentielle, inspecteur. Je cherche tout ce qui pourrait aider Franklin.

Monk lui rapporta ce que Michelle lui avait appris.

— Je voulais juste savoir si la version de Harry Taylor différait, rien de plus, conclut-il.

— Vous connaissez bien Mr. Taylor ? contra le policier.

— Personnellement, pas du tout. Mais mon magazine pourrait vous fournir tous les renseignements nécessaires à votre enquête.

— Ce serait sans aucun doute une aide appréciable, murmura Rawlins avec un petit sourire. Pour répondre à votre question, nous avons deux témoignages différents sur les mêmes faits. Mr. Taylor ne nie pas que Mr. Jefferson l'ait accusé de l'avoir « trahi », selon ses propres termes. Mais il insiste sur le fait que Mr. Jefferson était dans un état second, et il assure ne pas comprendre à quoi l'accusation pouvait se référer. Alors que Mrs. Jefferson corrobore les propos de son mari. Quand j'ai fait part de cette cohérence à Mr. Taylor, il m'a répondu que Mrs. Jefferson cherchait simplement à protéger son mari.

– Et qui croyez-vous ?

– Mr. McQueen, là n'est pas la question. Le fait est que Mrs. Jefferson n'a pu me fournir aucune preuve de cette « trahison » de Mr. Taylor. Dans l'état actuel des choses, je peux donc difficilement accuser celui-ci de faux témoignage.

– Pour l'instant, oui... Une dernière chose, dit Monk en se levant. Partez-vous du principe que Franklin est armé ?

– Je le dois, Mr. McQueen. Il s'est déjà procuré un pistolet une fois. Il peut recommencer. Et c'est un ancien soldat. Il sait se servir d'une arme.

– Je vais vous demander une faveur, dans ce cas. Quand vous l'aurez localisé, prévenez-moi. J'irai le chercher. Il est inutile que d'autres personnes prennent des risques.

Rawlins acquiesça.

– Je vous remercie, Mr. McQueen. Mais j'espère que vous saurez reconnaître à qui vous avez affaire.

Personne ne peut plus prétendre le savoir, hélas, songea Monk.

*

Pendant les cinq jours et les cinq nuits qui suivirent, Monk écuma la face cachée de la ville. Grâce à l'aide de ses confrères londoniens qui connaissaient la métropole aussi intimement que les meilleurs policiers, le journaliste était allé de Notting Hill à Whitechapel, frappant à toutes les portes, visitant bordels, hôtels clandestins et pubs sordides. A l'aube, exténué, il rentrait à Berkeley Square. Michelle l'accueillait avec un petit déjeuner copieux et l'écoutait raconter ses recherches tandis qu'il mangeait.

Chaque jour elle attendait avec un peu plus d'impatience son retour, et bien qu'elle fût tout aussi anxieuse que Monk, sa peur et sa solitude s'estompaient. C'est alors qu'elle comprit : Monk était le seul qui pouvait lui faire ce don suprême qu'elle garderait toujours, quoi que l'avenir lui réserve.

*

Monk fit un signe au policier de faction et entra dans la maison. Cette fois Michelle n'était pas là pour l'accueillir. Il passa dans la cuisine, qui était déserte, et en déduisit qu'elle devait dormir encore. Sans bruit il monta à l'étage et alla directement dans la chambre d'ami où il s'était installé. Après une douche bienvenue, il s'apprêta à se mettre au lit.

– Monk...

Elle se tenait sur le seuil de la chambre, vêtue d'une longue chemise de nuit diaphane. Ses pieds étaient nus et ses cheveux défaits coulaient sur ses épaules comme des vagues de soleil.

– Michelle...

L'émotion le fit frissonner quand elle s'approcha de lui.

– Tu ne sais pas comme je t'ai attendu, dit-elle doucement sans le quitter des yeux, ni combien j'avais envie d'entendre ta voix, de te toucher...

– Michelle...

Elle posa un index sur ses lèvres.

– Ne dis rien. Viens.

Monk se laissa guider jusqu'au lit.

– Tu vas me dire que ce n'est pas bien, mais c'est faux. Rien n'est comme tu le crois ou comme je le voudrais. Et lorsque Franklin reviendra rien ne sera plus jamais pareil. Il est en train de mourir, Monk, et je n'ai plus assez de force pour le regarder agoniser. Je ne peux plus lui donner ce dont il a besoin. Donne-moi cette force, Monk. Donne-moi cet amour que tu as toujours eu en toi. Et laisse-moi t'aimer...

Michelle s'offrit à lui avec un sentiment de liberté né de son désespoir, et Monk reçut ce cadeau dans un déferlement d'émotions trop longtemps retenues. La passion les dévora et ils oublièrent tout le reste.

– Je t'aime, Monk, s'entendit-elle murmurer encore et encore.

Les mots lui venaient avec une telle sincérité qu'elle n'en douta pas une seconde. Et de pouvoir les prononcer après tout ce qui s'était passé lui parut tenir du miracle.

*

Sir Dennis prenait beaucoup de plaisir à son hobby : l'horticulture. Derrière son bureau se trouvait une belle serre où il choyait amoureusement roses rares, tulipes et gardénias. Chaque matin il y passait pour inspecter ses fleurs et remédier au moindre désordre naissant. Satisfait d'avoir su créer sur terre au moins un endroit où régnait la perfection, il pouvait alors savourer son thé en toute quiétude.

Mais ce matin une odeur étrangère flottait dans son paradis floral. Il en fit le tour et découvrit l'intrus debout à la porte.

– Qui êtes-vous ?

L'homme avait un aspect cadavérique effrayant. Les joues creusées et la peau tirée sur les os lui donnaient une expression hagarde difficilement supportable. Ses cheveux était poisseux, ses ongles noirs de crasse. Pourtant le costume paraissait de bonne coupe, malgré son piteux état.

– Qui êtes-vous ? répéta Pritchard, plus étonné qu'apeuré.

– Vous ne me reconnaissez donc pas, docteur ?

Le timbre de la voix réveilla aussitôt la mémoire du médecin.

– Jefferson ? Franklin Jefferson ? Bon sang, c'est vous ?

Sans attendre de réponse, Sir Dennis le prit par le coude et le guida jusqu'à une chaise où il le fit asseoir. Il l'examina rapidement.

– Où étiez-vous? Vous êtes blessé?

– J'ai tiré sur Michelle, marmonna Franklin. Je l'ai tuée. Ensuite je me suis enfui... Je suis venu me livrer, docteur. Vous pouvez appeler la police.

Sir Dennis se pencha vers lui.

– Écoutez-moi bien, Franklin : vous avez tiré sur Michelle, mais vous ne l'avez pas tuée. La balle l'a atteinte à l'épaule. Elle a été emmenée à l'hôpital et soignée, et maintenant tout va bien pour elle. Vous comprenez ce que je vous dis? Michelle est vivante! Vivante!

Franklin Jefferson le regarda un moment d'un air incrédule, puis il baissa la tête et se mit à sangloter.

– Vous souvenez-vous de l'endroit où vous avez tiré sur Michelle?

Franklin secoua la tête.

– Non...

– C'était à l'appartement de Mr. Taylor. Savez-vous pourquoi vous vous y trouviez?

– Harry? Je suis allé chez Harry? Mais pourquoi?

Sir Dennis comprit qu'il valait mieux ne pas insister. A l'évidence Franklin souffrait d'amnésie pour tout ce qui concernait l'incident chez Taylor. Les détails lui reviendraient peut-être plus tard. Mais il pouvait peut-être révéler autre chose.

– Franklin, savez-vous combien de temps vous avez disparu?

– J'ai vu la date d'un journal aujourd'hui. Onze jours, je crois.

– C'est exact. Où étiez-vous, tout ce temps?

Les sourcils froncés, Franklin contempla ses vêtements un long moment.

– Dans un endroit... horrible. Je me souviens d'une petite pièce très sale. Il y avait une fille. Je lui ai donné mon portefeuille... Elle m'amenait à manger... (Il secoua la tête avec désespoir.) Je ne me rappelle rien de plus jusqu'à ce matin, quand je me suis réveillé. Il fallait que je vienne ici. Je ne savais pas quoi faire.

Pritchard sentit son cœur se serrer. Il savait qu'il aurait dû téléphoner à la police sur-le-champ, mais il estimait de son devoir de soulager un peu l'agonie de cet homme, avant tout autre chose.

– Franklin, je vais vous dire quelque chose que vous devez savoir. Je veux que vous m'écoutiez très attentivement, d'accord?

Choisissant ses mots avec prudence, le médecin lui expliqua la nature exacte de son mal depuis son retour de France.

Un moment, Franklin resta parfaitement immobile. Puis il redressa soudain la tête. Son visage était ravagé par la colère et la tristesse.

– Pourquoi ne pas me l'avoir dit avant? Pourquoi n'ai-je pas eu le droit de savoir ce qui m'arrivait? Pourquoi Michelle ne m'a-t-elle rien dit?

240

— Parce que Michelle ne le savait pas. Et moi non plus. Nous n'avions pas idée que votre dossier vous avait été caché, Franklin.

— Caché?

Sir Dennis inspira profondément.

— D'après les règlements de l'armée, vous auriez dû être informé de votre état par votre médecin.

— Harris? Mais Harris ne m'a jamais rien dit... Chaque fois que j'allais le voir il me trouvait en bonne santé. Rose était là, elle le sait. (Il fixa sur le médecin un regard horrifié.) Rose savait, n'est-ce pas? Et elle ne me l'a pas dit... Harris savait et il ne m'a rien dit non plus...

Il se leva et se mit à marcher lentement dans la serre. Tout ce que venait de lui révéler Pritchard était parfaitement cohérent. Le doute et l'incompréhension qui l'avaient si longtemps assailli prenaient soudain tout leur sens. Tout se mettait en place, comme les pièces d'un puzzle.

— Docteur, dit-il d'un ton redevenu ferme, pensez-vous qu'à l'instant présent je sois en possession de mes facultés mentales?

— Oui, je le pense.

— Alors je vais vous demander de faire quelque chose pour moi...

Sir Dennis réfléchit avec beaucoup de soin à la requête. S'il acceptait, les conséquences pouvaient être immenses. Mais Franklin avait tout à fait droit à ce qu'il se proposait de faire.

— Je vous amène le nécessaire, dit le médecin. Et je vais chercher mon infirmière. Un témoin de plus ne nuira pas.

32

La traversée sur l'*America* fut pour Rose un calvaire. Pendant la journée elle s'absorbait dans le travail, et les grooms effectuaient un ballet incessant entre le salon de sa suite et la salle des communications pour porter ses messages et ramener les réponses. Par Hugh O'Neill elle contacta l'inspecteur Rawlins qui la tenait au courant de ses efforts pour retrouver son frère. C'est par lui qu'elle apprit le témoignage de Michelle incriminant Harry Taylor. Pour Rose ces allégations étaient absurdes, mais la situation n'en soulevait pas moins des questions troublantes. Pourquoi Franklin avait-il tiré sur sa femme? Était-elle sa cible ou, comme elle le prétendait, était-ce Harry? Dans ce cas, pourquoi Franklin s'était-il retourné contre Harry, alors qu'il en parlait comme d'un ami dans sa correspondance?

Rose se souvint de cet horrible matin où la police avait ramené Franklin à Talbot House, après son agression contre Steven. La simple hypothèse d'une crise du même type mettait Rose au supplice. Les conséquences en seraient dramatiques, cette fois. Les événements de Londres avaient déjà un impact sur New York. Certaines banques ayant donné leur accord pour l'opération des mandats Global téléphonaient tous les jours pour être rassurées. Tout le monde attendait une déclaration de Rose clarifiant la situation.

Le dernier jour du voyage, à peine quelques heures avant que l'*America* n'atteigne Southampton, un câble de Harry Taylor lui parvint.

FRANKLIN RETROUVÉ. IL VA BIEN. RETENU AU BELLINGHAM HOSPITAL. SERAI AU QUAI POUR VOUS ACCUEILLIR. COURAGE.

Harry.

Rose fut la première personne à débarquer. Quelques minutes plus tard elle se trouvait face à Harry Taylor.

– Franklin est vraiment en bonne santé ? dit-elle aussitôt.

– Oui, dit-il en l'accompagnant jusqu'à la limousine. J'ai pris les dispositions pour que vous soyez amenée directement auprès de lui.

– Vous ne venez pas avec moi ?

– Il vaut mieux que vous le voyiez seule. Sir Dennis Pritchard a dit qu'il viendrait là-bas pour vous parler. Moi, je vous attendrai à l'hôtel.

Alors qu'elle montait dans l'automobile, Harry lui effleura le bras et elle se retourna vers lui.

– Je ne sais pas pourquoi il voulait tirer sur quelqu'un, Rose, que ce soit Michelle ou moi. C'est la vérité. Et je ne lui en veux pas. Je tenais à ce que vous le sachiez.

– Merci, Harry.

*

Rose s'attendait à être conduite à Londres, mais la limousine prit la direction du sud-ouest.

– Chauffeur, où m'emmenez-vous ?

– Bellingham Hospital. Sur la commune de Charlton, juste après Woolwich.

Ces noms n'évoquaient rien pour Rose, mais les dispositions prises par Harry la troublaient. Environ deux kilomètres après le petit village de Charlton, la limousine tourna dans une route ombragée de chênes vénérables pour s'arrêter devant une grande grille. Au-delà on apercevait une bâtisse sévère. Le Bellingham Hospital, puisque c'était là, ressemblait plus à une prison qu'à une maison de santé, avec ses hauts murs couronnés de herses de fer, ses fenêtres à barreaux et sa grille monumentale.

– Vous êtes sûr que c'est ici ? fit Rose avec nervosité.

– C'est bien Bellingham, madame.

A l'intérieur, elle croyait voir le directeur dans son bureau. Il l'accueillit à la réception et la conduisit directement au cœur du bâtiment, par un long couloir ponctué de portes de bois massif bardées d'acier et pourvues d'un minuscule judas d'observation. De derrière ces portes parvenaient des gémissements, des cris et d'autres bruits à peine humains.

– Pourquoi n'avez-vous pas fait venir mon frère dans votre bureau ? demanda-t-elle d'une voix qu'elle aurait souhaitée plus ferme.

– Désolé, madame, fit le directeur, mais le dossier de Mr. Jefferson fait état d'un comportement imprévisible. Notre règlement intérieur nous interdit de le sortir de son lieu de repos.

A l'extrémité du couloir, deux infirmiers à la corpulence impressionnante leur emboîtèrent le pas.

– Où sommes-nous ?

– Dans le département de médecine générale, madame.

Quelque chose dans la voix indifférente du directeur lui fit soudain comprendre où elle se trouvait. Pourtant elle ne dit rien et continua. Mais un grand froid s'était abattu sur elle. Bellingham était un asile d'aliénés.

*

Faisant appel à toute sa force de caractère, Rose fit taire son appréhension et entra dans la cellule de son frère. Elle s'obligea à constater que la pièce était propre, bien rangée, et ignora délibérément les murs capitonnés et les barreaux à la fenêtre. L'apparence de Franklin, en revanche, lui causa un véritable choc. Il avait beaucoup maigri et son attitude était distante, comme s'il était indifférent à ce qui l'entourait. Ses yeux semblaient voir à travers elle et sa voix habituellement pleine de dynamisme était devenue monocorde.

– Je vais te sortir d'ici, lui affirma-t-elle. Je ferai verser la caution nécessaire et je prends les meilleurs avocats d'Angleterre. Dans quelques jours tu seras de retour à Londres.

Franklin eut un sourire mécanique.

– Merci.

Rose posa ses deux mains sur les joues de son frère.

– Je t'en prie, il faut me dire ce qui s'est passé ! Je dois savoir !

– C'est très simple, vraiment : j'ai tiré sur Michelle.

– Mais pourquoi ?

Franklin se détourna.

– Je suis très fatigué, Rose. Il faut que je me repose, maintenant.

– Franklin, ne me repousse pas, je t'en prie. Je suis venue pour t'aider.

Franklin posa sur elle un regard empli de pitié.

— Vraiment, Rose ? Est-ce ce que tu es venue faire ? M'aider, comme tu m'as aidé à New York ?

— New York ? Je ne comprends pas...

— Je suis au courant de ce qu'il y a dans mon dossier militaire. Tu sais, ce dossier que tu m'as toujours empêché de consulter.

Rose était abasourdie. L'accusation dans le regard de son frère lui serrait le cœur.

— Franklin, je peux tout expliquer...

— Je n'en doute pas, Rose. Mais pas à moi. Explique tout à Michelle. C'est elle que j'ai presque tuée.

Rose serra son frère dans ses bras, mais il était trop tard. Il resta assis sur le bord de son lit sans réagir, le regard vague. Pendant longtemps elle l'étreignit, se demandant si elle pourrait jamais regagner sa confiance.

*

— Je ne comprends pas comment vous avez pu accepter qu'il soit placé ici ! répéta Rose pour la troisième fois. C'est un asile d'aliénés !

Elle avait rejoint Sir Dennis Pritchard dans le bureau du directeur, lequel s'était absenté pour les laisser seuls.

— La police a refusé toute autre solution, répondit le médecin. En fait, ils voulaient mettre Franklin dans une prison ordinaire. Croyez-moi, cela aurait été bien pire.

— Eh bien, je vais le faire sortir d'ici !

Sir Dennis ne releva pas. Elle venait de téléphoner à Tory, Tory & Deslauriers, le plus réputé des cabinets d'avocats de Londres. Il lui souhaitait bonne chance mais doutait de son succès. Même avec d'aussi prestigieux défenseurs, Franklin Jefferson avait peu de chances de quitter Bellingham avant sa comparution en justice.

— Docteur, que savez-vous exactement de la condition de mon frère ?

— Beaucoup plus que ce que vous et Harris avez été disposés à m'apprendre, rétorqua le praticien avec froideur. Peut-être aviez-vous vos raisons de lui dissimuler ce dossier. Mais ne pas me l'avoir transmis est inexcusable.

Rose rougit violemment mais préféra éviter ce terrain.

— Je suppose que vous l'avez lu ?

— Oui.

— Et pourriez-vous me dire comment vous vous l'êtes procuré ?

Sir Dennis lui expliqua les recherches de Michelle à Paris.

— Votre belle-sœur est une femme brave et aimante. Si nous avions su plus tôt, peut-être rien de tout cela ne serait arrivé...

Rose retrouva son aplomb pour rétorquer :

— Je ne vous autorise pas à en juger à ma place, docteur. Ma seule préoccupation a toujours été et reste encore le bien-être de Franklin. A présent, et puisque vous êtes au courant de son drame, pensez-vous être en mesure de faire quelque chose pour lui ?

— J'aimerais pouvoir dire oui, Miss Jefferson...

Les doigts de Rose blanchirent en serrant les accoudoirs du fauteuil. Après une seconde elle se leva et alla jusqu'à la porte.

— Merci pour tout ce que vous avez fait, docteur. Veuillez dire à Franklin que je reviendrai le voir demain matin.

Elle ouvrit la porte.

— Miss Jefferson, pouvez-vous au moins m'expliquer pourquoi vous avez agi ainsi ?

Elle hésita un instant.

— Cela n'a plus vraiment d'importance maintenant, n'est-ce pas ? répondit-elle.

Et elle sortit du bureau.

*

— Miss Jefferson, dit le réceptionniste du *Ritz* en lui tendant la clé de sa suite, un gentleman attend votre retour. Il patiente dans la grande galerie. Désirez-vous le voir maintenant ?

Croyant qu'il s'agissait de Harry, Rose accepta en dépit de sa fatigue. Elle suivit un groom jusqu'à la promenade intérieure et fut étonnée de reconnaître Monk McQueen.

— Que faites-vous ici ? s'exclama-t-elle avant de se reprendre. Je veux dire, c'est un plaisir de vous revoir, Monk, mais je ne m'attendais pas à ce que...

Il l'embrassa rapidement.

— Avez-vous vu Franklin ?

Elle acquiesça.

— Il va bien. Enfin, il semble aller bien. Mais ils l'ont enfermé dans un asile...

— Bellingham. Je sais.

Les yeux de Rose s'étrécirent légèrement.

— Monk... Pour quelle raison êtes-vous venu en Angleterre ?

Il lui parla du câble de Sir Dennis Pritchard, de son arrivée ici, et de ce qu'il avait fait pour aider aux recherches.

— Je vous suis très reconnaissante, Monk... Mais je ne comprends pas pourquoi Pritchard vous a contacté avant moi.

— Parce que Michelle le lui a demandé.

— Michelle ? Pourquoi a-t-elle voulu vous prévenir en priorité ?

— Je suis son ami, répondit le journaliste avec calme. Elle n'avait personne d'autre vers qui se tourner. Elle était terrifiée, Rose.

A cause de la guerre et de ce qu'ils avaient vécu ensemble tous les trois, se dit-elle. Elle n'était pas étonnée que Monk se soit précipité au secours d'un ami. C'était bien dans son caractère.

— Et comment va Michelle?

— Elle se remettra, si c'est ce que vous voulez savoir... (Monk hésita quelques secondes.) Moi aussi, je suis au courant pour le dossier médical.

Rose secoua la tête avec une mauvaise humeur transparente.

— Je ne veux pas en parler, Monk. Pas maintenant.

— Très bien. Et Harry Taylor?

— Quoi, Harry Taylor?

Cette fois il ne put contenir sa colère.

— Franklin a tenté de le tuer, non? Bon sang, Rose, qui est ce salopard? Pourquoi l'avez-vous lâché à Londres?

Le visage de Rose se ferma.

— Harry Taylor est un de mes directeurs, comme vous ne l'ignorez pas, siffla-t-elle. Il est venu ici sur mes instructions. Quant à ce qu'elles sont, cela ne vous regarde pas!

— Quand les gens se tirent dessus, ça me regarde! rugit-il. Et n'allez pas croire que vos négociations avec les banques anglaises soient un secret!

Déstabilisée, Rose pâlit et changea de ton.

— Qui vous en a parlé? Ce ne peut être Franklin... C'est Michelle, n'est-ce pas?

— Ne vous inquiétez pas, Rose. Ce n'est pas mon journal qui imprimera cette histoire. Tout ce que je veux savoir, c'est pourquoi Franklin a voulu tuer Taylor.

— C'est ce que Michelle prétend. La police ne la croit pas nécessairement.

— Vous, vous ne la croyez pas. Vous croyez Taylor!

Rose recula d'un pas.

— Monk, vous avez toujours été un ami. Mais je vous préviens: n'intervenez pas. Je réglerai cette affaire comme je dois le faire.

— Et comment ferez-vous, Rose? répondit Monk avec lassitude. Il s'est passé trop de choses pour qu'on enterre cette affaire. Peu importe que ce soit Michelle ou Taylor que visait Franklin. Il est toujours accusé de tentative de meurtre. Mais s'il avait des raisons sérieuses d'en vouloir à Taylor, la cour pourrait prendre ce facteur en considération. Quoi que vous fassiez, n'utilisez pas Franklin pour protéger Global ou Taylor. Je ne permettrai pas que vous le blessiez une nouvelle fois, Rose.

*

Quand enfin elle fut dans sa suite, Rose appela la réception et spécifia qu'elle ne voulait être dérangée sous aucun prétexte. Une femme de chambre vint lui faire couler un bain, lui prépara ses effets pour la nuit et lui apporta un léger repas froid. En repartant

246

elle emportait un message scellé que Rose avait rédigé entre-temps.

Rose ne ressortit de son bain que lorsqu'elle fut certaine d'être seule. Sans toucher au souper elle passa le peignoir et ouvrit les portes-fenêtres. Sur le balcon, elle s'absorba dans la contemplation de Green Park.

Qui crois-tu ? se demanda-t-elle.

Les câbles qu'elle avait reçus de l'inspecteur Rawlins indiquaient que Scotland Yard doutait fort de la version de Harry. Comme Monk, la police avait tendance à porter plus de crédit à la parole de Michelle.

Comment pouvaient-ils être aveugles à ce point ? Même si Harry avait appris la vérité sur les chèques de voyage, il n'aurait pas osé mettre en danger les négociations. Il avait tout à y perdre.

Rose eut beau se poser la question de toutes les manières possibles, elle revenait toujours au même point : Franklin. Lui seul savait ce qui s'était réellement passé et pour quelle raison il s'était rendu chez Harry ce jour-là. Mais son frère ne se souvenait de rien...

Pour l'instant, se dit-elle.

Elle entendit la porte s'ouvrir et se précipita.

— Harry !

Elle se pendit à son cou et écrasa ses lèvres des siennes.

— Ne dites rien. Nous n'avons qu'une heure. Je veux que vous me fassiez l'amour, Harry, exactement comme la première fois.

33

Franklin attendait le retour de Rose. Il avait tant à lui dire... Il essayait de se rappeler quoi mais n'y parvenait pas. Alors, il fondait en larmes.

Dans ses moments de lucidité, Franklin se demandait pourquoi il n'arrivait pas à dormir. Il montait sur son lit et, dressé sur la pointe des pieds, il contemplait la cour par la petite lucarne. Invariablement il pensait à Michelle. A elle aussi il avait beaucoup à confier. Il réfléchissait également à ce que lui avait appris Sir Dennis Pritchard, mais il n'en éprouvait ni tristesse ni rage. Dans le court temps qu'ils avaient vécu ensemble, Michelle et lui avaient forgé des souvenirs scintillants de bonheur. A présent il devait s'assurer que Rose ne pourrait rien faire contre elle.

Puis les pensées de Franklin commençaient à se fragmenter, comme une étoile qui explose au ralenti. Il prenait alors sa montre et à la lueur de la lune attendait que Rose revienne...

Michelle contempla son reflet dans le miroir et dut se retenir pour ne pas fondre en larmes. Aucune robe ne lui allait, et depuis une heure elle les essayait une à une. Elle voulait être belle pour aller voir Franklin, mais la beauté semblait l'avoir désertée.

Elle sortit de la chambre et descendit au rez-de-chaussée. Hastings apparut brusquement.

— Quelqu'un désire vous parler, madame, dit-il en indiquant le petit salon.

— Hastings, je n'ai pas le temps maintenant de...

— C'est miss Jefferson, madame.

Michelle inspira très lentement pour garder son calme.

— Merci, Hastings. Veuillez dire au chauffeur de patienter.

Elle redressa la tête et entra dans le salon.

— Bonjour, Michelle.

Assise dans un fauteuil, Rose paraissait aussi maîtresse d'elle-même que dans le souvenir de Michelle. Elle était coiffée différemment, une coupe plus courte, mais sa voix était toujours aussi assurée et son regard aussi impérieux.

— Vous allez bien ?

— Oui, merci, répondit Michelle en se maudissant de son ton trop fragile.

— Je suis désolée : vous sortiez ?

— J'allais voir Franklin.

— Je suis heureuse d'être venue, alors... Nous devons parler, Michelle, de ce qui s'est passé et de ce que vous avez raconté à la police.

— Je leur ai dit la vérité ! lança Michelle, outrée.

— Vraiment ? En prétendant que Franklin était allé chez Harry pour le tuer ? Et pour quelle raison aurait-il agi ainsi ?

— Vous ne le savez pas ? La police ne vous a donc rien dit ?

— Et pourquoi ne me le diriez-vous pas vous-même ? suggéra Rose.

Maîtrisant sa colère, Michelle récapitula l'enchaînement des faits depuis l'arrivée de Taylor et détailla pourquoi elle et Franklin le soupçonnaient d'avoir fait échouer les négociations. Elle termina sur le revirement plus qu'étrange des banquiers.

Le visage de Rose s'était durci un peu plus à chacune de ses phrases.

— Tout ce temps, Michelle, dit-elle d'un ton glacial, je me suis demandée si ce qui arrivait n'était pas ma faute ou celle de Franklin. Et c'était la vôtre, je viens de le comprendre. Vous avez sciemment dénaturé le projet des chèques de voyage devant les banquiers pour le faire capoter. Imaginez-vous combien de millions de dollars vous avez fait perdre à Global ? Et maintenant vous essayez de faire accuser Harry !

— Harry Taylor vous a trahie! s'écria Michelle, au bord des larmes. Pourquoi ne le voyez-vous pas?

— Parce que c'est faux! Et en l'accusant, savez-vous ce que vous avez fait? Vous avez couvert Global de ridicule. A New York les journaux s'en donnent à cœur joie! Un cadre qui se retourne contre son entreprise, ils adorent cela!

Michelle n'aurait pu dire si elle avait jamais eu l'intention de parler comme elle le fit alors à Rose, mais à présent cela semblait être sa seule défense:

— Et vous, Rose? Vous ne pensez pas que ce que vous avez caché à Franklin a un rapport direct avec ces événements? Vous saviez qu'on ne pouvait l'opérer et que sa condition se détériorerait inévitablement, jusqu'à... jusqu'à ce qu'il ne soit plus maître de lui. Mais vous lui avez laissé croire que tout allait bien. Vous avez ramené Franklin à Global, là où vous vouliez qu'il soit, et vous l'avez épuisé au travail. Que pensiez-vous faire en agissant ainsi, Rose?

— Ce qui devait être fait, répliqua Rose, sa détermination teintée d'amertume. Oui, je savais ce qui était arrivé à Franklin et oui, je vous l'ai caché à tous deux. Mais pouvez-vous imaginer ce que j'ai souffert? Fallait-il imposer cette même souffrance à Franklin? Ou à vous?

— Vous avez joué avec une vie, Rose. Franklin avait le droit de savoir, comme il avait le droit de décider de ce qu'il voulait faire de son existence. J'aurais été là pour l'aider. Croyez-vous vraiment que je l'aurais abandonné?

Michelle scruta le visage de Rose pour une réponse mais ce fut son silence qui finit par la trahir.

— C'est exactement ce que vous vouliez, n'est-ce pas? dit doucement la Française. Et si j'étais partie, vous auriez eu Franklin pour vous seule...

— Eh bien, personne ne l'aura, lâcha sèchement Rose. Tout ce dont j'avais rêvé pour lui, la grandeur, les responsabilités à assumer, le nom qu'il aurait porté au plus haut... Après son retour de la guerre, quand j'ai appris son... sa blessure, j'ai voulu l'aider à accomplir le plus possible dans le temps qui lui restait. Je n'ai fait que le protéger, Michelle.

— Non, répondit celle-ci tristement. Vous ne le protégiez pas: vous cherchiez à en faire ce que vous désiriez qu'il soit. Dans votre rêve il n'y avait aucune place pour ses désirs, pour ce qu'il voulait ou pour les gens qu'il aimait. Ce que vous n'avez jamais compris, Rose, c'est que je n'ai jamais été une menace pour vous. L'amour qu'il me portait ne signifiait pas qu'il vous aimait moins. Quant à Global, il n'en a jamais attendu ce que vous en attendez. Vous auriez dû accepter sa différence et le laisser partir.

Rose détourna les yeux. Malgré elle, certaines paroles la touchaient.

– Qu'avez-vous l'intention de faire, Michelle ?

– Je vais aller voir mon mari pour qu'il sache bien qu'il a une femme et un foyer qui l'attendent.

– Et votre témoignage à la police ?

– Je n'y changerai rien. Et quand la mémoire reviendra à Franklin, il vous dira la même chose.

Rose ferma les yeux un instant, et ses lèvres se serrèrent en une fine ligne.

– Comme vous voudrez, Michelle. Mais autant vous dire tout de suite que ni vous ni personne d'autre ne pourrez voir Franklin sans mon autorisation.

– C'est impossible !

– Vérifiez-le par vous-même si vous le désirez, dit Rose en se levant. Et quand il ira mieux, Michelle, c'est moi qui le ramènerai chez moi. Ne croyez pas que vous pouvez me combattre sur ce terrain avec une chance de gagner.

★

Dans toute leur froideur hargneuse, les paroles de Rose chassèrent toute hésitation chez Michelle. Elle partit pour Bellingham Hospital cinq minutes après que Rose eut pris congé. Durant le trajet, elle essaya de se convaincre que Rose n'avait fait que bluffer. Mais un juge ne se laisserait-il pas persuader qu'il était dans l'intérêt de la justice qu'une victime ne rende pas visite à son agresseur ?

Rose avait-elle un pouvoir aussi grand ?

Michelle eut très vite la réponse.

– J'ai bien peur que vous ne puissiez voir votre mari, Mrs. Jefferson, dit le directeur de l'établissement d'un ton gêné en la conduisant dans son bureau.

– Et pour quelle raison, je vous prie ?

– J'ai reçu ce matin une notification de justice. Je suis désolé, Mrs. Jefferson, mais je ne peux vous autoriser à voir votre mari. Je n'y peux, hélas, rien.

Michelle se raidit.

– Auriez-vous l'obligeance de me montrer ce document ?

Elle examina les papiers dûment signés et tamponnés, marqués du sceau du magistrat.

– Sir Dennis Pritchard est-il au courant de cette mesure ?

– Je ne pense pas qu'il ait été consulté. Mais elle ne s'applique pas à lui, naturellement.

– Naturellement. Elle ne s'applique qu'à moi !

Le directeur baissa les yeux, très embarrassé.

Toute la nuit, l'inspecteur Rawlins et Monk McQueen avaient dépouillé les documents, articles et autres informations collectés par le journaliste sur Harry Taylor. Ils avaient dû se rendre à l'évidence : leur travail n'avait rien donné.

Monk prit congé du policier et retourna à Berkeley Square. Il y trouva Michelle qui l'attendait. Elle n'eut pas à lui dire grand-chose pour qu'il comprenne que ses pires craintes s'étaient réalisées. Dès son arrivée à Londres, Rose s'était empressée de régenter sa vie et celle de Franklin.

— Je ne sais pas comment la contrer, murmura Michelle. Et je suis terrifiée à l'idée que Franklin puisse croire que je l'ai abandonné...

En cet instant, Monk désirait plus que tout au monde la prendre dans ses bras pour la réconforter. Pourtant il n'en fit rien. La nuit qu'ils avaient passée ensemble n'avait jamais été réitérée. Pourtant tout la leur rappelait. Ils ressentaient une électricité animale dès qu'ils se frôlaient, et leurs regards disaient tout ce que leurs lèvres n'osaient prononcer. Malgré cela, Monk n'éprouvait aucun remords. Quand Franklin reviendrait, il partirait tranquillement, laissant Michelle et son mari dans la paix qu'ils méritaient. Le moment qu'il avait partagé avec Michelle resterait unique et secret.

— Je parlerai à Rose, promit Monk.

Michelle lui sourit tristement. Elle savait déjà que rien ne pourrait changer la situation.

*

Pour Michelle, la salle du tribunal évoquait une église de campagne, avec ses hautes fenêtres en ogive, ses deux galeries aux balustrades travaillées et ses escaliers de bois patiné.

Monk était assis à ses côtés à la galerie supérieure et regardait en bas. La salle était pleine à craquer. Derrière la table de la défense, Rose attendait, un chapeau à large bord masquant son expression. Un peu en retrait, Michelle reconnut Harry Taylor.

A la gauche de la défense se trouvait le box des accusés, vide pour l'instant.

— Ils vont l'amener dans une minute, chuchota Monk à l'oreille de Michelle.

Il trouva sa main et la serra dans un geste rassurant.

Pour lui la semaine n'avait été que frustrations et colère difficilement contenue. Tous les messages envoyés à Rose étaient restés sans réponse. De même il n'avait pu l'avoir au téléphone. Et quand il avait voulu voir Franklin au Bellingham Hospital, il avait

251

été éconduit lui aussi. Refusant de renoncer, il était allé consulter un avocat réputé.

– J'ai bien peur qu'il n'y ait aucune solution pour casser la décision de justice acquise par Jonathan Tory au nom de Rose Jefferson, avait dit l'homme de loi. La date de la comparution est trop proche. Il lui serait très facile de faire reporter toute demande de révision.

Monk avait fait tout ce qu'il pouvait pour relever le moral de Michelle, lui assurant que dès la libération de Franklin les prérogatives accordées à sa sœur deviendraient automatiquement caduques. Mais Michelle n'avait pas paru rassurée pour autant. Tout ce qu'elle désirait, c'était voir Franklin, lui redonner espoir, lui montrer qu'il n'était pas seul.

Le brouhaha en contrebas cessa brusquement à l'entrée de Franklin Jefferson escorté de deux huissiers. Rose but des yeux la silhouette fragile qui progressait lentement jusqu'au box des accusés et s'y asseyait. Elle se rendit compte qu'elle s'était entaillé les paumes de ses ongles, mais elle ne ressentait aucune douleur.

Dans le box, Franklin regarda sans les voir les centaines de visages tournés vers lui. Puis ses yeux trouvèrent Rose et s'arrêtèrent un instant sur elle. Il leva la tête et vit enfin Michelle, derrière la balustrade de la deuxième galerie. Son cœur se serra dans sa poitrine.

Tout le monde se leva à l'entrée du juge, puis se rassit. Franklin ne prêta aucune attention au résumé de l'accusation. Il ne vivait que pour cette tache pâle qu'était le visage de Michelle, là-haut. Elle lui apparaissait exactement comme la première fois qu'il l'avait vue en France, diffuse et merveilleuse. Elle l'avait protégé à cette époque, mais plus tard à New York il n'avait pas su lui rendre la pareille quand elle avait tant besoin de lui.

Je te protégerai, mon amour. Personne ne te fera plus de mal...

D'une oreille distraite il entendit Sir Dennis Pritchard témoigner et proposer des soins particuliers plutôt qu'un régime hospitalier. Puis ce fut le tour de Rose qui détailla tout ce qu'elle pouvait offrir comme garanties si on lui confiait la responsabilité de son frère.

Impassible, le juge écouta les arguments de conclusion puis il rendit sa décision sans hésiter : Franklin Jefferson serait confié à la charge de sa sœur durant toute la durée du procès. La caution était fixée à cent mille livres.

Soudain Franklin se sentit soulevé de sa chaise par les deux huissiers et conduit vers la sortie latérale. Il se retourna et vit les larmes qui inondaient le visage de Michelle.

Je vais te rejoindre, mon amour. Bientôt...

Il avait soigneusement compté les marches qui menaient des cellules en sous-sol à la salle de justice. Il y en avait quarante-six, ce qui signifiait que la salle se trouvait au deuxième ou troisième étage du bâtiment et non au rez-de-chaussée. Ils progressaient dans le couloir. A l'opposé de l'escalier menant aux cellules une immense fenêtre était inondée de soleil. Franklin se retourna plusieurs fois pour voir ce jaillissement de pure beauté. Ils approchaient des marches quand il passa à l'action. D'un coup d'épaule il déséquilibra le premier huissier qui s'écroula dans l'escalier en hurlant. Dans le même mouvement il échappait au second. Quand celui-ci bondit pour le saisir, Franklin fit un pas de côté et un croc-en-jambe. L'huissier s'affala de tout son long sur le sol.

Alors Franklin se mit à courir. Chacune de ses foulées était plus vigoureuse que la précédente. Derrière lui il entendit des cris et des jurons, mais il gardait les yeux fixés sur la lumière. Il la sentit sur ses jambes, sur son torse et enfin sur son visage. Son intensité l'éblouit. Son visage lui semblait en feu mais il continua de courir. Là, nimbée d'un halo radieux, Michelle l'attendait.

Je t'aime, Michelle!

Pendant une fraction de seconde le couloir s'assombrit complètement. Puis la lumière revint. Un sourire extatique aux lèvres, Franklin ferma les yeux et se précipita dans la vitre pour rejoindre la femme qui lui faisait signe de l'autre côté.

*

Les journalistes s'étaient massés à la sortie du tribunal. Rose s'y attendait et ne manqua pas l'occasion d'expliquer à la presse combien elle était satisfaite du jugement. Michelle s'accrocha au bras de Monk qui fendait la foule avec une énergie féroce et ils traversèrent la meute de journalistes sans répondre aux questions aboyées de toutes parts. Ils avaient presque atteint la voiture quand la fenêtre explosa.

Michelle fit volte-face et leva les yeux vers la silhouette désarticulée. Le temps d'un éclair, Franklin parut suspendu dans les airs. Puis il tomba.

— Franklin!

34

Dans le bureau principal de Tory, Tory & Deslauriers, l'atmosphère était pesante. Rose, vêtue de noir, s'assit à sa place devenue depuis peu habituelle, à la droite de Jonathan Tory.

Lorsqu'elle s'était regardée ce matin dans son miroir, elle n'avait pu croire au reflet qu'elle voyait. Son visage était tendu, et ses yeux paraissaient immenses sur la blancheur de la peau. Au milieu du front une mèche avait viré au blanc, étrange tache claire sur la masse d'un noir de jais de la chevelure.

– Miss Jefferson, dit l'aîné des avocats, nous avons fait établir tous les papiers nécessaires pour que la dépouille de votre frère soit rapatriée aux États-Unis. Si vous voulez bien signer ces documents...

Rose y jeta à peine un coup d'œil avant d'y apposer son paraphe. Il était temps de refermer cette page douloureuse de sa vie. Il était temps de rentrer au pays.

– Je veux vous remercier pour tout ce que vous... commença-t-elle.

La porte s'ouvrit brusquement et un jeune clerc fit irruption dans le bureau. Il était rouge de confusion et sous le coup d'une émotion intense.

– Je suis terriblement désolé, balbutia-t-il. Mrs. Jefferson est dans la pièce voisine, avec le Dr Pritchard et son avocat. Elle dit que c'est extrêmement urgent.

– Dites-lui que nous n'avons rien à discuter avec elle, rétorqua sèchement Jonathan Tory.

– Non, laissez-la entrer, intervint Rose. Pourquoi ne pas entendre ce qu'elle veut nous dire ?

Sir Pritchard entra le premier et adressa un salut silencieux à Rose. Derrière lui venait un jeune homme, élégamment vêtu, en compagnie de Michelle.

– Bonjour, Rose.

– Bonjour, Michelle.

Les deux femmes s'entre-regardèrent, conscientes du gouffre qui les séparait à présent. Le jeune avocat, qui se nommait Neville Thompson, s'éclaircit la voix et déclara à Rose :

– Miss Jefferson, croyez bien que nous ne viendrions pas troubler pareille entrevue si notre démarche ne revêtait la plus haute importance. Elle concerne le testament de votre frère.

Rose le dévisagea sans comprendre.

– Eh bien, Mr. Thompson ? Mon frère m'a légué ses parts de la compagnie, si c'est ce qui vous intéresse. En fait chacun de nos testaments a été rédigé dans ces termes de réciprocité.

Dieu merci, j'avais pris la précaution de vérifier le testament de Franklin avant qu'il ne quitte les États-Unis, songea-t-elle. A l'époque elle avait considéré que c'était là une sage décision, digne d'un homme d'affaires conscient de ses responsabilités. Peu lui importait que Franklin léguât une grosse somme d'argent à Michelle. Seule comptait l'intégrité de Global.

– C'était peut-être le cas auparavant, Miss Jefferson, reprit le jeune avocat, mais ce ne l'est plus à présent.

– Que voulez-vous dire ?

Neville Thompson sortit une simple feuille de son porte-documents.

– Quand Mr. Jefferson s'est livré au Dr Pritchard, il lui a demandé, avant d'appeler la police, de lui servir de témoin pour ce codicille. Vous remarquerez qu'il s'agit bien de son écriture et de sa signature, et que le codicille est dûment daté et authentifié par le Dr Pritchard et son infirmière.

Effarée, Rose lut les quelques lignes.

— C'est... c'est aberrant! s'exclama-t-elle enfin. Croyez-vous que cela ait une quelconque validité? Franklin était en pleine crise quand il est venu voir le docteur. Il n'aurait pas eu la présence d'esprit d'écrire une chose pareille!

— Miss Jefferson, répondit Sir Dennis, je puis vous assurer que votre frère était en pleine possession de ses moyens intellectuels quand il a rédigé ce codicille. S'il le faut, j'en témoignerai sous serment.

— Vous pouvez jurer tout ce que vous voulez! cracha Rose. En aucune façon Michelle n'héritera des parts de Global qui appartenaient à Franklin! Il n'y a pas une cour au monde qui soutiendrait cette demande!

— Vous avez tout à fait le droit de contester ce codicille, fit Thompson. Néanmoins je ne pense pas que vous réussirez à le faire annuler. Les cours anglaises ont tendance à reconnaître la validité de ce genre de codicilles, en particulier quand il y a héritier.

— Quel héritier? murmura Rose, abasourdie.

Michelle s'avança devant elle.

— Je suis enceinte, Rose.

QUATRIÈME PARTIE

35

Le jour où Rose Jefferson enterra son frère, un vent anormalement froid balayait le détroit de Long Island. Les roseaux pliaient sous les rafales comme en hommage au disparu, et les paroles du prêtre étaient emportées par la bourrasque dès qu'il les prononçait. Seuls devant l'excavation, Rose et Steven regardèrent le cercueil qui descendait lentement dans sa dernière demeure.

Derrière Rose se tenaient Harry Taylor, Eric Gollant et Hugh O'Neill, et à deux pas toute la domesticité de Dunescrag et de Talbot House. Rose avait refusé des funérailles publiques avec des centaines de gens piétinant le sol de ce qui était l'ultime refuge des Jefferson. Dans quelques jours une messe du souvenir aurait lieu à Manhattan afin que tous ceux qui voulaient se recueillir un instant en mémoire de Franklin puissent se rassembler. C'était tout ce qu'elle pouvait leur offrir.

Après avoir jeté une poignée de terre sur le cercueil, Rose guida Steven vers la Silver Ghost. Avant d'y entrer, elle se retourna vers Eric Gollant qui avait suivi.

— Je veux que vous vous rendiez à Talbot House, dit-elle à mi-voix. Faites nettoyer ses appartements par les domestiques et envoyez sa garde-robe à des organisations de charité. Quant à ses photos, ses trophées et ses effets personnels, qu'ils soient rangés dans les sous-sols.

— Vous ne voulez rien de tout cela ? s'enquit Harry avec sollicitude.

Rose secoua tristement la tête.

— Non, Harry. Ce qui m'importait réellement m'a été enlevé.

*

Pendant le reste de cet été et le début de l'automne, Rose ne quitta pas Dunescrag. Elle passait ses journées avec Steven, à écouter de la musique et à faire de longues promenades dans les dunes. Et elle parlait très souvent de Global, de ce qui avait été accompli et de ce qui restait à mettre en place.

– Je compte sur ton aide, lui dit-elle. Tu es le seul qui me reste.

Steven, qui avait maintenant douze ans, acquiesça :

– Je serai là, Mère. Je vous le promets.

Steven savait sa mère très intelligente et intuitive, mais aussi d'un aveuglement total quand il s'agissait de lui. Rose était incapable de lire dans son cœur le mépris qu'il éprouvait pour feu son oncle. En fait, Steven jubilait. Franklin avait disparu et Michelle ne resterait pas très longtemps en travers de sa route. Son oncle avait été fou de vouloir léguer à cette étrangère ce que le jeune garçon estimait être sa part de la compagnie. Mais les choses rentreraient dans l'ordre, d'une façon ou d'une autre.

Le seul obstacle restant s'appelait donc Harry Taylor, cet homme aux paroles trop suaves, qui croyait avoir réussi à dompter sa mère. Parfois, Steven avait l'impression qu'elle était aussi faible que n'importe qui, en particulier ces soirs où il collait son oreille au mur... En passant ainsi la nuit à Dunescrag, Harry avait sans s'en douter appris à Steven une leçon que le garçon jugeait de la plus haute importance : les femmes les plus fortes pouvaient devenir les esclaves de leurs passions, tout comme les hommes.

*

Même pendant ces semaines de retraite, Rose garda un œil vigilant sur le cours de ses affaires, qui se maintenaient d'ailleurs à leur meilleur niveau. L'Amérique entière était attirée par les mandats Global, en achetant pour plus d'un million de dollars quotidiennement et s'en servant pour payer les notes de l'épicier comme les traites d'une nouvelle automobile.

Les journaux populaires représentaient le seul point noir du tableau : ils faisaient leurs gros titres sur la bizarrerie d'un homme qui avait légué sa fortune à la femme sur qui il avait tiré.

Si Rose souffrait beaucoup de cette situation, elle se rangea bien vite à l'avis d'O'Neill. La moindre riposte déchaînerait ces feuilles à ragots, et elle accepta à contrecœur de se murer dans Dunescrag.

Un soir qu'elle était seule avec Harry, elle lui demanda ce qu'il lui conseillait de faire vis-à-vis de la presse.

– Servez-vous d'elle, répondit Harry.

Ce n'était pas là ce qu'attendait Rose, et elle ne cacha pas son étonnement :

– Mais comment ?

– En leur donnant votre version. C'est assez simple : les journaux ne laisseront pas tomber ce filon, alors pourquoi ne pas en tirer tout le profit possible ? Donnez quelques interviews, laissez filtrer une ou deux informations assez alléchantes qui laisseront à penser que Michelle profite de la situation, ou plutôt d'un acte irrationnel commis par le disparu. Montrez-la comme le vampire qu'elle est.

— Et qu'obtiendrai-je d'une telle manœuvre ?

— La faveur de l'opinion publique, ce qui n'est pas un mince atout pour une femme dans votre position.

Rose lui caressa la joue d'un geste affectueux.

— Merci de votre aide, Harry, murmura-t-elle.

36

L'affrontement fit les délices du public. D'un côté, la femme la plus célèbre de la haute finance américaine, avec son armée de conseillers juridiques ; de l'autre la belle veuve, Michelle Jefferson, avec seulement quelques avocats, mais non des moindres, pour défendre ses intérêts. De façon assez inattendue, Michelle attira d'emblée plus de sympathie que Rose par sa volonté de ne pas porter le débat sur la place publique. La presse du pays et ses lecteurs y virent une noblesse d'âme digne d'éloges. Elle devint la veuve mystérieuse, respectée pour la réserve de son comportement et son refus d'exhiber son chagrin.

*

Michelle rit doucement d'une plaisanterie de Monk et lui couvrit les mains des siennes. Le serveur qui leur apportait leurs consommations eut un sourire entendu.

Ils étaient assis dans un café de la place Saint-Michel, et l'automne avait couvert les trottoirs d'un tapis de feuilles rousses. L'air frais était chargé des senteurs agréables exhalées par des milliers de cheminées.

— Quand repars-tu ? demanda-t-elle d'une voix tendre.

— Après-demain.

Il a été à toi presque trois mois. Garde ces souvenirs précieusement dans ta mémoire. Nul ne pourra jamais te les voler.

La presse la traquant à cause des implications du codicille, Michelle avait jugé impossible de rester à Londres. Elle avait pris les meilleurs avocats pour défendre ses intérêts et leur avait donné une seule instruction : « Ne cédez pas d'un pouce à Rose Jefferson ! » Puis elle avait traversé la Manche et rejoint Monk à Paris.

Au départ, elle avait hésité à revenir dans la capitale française. Le souvenir de son premier séjour ici, quand elle avait recherché le dossier médical de Franklin, était encore vivace et plein d'amertume. Pourtant, dès son arrivée, elle sentit ses appréhensions s'évanouir. A Paris le ciel paraissait plus immense encore qu'à New York, plus majestueux. Les pierres centenaires exhalaient une atmosphère de stabilité qu'elle ne pouvait qu'apprécier.

Assise dans le grand appartement loué par Monk dans l'île Saint-Louis, Michelle contemplait les flots sombres de la Seine devant la masse ouvragée de Notre-Dame. De l'autre côté se déployait la Rive Droite avec l'ancien quartier du Marais et les hôtels luxueux de la place Vendôme.

Et il y avait Monk...

Souvent elle se réveillait en pleine nuit et le regardait dormir auprès d'elle. Alors elle se sentait envahie d'une telle joie que les larmes lui montaient aux yeux. A Paris, ils n'existaient que l'un pour l'autre, et sous les caresses pleines de douceur de Monk elle guérissait peu à peu du passé. L'angoisse s'estompait de jour en jour, et il lui suffisait de passer la main sur son ventre pour penser à tout ce que promettait l'avenir. Mais aucun bonheur n'était gratuit.

Bien que Monk passât quasiment toutes les nuits avec elle, il prenait soin de garder les apparences. Il avait loué une chambre de l'*American Club* et envoyait régulièrement des articles à *La Sentinelle* par le canal que lui offraient les bureaux parisiens de l'*Herald Tribune*. En dehors de ce comportement de façade, il évitait autant que possible la colonie américaine de la capitale. Ensemble ils riaient beaucoup de l'illusion qu'ils arrivaient à maintenir, et même s'ils étaient conscients que cela ne saurait durer, l'un comme l'autre trouvaient toujours une bonne raison de reculer l'échéance, car il leur semblait ainsi protéger l'enfant que portait Michelle.

– Tu ne peux imaginer combien je voudrais rester toujours auprès de toi, dit Monk en caressant les cheveux de Michelle tandis que le café se vidait de son habituelle clientèle du déjeuner.

– Je veux tellement que tu restes...

Monk sentit l'insistance dans la pression de la main de la jeune femme sur la sienne.

– Mais c'est impossible.

Ces paroles étaient cruelles, abruptes, mais il se sentait le devoir de les prononcer.

– Est-ce qu'un jour ce sera possible ? demanda-t-elle tristement.

– Un jour, oui, je te le promets. Mais pour l'instant, hélas, avec la contestation du codicille de Franklin, Rose saisirait n'importe quel avantage. Elle sait combien nous sommes proches l'un de l'autre, et elle sait que je suis resté longtemps à Berkeley Square. Mais elle ne soupçonne rien pour une seule raison : jamais il ne lui viendrait à l'esprit que je puisse être tombé amoureux de la veuve de mon meilleur ami. Mais si elle se doutait un jour que ton bébé n'est pas de Franklin, crois-moi, elle ferait de notre vie un enfer pire que tout ce qu'elle t'a déjà fait subir. Et elle te dépouillerait de tout ce qui te revient... L'enfant y compris.

S'il n'y avait pas le bébé, peut-être lui abandonnerais-je tout sans regret, songea Michelle. *Mais il s'agit de ce que m'a légué Franklin, et jamais personne ne me le volera!*

Michelle regarda Monk et vit dans ses yeux qu'il avait lu ses pensées.

— Que vais-je devenir? demanda-t-elle. Que ressentiras-tu pour moi demain, dans une semaine, dans un mois?

— Ce que je ressentirai? répéta-t-il avec un sourire débordant de tendresse. De la fierté.

— Pourras-tu te contenter de cela?

— Non, ce ne sera pas assez, mais je m'en arrangerai. Il le faut. Pour nous deux. Pour nous trois.

Monk posa quelques pièces sur la table en guise de pourboire.

— D'une certaine façon, nous avons maintenant bien plus que ce que nous étions en droit d'espérer. Nous nous sommes trouvés. Nous avons trouvé l'amour.

— Mais elle est ton enfant! s'écria Michelle, au bord des larmes.

— Et elle signifie tout pour moi, avec toi. Et c'est très exactement ce que je veux lui offrir : tout. (Il eut un rire teinté de mélancolie.) D'ailleurs, comment sais-tu que ce sera une fille?

Michelle réussit à sourire.

— Je le sais.

*

Monk embarqua au Havre à la fin octobre, à bord d'un des derniers paquebots effectuant la traversée avant les tempêtes hivernales. Il refusa sans faiblir que Michelle assiste à son départ. Elle ne pouvait honnêtement lui promettre qu'à la dernière minute elle ne se pendrait pas à son cou pour le supplier de rester. Et tous leurs efforts auraient été vains.

Dans les derniers mois de l'année 1920, l'univers de Michelle subit une transformation radicale. Elle supervisa les modifications apportées à l'appartement de l'île Saint-Louis où elle fit installer la chambre d'enfant. Tous les quinze jours elle rendait visite à son médecin, lequel lui répétait en souriant qu'il se serait très vite retrouvé au chômage si toutes les femmes enceintes montraient la même santé qu'elle.

Ce n'est qu'à l'approche de Noël que Michelle prit conscience de l'ampleur de sa solitude. Elle ressentit ce décalage étrange, assombri de tristesse, de l'isolé qui voit autour de lui la foule préparer joyeusement les fêtes de famille.

L'année prochaine, tout serait différent, se promit-elle.

Pour passer plus vite les mornes journées de janvier et février, Michelle s'attela à un examen approfondi des plans de Rose pour les chèques de voyage. Elle fut vite convaincue que tout aurait pu fonctionner comme l'avait désiré Rose s'il n'y avait eu l'influence de Harry Taylor. Mais la situation pouvait encore être redressée.

Pour cela la bataille légale devait prendre fin. Alors qu'approchait la date où la justice anglaise rendrait sa décision sur la validité du codicille, Michelle sentit sa nervosité grandir. Et si Rose avait gain de cause ? Qu'adviendrait-il d'elle et du bébé ?

L'accouchement était imminent lorsqu'elle reçut un appel téléphonique d'Angleterre. L'avocat lui annonça que le jugement venait d'être rendu. En sa faveur.

— C'est magnifique ! s'exclama-t-elle.

— Certes, mais cela ne signifie pas la fin de cette affaire, j'en ai bien peur, répondit l'homme de loi. La partie adverse a fait appel en demandant à ce que l'affaire soit présentée à New York, au motif que votre défunt mari y a rédigé son testament. Ils font prévaloir l'unité légale du document, ce qui y inclurait le codicille et requerrait en conséquence un nouvel examen et une nouvelle interprétation de l'ensemble par un tribunal américain.

Michelle ferma les yeux et sa main se crispa sur le récepteur.

— Rose a-t-elle le droit d'agir ainsi ? Légalement je veux dire ?

— Pleinement le droit. Néanmoins il reste une chance, mince il est vrai, que l'affaire n'en vienne pas là.

— Pourquoi ?

— Parce que Rose Jefferson nous a informés qu'elle désirait vous parler personnellement.

*

En quelques mois de présidence des opérations nord-américaines de Global, Harry Taylor avait été implicitement reconnu comme le successeur de Franklin Jefferson par les experts de Wall Street.

Harry se délectait de la déférence générale qu'on lui manifestait, du président du *Gotham Club* dont il était récemment devenu membre au moindre employé de Global à Lower Broadway. Les portes des maisons les plus prestigieuses s'ouvraient maintenant devant lui, et les hommes les plus puissants de la nation le traitaient en égal. Il emménagea dans un luxueux duplex sur la Cinquième Avenue. Mais surtout Rose semblait lui faire de plus en plus confiance. Et presque chaque soir, quand il arrivait à Talbot House, il la trouvait impatiente, avide, insatiable.

Pourtant, après avoir goûté les fastes de la réussite, Harry sentit sa chance tourner peu à peu. Le procès de Londres s'éternisait, et Rose s'enferma dans de sombres réflexions que même lui ne pouvait chasser. Il suivait attentivement l'évolution de l'affaire et en privé priait Rose d'accentuer la pression. Il lui apparaissait inconcevable que Michelle pût trouver un biais légal pour légitimer le codicille.

Ce fut pourtant ce qui se produisit.

— Maudits soient ces Anglais! tempêta-t-il quand Rose lui apprit la nouvelle. Vous avez dépensé une fortune pour récupérer ce qui devait vous revenir, et pour quel résultat? Mais vous avez raison : amener l'affaire à New York changera tout. Aucun juge sain d'esprit n'osera se dresser contre vous.

Harry attendait une confirmation de ces propos, mais à son grand étonnement Rose ne dit rien. Les semaines passèrent, et à chacune de ses tentatives pour aborder le sujet, Rose refusait d'en discuter. Un jour enfin elle lui annonça qu'elle partait pour la France. Et elle lui dit ce qu'elle avait l'intention d'y faire.

— Vous ne parlez pas sérieusement! s'exclama-t-il.

— Très sérieusement, au contraire.

— Mais c'est aberrant! Vous rendez-vous compte de ce que cela va nous coûter?

— *Nous,* Harry?

— Vous savez très bien ce que je veux dire! Vous mettrez en péril tout ce que vous avez édifié.

Rose reposa sa brosse à cheveux et s'étira comme une chatte. Mais le regard qu'elle braqua sur lui était glacé.

— Je ferai tout ce qu'il faudra pour exclure Michelle de la compagnie. Tout, Harry. Suis-je assez claire?

— Il doit bien exister un autre moyen, allons!

Les yeux de Rose s'étrécirent.

— Ne prenez plus jamais ce ton avec moi. C'est moi et personne d'autre qui décide ce qu'il y a de mieux pour Global.

— Mais tout ce que j'ai fait? Cela ne compte donc pas?

— Est-ce ce qui vous préoccupe, Harry? dit-elle d'un ton dangereusement calme. Votre poids dans la compagnie?

— Vous savez très bien qu'il ne s'agit pas de cela, rétorqua-t-il précipitamment. Je me soucie de tout ce qui vous touche, Rose, c'est tout.

Rose dégrafa brusquement sa robe en le fixant d'un regard brillant.

— Venez, Harry.

— Rose, comment pouvez-vous penser à l'amour quand...

— Parce que c'est ce que je veux. Parce que je vous veux. Venez.

Et, en s'approchant, Harry Taylor comprit soudain ce qu'il représentait pour elle. Rien de moins, rien de plus.

*

Dire que sa rencontre avec Rose fut pour Michelle une surprise serait un euphémisme. Rose ne lui avait pas donné de date précise. Un matin, Michelle reçut une simple carte de visite lui proposant une entrevue au *Crillon* dans l'après-midi, si cela lui convenait.

Michelle choisit sa tenue avec le plus grand soin. Elle opta pour une robe confortable et de bon goût. L'élégance parisienne convenait mal à une grossesse de huit mois, mais elle parvint à les accorder.

Une voiture l'amena sur la Rive Droite et elle fut étonnée des regards admiratifs qu'elle suscita dans le grand hall de l'hôtel. Elle avait trop chaud et se sentait boursouflée, lourde et laide. Un groom vêtu comme un hallebardier du XVIIIe siècle l'escorta jusqu'à la suite du sixième étage et l'annonça d'une voix cérémonieuse.

Les changements intervenus chez Rose n'échappèrent pas à Michelle. Alors qu'elle avait à peine dépassé la trentaine, Rose semblait précocement vieillie. Si elle gardait cette beauté dont Michelle se souvenait fort bien, ce n'était plus celle d'une femme épanouie. Des rides profondes creusaient son front et commençaient à marquer le coin de ses yeux, témoignage de soucis multiples.

Rose se leva dès son entrée et vint vers elle en souriant.

— Soyez la bienvenue, Michelle. Comment vous sentez-vous ?

— Bien, merci.

— Venez vous asseoir ici, vous serez mieux, dit Rose en la guidant jusqu'au canapé où elles s'installèrent toutes deux. C'est pour quand ? demanda-t-elle avec douceur.

— Dix-sept jours, plus ou moins.

— Vous avez un bon médecin, bien sûr ?

— Oui. Un des meilleurs.

Michelle sourit en détectant la note de déception dans la voix de Rose. *Elle est envieuse ! Elle croit que je porte l'enfant de Franklin, une partie de lui qui jamais ne lui appartiendra...*

— Vous êtes venue de très loin, dit-elle d'un ton neutre. La raison doit être importante.

Malgré tous ses efforts, Rose ne pouvait détacher son regard du ventre gonflé de Michelle.

Cet enfant... Si elle n'était pas enceinte, rien de tout cela n'aurait lieu d'être.

Rose chassa ces pensées amères. Elle ne devait pas laisser ses sentiments lui dicter son comportement. Il fallait qu'elle reste maîtresse d'elle-même et de la situation, qu'elle choisisse ses mots avec le plus grand soin.

— Comme vous le savez, j'ai fait réouvrir l'affaire à New York, commença-t-elle d'une voix posée. Et la justice américaine ne mettra pas aussi longtemps que son homologue anglaise pour donner ses conclusions, lesquelles seront très différentes, selon toute probabilité... (Elle marqua un temps d'arrêt pour donner plus de poids à ses propos, puis reprit :) Néanmoins nous avons encore le temps d'atteindre un compromis. C'est ce que je suis venue vous proposer.

Michelle ne cacha pas sa surprise.

— Après tous ces mois d'affrontement ?

— Michelle, j'en suis arrivée à la conclusion que toutes ces batailles juridiques nous avaient fait perdre de vue le principal.

— Qui est ?

— Pourquoi vous vous entêtez à vous croire en droit de réclamer une partie de Global.

— Parce que j'étais la femme de Franklin, répondit Michelle avec le plus grand calme.

— Certes, concéda Rose, mais il y a une grande différence entre désirer quelque chose — ou le réclamer — et savoir l'utiliser. Bien sûr, vous savez certaines choses sur Global, mais pas assez pour vous y investir avec succès. Vous n'avez aucune formation commerciale ou financière, et bientôt vous devrez vous occuper de votre enfant. Honnêtement, Michelle, pensez-vous être en mesure d'apporter une contribution valable à Global dans ces conditions ?

— On ne m'a jamais donné l'occasion de prouver ma valeur.

Rose jugea le moment venu de conclure l'entrevue.

— Quelle qu'elle soit, vous et Global vous vous porterez mieux séparés qu'ensemble.

Elle prit une mallette qu'elle ouvrit et en sortit une liasse de feuillets.

— Mes juristes ont calculé la valeur des parts de Franklin dans la compagnie et ont soumis leurs conclusions à vos représentants de Londres. Comme vous pouvez le constater vous-même, il n'y a aucune contestation sur les chiffres.

Michelle accepta le document que lui tendait Rose mais elle n'y jeta pas un coup d'œil.

— Vous cherchez à m'acheter, constata-t-elle.

Rose approuva.

— Le plan de paiement prévoit des versements étalés sur dix ans. Vous pouvez faire de cet argent ce que bon vous semblera, naturellement. Il y a plus que le nécessaire pour assurer à votre enfant le style de vie auquel vous êtes accoutumée. En fait, je vous propose autant sinon plus que ce que vous gagneriez si la cour de New York se prononçait en votre faveur, ce qui est pour le moins improbable.

— Mais je n'aurais plus rien à voir avec Global...

— Étant donné les circonstances, c'est là une bien mince concession, ne trouvez-vous pas ?

Michelle ouvrit le projet d'accord et le parcourut rapidement. Le total estimé des parts de Franklin était de dix millions de dollars.

— Pourquoi, Rose ? dit-elle après un moment. Pourquoi cette offre, après tout ce qui s'est passé entre nous ?

Le visage de Rose se durcit. Elle n'avait pas l'intention d'avouer à cette femme les nuits blanches et les journées d'anxiété qu'elle avait endurées quand elle avait compris qu'elle ne pourrait jamais défier Michelle sur son propre terrain. Le verdict de Londres l'en avait persuadée. Or elle ne pouvait tolérer une défaite, aussi minime et explicable fût-elle. Les prédateurs qui guettaient la moindre de ses défaillances ne manqueraient pas de noter celle-là et chercheraient à l'exploiter, d'une façon ou d'une autre. Une preuve de faiblesse dans ce milieu équivalait trop souvent à un arrêt de mort, elle était bien placée pour le savoir.

Il ne lui restait donc qu'une voie à suivre.

— Pourquoi ? répéta-t-elle. Parce que nous nous sommes trop longtemps affrontées, que nous avons toutes deux trop perdu. Parce qu'il est temps que cela cesse... Mais je mets une condition à cette paix, Michelle : une clause de secret. Quand vous signerez, vous vous engagerez à ne jamais divulguer les termes de notre accord à quiconque.

En disant cela elle avait surtout à l'esprit Harry Taylor et sa colère quand elle lui avait annoncé qu'elle comptait acheter le retrait de Michelle. Rose avait avancé le chiffre de cent mille dollars, et pour une obole aussi ridicule Harry s'était emporté et avait juré qu'elle dilapidait son argent. S'il apprenait qu'il s'agissait en réalité de dix millions de dollars...

— J'attends votre réponse, Michelle.

— Non.

— *Je vous demande pardon ?*

Michelle était aussi surprise que Rose de sa réaction, et encore plus de ce qui suivit. Elle avait l'impression de ne pas décider des mots qu'elle prononçait :

— J'ai une autre offre à vous faire. En ce qui vous concerne, les chèques de voyage que Franklin a tenté de lancer n'ont aucune valeur. Personne ici n'est prêt à essayer de faire fonctionner ce système. Parce que personne ne le connaît assez bien. Moi exceptée.

— Où voulez-vous en venir, Michelle ?

— Incluez les chèques de voyage dans la part de Franklin. Laissez-moi terminer ce qu'il a mis en chantier. J'aurai besoin d'un capital pour commencer, mais il sera très inférieur à la somme que vous proposez. En retour de ce prêt, je promets de ne jamais interférer dans les opérations de Global en Amérique du Nord.

Rose avait du mal à croire ce qu'elle entendait.

— Si je comprends bien, dit-elle lentement, vous abandonneriez toute prétention sur les avoirs de Franklin contre l'exclusivité européenne d'exploitation des chèques de voyage ?

Michelle eut du mal à déglutir. *Est-ce vraiment là ce que je veux ?*

— Oui, s'entendit-elle répondre. Mais je garderai tous les profits qui en découleront. Et j'aurai le droit d'utiliser le nom de Global.

266

Le visage de Rose se crispa involontairement à la mention de Global. Mais elle sentait là un avantage : Michelle s'aventurait sur un terrain qu'elle ne connaissait pas aussi bien qu'elle.

– Et quel capital estimez-vous nécessaire ?

– Deux millions de dollars.

– Deux millions et l'utilisation du nom de Global ? (Rose eut un rire sans joie.) Vous demandez la lune *et* les étoiles !

– Croyez ce que vous voulez, mais je ne suis pour rien dans le fait que les banques aient refusé d'aider Franklin, répondit Michelle avec calme. Je désirais que Franklin réussisse, Rose. Et j'étais autant impliquée dans ce qu'il a essayé de faire pour Global que lui. J'estime avoir gagné le droit d'utiliser ce nom.

– Ce n'est pas mon avis !

Sans hâte, Michelle ramassa son sac à main.

– Dans ce cas, je pense que nous n'avons rien de plus à discuter. Merci de demander à vos avocats de m'envoyer l'estimation officielle des avoirs de Franklin.

Rose réfléchissait à toute allure. Après la mort de Franklin et pendant qu'elle attendait l'autorisation des autorités britanniques pour ramener le corps aux États-Unis, elle avait pris contact avec les banquiers en affaires avec son frère. Tous avaient exprimé leurs condoléances, bien sûr, mais aucun n'avait voulu expliquer son refus de collaborer avec le disparu.

Rose ne comprenait pas l'acharnement de Michelle. A l'évidence, ces chèques de voyage étaient sans avenir en Angleterre. Où pourrait-elle les placer ? Sur le continent ? La présence de Global y était négligeable... De ce point de vue, Rose n'avait donc rien à perdre en permettant l'utilisation du nom de la compagnie.

– Michelle, nous pouvons peut-être trouver un compromis...

Si elle s'enferre dans ce projet de chèques de voyage, son échec est assuré. Alors ni elle ni son enfant n'auront plus le moindre droit sur Global. En revanche, et bien que cela soit tout à fait improbable, si elle réussit tout le monde verra mon empreinte dans l'utilisation du nom de la compagnie. Et je pourrai toujours récupérer le territoire européen par un procès ultérieur...

– Je vous écoute, Rose, dit Michelle d'un ton neutre.

– Quel délai jugez-vous nécessaire pour rembourser le prêt ?

– Trois ans.

– Non, c'est beaucoup trop long. Les intérêts que je perdrais sur une telle somme seraient énormes. Au plus, j'envisage un prêt d'un million de dollars remboursables en douze mois.

Michelle se mordit la lèvre. Tous ses calculs indiquaient qu'un million de dollars était le strict minimum. Mais une seule année pour rembourser cette somme, c'était un délai presque impossible à tenir.

– Dix-huit mois, proposa-t-elle. Mais j'aurais besoin de votre matériel d'impression de chèques de voyage.

Rose s'attendait à cette demande.

— Bien sûr. Et pour le droit de licence d'utilisation du nom de Global ? Que diriez-vous de quinze pour cent des bénéfices ?

Michelle secoua la tête.

— Le taux habituel est de sept pour cent, Rose, vous le savez aussi bien que moi.

— Très bien. Mais dans ce cas j'insiste pour que le pourcentage de Global soit calculé d'après les bénéfices bruts. Vous pourrez rembourser le prêt lui-même sur le net.

Michelle était acculée. Les termes offerts par Rose ne lui laissaient aucune marge d'erreur.

— D'accord, dit-elle.

— Alors l'affaire est conclue. Je suppose que vous allez prévenir vos avocats de notre accord ?

— Dès que j'aurai vu les documents.

Rose eut un sourire froid.

— Vous avez ma parole que le contrat reflétera exactement ce que nous venons de décider. Et, bien sûr, le principe de la clause de secret est toujours valable.

Michelle acquiesça. Elle se levait pour partir quand la douleur crispa son visage.

— Michelle ! Vous allez bien ? s'écria aussitôt Rose en s'approchant.

Michelle caressa son ventre d'une main tremblante.

— Oui, ça va aller... Le bébé s'agite. Il est temps que je rentre. Je suis très fatiguée.

Mais tandis qu'elle sentait son enfant se calmer en elle, Michelle ne put s'empêcher de penser : *Mon pauvre amour, qu'ai-je fait ? Que va-t-il nous arriver maintenant ?*

37

Cassandra naquit en avril 1921, et l'existence de Michelle s'en trouva transformée. Dès qu'elle tint pour la première fois sa fille dans ses mains, tous ses soucis à propos de Rose et de l'avenir s'estompèrent. Certes elle était seule, et parfois les responsabilités qu'impliquait la naissance du bébé menaçaient de l'écraser, mais il lui suffisait de regarder le bleu profond des yeux de Cassandra pour s'émerveiller du miraculeux cadeau de la nature.

Dès qu'elle eut repris un peu de forces elle rédigea un long câble à l'intention de Monk pour lui parler de Cassandra. Elle choisit chaque mot avec soin, et quand elle le relut elle dut résister à l'envie d'emplir d'amour ces termes pesés, de dire à Monk tout ce qu'elle voyait de lui dans l'enfant. Mais elle savait cela impossible, du moins pour l'instant, et elle résista à la tentation.

Après bien des recherches elle trouva une nourrice suisse aux références parfaites. Et quand Fräulein Steinmetz prit le bébé dans ses bras, Cassandra s'endormit presque aussitôt. Pour la mère, c'était la meilleure preuve de sa compétence.

Durant les six premiers mois et malgré un emploi du temps très chargé, Michelle se réserva plusieurs heures par jour avec sa fille. Elle l'emmenait en landau dans les jardins du Luxembourg, et elle installa son bureau dans la grande chambre de l'enfant. Elle jouait avec Cassandra jusqu'à ce que celle-ci se lasse et s'endorme. Alors elle travaillait aux schémas de mise en place des chèques de voyage et, quand la fatigue la prenait, il lui suffisait de contempler Cassandra pour retrouver la force de continuer son travail.

Malgré tout le bonheur que lui procurait son enfant, elle ne pouvait ignorer les incertitudes de l'avenir. Elle s'interrogeait souvent sur l'arrangement conclu avec Rose Jefferson. Les documents légaux arrivèrent deux mois après l'accouchement, et Michelle consacra de longues heures à les étudier. Rose avait tenu parole, et le contrat reprenait fidèlement les termes convenus entre les deux femmes. Michelle accepta le prêt bancaire d'un million de dollars, signa les papiers afférents et renonça par écrit à tout droit sur les parts ayant appartenu à Franklin. Une page du passé était définitivement tournée, mais cela ne l'aidait guère à affronter l'avenir.

Dans cette période de doute plus encore qu'à l'ordinaire l'absence de Monk torturait Michelle. Mais jamais elle ne s'autorisa à l'appeler à son secours. Il lui suffisait de regarder leur enfant pour comprendre qu'elle n'avait pas le droit de courir un tel risque.

L'aide qu'elle espérait tant lui arriva d'une direction tout à fait inattendue. Parmi tous les cadeaux reçus pour la naissance de Cassandra figurait un très joli bol à chocolat en argent envoyé par Christophe, le duc de Chambord. Dans le mot accompagnant son présent il annonçait sa venue à Paris et disait le plaisir qu'il aurait à rencontrer Michelle à cette occasion. Elle en fut ravie.

— Pardonnez-moi de ne pas être venu plus tôt, dit Christophe en sirotant un verre d'excellent vin dans le salon de Michelle. Étant donné la discrétion avec laquelle vous vous êtes installée à Paris, je n'ai pas voulu déranger votre intimité. (Il regarda l'enfant dans son berceau et ajouta :) Elle est vraiment très belle, Michelle. Vous avez beaucoup de chance.

Le jeune femme fut touchée par la sincérité du duc, mais également par le regret sous-jacent dans ces mots.

— Avez-vous des nouvelles de Patricia ?

Christophe eut un sourire bref et secoua la tête.

— Non. Je suppose que nous avons vécu ensemble un très plaisant interlude et qu'il est terminé.

La tristesse de sa voix n'invitait pas à poursuivre sur ce sujet, et Michelle aborda donc celui de son arrangement avec Rose.

– Vous avez fait là une très bonne affaire, commenta Christophe.

– Mais je ne sais par où commencer.

– Je crois avoir une petite idée, justement...

Il se lança alors dans une description de l'Exposition universelle qui devait se tenir à Paris le printemps suivant. Des milliers d'hommes d'affaires du monde entier y viendraient.

– Ce sera une vitrine rêvée pour vos chèques de voyage, conclut-il avec un sourire.

– Quel intérêt aurais-je à vendre quelque chose que je ne possède pas encore?

– Allons, Michelle, pensez aux solutions plutôt qu'aux problèmes. Pour commencer, vous devriez vous montrer davantage.

Devant l'assurance du duc, Michelle fit taire les protestations qui lui montaient aux lèvres et réfléchit un instant.

– Qu'avez-vous à l'esprit?

– Je donne un petit dîner demain. Je serais enchanté si vous l'honoriez de votre présence...

L'après-midi suivant, Michelle éprouva la patience de Fräulein Steinmetz en l'abreuvant de recommandations et en envisageant tous les problèmes qui pourraient survenir durant son absence. Alors que la voiture envoyée par Christophe attendait en bas, Michelle fondit en larmes et refusa de partir.

– Madame, dit la nourrice suisse avec hauteur, si vous ne partez pas maintenant, c'est moi qui le ferai.

Une heure après avoir franchi le seuil du somptueux hôtel particulier dans le seizième arrondissement, Michelle avait oublié toutes ses appréhensions. Le *nec plus ultra* de la bonne société occupait les salons luxueux de Christophe, et celui-ci la présenta à ses invités les plus prestigieux. C'est ainsi qu'elle discuta de la vie londonienne avec un attaché d'ambassade américain, écouta Jean Cocteau exposer ses théories sur le théâtre contemporain, et entendit l'avis de Coco Chanel sur l'avenir probable de la haute couture. Mais le meilleur de la soirée se déroula pour elle durant le repas. Par quelque heureux hasard qui devait certainement beaucoup à Christophe, elle se retrouva placée entre Émile Rothschild et Pierre Lazard, deux banquiers immensément riches et influents, à la tête d'institutions financières parmi les plus importantes de France.

– Christophe m'a dit que vous possédiez la licence d'exploitation des chèques de voyage Global pour l'Europe, lui murmura Émile Rothschild alors qu'on servait une bisque de homard royale. Peut-être pourrions-nous discuter d'une éventuelle collaboration...

Avant que Michelle puisse répondre, Pierre Lazard lui soufflait:

– En ce qui concerne les chèques de voyage, madame, puis-je

me permettre de vous demander si vous avez conclu des accords de partenariat pour leur mise en place?

Michelle avait le vertige. Plus tard dans la soirée, elle convint de rendez-vous avec les deux hommes pour discuter affaires.

— Je n'arrive pas à croire qu'ils soient aussi intéressés! s'exclama-t-elle quand elle se retrouva seule avec Christophe, après leur départ.

Le duc de Chambord eut un sourire satisfait et emplit de nouveau leurs verres d'un cognac centenaire.

— Et ce n'est que le début, ma chère Michelle!

*

Les négociations durèrent pendant tout le printemps et l'été, renforçant Michelle dans son idée que les banquiers étaient les gens les plus prudents et les plus soupçonneux du monde. Leur participation ne fut signée qu'à la Noël 1921, et bien qu'elle eût négocié pied à pied les termes de leur arrangement, le pourcentage prélevé par Lazard et Rothschild au titre de la distribution représentait une véritable fortune.

Une fois les contrats signés, Michelle sillonna Paris pour trouver des locaux adéquats. Elle fixa son choix sur une élégante bâtisse rue de Berri. Les matrices des chèques de voyage arrivèrent peu après des États-Unis, et Michelle arrangea une entrevue avec les directeurs de la Banque de France. L'organisme d'État consentit à lui vendre le papier nécessaire à l'impression des chèques contre une commission conséquente, mais Michelle ne pouvait agir autrement : la Banque de France avait l'exclusivité de toute émission officielle de titres.

Ensuite elle constitua son équipe. Les entretiens et la sélection, qu'elle voulut draconienne, lui prirent plusieurs semaines. Encore dut-elle instruire ses nouveaux employés, bien souvent des cadres bancaires, des subtilités spécifiques du produit qu'elle allait lancer. Certains abandonnèrent en cours de route, persuadés que ce projet était voué à l'échec.

Dès la fin de l'année, Michelle commença à ressentir les premiers signes d'une appréhension bien compréhensible. Elle avait déjà dépensé plus d'un tiers du million de dollars prêté par Rose, et il était évident que la campagne de promotion indispensable pour attirer l'attention du public engloutirait à elle seule plusieurs centaines de milliers de dollars. Et d'ici là elle n'aurait eu aucune rentrée financière.

Un autre problème se fit rapidement jour. Les employés retenus pour former son équipe se révélèrent peu motivés et semblaient mépriser ses principes de travail. Michelle insistait beaucoup sur la notion de service qui devrait prévaloir dans tout rapport avec la future clientèle, ce qu'ils estimaient être une négation de leur importance professionnelle. Par un soir de janvier pluvieux, Michelle finit par s'ouvrir de ces difficultés à Christophe, qui une fois de plus lui suggéra une solution à laquelle elle n'aurait jamais osé songer.

— Pourquoi ne pas choisir des gens qui connaissent déjà Global ?

— Débaucher des employés de la branche européenne de Global ? s'exclama-t-elle après un moment d'ahurissement total. Vous n'y pensez pas sérieusement, Christophe ! Ce serait braconner sur les terres de Rose !

Amusé, le duc eut un haussement d'épaules.

— D'après ce que vous m'avez dit des termes de votre contrat avec elle, rien ne vous empêche d'agir ainsi... (Abandonnant le ton de la plaisanterie, il ajouta :) Je pensais à un aspect très peu connu du personnel de Global. J'ai découvert que les agents généraux des messageries Global en Europe travaillent d'une façon presque familiale, Michelle. Dans le sens où leurs épouses sont bien souvent autant au fait de leurs affaires qu'eux-mêmes. Or, quand le chef de famille disparaît, ces femmes ne se voient jamais proposer de le remplacer à son poste... Ces veuves se retrouvent avec une pension ridicule. Beaucoup d'entre elles cherchent alors un emploi pour subvenir à leurs besoins. Des emplois subalternes, souvent... (Il eut un sourire malicieux.) Eh bien, figurez-vous que quelques-unes d'entre elles travaillent chez moi, justement.

Michelle savait que c'était là prendre un risque incalculable, mais elle n'avait guère le choix. Elle établit donc une liste des veuves de cadres de Global et les contacta pour leur proposer de travailler avec elle, après une première sélection très soigneuse. L'offre qu'elle faisait paraissait souvent mirifique à ces femmes condamnées à un dénuement choquant, et une grande majorité accepta. Michelle s'engageait à les faire venir à Paris, à les loger, les nourrir et les former. Si elles donnaient satisfaction dans leur apprentissage, Michelle leur garantissait un contrat ferme dans sa société. En échange elle courait le risque de parier sur des femmes qui avaient toujours vécu dans l'ombre de leur défunt mari, et cette possibilité ne laissait pas de l'angoisser. Mais si elle parvenait à leur insuffler une confiance suffisante en leurs propres capacités, elle pensait être payée de retour par un investissement professionnel et une loyauté de la meilleure qualité.

Cette mise en place greva un peu plus encore les fonds dont elle disposait, et les semaines passaient. La date de remboursement du prêt approchait, et Michelle savait que Rose serait sans pitié si elle ne pouvait tenir ses engagements.

*

Douze mois étaient déjà écoulés sur les dix-huit du délai, et Michelle s'était séparée de la moitié de l'équipe qu'elle avait mis deux mois à former. Dans les chambres fortes de la Banque de France dormaient des milliers de chèques de voyage, l'équivalent de plusieurs millions de dollars, qui attendaient d'être livrés rue de Berri. Cependant Paris se préparait pour l'Exposition universelle. Statues et monuments étaient nettoyés, on répétait les défilés et on fixait le calendrier de réjouissances et de manifestations diverses. Dans toute l'Europe le bruit courait que l'Exposition universelle serait l'événement du siècle.

— Savez-vous ce qu'ils demandent pour un emplacement à l'Exposition universelle? Il faudrait que je dépense jusqu'à mon dernier centime pour me l'offrir!

Michelle et Christophe déjeunaient dans un petit café en bas de ses bureaux. Les yeux fermés, Michelle tendit son visage au rayon de soleil qui baignait leur table. Le duc ne pouvait pas ne pas lire la lassitude sur ses traits. Bien qu'elle lui eût fait part de ses relations avec Monk McQueen, Christophe continuait de la voir au moins une fois par semaine pour suivre en toute amitié sa situation. Le plus souvent, Michelle restait tard rue de Berri, calculant les coûts, établissant plans et projets pour économiser au maximum ses ressources. Lorsque Christophe parvenait à la décider à dîner avec lui, elle insistait pour que ce soit à l'appartement de l'île Saint-Louis. Dès la première fois il en comprit la raison : ainsi elle se trouvait près de sa fille.

Se sentant observée, Michelle rouvrit les yeux.

— Je suis désolée, lui dit-elle avec un sourire fugitif. Je crains de ne pas être de très bonne compagnie ces temps-ci.

Elle considéra un instant ses mains où saillait le tracé bleuâtre des veines. Elle savait qu'elle se négligeait, mangeait trop peu et ne dormait pas assez. Elle avait perdu du poids et portait les marques d'une tension constante. Chaque jour lui paraissait trop court pour tout ce qu'elle avait à faire, mais ce qui la faisait le plus souffrir était le peu de temps qu'elle pouvait consacrer à Cassandra.

Le duc vit la tristesse qui assombrissait son visage.

— Allons, Michelle, vous touchez au but, l'encouragea-t-il. Tout est en place et l'Exposition sera votre triomphe.

— J'ai peur, Christophe. Pour la première fois depuis que je me suis lancée dans cette aventure, je suis réellement effrayée.

— Vous dépenseriez une fortune de toute façon pour acheter des encarts dans les journaux ou des panneaux dans le métro, raisonna-t-il. Et l'attention générale est fixée sur l'Exposition.

— Oui, et d'une façon ou d'une autre je dois me décider rapidement... Demain au plus tard, en fait. (Elle se pencha en avant et déposa un baiser sur la joue du duc.) Merci, mon ami. Je ne sais pas ce que je deviendrais sans vous.

— Courage, Michelle. Ne perdez jamais courage.

Minuit était passé quand elle rentra à l'île Saint-Louis. L'appartement était plongé dans l'obscurité et, comme à son habitude, elle se dirigea immédiatement vers la chambre de sa fille. A sa grande surprise elle découvrit Cassandra éveillée, occupée à malmener ses peluches. L'enfant gazouilla de plaisir quand Michelle la prit dans ses bras et la berça en déambulant dans les pièces. Sans s'en rendre compte elle se mit à lui parler à voix basse de l'Exposition, de toutes les merveilles et de tous les dangers qu'elle promettait. C'était une occasion en or, mais si les chèques de voyage ne remportaient pas un succès instantané, elle n'aurait pas de seconde chance.

— Alors, ma chérie, que dois-je faire ? murmura-t-elle à l'enfant en regardant ses grands yeux bleus qui la fixaient avec solennité.

Cassandra lui sourit, agita ses petits poings avec enthousiasme puis soupira et s'endormit. Michelle ne put retenir un rire.

— Bien sûr. Suis-je bête !

Le lendemain elle signait le contrat de location pour un emplacement à l'Exposition et se mettait en quête d'une petite mongolfière. Si elle devait utiliser ses dernières cartouches, autant le faire avec panache.

*

A New York, Hugh O'Neill entra dans le bureau de Rose Jefferson.

— J'ai pensé que vous voudriez prendre connaissance de ceci.

Rose leva le nez des papiers qui encombraient son bureau et prit la lettre qu'il lui tendait. Elle avait été envoyée par le directeur général de Global à Paris et commençait par une auto-congratulation en règle pour la façon magistrale dont il avait assuré la présence de la compagnie à l'Exposition universelle.

— La partie intéressante se trouve à la fin, précisa O'Neill.

Rose sauta plusieurs paragraphes et lut avec une attention croissante le dernier feuillet.

— Eh bien... Michelle a décidé de jouer dans la cour des grands.

Rose prit un dossier contenant la correspondance de ses délégués en France, quelques autres documents, et fit un rapide calcul.

— Cela ne lui laisse pas beaucoup de marge d'erreur, commenta-t-elle enfin.

Hugh O'Neill crut détecter une note de regret dans sa voix. Impossible, se dit-il. Rose n'avait accepté ce marché que parce que tout jouait en sa faveur. A présent qu'elle était sur le point de remporter la victoire comme prévu, elle paraissait ne plus apprécier cette victoire trop prévisible. Elle leva les yeux et le contempla un moment.

— Non, ce n'est pas encore fini, Hugh, dit-elle comme si elle avait lu dans ses pensées. Et, quoi qu'il arrive, je dois reconnaître que Michelle a du cran. Dans sa position, je ne sais même pas si j'aurais tout misé sur ce coup... Combien de temps encore avant la date du remboursement ?

— Un peu plus de cinq mois.

Rose secoua la tête.

— C'était écrit, de toute façon. Tenez-moi au courant, Hugh.

*

— C'est magnifique! s'exclama Michelle en regardant autour d'elle.

Tout le long des Champs-Élysées, des bâtis de verre et de métal du plus bel effet abritaient les stands de toutes les nations. L'Afrique du Sud exposait ses plus beaux diamants, le Brésil des jardins exotiques, les États-Unis les dernières inventions technologiques, la Thaïlande des métiers à tisser la soie, l'Inde d'énormes bols de cuivre ouvragés, les colonies africaines des sculptures d'ivoire.

— Si nous avions la même chose chaque année, dit Christophe, le monde apprendrait peut-être qu'il vaut mieux commercer que se faire la guerre...

Michelle acquiesça. Tout en se frayant un chemin entre les stands, elle pouvait voir le ballon gonflé à l'air chaud qui flottait au-dessus de son emplacement. Sur l'enveloppe était inscrit en larges lettres lisibles par tous :

CHÈQUES DE VOYAGE GLOBAL
LA SEULE DEVISE INTERNATIONALE

Michelle et le duc arrivèrent au stand Global devant lequel deux gendarmes étaient en faction.

— Pourquoi sont-ils là ? s'étonna Christophe.

Avec un sourire de triomphe, Michelle lui désigna la longue queue de clients qui attendaient devant chacun des guichets.

— Mais c'est une exposition, ici! protesta Christophe. Pas **un** bazar!

— Vraiment ? fit-elle d'un ton malicieux. Mais il se trouve, mon cher, que rien dans le règlement de l'Exposition n'interdit aux participants de vendre... tout en montrant.

Christophe jeta un coup d'œil circulaire.

— Mais personne d'autre ne le fait.

— Parce qu'ils n'y ont pas pensé, ou qu'ils n'osent pas. Et de cette façon je récupère un peu de mon investissement!

— Quel bénéfice faites-vous quotidiennement ? voulut savoir le duc.

— Disons que nous devons approvisionner le stock de chèques trois fois par jour...

— Touché, admit-il avec un sourire poli. Pardonnez mon indiscrétion. Si vous continuez à ce rythme, il vous faudra penser à faire imprimer d'autres chèques!

Michelle le remercia d'un sourire. Christophe ne savait rien du pourcentage que prenaient Rothschild et Lazard sur chaque chèque encaissé dans leurs banques ou chez leurs correspondants. Le profit réalisé par Michelle s'en trouvait réduit à un minimum. L'Exposition se terminerait à la fin du mois, et elle avait déjà fait ses calculs. En admettant un débit stable jusqu'au dernier jour, il lui manquerait encore un demi-million de dollars pour rembourser intégralement Rose. Avec ensuite moins de quatre mois pour le trouver.

*

Michelle passait beaucoup de temps sur les lieux mêmes de l'Exposition, où elle rencontrait des hommes d'affaires des quatre coins du globe. Très rapidement d'autres stands l'imitèrent et passèrent à la vente. La jeune femme se promena un peu partout pour voir comment achetaient les visiteurs. A l'évidence, la plupart acquéraient des cadeaux pour leurs amis et leur famille restés au pays.

Quel dommage qu'ils n'emmènent pas chez eux des chèques de voyage, se dit-elle.

Elle s'arrêta net.

Et pourquoi ne le font-ils pas? Parce que personne ne leur a suggéré cette idée!

Michelle se précipita à l'île Saint-Louis et compulsa fiévreusement ses notes. Après la guerre, une vague d'émigration était partie de l'Europe vers les États-Unis. D'après les documents de Global, la plupart des immigrants étaient arrivés avec en leur possession la seule monnaie de leur pays d'origine. Comme peu de banques acceptaient la lire, le franc ou la drachme, les nouveaux venus avaient dû changer leur capital auprès de spéculateurs qui appliquèrent des taux usuraires. Et Michelle était certaine que cette pratique avait encore cours.

Dès la fin de l'Exposition, elle fit savoir dans tout Paris que Global vendrait des chèques de voyage en dollars à un taux inférieur de deux pour cent à celui de la Bourse. En moins d'une semaine les locaux de la rue de Berri étaient dévalisés. Les francs pieusement conservés sous les matelas étaient convertis en masse en chèques de voyage. Michelle dut ouvrir deux bureaux supplémentaires dans la capitale pour répondre à la demande. Les chèques de voyage Global pouvaient être encaissés dans n'importe quel bureau Global des États-Unis, et les immigrants se ruaient sur cette occasion inespérée.

— Je crois que Rose n'avait pas prévu cela, remarqua Christophe un soir qu'ils soupaient ensemble.

– C'est vraiment dommage, ironisa Michelle, parce que dans les circonstances actuelles Global peut difficilement refuser d'honorer ses propres chèques!

– Et cela mérite bien d'être fêté, ajouta Christophe en appelant le sommelier d'un signe.

Mais Michelle arrêta son geste.

– Non, pas encore. Pas tant que le prêt ne sera pas remboursé dans sa totalité.

Le duc allait répliquer, mais il se reprit à temps. Michelle n'avait pas besoin qu'on lui rappelle l'échéance, qui était maintenant dans moins d'un mois.

★

Au soir du 13 septembre, Michelle se rendit dans chacun de ses bureaux et vérifia le montant des dépôts.

– Assurez-vous que tout soit en banque à la première heure demain matin, recommanda-t-elle à chaque directeur d'agence.

Le lendemain à dix heures, elle se présenta au bureau d'Émile Rothschild.

– Quelle agréable manière de commencer une journée de travail, fit le banquier en l'accueillant. C'est toujours un plaisir de vous voir, Michelle.

– Peut-être changerez-vous d'opinion quand vous m'aurez entendue.

Effectivement, lorsqu'elle lui eut expliqué ce qu'elle désirait, le banquier pâlit.

– Mais c'est impossible, Michelle!

– Vérifiez vos livres, Émile, répondit-elle avec calme. Et n'oubliez pas d'ajouter les dépôts d'aujourd'hui.

Le banquier appela son chef comptable et lui demanda d'amener les comptes de Michelle. Quand il les eut vérifiés, il ne put retenir une exclamation de surprise.

– Je veux que cette somme soit transférée par câble dès que possible sur ce compte de la Morgan Bank à New York. Dans son intégralité.

– Dans son intégralité? Mais avec quoi pourrez-vous continuer à...

– Émile, s'il vous plaît.

Le banquier la considéra un moment avec le plus grand sérieux.

– Très bien. (Il fit un signe au chef comptable pour lui signifier d'exécuter la demande de Michelle puis, se retournant vers elle :) Je peux vous offrir un café?

– Quelque chose de plus fort serait tout indiqué, répondit-elle en souriant.

A huit heures ce même matin, heure de New York, Eric Gollant vint voir Rose à Talbot House.

— Voilà une visite inattendue, plaisanta-t-elle amicalement. Qu'est-ce qui a bien pu vous tirer du lit de si bonne heure ?

— Un appel de chez Morgan, répondit Gollant en lui tendant une feuille couverte de chiffres. Voici les virements qu'il a relevés pour moi. Savez-vous pourquoi quelqu'un pourrait nous envoyer ainsi un million de dollars ?

Très étonnée, Rose parcourut les lignes de chiffres.

— Je ne vois vraiment pas qui...

Soudain elle comprit.

— Les virements viennent tous de Paris, n'est-ce pas ?

— D'après Morgan, oui. De la banque Rothschild.

Ils s'entre-regardèrent quelques secondes, incrédules.

— Ce n'est pas possible, marmonna Eric.

— Et pourtant... Je n'arrive pas à le croire ! Michelle a réussi. Elle a remboursé le prêt à temps !

Eric Gollant vit la colère assombrir le visage de Rose, et il se prépara au pire.

— Elle a réussi ! répéta Rose, furieuse, avant d'éclater soudain d'un rire ravi. Que je sois pendue si elle ne s'est pas jouée de nous tous ! Et en beauté !

38

En mars 1924, Émile Rothschild, Pierre Lazard et Michelle célébrèrent la réussite de leurs affaires communes à *La Tour d'Argent*. Le menu était à base de canard, spécialité de ce restaurant très réputé.

— A Mme Jefferson, dit Lazard en levant son verre. Pour le succès de ses chèques de voyage.

Michelle accepta le toast avec le sourire. Les dix-huit mois qui avaient suivi le remboursement du prêt avaient été tout aussi mouvementés que les précédents. En rassemblant tous ses avoirs pour payer Rose à temps, Michelle avait quasiment vidé son compte. Rothschild et Lazard s'étaient offerts ensemble de lui consentir un prêt, mais elle avait prudemment refusé. Une des règles d'or qu'elle avait apprises était le danger que représentait tout créancier en affaires. Si vous permettiez à un banquier de mettre le pied chez vous, même si c'était un ami, vous risquiez de vous retrouver comme tous ces gens fortunés qui avaient fait banqueroute parce qu'ils ne pouvaient honorer un échéancier de remboursement.

Dès la fin de l'Exposition universelle, Michelle avait étiré encore un peu ses heures de travail, supprimant son repos dominical pour se consacrer aux affaires. Elle réinvestit les premiers profits dans une campagne de publicité qui fit merveille. En six mois ses réserves avaient atteint un montant record. Intriguée par cette femme de tête au comportement si courageux durant la guerre, la presse financière française se mit à parler d'elle.

Mais Michelle savait que ses liens avec une des familles les plus riches des États-Unis contribuaient sans doute à l'intérêt dont elle était l'objet et cette dernière référence l'amusait beaucoup. Depuis le remboursement surprise du prêt, elle n'avait eu qu'une seule fois affaire à Rose, et de façon fort distante, sous la forme d'une courte missive de félicitations pour son succès, rédigée dans des termes d'une froide retenue. Rose avait tenu parole : ses avocats avaient fait parvenir à Michelle tous les documents lui assurant l'exclusivité européenne des chèques de voyage Global.

Les lettres de Monk, en revanche, étaient toujours régulières et mettaient du baume au cœur de Michelle. La nouvelle de son succès, écrivait-il, était le principal sujet de conversation à Wall Street, et dans chacune de ses phrases Michelle sentait la fierté qu'il éprouvait. Mais malgré son désir de la rejoindre il ne pouvait encore venir en France. Il était en effet occupé à organiser La Sentinelle de façon que le journal puisse fonctionner sans lui, afin de se libérer de cette charge. Quant à Michelle, chaque jour d'attente lui pesait un peu plus, mais elle se préparait aussi à sa venue en consolidant ses propres affaires. En février elle acheta l'immeuble entier rue de Berri et tripla le personnel.

— Quel sera votre prochain coup d'éclat ? s'enquit Émile Rothschild lors de leur dîner à La Tour d'Argent.

— Le moment me semble venu d'envisager une véritable expansion.

Pierre Lazard lui jeta un regard dubitatif.

— Enfin, Michelle ! Vous avez réalisé un départ plus que prometteur, c'est vrai. Mais pourquoi prendre des risques inutiles ?

— Ce n'est pas inutile. Et ce ne sera pas un risque si vous m'aidez.

Les deux financiers mangèrent chacun une bouchée de canard pour se donner le temps de la réflexion.

— C'est de la folie, maugréa Pierre Lazard.

— Le moment est mal choisi pour une expansion, approuva Rothschild. Les temps sont trop incertains.

Michelle leva son verre en riant.

— Êtes-vous toujours aussi lugubres lorsqu'on vous propose une affaire intéressante ? Grâce à vous — et je vous en remercie —, j'ai réussi à faire de Paris la capitale touristique de l'Europe. Et chaque Américain connaît la rue de Berri. J'ai l'intention de maintenir cet état de choses, mais je veux aussi grandir. C'est pourquoi dans les prochains mois je vais installer des points de vente où nos clients pourront retirer leur courrier et expédier leurs lettres.

Elle s'interrompit pendant que les serveurs amenaient le plat suivant.

— Je viens de prendre connaissance des derniers chiffres concernant ce qu'ont dépensé les Américains ici l'été dernier. Messieurs, je vous parle de cinquante millions de dollars...

Michelle fit une nouvelle pause et nota avec satisfaction que les deux banquiers ne marquaient aucun intérêt pour le plat qui venait d'arriver.

— Cinquante millions de dollars, oui, répéta-t-elle. Et quelle est la provenance de cet argent? Pour deux pour cent seulement, des lettres de crédit que les touristes fortunés s'entêtent à vouloir transporter avec eux. Pour eux, il n'y a pas grand-chose à faire, je vous l'accorde. Leur snobisme les pousse à s'adresser à des banquiers tels Morgan ou Harjes. Mais l'énorme majorité de l'argent provient de gens avec qui ces banquiers ne traitent pas, justement : je veux parler des étudiants et de la classe moyenne.

Rothschild émit un hoquet horrifié.

— Les étudiants? Vous n'êtes pas sérieuse, Michelle?

— Ne les méprisez pas, Émile. Ils sont des dizaines de milliers à débarquer en Europe chaque année. C'est devenu une sorte de rite de passage. Et beaucoup d'entre eux travaillent sur les bateaux qui les amènent ici pour payer leur place. Quant à la classe moyenne, elle commence à découvrir l'intérêt de l'Europe.

— Alors quelle expansion envisagez-vous à Paris? s'étonna Rothschild.

— Je ne parlais pas de Paris mais de l'Europe, messieurs. Je veux réitérer ce que nous avons fait à Paris dans les villes de Bordeaux et de Nice et sur la Riviera, et en même temps établir la réplique de nos bureaux de la rue de Berri dans chaque capitale européenne. Et c'est ici que j'ai besoin de vous. Il me faudrait des mois pour négocier avec les banques suisses, italiennes, allemandes et espagnoles. Un temps précieux serait perdu, sans parler du coût de telles négociations. Mais si vos deux banques cautionnaient mes succursales, je suis certaine que vos confrères étrangers se décideraient rapidement.

Lazard et Rothschild s'entre-regardèrent, et Michelle n'eut aucune difficulté à imaginer le cours de leurs pensées. Tous deux avaient des branches financières dans toute l'Europe, et le prestige nécessaire pour amener les autres banquiers à traiter avec elle. Elle attendit leur réaction.

— Quel genre d'arrangement financier avez-vous à l'esprit? demanda Émile Rothschild d'un ton soigneusement dépassionné.

280

— Le même pourcentage qu'en France. En ce qui concerne le reste de l'Europe, d'ailleurs, je ne vous demande que d'amener les banques étrangères à traiter avec moi. Je me charge du reste, et dès que les contrats sont signés vous touchez votre pourcentage.

— Michelle, Michelle... soupira Lazard en souriant. Nous allons être associés, il serait donc naturel que nous participions vraiment aux profits. N'oubliez pas que vos contrats avec les banques étrangères ne se feront que parce que nous vous soutiendrons...

— Ridicule! tonna une voix familière derrière elle.

Elle se retourna et dut se faire violence pour ne pas sauter au cou de Monk McQueen qui toisait les deux banquiers de toute sa hauteur, les mains appuyées sur le dossier de sa chaise, un sourire carnassier aux lèvres.

Il se présenta aux banquiers, qui d'ailleurs le connaissaient de réputation, et fit à Michelle un baisemain un peu plus long que ne l'exigeait la simple courtoisie. Elle en frissonna de plaisir et le remercia d'un sourire lumineux.

— Messieurs, je n'ai pu m'empêcher d'entendre votre conversation et, bien qu'il ne soit pas dans mes habitudes de chercher à couper l'herbe sous le pied d'honnêtes négociateurs tels que vous, je me dois de vous dire que l'offre de Mrs. Jefferson est des plus raisonnables. Tellement même que si vous la refusiez je lui proposerais de s'adresser à Morgan. Et je puis vous assurer qu'il n'hésitera pas une seconde à accepter ces conditions.

— Mr. McQueen, répondit aussitôt Lazard avec son onctuosité professionnelle, votre réputation de journaliste financier n'est plus à faire, et c'est un plaisir de vous rencontrer. Néanmoins, permettez-moi de penser que la discussion que nous avons en ce moment excède peut-être vos compétences en la matière, cela dit sans vouloir aucunement vous vexer.

— Bah, fit Monk en haussant les épaules, je ne serais pas aussi catégorique à votre place. (Il déposa sur la table le dernier numéro de *La Sentinelle*.) Morgan est très intéressé par les chèques de voyage, et il est prêt à se contenter d'un moindre pourcentage pour y participer. Il me l'a dit dans une interview exclusive, et c'est imprimé en première page.

Lazard jeta à peine un coup d'œil à l'article. Visiblement, il était au courant des intentions du banquier américain.

— Cette information change tout, bien entendu. Si je puis parler au nom de mon confrère ici présent, je pense que nous avons développé ensemble des relations qui méritent d'être poursuivies, ma chère Michelle...

— Je suis heureuse de vous l'entendre dire, Pierre.

Michelle se délectait de ce revirement, mais elle bouillait également du désir de se retrouver seule dans les bras de Monk.

Émile Rothschild appela un serveur et commanda le meilleur champagne de la cave prestigieuse du restaurant.

— Je crois qu'il serait approprié de fêter dignement notre accord, dit-il sans la moindre trace d'amertume.

Quand la boisson pétillante leur fut servie, Michelle leva son verre.

— A de nouveaux horizons, dit-elle, puis, regardant Monk qui s'était assis auprès d'elle : Et aux vieux amis qui les partageront.

*

— Quand es-tu arrivé ?

Les bras le long du corps comme s'ils avaient peur de se toucher, ils se tenaient face à face devant le balcon de la chambre de Michelle.

— Je n'arrive toujours pas à y croire, dit-elle d'une voix enrouée par l'émotion.

Elle leva la main et lui caressa la joue. Il la prit dans ses bras.

— Crois-le, souffla-t-il avant de l'embrasser dans le cou avec tendresse.

— Cette fois, je ne te laisserai pas repartir, prévint-elle en retenant des larmes de joie avec difficulté.

— Je n'ai pas l'intention de repartir. Jamais.

*

Monk sortit du lit à l'aurore et sans bruit passa dans la chambre voisine. D'un geste très doux il souleva la couverture du berceau et il contempla longuement le petit corps assoupi de sa fille.

Je serai près de toi autant que je le pourrai, et je te promets que personne ne te blessera jamais si je suis là, ni toi ni ta mère...

Quand il pénétra dans la cuisine il découvrit Michelle qui finissait de préparer le petit déjeuner.

— Elle te ressemble beaucoup, murmura-t-il en déposant un centième baiser à la naissance de son cou.

— Si elle devient aussi grande que toi, nous n'arriverons jamais à la nourrir !

Ils rirent de concert, et pour Monk c'était le son le plus doux qu'il lui ait été donné d'entendre.

— Tu pensais ce que tu disais hier soir ? demanda Michelle d'un ton incertain. Tu vas pouvoir rester ?

— Bien sûr. Le journal marche très bien sans moi, à présent. Il se peut que je doive passer quelques jours à New York de temps à autre, pour garder la main et surveiller l'évolution des choses. Mais je ne resterai pas longtemps loin de toi et de Cassandra. Tu ne sais pas ce que cela me fait...

— Mais Rose ? Si elle découvre nos rapports ? Tout ce que nous craignons pourrait...

— Quatre années ont passé, Michelle. Ton veuvage doit bien

prendre fin un jour. Et personne n'a la moindre raison de penser que Cassandra n'est pas la fille de Franklin. Non, notre amour n'éveillera aucune suspicion.

Il étudia le visage levé vers lui et, derrière l'amour qu'il y lisait, détecta l'ombre de la tristesse.

– Pour l'instant c'est tout ce que nous pouvons demander. Et Dieu sait que c'est bien plus que ce que nous avons jamais eu ensemble.

Ils prirent leur petit déjeuner dans un silence complice que Michelle finit par rompre pour demander ce qui se passait aux États-Unis.

– Rien de bien changé, sinon que Global engrange d'énormes bénéfices avec les mandats et investit tous azimuts : compagnies minières, usines de papier, lignes de navigation...

– Alors j'espère qu'elle m'a oubliée, commenta Michelle. Mais Monk secoua la tête.

– Toi et ton idée de chèques de voyage auriez dû disparaître du paysage. Au lieu de quoi vous remportez un succès dangereux.

– Est-ce que tu te ferais du souci pour moi ? plaisanta Michelle. A sa grande surprise, l'expression de Monk devint grave.

– L'économie mondiale, ici comme aux États-Unis, reste très fragile. Je n'ai pas grande confiance, à vrai dire. La spéculation mine la Bourse, et l'inflation prend des proportions très inquiétantes en Allemagne. Quand cette situation explosera – car elle va fatalement exploser –, je ne veux pas que Cassandra et toi y soyez mêlées.

– Tu crois que je devrais repenser cette idée d'expansion ? dit lentement Michelle.

– Non, ce n'est pas ce que je voulais dire. Mets en route de nouvelles succursales si tu le désires, mais je ne peux que te conseiller de rembourser tes dettes au plus vite. De cette façon, personne ne pourra tenter de te dépouiller de ce qui t'appartient.

Michelle réfléchit un long moment, puis elle regarda Monk en lui souriant doucement.

– C'est pour cette raison que tu es venu, n'est-ce pas ? Tu as vu quelque chose que personne d'autre ne décèle et tu voulais me prévenir.

– Je suis d'abord venu parce que je vous aime, toi et Cassandra. (Il haussa les épaules, et avec une grimace comique ajouta :) Et parce que nous allons faire le tour de l'Europe tous les trois !

*

La seule crainte de Michelle concernant le retour de Monk était la réaction de Cassandra. Elle fut très vite rassurée. L'enfant adopta McQueen immédiatement, sans la moindre question. Pendant que Michelle mettait en place l'expansion européenne des chèques de voyage Global, Monk, qui se contentait d'envoyer un câble ou un article à New York de temps à autre, s'occupait de Cassandra.

A la fin juin l'appartement de l'île Saint-Louis était rangé, les meubles couverts de housses. Monk avait acheté une grosse berline Mercedes pour les transporter ainsi que leurs bagages. La nurse, le précepteur de Cassandra et le directeur européen de Michelle suivaient dans un autre véhicule.

Leur première étape fut Genève, choisie par Michelle comme base des opérations en Suisse. Ils s'installèrent dans une agréable villa au bord du lac Léman, et Monk apprit à nager à Cassandra et l'emmena faire du bateau tandis que Michelle mettait au point le fonctionnement de la succursale suisse. En quatre mois son succès fut tel qu'elle reçut des commentaires élogieux des spécialistes locaux, pourtant connus pour leur prudence. La conjoncture internationale fragilisait le franc suisse, et le dollar des chèques de voyage était très recherché.

L'automne trouva le trio en Italie, où Michelle voulait établir des relais à Rome, Venise et Milan. Pendant qu'elle sillonnait la Botte, Monk enchanta Cassandra en lui faisant découvrir les merveilles de la Rome antique. Le printemps suivant ils fêtèrent le quatrième anniversaire de l'enfant par une promenade en gondole.

Pendant l'hiver ils voyagèrent dans le sud de l'Europe, de la Grèce à l'Espagne et au Portugal. Après que Michelle eut arrangé ses affaires à Madrid et Lisbonne, ils prirent quelques semaines de détente en Algarve. Puis ils remontèrent en France et firent un court séjour à Paris. Michelle vérifia que tout allait pour le mieux rue de Berri, puis ils se rendirent à Amsterdam, première étape d'un voyage nordique d'un an.

— Je ne t'ai jamais dit que ma mère était suédoise, n'est-ce pas ? interrogea Monk alors qu'ils étaient accoudés au bastingage du ferry les emmenant de Copenhague à Malmö.

— Il y a encore beaucoup de choses que j'ignore de vous, Mr. McQueen, le taquina Michelle.

Monk entoura ses épaules d'un bras.

— Et vous avez tout le temps qu'il faut pour les découvrir, répondit-il sur le même ton, avec un large sourire.

Stockholm séduisit Michelle dès leur arrivée. Comme Paris, c'était une ville qui respirait l'histoire, mais au lieu d'une grandeur majestueuse elle irradiait un charme tranquille.

Par chance ils entrèrent dans la ville alors que celle-ci s'apprêtait à célébrer le solstice d'hiver. Après avoir mis Cassandra au lit, Monk et Michelle sortirent pour se mêler à la foule qui encombrait les rues. Dans les jardins on avait allumé d'immenses feux de joie. Partout les gens chantaient et dansaient. Grisés par cette atmosphère de liesse qui faisait écho à leur bonheur, ils participèrent aux rituels de cette fête. C'est ainsi que Monk prit part dans un bar, avec quelques solides buveurs, à l'épreuve de la pièce. On plaçait une pièce de monnaie au fond d'une tasse, qu'on recouvrait de café odorant jusqu'à ce qu'elle disparaisse. Ensuite on versait de la vodka jusqu'à éclaircir suffisamment le breuvage pour que la pièce soit visible de nouveau... et il fallait naturellement vider la tasse. Michelle fut éberluée de la quantité d'alcool que Monk ingurgita sans broncher. En dépit des encouragements criés par les spectateurs, ses concurrents abandonnèrent ou s'écroulèrent un à un, et il fut déclaré grand vainqueur de ce singulier concours.

— Jamais je n'aurais cru que tu pouvais boire autant! s'exclama Michelle tandis qu'ils traversaient le pont de Norrbro sur le chemin de leur hôtel.

— J'ai de multiples talents, assura-t-il d'une voix un peu pâteuse.

Monk ouvrit toutes grandes les portes vitrées donnant sur le balcon de leur suite et admira un moment Kungsträdgarden et, plus loin, le château royal.

— Que se passe-t-il? s'enquit Michelle avec anxiété en voyant deux larmes rouler sur les joues de Monk.

Il lui sourit tendrement et inspira à fond.

— Je n'ai jamais été aussi heureux de ma vie, murmura-t-il. (Après un moment de silence, il ajouta :) Et maintenant je vais pouvoir te le dire.

Le cœur de Michelle se mit à battre la chamade.

Il va m'annoncer qu'il doit repartir!

— Michelle, veux-tu m'épouser?

Incapable de répondre, elle fixa sur lui un regard stupide pendant quelques secondes. Enfin elle surmonta le choc et se précipita dans ses bras.

— Oui! Oui!

*

En s'éveillant le lendemain, Monk crut qu'on lui avait écrasé le crâne à coups de marteau. Pourtant ses idées restaient claires. Il remarqua aussitôt l'absence de Michelle auprès de lui et, en passant dans les autres pièces de la suite, celle de Cassandra. Il supposa qu'elles étaient sorties pour prendre le petit déjeuner.

Il retournait dans sa chambre quand un domestique apparut. Il donna à Monk un costume gris, une chemise blanche et une cravate bleu sombre et l'informa qu'on l'attendait en bas dans une heure et qu'il était à sa disposition pour l'aider à se préparer. Monk éclata de rire à cette attention de Michelle et s'installa pour se faire raser.

Au rez-de-chaussée, précédé du domestique, Monk traversa la

grande salle du restaurant et sortit sur la terrasse surplombant les jardins de l'hôtel. Il emplit ses poumons de l'air frais venu du large et remarqua le petit belvédère à la pointe de la terrasse et la harpe installée juste à côté.

— Un bel endroit pour se marier, fit-il à l'adresse du domestique.

Il avait à peine prononcé ces paroles qu'il se souvint de sa déclaration de la veille à Michelle. Un peu paniqué, il regarda autour de lui et la vit qui sortait par une autre porte, vêtue d'une robe blanche brodée de perles, un petit bouquet dans une main. Derrière elle il entrevit Cassandra, habillée de blanc elle aussi, qui le contemplait d'un regard malicieux.

— Oh, mon Dieu... balbutia-t-il en comprenant enfin.

Avant qu'il puisse réagir, le directeur de l'hôtel l'escortait jusqu'au belvédère.

— Ne vous inquiétez de rien, lui chuchota l'homme. J'ai les alliances et Madame a tout arrangé pour les papiers.

Monk lui adressa un sourire crispé. Un pasteur luthérien au visage poupin apparut, et la harpiste prit place derrière son instrument. L'instant suivant Michelle le rejoignait.

— Tu pensais ce que tu disais hier soir, n'est-ce pas? lui glissat-elle à l'oreille.

— Bien sûr.

— Bien. Parce que, de toute façon, je ne t'aurais pas laissé t'en tirer à si bon compte...

*

Le mariage et la joie d'être enfin auprès des deux êtres qui lui étaient les plus chers furent pour Monk un véritable émerveillement. Lui qui avait cru tout connaître de la vie, il découvrit un miracle dont il n'osait plus rêver. Dès qu'ils retournèrent à Paris, il entreprit les démarches nécessaires à l'adoption en règle de Cassandra.

— J'aimerais tant que nous puissions lui dire la vérité, regretta Michelle.

— Un jour nous le pourrons. Mais Rose n'a accepté votre arrangement que parce que tu étais la femme de Franklin et que tu portais son enfant. Si Cassandra doit hériter un jour de tout ce que tu as édifié, Rose ne doit pas avoir de raison de contester le legs. Elle ne doit jamais savoir que Cassandra n'est pas la fille de Franklin.

— Tu veux dire qu'il nous faudra attendre la mort de Rose pour dire la vérité à notre fille?

— Ce serait plus sûr, oui, répondit Monk sans cacher sa tristesse.

Mais ce problème restait le seul nuage à leur bonheur. Monk passait presque tout son temps avec Cassandra. Lorsque Michelle devait s'absenter pour ses affaires, il surveillait ses études. Il engagea différents précepteurs pour compléter ses connaissances et à sept ans, la fillette parlait couramment anglais, français, italien et espagnol. Sa curiosité était insatiable, de même que son désir d'apprendre.

En 1928, le succès des chèques de voyage était devenu réellement européen, et cette année-là Global en vendit pour un montant de soixante-quinze millions de dollars. Les profits permirent à Michelle de solder toutes ses dettes puis d'engranger des bénéfices croissants, jusqu'à ce qu'elle soit reconnue comme une des femmes les plus riches du Vieux Continent.

— N'investis rien ici, lui conseilla simplement Monk quand ils arrivèrent à Berlin.

En tant que femme d'affaires, Michelle savait fort bien qu'elle devrait tôt ou tard s'occuper de l'Allemagne. Mais les souvenirs de la Première Guerre mondiale la hantaient toujours, et elle ne pouvait s'empêcher de redouter l'avenir.

— Quand tout explosera, la mèche sera allumée ici, prophétisa Monk.

Tous trois prenaient un petit déjeuner copieux sur le Kurfürstendamm, l'équivalent berlinois de la Cinquième Avenue.

— C'est à cause de ce maudit traité de Versailles, approuva Michelle, aussi sombre que lui. Nous les avons humiliés et ils ne nous l'ont jamais pardonné.

Malgré ses préventions, Michelle fut sollicitée par plusieurs banquiers allemands, en majorité juifs, qui non seulement se montraient désireux de faire affaire avec elle mais aussi lui affirmaient que Hitler, ce « petit caporal », n'avait aucun poids politique.

— Les Allemands sont une nation civilisée, lui avait déclaré le financier Abraham Warburg avec une assurance tranquille. Vos investissements seront en sécurité ici comme partout ailleurs en Europe.

— Je ne m'inquiète pas pour mes investissements, avait répondu Michelle, mais pour ce qui pourrait vous arriver si vous vous trompiez sur le compte de Hitler.

Elle avait vu le banquier hésiter, puis dire à voix plus basse :

— Mrs. McQueen, Dieu nous préserve des catastrophes que vous semblez pressentir, mais si elles devaient se produire alors tout ce que vous faites pour nous maintenant aurait encore plus de valeur dans l'avenir.

Michelle prit aussitôt sa décision, avec l'entière approbation de Monk. En juin 1929 Global ouvrait des agences à Berlin, Francfort et Hambourg. Malgré l'inflation galopante, le succès fut immédiat.

— Personne ne veut plus du mark, observa Monk. Ils détruisent leur propre monnaie en se ruant ainsi sur le dollar.

Michelle avait fourni un travail considérable pour assurer

l'implantation en Allemagne, et ces efforts répétés l'avaient épuisée.

— Rentrons, dit-elle un soir alors qu'ils paressaient dans le salon de leur suite, au légendaire hôtel *Kempinski*. Ce pays est triste et il est temps que Cassandra cesse de vivre comme une bohémienne. Elle doit aller dans une vraie école et avoir le temps de se faire des amis.

— New York ou Paris? demanda simplement Monk, bien qu'il connût déjà la réponse.

— Non, pas New York, chéri. Pas encore.

39

L'été 1930 vit une canicule qui pulvérisa tous les records de chaleur établis depuis cinquante ans. Une torpeur moite écrasait Manhattan, et des bagarres éclatèrent dans les magasins entre les clients qui se disputaient les derniers ventilateurs.

Harry Taylor n'avait pas eu besoin de ventilateur jusqu'à ce jour, car son duplex de la Cinquième Avenue bénéficiait des bienfaits du conditionnement d'air. Par malheur, le système venait de tomber en panne, et en quelques heures l'appartement s'était transformé en fournaise. C'est son serviteur philippin qui le tira d'un sommeil fortement alcoolisé. Il voulut rugir quelques injures à travers la névralgie qui lui broyait le crâne, mais tout ce qui sortit de sa gorge desséchée par la température et l'excès de whisky fut un coassement des plus ridicules.

— Vous m'avez demandé de vous rappeler que vous deviez être à la salle de réunion de Global à midi très précis, monsieur, dit le domestique dans un anglais parfait.

Harry mit quelques secondes avant de comprendre.

— Quelle heure?

— Onze heures dix, monsieur.

— Bon Dieu... Sortez d'ici et préparez-moi une tenue légère.

Le Philippin s'éclipsa et Harry se redressa sur ses coudes. Tournant la tête il regarda fixement la jeune femme blonde qui partageait sa couche et ronflait doucement. D'où venait-elle? Et surtout, qui était-elle? Il aurait été incapable de le dire.

En titubant il alla jusqu'à la salle de bains et régla le jet de la douche. Immobile sous l'eau tiède, il ferma les yeux et tenta de ne pas penser. Pour une raison qu'il préféra ne pas approfondir, les larmes lui vinrent aux yeux.

Huit ans plus tôt, quand Rose Jefferson était partie pour l'Europe affronter Michelle, Harry Taylor s'était résigné : elle prenait la mauvaise décision, mais il ne pouvait l'en empêcher. La réalité se révéla plus dure encore. Au lieu de simplement acheter le retrait de Michelle, Rose avait abandonné à la Française tout ce que Harry se croyait destiné à diriger un jour.

— Ne vous en faites pas, lui dit Rose à son retour. Quand je récupérerai l'Europe vous achèverez ce que Franklin avait commencé. Vous bâtirez Global là-bas comme vous l'avez bâti dans le Midwest, je vous le promets.

Harry commit encore l'erreur de la croire. Il se jeta dans le travail comme un possédé. En deux ans le nombre des agences Global vendant des mandats doubla, et les profits augmentèrent en proportion. Rose les utilisa pour acheter une flotte de camions qui transportaient des marchandises dans tous les États-Unis, une autre de bateaux qui sillonnaient les océans. Global devint un géant économique.

Mais la récompense qu'il s'était vu promettre n'échut pas à Harry. Quand Rose apprit l'accord de Michelle avec les banquiers français, elle refusa d'en discuter avec lui. Plusieurs fois il lui suggéra de menacer Lazard et Rothschild de rompre toutes relations commerciales avec eux s'ils continuaient à aider Michelle. Le poids de Global était suffisant pour les décider, argumentait-il.

— Ne soyez pas ridicule, Harry! lui rétorqua Rose avec sécheresse. Nous ne pouvons pas les intimider de la sorte, précisément parce que *nous* avons besoin d'eux!

Les années passèrent et Harry vit son rêve s'évanouir peu à peu; il mourut le jour où Michelle remboursa le prêt à Rose, avec les intérêts, à la date prévue. Harry avait une garde-robe élégante, un duplex somptueux, des revenus plus que confortables et il appartenait aux meilleurs clubs du pays. Mais il comprenait maintenant que pour Rose il n'était rien de plus que ce qu'il avait été le jour où il était entré à Global : un employé.

En désespoir de cause, il proposa quatre fois le mariage à Rose, pour se voir éconduire quatre fois avec la même fermeté. Lorsqu'il l'accusa de l'estimer assez bon pour partager son lit mais non sa vie, Rose lui fit purement et simplement interdire l'entrée de Talbot House.

Cela le blessa plus profondément qu'il ne l'eût cru possible. Dans le monde restreint des gens fortunés, il avait été considéré comme une sorte de prince consort de l'empire Global. Quand Rose commença à se rendre seule aux réceptions de la bonne société, la disgrâce évidente de Taylor devint le sujet de toutes les conversations.

Il essaya de conserver une sérénité de façade, mais la tâche était rude. Jamais il n'avait pensé que Rose ou Global pourraient se passer de lui. Terrifié à l'idée de tout perdre, il redoubla d'efforts dans son travail. Il gardait ses idées de vengeance pour lui-même. Curieusement, elles concernaient Michelle et non Rose, car il en était venu à penser que tout était la faute de la Française. Elle lui avait volé ce qui aurait dû lui revenir. Il se mit à épier ses moindres initiatives dans l'espoir de découvrir une erreur pour en profiter et l'abattre. Mais Michelle allait de succès en réussite, et le temps passait.

Un jour Harry Taylor se regarda dans la glace et vit que les années ne l'avaient pas épargné. Trop de bonne chère et d'alcool, une vie trop facile avaient empâté son visage naguère séduisant, et ses yeux avaient perdu leur éclat. Plus aucun rêve ne les faisait briller. L'adversité les avait soufflés comme la flamme d'une bougie.

*

Harry Taylor se sécha lentement, puis s'habilla. Il avala deux aspirines et s'enferma dans son bureau. Là, il reparcourut l'épais dossier qu'il avait composé.

Une dernière carte à jouer. La chance de remporter la mise...

Il avait donné le second exemplaire du document à Rose, et elle lui avait promis de le lire pour aujourd'hui midi. Harry était certain qu'elle serait convaincue. Le plan qu'il avait méticuleusement établi pour briser une fois pour toutes Michelle était imparable, lumineux.

En sortant de son appartement, Harry Taylor sentit que la chance accompagnait ses pas. Et quelle meilleure occasion qu'un anniversaire pour faire renaître ses rêves?

*

Même les épaisses portes de chêne de son bureau ne parvenaient pas à étouffer le bourdonnement joyeux de la fête en préparation. En temps normal Rose aurait jugé cette agitation intolérable. Aujourd'hui elle en était presque contente.

Rose repoussa le dossier que lui avait remis Harry avec un geste de colère. Elle aurait aimé pouvoir balayer aussi aisément les souvenirs que sa lecture avait ranimés.

Soyez maudit pour m'avoir rappelé cela, Harry!

Quand elle avait passé ce marché avec Michelle, Rose avait été persuadée que la Française ne pourrait jamais en honorer les termes. Et c'est avec une incrédulité rageuse qu'elle avait assisté à sa réussite phénoménale. Au départ elle l'avait attribuée à une chance étonnante, avant de se rendre compte que Michelle avait beaucoup appris, et de façon très intelligente.

La presse financière, après avoir encensé Rose pour sa victoire imparable, s'était peu à peu intéressée à Michelle. *La Sentinelle* avait accentué ce renversement progressif d'opinion, et bientôt les leaders d'opinion de Wall Street s'étaient interrogés sur l'opportunité de sa manœuvre. Rose Jefferson pouvait se tromper. Donc elle était vulnérable.

Rose avait lu et relu le contrat signé par Michelle pour trouver la faille dont celle-ci avait profité, mais il n'y en avait pas. Les termes du marché ne laissaient qu'une issue à la Française : le triomphe, et c'était exactement ce qu'elle avait fait. Malgré elle, Rose ne pouvait s'empêcher de ressentir une certaine admiration pour sa rivale, ce qui n'amoindrissait en rien le sentiment qu'elle avait d'avoir commis une erreur. Elle reporta sa colère sur ceux qui ne pouvaient ni la fuir ni la combattre, et durant toutes les années 20 Global dévora les compagnies, grandes ou petites, avec une voracité impitoyable.

Si la décennie mobilisa toutes ses capacités financières, Rose n'en surveilla pas moins attentivement les faits et gestes de Michelle. Et quand elle apprit son mariage avec Monk McQueen, elle éprouva un sentiment de perte plutôt que de trahison. Soudain elle vit la réelle pauvreté de son existence.

*

Rose tapotait le dossier de Harry d'un ongle carmin. Elle devait admettre que le plan révélait une intelligence certaine, avec par moments des projets d'une intrépidité qui lui remettaient en mémoire le Harry des premiers temps. Il suggérait une alliance de Global, Cooks et les banques britanniques pour défier Michelle sur son propre terrain. Mais son obsession d'abattre la Française lui faisait omettre des points importants : d'abord que Global recevait des millions de dollars pour la licence exploitée par Michelle, ensuite que le succès l'avait conduite à étendre les profits de la compagnie à toute l'Europe, ce qui n'avait fait que multiplier d'autant les bénéfices passifs encaissés par Lower Broadway. Si Harry en était conscient cela ne se voyait pas dans son rapport, ce qui dénotait une grave erreur de jugement.

Pour Rose, c'était là un signe qui ne pouvait tromper.

Elle eut un bref soupir et se leva. Il était temps d'aller à la réception.

*

— Joyeux anniversaire, Steven !

Rose se hissa sur la pointe des pieds et déposa un baiser sur la joue de son fils de vingt-deux ans. Les directeurs de secteurs de Global se lancèrent dans un « Joyeux Anniversaire » tonitruant qui fit trembler la salle de réunion et se termina en une salve d'applaudissements. Un à un, ils vinrent serrer la main de Steven.

Quel bel homme il fait! songea Rose en admirant son fils.

Steven avait en effet comblé tous les espoirs qu'elle avait mis en lui. De haute taille et bâti en athlète, il avait hérité d'elle une chevelure d'un noir de jais et de son père des yeux d'un bleu perçant. Son visage bronzé par la pratique intensive de la voile et du tennis exprimait une agressivité naturelle que ne démentaient pas les pommettes hautes et les traits virils. Diplômé d'Exeter, il avait terminé ses études à Harvard en seulement trois ans avec les félicitations de ses professeurs. L'année écoulée il avait fait plusieurs stages dans les différents services de Global, afin de se frotter à la réalité.

Rose rêvait depuis longtemps de ce moment. Nonobstant un emploi du temps plus que chargé elle s'était toujours souciée du bien-être de son fils, écartant toute menace de son chemin. Mais de lui-même Steven avait su rester intouchable. Aucune femme n'avait pu lui voler son cœur, et aucun accident comme celui qui avait abattu Franklin ne paraissait pouvoir l'atteindre. Pour Rose, il était en tous points parfait.

— Mes félicitations, Rose, dit Harry en l'approchant, une coupe de champagne à la main. Vous devez être très fière de lui.

Rose pouvait sentir l'odeur de whisky dans son haleine.

— Une soirée mouvementée? fit-elle sans aménité.

— Pas vraiment, répondit-il d'un ton léger. Beaucoup de travail.

Rose ne pouvait le regarder sans éprouver de la pitié, et elle détestait cela. Cet homme qui quelques années auparavant avait représenté tout ce qui l'attirait dans une présence masculine n'était plus que l'ombre de lui-même. Il lui apparaissait brisé, vidé de cette vitalité qui l'avait tant attirée.

— Avez-vous eu le temps de lire mon rapport? demanda-t-il.

— Oui. Mais ce n'est ni l'endroit ni le lieu pour en parler.

Il approuva un peu trop précipitamment.

— Bien sûr, bien sûr. Nous pourrons en discuter quand nous aurons fini ceci...

Steven sentit la poitrine rebondie de la rousse près de lui contre son bras mais il garda les yeux fixés sur sa mère. Elle fendait les groupes de ses cadres en venant vers lui, ne s'arrêtant qu'un instant pour recevoir félicitations et compliments. C'était toujours une femme très belle, se dit-il, sûre d'elle-même et dynamique. Mais pas invulnérable.

Même s'il n'en avait jamais rien montré, Steven avait laissé sa mère le modeler comme elle le désirait. S'il supportait très mal cette situation, il n'avait jamais oublié l'exemple des hommes qui avaient osé aller contre sa volonté, ni le prix qu'ils avaient payé pour cette résistance : son père, son oncle et, plus récemment, Harry Taylor. Dans sa vie privée comme dans sa vie publique, sa mère pouvait se montrer sans pitié, et c'était d'ailleurs la qualité que Steven admirait le plus chez elle.

Rose n'était qu'à quelques pas de lui quand Steven pivota légèrement et lâcha à la rousse :

– Je crois que j'aimerais bien te sauter, toi.

La jeune femme écarquilla les yeux une fraction de seconde, puis un sourire aguicheur naquit sur ses lèvres pulpeuses.

– Dites simplement où et quand, chéri, susurra-t-elle.

– Steven !

Rose se glissa auprès de son fils et une rousse qu'elle reconnut vaguement – une secrétaire, sans doute – s'écarta. Elle prit Steven par le bras.

– Es-tu prêt à recevoir ton cadeau d'anniversaire ? le taquina-t-elle.

Steven eut un rire charmeur.

– Oh, mère, vraiment...

Rose tapa dans ses mains.

– Votre attention à tous ! J'ai une annonce à faire !

Le silence s'établit aussitôt dans la salle.

– Je suis fière de vous dire qu'aujourd'hui Global Entreprises accueille dans ses rangs son nouveau et plus jeune vice-président : mon fils, Steven.

Elle leva une main pour arrêter les applaudissements qui s'élevaient déjà de l'assistance.

– Bientôt Steven se rendra en Europe pour y superviser nos opérations et trouver le moyen d'accroître notre implantation.

Un bourdonnement de murmures emplit la pièce. Tout le monde savait que Harry Taylor avait récemment travaillé d'arrache-pied à un plan pour développer Global en Europe. Tous les yeux s'attachèrent peu à peu à lui et virent la même chose : un homme au visage d'une pâleur cadavérique et dont le regard fixait Rose sans comprendre.

– Vous ne pouvez pas... balbutia-t-il d'une voix rauque.

Rose se tourna vers lui.

– Je suis sûre que vous montrerez à Steven la même loyauté que vous avez eue pour moi, coupa-t-elle. Je vous en remercie d'avance, Harry.

Il y eut quelques applaudissements hésitants, qui allèrent peu à peu crescendo. Tous les participants comprenaient la déchéance de Harry Taylor, naguère considéré comme inamovible et à cet instant même publiquement répudié. La sentence était claire. Le pouvoir avait été passé au jeune homme qui savourait son triomphe avec un sourire sobre. Après un moment de flottement, les premiers cadres vinrent le féliciter, bientôt imités par le reste des invités.

40

Rose se pencha et ôta un confetti sur la veste de son fils.

— As-tu apprécié cette petite fête, chéri ? dit-elle en se rasseyant dans son fauteuil.

Steven croisa les jambes pour dissimuler son érection. Il aurait dû rejoindre la rousse depuis déjà vingt minutes. Mais il n'avait pu refuser de suivre sa mère dans son bureau à la fin du cocktail.

— Magnifique. Et quel cadeau d'anniversaire... Je crois que vous avez réussi à surprendre tout le monde.

— Il faut savoir attendre son heure. Ça, et un peu de chance. Indispensable pour la réussite. Sans cela, et malgré tous les efforts qu'on peut fournir, le succès vous échappe souvent.

Vous avez oublié la capacité à se montrer impitoyable, Mère, songea Steven en revoyant la réaction de Harry Taylor.

— Je t'ai surpris ? s'enquit Rose avec un peu de coquetterie.

— Bien sûr. Jamais vous ne m'aviez laissé supposer une telle décision.

— Tu avais lu le rapport de Harry...

— C'est vrai, cela aurait dû me mettre sur la voie, admit Steven.

— Harry veut toujours combattre Michelle, soupira Rose. Il ne veut pas comprendre que la situation a... évolué.

— Néanmoins, vous ne pouvez prétendre que vous n'êtes pas ennuyée par ses succès.

Rose scruta le visage bronzé de son fils. Il attendait une explication, et elle pouvait le comprendre.

— Ennuyée ? La réussite de Michelle ne m'a jamais véritablement ennuyée. Elle a fait ce qu'elle devait faire, et nous devons accepter. Il faut savoir traiter avec la réalité, Steven.

Traiter, se dit-il. *Le mot magique. Chaque chose a son prix...*

— Et vous désirez donc que je l'approche pour étudier une éventuelle coopération, c'est bien ça ?

Rose éclata de rire, mais quand elle répondit ce fut en choisissant ses termes avec soin.

— Tous les chèques que vend Michelle portent le nom de Global. Grâce à elle et sans rien faire nous avons triplé nos bénéfices en Europe au cours des cinq dernières années. Mais si tu parvenais à la convaincre qu'il serait dans l'intérêt de tous de travailler ensemble, tout le monde en tirerait des profits non négligeables. C'est une évidence mathématique, oui.

Et jamais vous n'avez été aussi près de reconnaître une erreur, Mère.

Steven se remémora l'époque où Michelle vivait à Talbot House et comment il l'avait méprisée, abusée et finalement terrifiée. Sa mère paraissait avoir oublié ces détails. Mais pas lui. Et il doutait fort que Michelle ait elle aussi perdu la mémoire. La confrontation n'en serait que plus intéressante.

– Qu'avons-nous donc qui pourrait intéresser Michelle?

– En Europe? Un réseau de transport international. Des accords préférentiels avec les chemins de fer. Un millier de péniches sur les fleuves, en particulier le Rhin. Et environ deux mille agences pour s'occuper des documents.

– Ce qui ne fera pas vendre un seul chèque de voyage, puisqu'elle a son propre réseau, objecta Steven.

Une lueur passa dans les yeux de Rose.

– Justement. Quelqu'un pourrait lui expliquer l'intérêt de vendre son produit dans des agences qui existent déjà au lieu d'acheter ou de louer des locaux. Quant aux systèmes de communication dont elle a besoin, elle n'aurait pas un dollar à investir dans le téléphone ou le télégraphe puisque tout cela est déjà à notre disposition.

– Oui, bien sûr. Et la publicité... enchaîna Steven. Nous l'utilisons déjà tellement que cela lui économiserait une fortune.

Rose eut un sourire de satisfaction.

– Tu vois maintenant les choses comme je les vois. A toi de t'arranger pour qu'elle partage notre optique.

Songeur, Steven tapota l'extrémité d'une cigarette sur son étui en argent massif.

– Et si elle refuse?

– Je compte sur toi pour qu'elle accepte. Peut-être préféreras-tu ne pas l'aborder de front, du moins dans un premier temps. Tu peux toujours parler à ses banquiers, les Rothschild, Lazard et autres. Ce sont des hommes d'affaires, ils verront le bien-fondé de ta proposition. Il pourrait d'ailleurs être judicieux de les laisser faire une partie du travail de sape pour toi.

– J'aurai besoin d'un peu de temps pour dresser un plan convenable. A moins que vous n'ayez déjà une idée, Mère?

– Prends tout le temps nécessaire. Nous avons en Europe des gens à nous qui ont regardé Michelle monter son affaire. Ce qu'ils savent pourra t'être utile.

Mais il faudra payer le prix fort...

– Si tu veux consulter certains de ses dossiers financiers, la chose peut être arrangée...

Je l'aurais parié!

– Je me mets au travail dès maintenant, annonça Steven.

– Alors souviens-toi d'une chose, dit-elle. Global peut y gagner beaucoup. Et si cela se produit le crédit n'en sera porté à nul autre que toi.

Croyez-moi, Mère, cela je ne l'oublierai pas...

Le cocktail était terminé depuis longtemps et la journée tirait à sa fin, mais Rose trouva Harry exactement là où elle le prévoyait. Des papiers encombraient son bureau et il avait retroussé les manches de sa chemise, comme toujours lorsqu'il s'attaquait à un travail d'importance.

— Bonsoir, Rose.

Dans l'éclair que dura son sourire, Rose revit Harry tel qu'elle l'avait connu, et pendant une fraction de seconde elle souhaita abolir le temps et revenir à cette époque bénie. Cette impulsion la surprit, elle qui n'avait pas pour habitude de se laisser aller aux regrets.

— Vous êtes venu me jeter un os?

— Ne réagissez pas ainsi, Harry. Cela ne vous ressemble pas.

— Vous auriez pu agir autrement, vous ne croyez pas? Il n'était pas nécessaire de m'humilier publiquement comme vous l'avez fait!

— Vous ne m'auriez pas crue. Vous étiez aveugle, Harry. Ce rapport vous a occulté la réalité. Nous nous serions affrontés pendant des jours. *Cela* aurait été humiliant, oui.

Harry se renversa dans son fauteuil et fit courir l'extrémité de son stylo sur ses lèvres.

— Jamais je n'aurais cru que vous lui céderiez.

Rose lui lança un regard glacial.

— Les circonstances changent, Harry. Les réalités aussi. Et il en est certaines que vous semblez ignorer, ou que vous préférez ne pas affronter.

— Comme ce que nous gagnons avec notre licence sur le nom de Global?

— Entre autres choses, oui.

— C'est une misère comparé à ce que nous aurions pu rafler si nous l'avions attaquée sur son terrain pour l'obliger à se défendre!

— Non, Harry. Et c'est mon dernier mot sur ce sujet. Faites-moi la grâce de ne plus l'aborder.

Un silence tendu s'installa dans le bureau, que Harry rompit par une question:

— Voulez-vous que j'aide Steven? Après tout, j'en sais au moins autant sur Michelle que vous.

Rose se permit un bref sourire amusé.

— Je ne le pense pas.

— Très bien. Alors que vais-je faire, maintenant?

— Je souhaite que vous restiez ici, en qualité de président de Global pour l'Amérique du Nord.

Taylor la dévisagea un moment, et ses pensées fouillèrent le passé. Il ne se rappelait pas leurs rapports érotiques, mais Londres et l'habileté avec laquelle il avait triomphé de Franklin Jefferson. Il se souvenait de Sir Thomas Ballantine, ce vieil homme dans son appartement trop sombre. Durant toutes ces années il n'avait jamais repris contact avec la direction de Cooks, mais il savait Sir Thomas toujours vivant, guide invisible de l'énorme compagnie britannique. Peut-être le moment était-il venu de jouer certaines cartes...

— Rester, répéta-t-il, songeur. Dans la situation actuelle j'espère que vous ne voulez pas une réponse immédiate?

— Non, bien entendu. Mais je vous en prie, Harry, ne prenez pas de décision précipitée.

Taylor éclata d'un rire sonore, mais l'amertume perçait dans sa voix quand il répondit.

— Merci, Rose. Je tiendrai compte du conseil.

*

Au printemps 1931, Steven Talbot embarqua sur le *Queen Mary* en direction de l'Europe. Il avait occupé les mois écoulés depuis son anniversaire à étudier les mécanismes de la réussite européenne de Michelle. Comme promis, Rose lui avait fourni les derniers éléments financiers dont il ne tarda pas à tirer une vue d'ensemble pleine d'enseignements. La tâche à laquelle il s'attaquait n'était pas mince. Michelle vendait quotidiennement des chèques de voyage pour une valeur de plusieurs millions de dollars, et elle s'était assuré une vaste clientèle chez les étudiants et les touristes européens voyageant d'un pays à l'autre. Tous se munissaient de chèques de voyage Global.

Steven commença son enquête à Paris. Il rendit visite à quelques transitaires de Global qui marquèrent un étonnement et une nervosité suspects à cette visite inattendue. Steven fit saisir leurs livres et mit quelques experts financiers au travail. Deux mois plus tard il était en mesure de câbler à Rose ce qu'il avait découvert : certains transitaires de Paris subtilisaient jusqu'à quinze pour cent des bénéfices chaque mois par de piètres artifices comptables. Quand sa mère lui répondit de poursuivre les fraudeurs en justice, Steven avait déjà tourné la situation à son avantage. Après les avoir menacés de la prison, il avait offert aux agents de se racheter en obéissant à ses seuls ordres, ce qu'ils s'étaient empressés d'accepter. Il en utilisa certains pour espionner discrètement la rue de Berri et lui rapporter les derniers ragots et les informations qui pouvaient l'intéresser, tels les salaires des différentes catégories de personnel et l'appréciation générale portée sur Michelle.

Tout en plaçant ainsi des espions à l'intérieur des services de Michelle, Steven abordait le problème par un autre angle. De l'hôtel *Meurice* où il séjournait, il profita de sa position pour inviter les banquiers et politiciens divers qui traitaient avec Global. Il les amadoua dans les meilleurs restaurants, les mit en confiance avec les plus grands crus et les mets les plus raffinés et leur soutira discrètement les renseignements qu'il désirait. A sa grande déception, Michelle semblait faire l'unanimité :

– Elle est devenue un symbole, monsieur, lui dit un ministre. Mme McQueen est le portrait de la Française accomplie : belle, intelligente, talentueuse, tout lui réussit. Comme Coco Chanel ou votre Miss Earhart. Et, bien sûr, c'est une héroïne de guerre.

Le tableau brossé par les transitaires à sa solde n'était pas meilleur. Les employés de Michelle travaillaient dur mais ils s'avouaient très satisfaits. Leurs salaires étaient les premiers du pays et Michelle avait instauré un système d'intéressement au volume de ventes qui galvanisait ses troupes. Steven dut en venir à une conclusion déplaisante mais inéluctable : en France, la position de Michelle était inattaquable.

*

Pourquoi est-il venu ici poser toutes ces questions sur moi ?

Cette question hantait Michelle depuis qu'elle avait appris la présence de Steven à Paris. L'image de l'enfant cruel et silencieux de Talbot House s'était imposée à son esprit. Elle se souvenait fort bien de la façon tortueuse dont il l'avait humiliée et menacée, ainsi que des années nécessaires pour effacer ces cauchemars. A présent il arpentait les rues de la capitale française, et elle ne pouvait y voir un simple voyage touristique.

Après avoir longuement hésité elle confia ses doutes à Émile Rothschild. Le banquier avait été approché par Steven Talbot et lui avait réservé un accueil des plus froids. Rothschild lui proposa aussitôt d'engager un détective dont il louait parfois les services, afin de connaître les activités de Steven.

Michelle rencontra l'homme le lendemain. C'était un individu d'allure quelconque, mais sa vivacité d'esprit la convainquit de ses capacités. Il accepta l'affaire et recommanda à Michelle de distribuer une photographie de Steven à tous ses employés avec instruction de le prévenir aussitôt si son « gibier » se présentait dans une des agences Global.

Une semaine plus tard Michelle recevait son premier rapport. Steven s'était rendu à plusieurs reprises dans des points de vente de chèques de voyage, où il en avait échangé contre de l'argent français. A ces occasions il s'était comporté comme n'importe quel touriste américain, ne posant aucune question et n'attirant en rien l'attention. Cette discrétion ne fit qu'augmenter les craintes de Michelle

Les semaines passèrent et elle apprit également que Steven voyait régulièrement certains transitaires de Global. Il dînait fréquemment avec d'importants financiers ou des ministres. Michelle en parla de nouveau à Émile Rotchschild qui promit de se renseigner en toute discrétion dans ces milieux qui lui étaient familiers.

Un temps elle caressa le projet d'une confrontation avec Steven, soit par un hasard soigneusement orchestré, soit par une invitation directe. Elle se demandait si ce n'était pas là la seule façon de répondre aux questions qui la rongeaient. Mais chaque fois qu'elle se sentait prête à lui faire face le courage la désertait. Elle découvrit ainsi que le simple fait de réveiller certains souvenirs éprouvants peut transformer le plus brave en lâche.

– Il est parti, madame.

– Quoi? Vous en êtes sûr?

– M. Talbot a réglé sa note au *Meurice* ce matin à onze heures, dit le détective après avoir consulté ses notes. Il s'est rendu directement à la gare du Nord où il a pris l'express pour Amsterdam. J'ai attendu que le train quitte la gare. Il n'en est pas descendu, je puis vous l'affirmer.

Un soulagement intense submergea Michelle, mais cela ne répondait pas à l'interrogation majeure soulevée par le séjour de Steven Talbot : qu'était-il venu faire à Paris? Cela, le détective n'avait pu le découvrir.

Quand il fut parti, Michelle étudia l'itinéraire de Steven qu'il lui avait laissé et décida d'alerter toutes ses agences dans les capitales européennes. Elle avait la prémonition qu'un jour leurs chemins se croiseraient de nouveau. Quand l'heure de cette épreuve sonnerait, Michelle se promit d'être prête.

– Maman!

Michelle se retourna vers sa fille qui venait de faire irruption dans la pièce. Les nattes de Cassandra tressautèrent comme elle avançait sur ses jambes trop maigres vers sa mère, pourtant Michelle détectait déjà la future beauté qui s'épanouissait sous l'uniforme du couvent. Les yeux bleus de Cassandra pétillaient de joie quand elle enserra le cou de sa mère de ses deux bras.

– Devine, Maman! s'écria-t-elle. Sœur Agnès est d'accord pour nous emmener voir les antiquités égyptiennes au Louvre.

– C'est merveilleux, ma chérie, répondit Michelle en riant de son enthousiasme.

Elle n'aurait pu rêver fille plus jolie. Cassandra n'avait pas encore dix ans et déjà elle parlait quatre langues. Elle adorait autant les arts et la littérature que le sport. D'après les religieuses qui s'occupaient de son éducation, elle était très populaire parmi ses camarades. Et pourtant, peut-être justement à cause de cette joie entière que lui procurait sa fille, Michelle avait parfois du mal à supporter sa propre culpabilité.

A cinq ans, la fillette avait commencé à poser des questions sur son père. S'étant depuis longtemps préparée à ce moment,

Michelle lui montra des photos d'elle et de Franklin et lui expliqua que son père avait été un homme bon et juste qui était mort des suites de la guerre. Elle dit à Cassandra où il était né et avait vécu et lui parla de sa seule famille, sa sœur Rose. Michelle ne put retenir ses larmes en montrant une photographie de Monk et Franklin à l'enfant.

Les années avaient passé, et Cassandra ne faisait plus référence à son père. Même lorsque Monk se moquait d'elle ou la grondait elle ne rétorquait jamais qu'il n'était pas son père, réponse cruelle que bien des enfants auraient utilisée. En fait elle donnait à Monk tout l'amour qu'elle aurait eu pour son père. Parfois, quand elle les voyait ensemble, Michelle se croyait presque capable d'oublier la vérité.

Michelle regarda sa fille ressortir de la pièce en sautillant, et sans pouvoir expliquer exactement pourquoi elle fut soudain très heureuse que Steven Talbot ne soit plus en France.

*

Dans le rapide tour d'Europe qu'il effectua durant l'automne, Steven se rendit assez vite compte que la situation de Global n'était pas aussi bonne qu'à Paris. Les directeurs des filiales européennes étaient de piètre envergure professionnelle, et ils se souciaient peu des intérêts comme de la réputation de la compagnie. En revanche Michelle avait su instiller à ses propres employés un sens de l'investissement personnel exceptionnel. Ses équipes travaillaient avec le même enthousiasme à Copenhague, Madrid, Amsterdam ou Rome. En composant le rapport destiné à sa mère, Steven se demanda s'il serait possible de briser l'emprise de Michelle. Jusqu'ici elle n'avait rencontré que le succès dans chaque endroit où se vendaient les chèques de voyage Global, et Steven ne s'attendait pas à ce qu'il en soit autrement à Berlin.

Mais dès que le train s'arrêta à Munster il perçut le contraste. Partout dans le reste de l'Europe, il avait ressenti le malaise qui planait. Comme les États-Unis, le Vieux Continent était en proie à la Dépression. Les disparités entre riches et pauvres étaient vertigineuses. En France, en Italie, aux Pays-Bas et en Scandinavie, les gens paraissaient déçus, résignés.

Steven s'était attendu à trouver la même atmosphère de désenchantement maussade en Allemagne. Les difficultés étaient énormes, mais les gens se comportaient avec une dignité extrême. Cette constatation accrut son respect et son admiration pour ce peuple fier, réduit à la misère par les dommages de guerre exorbitants que leur avaient imposé les vainqueurs. Leur économie était brisée mais eux refusaient de capituler. Parias de l'Europe, ils faisaient bloc contre leurs voisins toujours hostiles et refusaient toute aide.

Ils n'accepteront jamais la charité, comprit Steven alors qu'il dînait dans un élégant restaurant de Kurfürstendamm.

Mais ils ont besoin d'aide...

— Herr Talbot?

Steven leva les yeux et découvrit un homme immobile devant sa table.

— Oui?

— Veuillez me pardonner, *mein Herr*, de venir ainsi perturber votre repas. Je m'appelle Kurt Essenheimer et une de nos compagnies travaille avec Global. Je tenais à vous présenter mes respects et vous souhaiter la bienvenue à Berlin.

Essenheimer pouvait avoir vingt-cinq ans. Ses cheveux blonds étaient implantés en V sur un front haut et ses traits avaient une sécheresse particulière qu'accentuait le bleu arctique de ses iris.

— Voulez-vous vous joindre à moi? lui proposa Steven.

— Ah, Herr Talbot, c'est fort aimable à vous, mais j'attends quelques amis.

— Prenez au moins votre apéritif à ma table. A moins que vous vous refusiez à parler affaires dans ce genre d'endroit?

— Pas du tout, Herr Talbot.

D'un claquement de doigts Essenheimer attira l'attention d'un serveur qui lui amena aussitôt un martini.

— Avec du gin, précisa l'Allemand en s'asseyant. La seule contribution anglaise aux plaisirs de la civilisation. *Prost!*

Steven leva son verre de Riesling sans cesser d'étudier Essenheimer. Le nom avait déclenché un signal intérieur dès que l'Allemand s'était présenté. Les Essenheimer étaient l'une des plus grosses fortunes industrielles du pays, à l'égal de Krupp. Steven les savait très importants dans beaucoup de secteurs, des mines de charbon à la production d'acier. Les quelques intérêts qu'ils avaient dans les transports étaient directement liés à Global. Steven ne se trouvait à Berlin que depuis trois jours, et pour quelque raison Essenheimer prenait contact avec lui...

— J'ai cru comprendre que vous effectuiez une tournée d'inspection de vos agences en Europe, si vous me permettez l'expression.

— Les nouvelles circulent vite, répondit Steven, prudent.

Essenheimer partit d'un rire mesuré.

— Herr Talbot, comparée à l'Amérique l'Europe est bien petite. Ce dont on parle dans un certain milieu à Paris est très vite connu dans les autres capitales. Et nous faisons tous deux partie du même milieu.

— Je suis flatté d'autant plus quand une famille aussi prestigieuse que la vôtre se souvient qu'elle nous sert d'agent, pour des bénéfices assez négligeables me semble-t-il.

— Il est vrai que nos rapports sont pour l'instant des plus minimes, répondit Essenheimer. Néanmoins, si nous nous estimons de part et d'autre satisfaits des arrangements actuels, nous pourrions peut-être envisager d'autres projets en commun...

— Peut-être, oui.

— Vous vous êtes dit prêt à discuter affaires, rappela Essenheimer. Bien sûr je n'ai rien sur moi car je n'avais pas idée que je vous rencontrerais ici... Néanmoins il se trouve que je viens justement de lire le rapport trimestriel de nos opérations avec Global. Le souvenir est encore frais dans ma mémoire, et si vous le désirez je peux vous communiquer quelques éléments.

Steven acquiesça et l'Allemand se lança dans un exposé détaillé d'une rare clarté. Steven ne le montra pas, mais il fut étonné d'apprendre que ce pays au bord de la ruine versait plus d'argent dans les coffres de la compagnie que la France et l'Italie réunies.

— Je suis impressionné, commenta-t-il enfin.

Essenheimer eut un haussement d'épaules nonchalant.

— Nous nous sommes bien débrouillés. Mais il reste encore beaucoup de pistes à exploiter.

Steven attendit que le serveur ait fini de débarrasser la table pour offrir un cigare à l'Allemand, qui l'accepta.

— Peut-être pourriez-vous me parler de ces pistes?

— Avec plaisir.

Essenheimer lui expliqua brièvement combien les réseaux routier et ferré avaient souffert de la guerre.

— Il y a donc beaucoup à reconstruire, mais vous avez bien compris depuis votre arrivée que cela ne suffira pas à redresser le pays. La situation déjà désastreuse est aggravée par une inflation qui rend notre monnaie ridicule. Ce dont nous avons un besoin urgent, Herr Talbot, c'est de gens de qualité qui soient prêts à investir. Bien entendu nous garantissons des profits substantiels.

Steven ne montra aucune émotion particulière à cette proposition manifeste.

— Mais il y a plus, reprit Essenheimer. Comme vous le savez, l'Allemagne possède d'énormes richesses naturelles : charbon, fer, bois, mais elle dépend entièrement d'autres matières premières dont elle est dépourvue : caoutchouc, bauxite, diamants industriels et surtout pétrole. Non seulement pour l'essence mais aussi pour tous les produits synthétiques. Étant donné que nous avons perdu la quasi-totalité de nos colonies après la guerre, que notre marine marchande est inexistante et que le traité de Versailles nous interdit d'en reconstruire une, nous avons besoin d'un intermédiaire qui puisse se procurer ce qui nous manque et nous en assure la livraison...

Essenheimer fixa sur Steven un regard intense.

— Et c'est là, je pense, que nous pouvons collaborer.

Steven fit tourner un moment son cognac dans le verre à dégustation sans répondre. Visiblement, l'Allemand avait planifié cette occasion, de la rencontre supposée fortuite à l'évolution de la discussion. Il se sentait mené par Essenheimer et il n'aimait pas du tout cela.

– Vous paraissez certain que Global est le genre de partenaire que vous recherchez. Si c'est exact, pourquoi ne pas nous avoir contactés officiellement ?

– Nous sommes dans une situation quelque peu délicate, Herr Talbot, répondit l'Allemand sur le ton de la confidence. Tout d'abord, nous nous trouvons dans une période de transition. Le maréchal Von Hindenburg se fait vieux, et nul ne doute qu'après les prochaines élections nous aurons un nouveau chancelier. Ensuite, notre entreprise n'a eu virtuellement aucun contact avec la direction de Global à New York depuis les accords signés avec votre mère avant la guerre. Aucun représentant de Global n'était encore venu ici. Le troisième point, qui est peut-être le plus important, est le problème posé par Frau McQueen.

– Michelle ?

Essenheimer approuva d'un hochement de tête.

– Permettez-moi de parler net. Votre mère est une femme tout à fait remarquable. Mais elle a joué avec les intérêts de votre compagnie en Europe et, malheureusement, elle a perdu. Depuis elle s'est désintéressée de nous et Frau McQueen a repris le flambeau. Je ne suis pas le seul à estimer qu'en la laissant agir ainsi votre mère a aggravé son erreur.

– Comment cela ? demanda Steven avec une froideur perceptible.

– Parce que les gens tels que moi n'ont aucune envie de conclure des accords avec Frau McQueen. Or elle représente Global pour nous.

– J'aurais cru que vous approcheriez Michelle par vous-mêmes, justement, pour lui proposer de vendre ses chèques de voyage dans vos agences. Après tout, les affaires sont les affaires.

– Frau McQueen a très bien réussi en Allemagne, reconnut Essenheimer. Et ce que vous suggérez est certes dans la logique des choses. Mais il se trouve que Frau McQueen a, de façon fort curieuse, limité son implantation en Allemagne. Elle n'y a que trois agences, à Berlin, Munich et Francfort. Pourtant les chèques de voyage pourraient être une véritable mine d'or ici. Les clients font la queue des heures. Ce que je veux dire, Herr Talbot, c'est que Frau McQueen pourrait tripler son chiffre d'affaires actuel.

Steven feignit l'indifférence, bien qu'étant donné son contrat de licence avec Global l'attitude de Michelle fît ainsi perdre de substantiels revenus à New York.

– Elle a choisi cette stratégie. Où est le problème ?

– Frau McQueen a établi une relation très étroite avec la communauté juive allemande, dit Essenheimer avec acidité. Warburg est son banquier, et ses avocats, ses représentants et ses principaux mandatés sont juifs. Ce sont eux qui influencent ses décisions, et ils la tiennent à l'écart du mouvement général qui conduit notre pays. C'est pourquoi Frau McQueen n'est pas quelqu'un avec qui nous désirons traiter.

— Je vois, fit Steven sans s'engager.

Essenheimer sourit de sa prudence.

— Mais le fait important est que très bientôt régnera en Allemagne un ordre nouveau. Et Frau McQueen devra tenir davantage compte des Allemands dans ses projets, si elle ne veut pas en souffrir.

Que veut-il dire par là ? se demanda Steven.

Partout où il était allé en Europe, il avait eu de multiples preuves que les intérêts de Michelle étaient solidement établis. Il n'avait trouvé aucun moyen de pression pour l'obliger à renégocier les termes de leur contrat. En revanche il avait pu constater tout ce que Rose avait abandonné et perdu, en argent comme en pouvoir. Et maintenant Essenheimer semblait sous-entendre qu'il existait peut-être un défaut dans la cuirasse de Michelle...

— Vous parlez d'un ordre nouveau, d'un nouveau chancelier... Que voulez-vous dire ?

— Exactement ce que je dis, Herr Talbot. (Puis, d'un ton plus bas :) Aimeriez-vous rencontrer l'avenir de l'Allemagne, Herr Talbot ?

— Et qui serait cet homme ?

— Un homme dont vous entendrez bientôt beaucoup parler. Adolf Hitler.

*

Steven avait prévu de ne passer que quelques jours à Berlin avant de retourner à Paris. Il y resta deux mois, et quand il repartit son existence avait changé. Jamais plus il ne se verrait ni ne verrait le monde de la même façon.

L'entretien avec Hitler fut une révélation. Dès l'instant où il lui fut présenté, Steven fut fasciné par le personnage. Hitler écouta avec attention Essenheimer lui résumer ce qu'était son visiteur. Très vite les autres personnes présentes à la table, Goebbels, Bormann, Himmler et autres, interrogèrent Steven. Essenheimer servait d'interprète.

Ces hommes étaient avides d'informations sur l'Amérique, depuis l'influence de la Dépression sur le pays jusqu'à la popularité de Franklin Roosevelt. Puis la conversation en vint à Global. Ils le mitraillèrent de questions et furent impressionnés quand Steven leur décrivit la flotte marchande que sa mère avait créée dans les dix années précédentes. Les questions passèrent alors du général au particulier : quel tonnage Global assurait-il, à qui, d'où, à quels prix, quelles étaient leurs relations avec les services des douanes, quelles garanties offraient-ils ? Steven répondit avec autant de précision qu'il le put et promit de leur communiquer sous peu les renseignements qu'il n'avait pas en mémoire. De temps à autre il jetait un coup d'œil à Hitler, mais celui-ci se contentait de lui rendre son regard sans se départir de son impassibilité.

A la fin de la discussion Steven se rendit compte que le restaurant s'était vidé. Les serveurs avaient disparu et aucun bruit ne venait des cuisines. Hitler se leva brusquement, serra la main d'Essenheimer dans les siennes et lui murmura quelques mots à l'oreille. Puis il se tourna vers Steven, lui serra la main avec un claquement de talons sec et sortit de la salle. Un à un, ses lieutenants l'imitèrent après avoir pris congé.

– Vous avez fait une excellente impression, Herr Talbot, lui confia Essenheimer en prenant une bouteille de vieux cognac derrière le bar.

– C'est un homme d'un magnétisme incroyable, fit Steven d'une voix lointaine. C'est... inexplicable.

L'Allemand leur servit à chacun une large dose d'alcool.

– Herr Talbot, Hitler est un homme unique. Certains prétendent qu'il peut lire dans l'âme d'un homme. Ce n'est peut-être qu'affabulation, mais personnellement je serais assez tenté d'y croire.

Steven se surprit à acquiescer.

– Hitler a beaucoup apprécié de faire votre connaissance, continua Essenheimer. Il m'a dit que vous deviez avoir libre accès à tous les échelons du parti national-socialiste. On doit répondre à toutes vos questions immédiatement, sans réserve. Tout ce que le parti peut offrir est à votre disposition.

– Le parti national-socialiste ? Je ne sais même pas ce que c'est.

Essenheimer rit et envoya une claque sur l'épaule de Steven.

– Vous l'apprendrez, mon ami. Bientôt le monde entier l'apprendra !

*

Le matin suivant, Essenheimer vint chercher Steven à son hôtel. Après un déjeuner dans un restaurant bavarois de la forêt de Grunewald, pendant lequel l'Allemand lui expliqua en détail ce qu'était le parti nazi, Steven était encore plus impressionné par Hitler. Pour un homme qui avait souffert d'une blessure presque mortelle, avait été rapatrié dans son pays pour n'y trouver que mépris, avait connu les mauvais traitements et même la prison, se hisser à un tel pouvoir était chose réellement extraordinaire.

– Et ce n'est qu'un début, Steven, lui assura Essenheimer. Voyez et jugez vous-même.

Essenheimer paraissait connaître tout ce que Berlin comptait de gens d'importance. Steven chassa avec ceux qui reconstruisaient l'industrie lourde du pays, fit du cheval avec des généraux qui parlaient d'une force militaire qui annihilerait toute possibilité d'un nouveau traité de Versailles. Il dîna avec des banquiers qui lui expliquèrent pourquoi le renouveau de la nation allemande était inévitable, et fut reçu en hôte de marque au quartier général du parti nazi, à Munich, par Hitler lui-même.

Ce n'était pas la fréquentation des riches et des puissants qui enivrait Steven. A Talbot House, il avait été élevé dans cette ambiance et elle ne l'impressionnait pas. Mais ici en Allemagne il avait rencontré des gens qui partageaient sa vision du monde, des gens qui disaient ce que lui n'avait jamais su exprimer. Il adhérait totalement à l'idée d'une race supérieure, comme l'avait exposé Hitler dans *Mein Kampf*. Et ces convictions étaient renforcées par ce qu'il voyait autour de lui chaque jour. Désespérés, sans emploi, les Allemands se tournaient en masse vers Hitler comme vers leur dernier espoir. Des milliers de gens trahis par le Kaiser et plus tard par les indécis de la République de Weimar allaient vers cet homme qui pouvait leur redonner l'honneur et la fierté.

Mais l'engouement de Steven avait d'autres raisons, plus prosaïques celles-là. Dans Hitler et le parti nazi, il voyait une occasion unique de créer son propre empire, secrètement et en marge de Global. Il ne nourrissait plus aucune illusion sur sa mère. Rose était une femme de tête autoritaire et déterminée qui n'accepterait jamais de lui déléguer autre chose que des miettes de son pouvoir, tout en pensant le partager avec lui. Et tant qu'elle serait vivante, elle ne relâcherait pas son emprise sur lui. Or Steven s'était depuis longtemps juré qu'il ne subirait pas la déchéance de son père.

Mais, avant d'être en mesure de s'opposer à sa mère, il devait éliminer la menace qu'incarnait une autre personne, Michelle. Et Steven était maintenant certain que ses nouveaux amis seraient très heureux de l'y aider.

*

Steven et Kurt Essenheimer étaient devenus inséparables. Dans les luxueuses propriétés des environs de Wansee, ils s'adonnaient au plaisir de l'opium et de la morphine. Ils écumaient les cabarets et les night-clubs les plus sélects et les plus décadents, se délectaient de séances sado-masochistes dans les bordels réservés de Berlin. Steven découvrit des désirs refoulés qu'il put satisfaire grâce à l'argent et à l'influence sans cesse grandissante de ses nouveaux amis.

C'était là un carrousel de folie qui pouvait se révéler dangereux s'il durait trop longtemps, mais Steven était persuadé que l'ouverture qu'il attendait se présenterait bientôt. Elle se produisit en effet un matin, alors qu'il prenait son petit déjeuner dans le jardin d'hiver de la villa qu'il avait louée.

— Il est temps de faire des plans, lui dit l'Allemand. Pour mon avenir, le vôtre... le nôtre. Qu'en pensez-vous?

Steven le regarda droit dans les yeux et sourit.

— Je pense que nous pouvons faire affaire ensemble. De tout ce que j'ai vu ou entendu, une chose me semble claire : l'Allemagne a besoin de livraisons assurées de matières premières essentielles à ses industries. Global possède une flotte marchande qui peut très bien être la solution que vous recherchez. Et nous pouvons encore l'accroître. Mais il faudra créer tout un réseau de sociétés fictives à travers l'Europe pour garantir le secret de ces opérations.

— Pourquoi est-ce nécessaire?

— Pour deux raisons. La première, c'est que Michelle ne doit jamais avoir vent de ce que nous faisons. Elle est française et elle hait les Allemands, souvenez-vous. Si elle l'apprenait, elle ferait tout pour dévoiler notre accord et le saboter.

Kurt approuva.

— Et la seconde raison?

— Je ne peux pas affirmer que ma mère apprécierait ce projet.

Essenheimer émit un petit sifflement entre ses dents.

— Mais vous, vous seriez prêt à vous engager dans cette aventure seul?

— Oui. Et pour répondre à la question que vous n'osez pas poser, oui, j'ai les moyens de mener à bien ce plan. Ce qui ne signifie pas qu'il n'y a pas quelques problèmes à résoudre.

Il exposa avec exactitude pourquoi sa mère l'avait envoyé en Europe.

— Je lui dirai dans quelle situation lamentable j'ai trouvé nos agences ici. Global est tellement diminué qu'il est impensable de négocier avec Michelle pour l'instant. Nous sommes en position de faiblesse, et c'est une chose que ma mère ne tolère pas. J'offrirai donc une solution : me laisser reprendre en main Global en Europe, en calquant ma stratégie sur celle utilisée par Michelle pour les chèques de voyage. Une fois cela fait, nous aurons le poids nécessaire pour traiter d'égal à égal avec elle.

— Vous n'envisagez pas sérieusement de négocier avec cette femme? protesta Essenheimer.

— Non, bien sûr. Mais ma mère n'a pas à le savoir.

L'Allemand commençait à savourer l'ampleur du stratagème échafaudé par son ami. Il était risqué mais offrait aussi de bonnes chances de réussite. Pourtant Essenheimer n'était pas dupe : ce que Steven proposait à l'Allemagne aurait un prix.

— Steven, croyez bien que je ne veux ni vous insulter ni mettre en doute votre foi dans le national-socialisme. Ce que vous suggérez là est d'un très grand intérêt pour nous. Mais en temps qu'amis, nous pouvons certainement vous rendre quelques services en retour...

— Oui, vous le pouvez, Kurt, répondit Steven. Vous pouvez m'aider à ruiner Michelle.

★

Kurt Essenheimer avait du mal à admettre ce qu'il venait d'entendre. Jusque-là il avait cru diriger Steven comme une marionnette docile, et il venait de découvrir un homme qui savait très exactement ce qu'il désirait et comment l'obtenir.

— Je ne suis pas certain de bien comprendre ce que vous voulez dire, fit-il prudemment.

— Je crois que vous en avez déjà une petite idée, répliqua Steven en souriant. Ce que possède Michelle me revient de droit, et je veux le récupérer, tout simplement. La manière dont j'y parviendrai ne regarde que moi, mais votre coopération me sera d'un grand secours. Comme vous me l'avez bien souvent dit, Kurt, l'Allemagne est un pays en plein renouveau. Et ceux qui ne se rangeront pas à ses côtés se retrouveront fatalement dans le camp de ses ennemis. Or la position que prendra Michelle est déjà évidente. Voici donc ce que je propose : à mesure que le pouvoir du parti national-socialiste grandira en Allemagne, certaines firmes — juives pour la plupart, j'imagine — devront fermer leurs portes; ajoutez à la liste les bureaux de vente de chèques de voyage Global. Naturellement, l'État ne désirant pas se priver d'une telle source de contributions, il restera une solution : que cette activité soit reprise par une autre compagnie. Et bien sûr sa sœur jumelle, Global Europe, sera toute désignée. Et à ce moment, je la contrôlerai... Quand la puissance allemande se développera en Europe, il deviendra de plus en plus difficile à Michelle de maintenir ses opérations. En conséquence ses agences tomberont sous ma domination une à une, par un phénomène on ne peut plus logique. Plus grand sera mon contrôle de Global Europe, plus grande sera ma puissance et, en retour, plus intéressante notre alliance.

— Je vois bien tout l'intérêt de ce plan pour ce qui concerne l'Allemagne, concéda Essenheimer. Mais en ce qui concerne le reste de l'Europe...

— Allons, Kurt, le réprimanda Steven avec un sourire ironique. Je sais qu'il existe un accord de principe entre Hitler et Mussolini, ce qui signifie que Rome sera bientôt notre alliée. Et la guerre prendra soin des nations encore récalcitrantes.

— La guerre ? Quelle guerre ?

L'impatience de Steven se traduisit par un durcissement très net de son ton.

— Vous devriez lire *Mein Kampf* plus attentivement. Vous pensez que Hitler désire simplement devenir le maître de l'Allemagne ?

A cet instant, Essenheimer vit combien cet Américain apparemment nonchalant était dangereux.

— Steven, fit-il avec une affabilité accrue, je vous assure qu'il n'y a aucun problème que nous ne puissions résoudre. Et vous avez ma parole : chaque succès de l'Allemagne sera accompagné d'un succès pour vous.

Steven appela d'un signe le maître d'hôtel. Celui-ci apporta aussitôt une bouteille de champagne et deux coupes.

— Je l'avais fait préparer, juste au cas où nous aurions quelque chose à célébrer, glissa Steven.

Ils levèrent leur coupe dans un toast silencieux.

— A propos, dit Kurt comme s'il se rappelait un détail mineur, j'ai eu récemment quelques échos de Londres qui pourraient vous intéresser...

— Vraiment ?

— Vous connaissez un certain Harry Taylor ? Je crois savoir qu'il est président de Global pour l'Amérique du Nord.

— Harry fait partie du passé, répliqua Steven. Il est en perte de vitesse. Bientôt fini.

— Heureux de l'entendre. Parce que j'ai appris qu'au moment même où votre oncle Franklin Jefferson élaborait des accords avec les banques anglaises, ce Mr. Taylor le trahissait auprès de Sir Thomas Ballantine, de Cooks.

— Vous avez des détails ? demanda Steven d'une voix douce.

Kurt Essenheimer lui récita le contenu du rapport envoyé par les informateurs de Hitler à Londres. Il l'avait gardé comme atout à n'abattre qu'en cas de nécessité, mais il estimait maintenant préférable de gagner la confiance de Steven Talbot par cette petite faveur.

— Vous ne paraissez pas surpris, observa-t-il quand il eut terminé. Dois-je supposer que vous le saviez, ou du moins que vous le suspectiez ?

Steven marqua un temps d'hésitation. En réalité la révélation l'avait stupéfié. Était-il possible que Franklin ait échoué parce qu'il avait été trahi ? S'il en était ainsi, Harry avait réussi à camoufler son coup à la perfection. Dans le cas contraire, il est vrai, Rose Jefferson aurait eu sa tête.

Oh, Mère, vous vous êtes lamentablement laissé berner...

— Non, je ne savais pas que Harry avait fait cela, dit-il d'un ton neutre. Vous êtes certain de vos sources ?

— Absolument certain. Sinon je ne vous en aurais pas parlé, croyez-moi.

— Serait-il possible d'obtenir des preuves ?

— Je vais voir ce que nous pouvons faire. Vous êtes un ami, Steven, et nous vous l'avons dit : nous ne refusons rien aux amis.

41

Le vent de mars soufflait sans répit dans les gorges de béton de Lower Broadway, signe que l'hiver de 1931-1932 ne se résignait pas à mourir. Les sans-abri se pressaient sous les porches et autour de braseros de fortune tandis que les capitaines d'industrie, dans leurs bureaux lugubres, cherchaient en vain une lueur d'espoir dans ce long hiver qu'était la Dépression.

A quarante et un ans, Rose Jefferson dirigeait le destin d'une des rares grandes compagnies américaines à avoir non seulement survécu mais encore prospéré durant l'épreuve économique. Les biens et les marchandises devaient toujours être acheminés d'un coin du continent à l'autre, et les faillites de banques avaient effrayé bon nombre de citoyens qui préféraient convertir leur pécule en mandats Global garantis. Les quelques pennies demandés en commission semblaient bien peu de chose pour assurer la sécurité de leur argent. De ce fait des centaines de milliers de dollars entraient chaque jour dans les caisses de la compagnie, puis s'acheminaient, comme une longue route d'or, jusqu'au cœur de New York, aux bureaux de Lower Broadway.

Au contraire d'autres compagnies qui se vantaient du moindre dollar versé aux bonnes œuvres, Global restait d'une grande discrétion. Peu parmi les quatre millions de chômeurs du pays savaient que Rose avait combattu le Smoot-Hawley Tariff Bill, une loi qui augmentait les taxes d'importation jusqu'à un niveau historique et signait ainsi l'inévitable déclin du commerce. Rose utilisa toutes les tribunes et toute son influence pour convaincre que sans le commerce l'industrie ralentirait et le chômage augmenterait encore.

Quand le président ratifia la loi, Rose adopta brusquement une attitude différente. Elle cajola et flatta les législateurs, aidant ainsi à décider d'un programme de constructions publiques au budget de deux cent trente millions de dollars. Rose vit ses efforts récompensés en regardant les milliers d'ex-chômeurs qui travaillaient maintenant à la construction d'une route entre New York et Washington.

Lorsque ses collaborateurs les plus proches s'étonnèrent d'un tel investissement dans des causes charitables, Rose leur expliqua non sans émotion qu'elle ne faisait là que continuer l'œuvre de Franklin. Parce que son frère disparu avait compris l'Amérique et le lui avait montré quand il s'était dressé entre les grévistes des entrepôts et les jaunes venus les remplacer, elle estimait devoir cela à sa mémoire, mais aussi à son pays. Et lorsqu'il lut dans les journaux que Rose avait été nommée présidente du Comité d'aide aux sans-emploi, Hugh O'Neill regretta que Franklin Jefferson ne puisse voir sa sœur.

*

Immobile devant les fenêtres surplombant Lower Broadway, Rose frissonnait du froid qui se dégageait des vitres.

D'après les derniers renseignements reçus, il apparaissait que Michelle rencontrait en Europe un succès égal à celui de Global aux États-Unis. Ce qui expliquait pourquoi Steven lui avait envoyé ce rapport. Elle revint s'asseoir à son bureau et feuilleta le document soigneusement dactylographié. Toucher ces pages était un peu comme le toucher lui, son fils... Parfois il lui manquait tellement qu'elle avait envie de prendre le premier bateau en partance pour l'Europe. Mais elle ne cédait pas. Elle l'avait envoyé là-bas pour remplir une mission, et elle ne pouvait intervenir sans le blesser dans son amour-propre.

De plus elle avait toutes les raisons d'être fière du projet qu'il lui présentait. L'idée d'injecter des fonds dans les agences de transport ou de les acheter pour les rassembler sous la bannière de Global Europe conférerait à la compagnie une stature comparable à celle des plus importants transporteurs européens. Alors il serait possible de traiter avec Michelle. Rose était convaincue que Steven avait l'envergure nécessaire pour mener à bien cette opération, en qualité de président de Global Europe.

Elle prit son stylo plume et écrivit une lettre pour approuver ce projet.

« ... *Je suis très fière de toi*, concluait-elle. *Reviens aussi vite que possible pour que nous puissions régler les détails. Tu me manques terriblement. Ta mère qui t'aime.* »

Rose se renversa dans son fauteuil, satisfaite de ce qu'elle venait d'écrire. Soudain le vent hivernal ne semblait plus aussi froid.

*

— Nous avons passé le premier écueil, annonça Steven. Ma mère est d'accord.

— Steven, c'est fantastique! s'exclama Essenheimer.

— Ce n'est que la première étape, rappela Steven. Le véritable travail est encore à faire.

Il fallait tout d'abord établir le quartier général des opérations. Essenheimer proposa naturellement Berlin qui, grâce au parti, leur offrirait toutes les facilités voulues. Mais Steven fit remarquer que Michelle avait des amis dans la ville, dont le banquier Warburg, et que si l'un d'eux venait à soupçonner quoi que ce fût leur plan risquait d'être compromis. Ils finirent par opter pour Berne, plus sûre et tout aussi commode.

Le personnel fut recruté par Steven et son intégrité vérifiée par Essenheimer et les services nazis. Munis de passeports diplomatiques, ils n'eurent aucun problème pour s'installer en Suisse. Tandis que l'Allemand restait à Berlin, Steven rencontrait de nombreux directeurs de petites banques à Berne et aux alentours, lesquels se montrèrent ravis de traiter avec cet Américain dont les fonds en provenance de Berlin paraissaient inépuisables. Les conseillers des banquiers furent très heureux d'être promus directeurs des sociétés de transport dont Steven établit le siège social en Suisse, et ils ne firent aucun commentaire en apprenant que la raison sociale de ces compagnies se résumait à de très vagues activités dans l' « import-export ».

Dès qu'Essenheimer vint à Berne avec quelques experts triés sur le volet pour étoffer la première équipe, Steven, qui avait loué une villa dans un faubourg de Berne, invita discrètement nombre de diplomates. En quelques mois les attachés commerciaux d'Égypte, de Syrie, d'Iran, d'Afrique du Sud et du Congo, de l'Argentine, du Brésil et du Chili étaient devenus des visiteurs réguliers. Quand Steven leur apprit ce que lui et ses associés allemands désiraient, ils firent venir en Suisse les meilleurs industriels de leurs pays respectifs, et les négociations commencèrent. Elles furent ardues, mais l'Allemagne proposait des prix très intéressants, et elle obtint les lignes de ravitaillement dont elle avait besoin.

Tandis que Steven s'assurait à prix d'or la complicité internationale indispensable à l'équipement de l'Allemagne, Kurt Essenheimer se mit à acheter des transporteurs à la flotte commerciale allemande, pour des sommes dérisoires.

La flottille fut enregistrée sous pavillon panaméen, et de ses bureaux de Berne Steven donna les ordres d'appareillage. Le circuit fantôme se mettait en place.

En début d'été, Essenheimer fit une visite surprise à Berne. Il trouva Steven dans un restaurant, attablé avec une jeune femme brune au charme certain qu'il reconnut comme étant Anna Kleist, une comptable de leur équipe suisse. En approchant de leur table, Essenheimer ne put s'empêcher de soupirer. Quel gaspillage. Il refusa de se joindre à eux sous un vague prétexte de rendez-vous et demanda à parler à Steven en privé.

— Les affaires, Fräulein, s'excusa-t-il avec un clin d'œil à la jeune femme. Je ne vous l'enlève pas longtemps, je vous le promets.

Dès qu'ils furent passés dans le fumoir, Essenheimer perdit toute jovialité.

— Je vois que vous devenez très proches, vous et Fraulein Kleist...

Steven eut un rictus satisfait.

— Pas autant que je le voudrais, Kurt!

– C'est sans doute mieux ainsi, rétorqua l'Allemand en tendant à son ami un mince dossier sorti de sa serviette. (La couverture sombre était rayée de deux lignes rouges marquées du sceau de la Gestapo.) Son vrai nom est Anna Baumann.

Les lèvres de Steven se serrèrent. Il ouvrit le dossier et se mit à lire.

– Qu'est-ce que cette organisation de la « Rose Blanche » ?

– Un groupe de mécontents qui critiquent le parti. Des étudiants, des communistes et quelques prêtres anarchistes. Ils renseignent les services français et anglais. La Gestapo les surveille tous, évidemment. Leurs dirigeants ont tendance à disparaître... Sur le dernier, nous avons trouvé ceci.

Kurt tendit à Steven quelques feuillets. Avec horreur, il y vit détaillée toute l'opération d'approvisionnement de l'Allemagne – les différentes compagnies-écrans, leurs contrats, les lignes maritimes utilisées, les dates de livraison. Dans les noms cités, Steven lut le sien.

– Comment a-t-elle pu savoir tout cela ? grinça Steven.

Essenheimer eut un haussement d'épaules.

– Le porteur de ces papiers n'a rien pu nous dire, malgré toute notre... persuasion. Ils sont très professionnels. Chaque maillon de la chaîne ne sait pas qui lui transmet les documents, et il les laisse à son tour dans un lieu convenu sans voir celui ou celle qui les récupérera.

Steven se retourna vers la salle de restaurant où l'attendait la ravissante espionne qu'il avait voulu séduire.

– Je suppose que vous allez vous débarrasser d'elle tout de suite ?

– Pas si vite, corrigea Essenheimer avec un sourire sinistre. D'après le porteur, une autre livraison est prévue très bientôt. Je ne veux pas que notre jolie Fräulein Kleist se doute de quoi que ce soit. Laissons-la subtiliser les documents et suivons-la. Elle sera sous surveillance vingt-quatre heures sur vingt-quatre. Nous remonterons ainsi la filière. (Essenheimer marqua un temps d'arrêt.) Mais pour cela il faut que vous jouiez le jeu. En serez-vous capable, Steven ?

L'Américain baissa les yeux sur le feuillet portant son nom et frissonna. Si ce document était sorti d'Allemagne, s'il avait atteint sa mère...

– Oui, je l'occuperai pendant que vous mettez votre piège en place.

Pendant les semaines suivantes, il continua donc de courtiser la jeune femme. Il l'emmena au théâtre, à l'opéra et, un samedi, ils firent une promenade dans les Alpes. Tandis qu'ils piqueniquaient près d'une cascade et qu'elle s'approchait de l'à-pic, il songea combien il serait facile de la tuer.

Enfin, un après-midi, Essenheimer l'appela de l'ambassade et le pria de l'y rejoindre. Steven passa par l'entrée de service et fut mené au sous-sol. Là, dans une pièce aux murs de béton, il découvrit Anna Kleist attachée nue à une chaise. Elle était couverte de ses propres vomissures, de sueur et d'eau. Près d'elle, l'interrogateur de la Gestapo tenait dans ses mains gantées de caoutchouc deux fils électriques dénudés et reliés à une génératrice.

– Elle a parlé, dit Essenheimer en allumant une cigarette d'un geste gracieux. Ils parlent toujours. Nous remontons la filière à présent. Le danger est écarté.

Steven était hypnotisé par la vision de cette femme torturée et par les odeurs étranges qui flottaient dans la pièce.

– Que va-t-il lui arriver ? Et aux autres ? Vous ne pouvez pas la supprimer ici...

– Exact. Elle retournera donc en Allemagne pour « raison sanitaire ». Là-bas on lui donnera l'occasion de se remettre... Dans un endroit spécialement étudié pour les gens comme elle, qui s'appelle Dachau.

*

L'épisode Anna Kleist perturba beaucoup Steven. Entre sa disparition et les premières livraisons de bauxite, de cuivre et d'or dans le port de Brême, il se tint à l'écart des bureaux de la compagnie. Il en profita pour établir un rapport circonstancié des activités de Michelle, qui lui demanda beaucoup de travail. Mais il le termina deux jours avant l'appareillage de son bateau pour les États-Unis.

Le parti oganisa une soirée pour lui souhaiter bonne route au *Zig-Zag Club*, le cabaret de travestis le plus réputé de Berlin. La grande salle en sous-sol était décorée à l'orientale, et les serveurs étaient costumés en danseuses du ventre.

Steven était absorbé par ce qui se passait sur la scène, où les travestis donnaient leur propre version d'*Ali Baba et les Quarante Voleurs*.

– Alors, mon ami, que pensez-vous de cette petite soirée ? s'enquit Essenheimer en tirant sur son cigare.

– Vous seul pouviez concocter pareille fête, le complimenta Steven avant de lui chuchoter : quand direz-vous à Hitler que nous sommes prêts ?

– J'ai déjà transmis la nouvelle à Bormann. Il m'a promis une entrevue avec Hitler dès que celui-ci reviendra de Berchtesgaden. La semaine prochaine.

Steven sentit le triomphe lui serrer l'estomac.

– Allons, fit Essenheimer, demain vous nous quittez, et croyez bien que vous nous manquerez. Mais ce soir buvons à l'avenir, Steven ! Tout ce que vous pouvez désirer ici est à vous.

Steven allait s'éloigner quand il agrippa soudain Kurt par la manche.

– Qui est-ce ?

De l'autre côté de la salle, une jeune femme orientale vêtue d'un kimono rouge et blanc se dirigeait vers la sortie. Sa chevelure d'un noir de jais était coiffée à la japonaise, en un savant édifice retenu par des barrettes de nacre, et sa peau avait l'éclat de l'or patiné. Dans son visage à l'ovale parfait, aux pommettes presque invisibles et aux lèvres rouge sang, deux yeux couleur de jade ancienne toisaient la salle d'un regard distant. Elle le vit et l'esquisse d'un sourire joua sur sa bouche étrangement sensuelle. Puis un groupe de Japonais l'entoura et la cacha à Steven.

– Hélas, je ne puis vous l'offrir, dit Essenheimer d'un ton sincèrement désolé en remarquant l'intérêt de Steven. C'est Yukiko Kamaguchi, la fille d'un des industriels les plus puissants du Japon. Hisahiko Kamaguchi possède des compagnies maritimes, des aciéries et des entreprises de pétrochimie. Nous essayons actuellement de le persuader de coopérer avec nous. Je le savais à Berlin, mais je n'espérais pas qu'il passerait à notre petite soirée...

Steven continuait de suivre du regard la silhouette de la jeune femme qui se détachait du groupe de ses compatriotes, atteignait la porte, puis disparaissait.

– Oubliez-la, mon ami, lui conseilla Kurt. Vous partez demain, et elle retourne au Japon avec son père le jour suivant.

– Je ne verrai peut-être jamais plus une femme comme elle, murmura Steven, mais je ne l'oublierai jamais.

*

Pendant les six jours de traversée sur le *Siegfried*, Steven révisa son dossier avec une très grande attention. Rose avait gardé l'œil sur les activités de Michelle, il le savait, comme il était certain qu'elle comprendrait très bien les divers éléments qu'il allait lui présenter. C'est pourquoi il avait minimisé les succès de Global Europe. Sa mère s'interrogerait forcément sur l'opportunité de poursuivre l'aventure, et il lui appartiendrait de la convaincre que c'était nécessaire. Tant qu'elle ne connaîtrait pas la réelle rentabilité de leur compagnie sur le Vieux Continent, l'empire parallèle qu'il avait organisé pourrait prospérer.

Steven s'était attendu à ce que la voiture de sa mère soit là lorsqu'il débarquerait. Mais il ne prévoyait pas que le chauffeur l'emmènerait directement à l'un des meilleurs restaurants de la ville, le *Côte Basque*.

– Steven!

Il se pencha par-dessus la table et sa mère lui baisa les deux joues. Les yeux de Rose brillaient de joie.

– Tu es magnifique!

– Merci, Mère. Pour votre part, vous n'avez jamais été aussi belle.

Rose eut un sourire flatté. Elle avait remarqué l'attention des femmes attablées dans la salle à l'entrée de son fils, et elle en ressentait un orgueil légitime. L'Europe avait donné à Steven une aura d'assurance qui ajoutait encore à son charme naturel.

— Je n'aurais pu souhaiter mieux que ce que tu as accompli en Europe, chéri, dit-elle en levant sa coupe de champagne. A ton succès.

— Au nôtre, Mère.

Ils burent une gorgée et reposèrent leur coupe en même temps.

— Mais j'espère que tu ne repars pas là-bas trop vite?

— Il me faudra un peu de temps pour organiser les choses, ici, répondit-il. Mais j'ai bien peur qu'il reste encore beaucoup à faire en Europe... Quoi de neuf à Global? D'après vos lettres, j'ai eu l'impression que vous vouliez me suggérer quelque chose, mais je n'ai pas deviné quoi.

Une ombre douloureuse passa sur le visage de Rose.

— Harry est parti.

— Parti? Vous voulez dire que vous l'avez renvoyé?

— Non, chéri. Il est parti de lui-même. Un jour il n'est pas venu travailler. Et il a donné des instructions à la comptabilité pour que son solde soit versé sur son compte. Nous n'avons donc pas sa nouvelle adresse.

— Il est fou! Que va-t-il faire?

— Je ne le sais pas. Peut-être est-il retourné à Chicago.

— C'est du suicide, commenta Steven sèchement. Il était doué, mais pas indispensable.

— Je ne te cache pas que je suis ennuyée qu'il ait disparu de cette façon, après tout ce temps... Sans même donner de raison ou dire adieu, dit Rose d'une voix douce.

En réalité, elle savait que Taylor avait perdu tout intérêt pour la compagnie depuis la nomination de Steven en Europe. Son travail s'était nettement détérioré, et Rose avait commencé à recevoir des plaintes de différentes agences dans le pays. Très vite elle avait compris que la situation ne pouvait durer. Elle avait laissé un message à Harry lui enjoignant de la contacter, ce qu'il n'avait pas fait. Quand elle apprit qu'il avait disparu, la colère qu'elle éprouva était mêlée d'un sentiment de perte. Malgré tout ce qui les séparait maintenant, elle ne pouvait oublier la façon dont il l'avait révélée à elle-même pendant quelques merveilleuses années. Et Harry était sans doute la personne la plus proche de ce qu'elle pouvait définir comme un ami.

— Ne vous en faites pas, Mère, lui dit Steven. Je resterai aussi longtemps que vous aurez besoin de moi.

Rose lui adressa un sourire de gratitude.

— Merci, chéri, mais ce ne sera pas nécessaire. J'ai déjà repris le travail de Harry, et toi tu dois concentrer tous tes efforts sur l'Europe. J'attends de grandes choses de toi.

— Je ne vous décevrai pas, Mère, promit-il en souriant à son tour.

*

Durant les trois années suivantes, Steven traversa plusieurs fois l'Atlantique pour peaufiner son stratagème. A Global Europe il opéra peu à peu une sélection impitoyable dans le personnel, se séparant de tous ceux qui lui déplaisaient pour les remplacer par des éléments qui le reconnaissaient comme seul maître. Les tarifs de la compagnie furent baissés pour torpiller la concurrence, et les contrats de transports se multiplièrent. Dans le même temps Steven tissait patiemment des liens occultes avec les divers gouvernements. A leur réunion de fin d'année à New York, Rose s'avoua impressionnée par le rapport qu'il lui remit.

— Moi-même je ne croyais pas que tu réussirais aussi bien!

Et vous n'en connaissez que le tiers, Mère...

En effet les livres qu'il avait apportés à sa mère étaient truqués. Les profits de Global Europe équivalaient en réalité à trois fois ceux déclarés dans ces faux habiles. Les compagnies installées en Suisse par Steven possédaient à présent une flotte marchande à peine moins importante que celle de Global.

Pendant ses séjours aux États-Unis, Steven ne manqua aucune occasion d'étendre son empire fantôme. Il devint un passager régulier du *Capitol Express* qui reliait New York à Washington. Dans les salons dorés des ambassades il rencontrait des financiers, des industriels et des officiels de gouvernements aussi divers que ceux d'Argentine, du Brésil, de l'Afrique du Sud ou du Nigeria. Les contrats conclus par une poignée de mains portaient sur des millions de dollars. Ensuite il se rendait à l'ambassade d'Allemagne et appelait Kurt Essenheimer de la salle secrète des communications, au sous-sol, pour l'assurer que le Troisième Reich pouvait compter sur des livraisons de matières premières qu'il désirait tant.

Le 18 juillet 1936, la guerre civile éclatait en Espagne. Steven lut tous les articles concernant le conflit avec avidité. Chaque victoire fasciste le remplissait d'aise. Le pétrole, le caoutchouc et les matières précieuses convoyées par ses soins jusqu'en Allemagne avaient permis de forger une machine de guerre invincible. A l'automne, quand il annonça son intention de retourner en Europe, Rose eut un sourire faussement dégagé.

— Ce ne sera peut-être pas nécessaire.

— Que voulez-vous dire, Mère ?

— Je viens de recevoir un câble de Michelle. Elle a embarqué pour New York aujourd'hui même. Elle prétend avoir quelque chose de très important à discuter avec moi... (Rose serra son fils dans ses bras puis se recula pour le contempler avec fierté.)

Comme si je ne savais pas de quoi il retourne! Elle ne peut ignorer ta réussite sur le Continent. Je pense qu'elle vient proposer une fusion...

42

Les événements qui devaient amener Michelle aux États-Unis en cet automne 1936 étaient certes liés à Global, mais d'une façon que jamais Rose Jefferson n'aurait imaginé.

Les premiers signes de la tragédie étaient apparus le 30 janvier 1933, lorsque Adolf Hitler devint chancelier d'Allemagne. Le parti, que beaucoup avaient taxé de ramassis de parias et de ratés, en tira une légitimité soudaine, que les nazis s'employèrent à consolider par leurs propres méthodes. Les journaux et les radios se mirent à déverser une propagande savamment dosée sur les ennemis réels ou imaginaires de la nation. Des bureaucrates acquis à la cause nazie exclurent des hommes et des femmes honnêtes des administrations et des universités pour les remplacer par des automates sans état d'âme. Les appels à la haine et à la discrimination s'amplifièrent et trouvèrent un terrain propice chez les couches défavorisées. On fustigea ouvertement les intellectuels, les anarchistes et surtout les Juifs.

— La situation devient un véritable cauchemar, dit Abraham Warburg, le banquier, à Michelle ce printemps-là. Et pourtant mes amis refusent de se réveiller. « Nous sommes plus allemands que les Allemands », voilà tout ce qu'ils trouvent à dire. Comme s'il suffisait de le répéter pour que tout le monde finisse par le croire!

Lors de ses fréquentes rencontres avec Warburg, dans les cocktails ou les restaurants, Michelle avait déjà remarqué les regards durs de certains dîneurs, et particulièrement des officiers SS. Parfois même quelqu'un lançait une réflexion blessante sur les Juifs, assez fort pour que le banquier l'entende. Et les rires qui saluaient cette agression verbale étaient pires que l'obscénité elle-même. Pour être plus tranquilles, Michelle et Warburg avaient pris l'habitude de discuter en anglais.

— Vous devez faire comprendre à vos amis qu'ils doivent partir tant qu'ils le peuvent encore, dit Michelle.

— J'essaie tous les jours de les convaincre. Mais la plupart ne veulent pas abandonner leur pays et leurs amis.

— Alors nous devons aider ceux qui sont prêts à quitter l'Allemagne.

Mon Dieu! se dit-elle soudain. *Moins de vingt ans plus tard je recommence à combattre les Allemands. Pourquoi y a-t-il tant de folie dans le cœur de certains hommes?*

— Il devient de plus en plus difficile d'obtenir des visas, fit remarquer Warburg.

— Je le sais. Mais je crois que j'ai trouvé un moyen de tourner ce problème.

En quelques phrases, elle exposa son idée : créer à Paris une agence de voyage gérant des circuits touristiques dans les différentes régions de France.

— Les nazis n'auront aucune idée de ce que nous faisons sous leur nez. Ces « touristes » auront des papiers en règle, un billet et un itinéraire. Mais ils ne reviendront pas, voilà tout. Une fois en France ils pourront aller où ils voudront. Je veillerai à ce qu'ils en aient la possibilité.

— C'est ingénieux, reconnut Warburg sans dissimuler son excitation. Mais beaucoup ne pourront pas payer, du moins pas le prix normal, et vous ne pouvez proposer des voyages à des tarifs trop bas sans attirer l'attention des nazis.

— Qui a parlé d'argent ? Nous fournirons à ces « touristes » un billet prépayé, ainsi que quelques chèques de voyage en dollars. Pour l'extérieur ils ressembleront ainsi à n'importe quel touriste, tant qu'ils ne tenteront pas d'emmener tout ce qu'ils ont avec eux, bien sûr.

Le banquier réfléchit un moment.

— Oui, cela pourrait marcher, admit-il enfin. Mais nous devrons nous montrer très, très prudents...

— Trouvez-moi des gens en qui vous avez entière confiance et je me charge du reste.

A la fin de l'automne 1933, l'opération commençait. Michelle étudia avec un soin extrême le dossier de chacun de ses employés. Après avoir repéré les sympathisants nazis, elle inventa des prétextes imparables pour les faire partir, en prenant la précaution de leur offrir une prime de fin d'emploi royale, afin d'éviter toute rancune. Elle les remplaça par des hommes sûrs envoyés par Warburg et, lorsqu'elle fut certaine qu'ils savaient ce qu'ils devaient faire, elle retourna à Paris pour régler les détails. Les premiers voyages s'effectuèrent à la moitié de leurs effectifs, et Michelle en fut à la fois irritée et désespérée. Mais bientôt la nouvelle se répandit et les candidatures affluèrent. Ironiquement, c'est alors que les problèmes commencèrent.

Michelle n'avait jamais utilisé, encore moins mis sur pied, un voyage organisé, et elle sous-estima gravement la somme et le genre d'aides dont ses « touristes » avaient besoin. Si les premiers groupes, composés d'ingénieurs, de médecins ou d'avocats, purent payer leur passage et assurer leur installation en France par leur savoir-faire professionnel ou leurs relations, les « touristes » qui assiégèrent Global à la fin de l'année faisaient partie des classes moyennes, voire défavorisées. De ce fait ils n'avaient que les cinquante dollars offerts par Michelle en chèques de voyage pour affronter l'inconnu à leur arrivée.

Comprenant qu'elle avait un besoin urgent d'aide, elle se tourna vers Émile Rothschild.

Celui-ci fut catastrophé d'apprendre que son amie courait de tels risques. Il lui détailla par le menu tous les dangers la menaçant si son stratagème venait à être connu. Il suffisait qu'un des réfugiés en France envoie une lettre à sa famille restée en Allemagne, et dont le courrier était souvent ouvert par les nazis, pour que tout s'écroule. Les SS bloqueraient les frontières aux Juifs, mettraient sous séquestre les biens de Michelle sur tout le territoire en l'accusant d'aide à l'émigration illégale. Les services français, dont la myopie permettait cette opération, se verraient obligés de réagir en conséquence et refouleraient les clandestins. La situation serait des plus périlleuses, ajouta-t-il, pour toute l'organisation y compris elle-même.

— Les nazis vous traîneraient devant un tribunal spécial.

Les yeux de Michelle lancèrent des éclairs.

— Ils n'oseraient pas!

— Dans le meilleur des cas, vous auriez des contrôleurs fiscaux qui éplucheraient vos comptes, des officiers de l'immigration qui vérifieraient l'identité de votre personnel, des inspecteurs du bâtiment qui viendraient fouiner dans tous les recoins de vos bureaux pour trouver un manquement aux normes de construction. Et les journaux emboîteraient le pas aux nazis, comme ils ont pris l'habitude de le faire. L'Allemagne entière serait mise au courant de ce que l'on présenterait comme une traîtrise à la nation perpétrée par une Française, et quelle Française...

Michelle pesa ses propos avec soin. Elle savait qu'Émile Rothschild venait de lui parler en ami préoccupé de son avenir et non en pleutre.

— J'accepte ces risques, répondit-elle. M'aiderez-vous, Émile?

Le banquier prit un air bourru mais finit par sourire.

— Rien que pour cela, ils devraient vous donner une autre médaille. Oui, bien sûr, je vous aiderai.

*

Les « touristes » continuèrent d'arriver en masse d'Allemagne durant toute l'année 1934. Michelle travaillait moins rue de Berri et restait plus souvent chez elle pour trouver aux immigrés un toit et un avenir. Émile Rothschild tint parole. Usant à plein de tous ses contacts en France, il recensa des centaines de personnes prêtes à héberger un ou plusieurs réfugiés. Ces gens de bonne volonté furent bientôt imités par leurs amis ou leur famille, et ainsi le réseau d'aide s'étendit. A l'approche de Noël, des milliers d'immigrants avaient de la sorte été incorporés sans heurt dans la société française, souvent grâce à de petits commerces tenus par des Juifs où ils étaient présentés comme de lointains cousins venus apporter leur aide.

Constitué de Michelle, Pierre Lazard et quelques autres Français influents, le Comité clandestin d'aide aux réfugiés obtint, de la part de quelques sympathisants dans l'administration, des papiers d'identité, des permis de travail ou de résidence, ce qui permit aux immigrants pourvus d'un bagage professionnel de se fondre dans la population. Si la réussite du système mis en place par Michelle était indéniable, elle menaçait de l'engorger dès mai 1935.

Il fut décidé de faire passer les nouveaux arrivants en Espagne, au Portugal, en Angleterre et en Scandinavie. Pourtant, à la réflexion, les membres du Comité s'aperçurent qu'il se posait un problème : aucun d'entre eux ne possédait les contacts suffisants ou l'influence nécessaire dans ces pays.

– Eh bien, nous aurons peut-être de la chance, dit Michelle à la fin de leur réunion.

*

Michelle souffrit moins d'un surcroît de travail que de l'absence de son mari. Monk était en effet retourné aux États-Unis, en partie pour travailler un peu à *La Sentinelle*, mais surtout pour collaborer avec le gouvernement dans sa lutte contre la Dépression. Dans ses lettres, Michelle apprit qu'il était très écouté à la Maison-Blanche et aidait à définir un plan de sauvetage de l'économie américaine. Même s'il revenait aussi souvent que possible, ses absences répétées étaient pour Michelle et Cassandra une épreuve toujours aussi dure. A quatorze ans, leur fille passait par une période où la présence paternelle était d'une importance primordiale, et elle supportait très mal ces séparations.

Après Noël, Monk partit une nouvelle fois pour les États-Unis. A Washington il mit au point les détails de la campagne qu'il avait élaborée pour influencer sénateurs et membres du Congrès qui siégeaient à la Commission gouvernementale pour l'immigration. Le résultat de ses démarches était souvent frustrant, et cette tâche lui prenait tout le temps libre qu'il ne passait pas à la Commission Roosevelt pour les réformes économiques et au journal qui était devenu un des principaux supports de la campagne du président.

Mais des progrès sensibles récompensaient ses efforts. Des milliers de Juifs allemands purent entrer aux États-Unis malgré la politique des quotas adoptée par les législateurs. Si l'on considérait tous ceux qui désespéraient de quitter l'Allemagne nazie, le nombre des Juifs sauvés ainsi restait ridicule, bien sûr. Néanmoins ces arrivées dans le Nouveau Monde libéraient autant de places en France pour ceux qui ne pouvaient aller plus loin pour l'instant.

*

Inexorable, le temps passait et la tragédie approchait. Début 1936, lors d'une visite à Berlin, Michelle découvrit de nouvelles restrictions imposées par les nazis à tous les moyens de transport. Avec la limitation du change et les délais interminables pour l'obtention de tout visa, il devint presque impossible à un citoyen quelconque de quitter le pays. Les dizaines de places de train réservées par Michelle restaient inoccupées, et il fut bientôt évident qu'elle perdait de l'argent. Elle comprit qu'elle ne pouvait continuer ainsi sous peine d'attirer l'attention des nazis, déjà hostiles envers elle.

— Nous savions que cela arriverait un jour, lui dit Abraham Warburg quand les bureaux berlinois de chèques de voyage fermèrent.

— Mais il reste tant à faire!

Warburg lui tapota la main avec sympathie.

— Et nous ferons de notre mieux. Pensez à tout ce que vous avez déjà réussi, Michelle. Vous avez aidé des milliers de gens. Jamais ils ne l'oublieront.

— Il est temps pour vous aussi de partir, mon ami, lui répondit-elle. La situation devient intolérable.

— Et c'est précisément pourquoi je dois rester, répondit Warburg. Les nazis ne me toucheront pas, du moins pas encore. J'ai des amis en Suisse, qui sont ma garantie... Et puis, je viens de découvrir un peu par hasard quelque chose que vous devez savoir. C'est en rapport avec Global.

Michelle ne cacha pas son étonnement.

— Depuis des mois j'entends des bruits sans grande consistance sur un officier supérieur nommé Essenheimer.

Michelle reconnut immédiatement le nom.

— Essenheimer est l'un des plus grands industriels de l'armement du Troisième Reich...

— Oui, mais ce n'est pas tout. Les renseignements que nous avons glanés concordent sur un point : Global serait devenu le principal transporteur maritime du Reich. Il fournirait à l'Allemagne toutes les matières qui lui manquent pour préparer une guerre.

Michelle était abasourdie.

— Rose n'est pas du genre à traiter avec les nazis!

— Qui a parlé de Fräulein Jefferson? rétorqua Warburg avec une pointe de tristesse. Il s'agit de Steven Talbot, le directeur de Global Europe.

Il lui tendit un épais dossier.

— Lisez-le, je vous en prie. Et tirez-en vos propres conclusions.

Michelle parcourut des témoignages d'ex-employés des entreprises Essenheimer à tous les échelons, et elle put sentir la peur et la franchise dans leurs phrases. Mais en dehors de ces dépositions il n'y avait rien qui reliât l'industrie d'armement allemande à Steven Talbot.

— Ce ne sont que ouï-dire, constata Michelle. Je ne mets pas en doute un seul mot de ces témoignages, mais ce ne sont pas des preuves suffisantes...

— Vous ne pouvez imaginer le degré de secret et de sécurité qui entoure tout ceci, expliqua Warburg. Si la Gestapo soupçonnait une de ces personnes d'avoir simplement dit à quelqu'un ce qu'ils ont écrit...

Il ne termina pas sa phrase. La fin en était évidente.

— Y en a-t-il qui travaillent toujours pour Essenheimer et qui pourraient avoir accès à des dossiers ou des documents ? demanda fébrilement Michelle.

— Bien sûr. Mais comme je vous l'ai dit...

— Abraham, il faut les persuader de me procurer des preuves irréfutables. Nous ne pouvons pas laisser Steven continuer cette infamie !

— Ce sera très difficile.

— Il le faut ! insista-t-elle. Nous leur ferons quitter le pays s'il c'est nécessaire. Au cours de ces dernières années, nous avons créé des filières pour sortir d'Allemagne que personne d'autre ne connaît. Le moment est venu de les utiliser !

Un long moment, le banquier réfléchit au problème.

— Vous avez sans doute raison. Mais avez-vous songé aux risques ?

— Pour eux ? Bien sûr, mais nous pouvons...

— Non, Michelle. Pas pour eux : pour vous. Si je vous envoie ces gens et si, que Dieu l'empêche, Steven Talbot, Essenheimer ou la Gestapo découvraient ce qui se passe, ils vous tueraient, Michelle, croyez-moi, vu l'enjeu, ces hommes feraient tout ce qui est en leur pouvoir pour que la vérité n'éclate pas.

— Et c'est bien pour cette raison que nous devons tout révéler, Abraham. Dites à vos amis de m'apporter quelque chose que je puisse utiliser, et je ferai le reste.

*

Au tout début du printemps, Michelle fut obligée de fermer ses dernières agences en Allemagne et retourna à Paris. Tous les jours elle se rendait au bureau central des postes pour relever les éventuels messages envoyés par Abraham Warburg. Des semaines passèrent sans aucune nouvelle du banquier, et Michelle en conçut une inquiétude grandissante. Son ami jouait un jeu dangereux où la moindre parole imprudente pouvait déclencher un désastre.

Quelque chose va arriver au moment où je m'y attends le moins.

Elle ne devinait pas la véracité de ce pressentiment.

*

— Maman! Maman! réveille-toi!

Michelle se redressa brusquement dans son lit.

— Que se passe-t-il, ma chérie?

— Quelqu'un essaie d'entrer, chuchota Cassandra. J'ai entendu des grattements sur la serrure de la porte.

— Reste ici.

L'adolescente eut un mouvement de recul en voyant sa mère prendre le revolver dans le tiroir de la table de chevet.

— Tout ira bien, dit-elle dans un souffle. Ne sors pas de cette chambre, tu as bien compris?

Refermant la porte derrière elle, Michelle avança lentement vers l'entrée. Le clair de lune nimbait d'une lueur fantomatique la porte dont elle vit le bouton tourner lentement. En trois pas rapides elle se plaça contre le mur, derrière le battant qui s'ouvrait. Plusieurs silhouettes pénétrèrent silencieusement dans la pièce. Alors elle claqua la porte du pied et enfonça le canon de son arme dans les reins de l'intrus le plus proche.

— Pas un geste, murmura-t-elle.

De son autre main elle chercha le commutateur. La lumière du plafonnier inonda la scène, révélant un homme jeune et une femme enceinte qui tenait dans ses bras un enfant. Michelle retint un petit cri de surprise et se reprit aussitôt.

— Retournez-vous, ordonna-t-elle à l'homme.

— Abraham nous envoie, dit celui-ci d'une voix anxieuse, en obéissant. S'il vous plaît, madame, nous ne vous voulons aucun mal!

— Qui êtes-vous?

— David Jacobi. Et voici ma femme, Rachel.

— Si Abraham vous envoie, pourquoi n'ai-je pas reçu de message annonçant votre arrivée? rétorqua-t-elle. Et pourquoi être entrés de la sorte ici?

David Jacobi posa sur elle un regard lourd de souffrance.

— Nous étions six, madame. Nous avons tous réussi à franchir la frontière, mais les nazis ont contacté les autorités françaises. La police nous a traqués. Rachel et moi sommes les seuls qui ayons pu fuir. Quand nous sommes enfin arrivés à Paris, nous n'étions pas sûrs que la police n'était pas passée ici aussi... Alors nous avons attendu la nuit.

— Et les autres?

La voix de Jacobi se brisa:

— Ils ont été reconduits à la frontière... et livrés à la Gestapo.

Michelle sentit le dégoût lui serrer la gorge.

— Maman, que se passe-t-il?

Cassandra était apparue à la porte vitrée du salon. Elle avait l'air à la fois effrayée et curieuse.

— Ma fille, Cassandra, dit Michelle aux Jacobi d'un ton plus civil.

Elle alla jusqu'à l'adolescente et lui murmura à l'oreille :

— Je veux que tu emmènes Rachel et l'enfant dans la chambre d'amis. Montre-lui où sont toutes les choses qui peuvent lui être nécessaires et aide-la si elle a besoin de quoi que ce soit. Ensuite va dans la cuisine et prépare-leur quelque chose à manger.

— Mais enfin qui sont ces gens ? s'insurgea Cassandra. Et que font-ils ici, en plein milieu de la nuit ?

Michelle avait du mal à croire à la colère dans la voix de sa fille.

— Ils ont besoin de notre aide, Cassandra ! Et maintenant je veux que tu m'obéisses.

Mon Dieu ! A ton âge, je combattais les Allemands !

Mais Michelle comprit immédiatement à quel point la comparaison était injuste. Cassandra avait grandi dans le luxe et l'opulence. *Peut-être lui ai-je inconsciemment caché les réalités de ce monde, parce que je me souviens trop bien de ce que j'ai vu à son âge. Mais le monde a sa façon de nous enseigner ses lois...*

— S'il te plaît, Cassandra, dit-elle d'une voix radoucie. Fais ce que je te demande. Je t'expliquerai tout plus tard.

— Je l'espère, Maman ! répliqua l'adolescente avec un mouvement du menton qui trahissait son mécontentement.

Néanmoins elle alla prendre le sac de Rachel et la mena avec l'enfant dans l'appartement.

Une fois qu'il se fut rafraîchi, Michelle offrit à David Jacobi une bonne dose de cognac, s'en servit une également et ils s'assirent dans le salon.

— Pensez-vous que la filière soit compromise ? s'enquit-elle.

— Ceux qui ont été remis à la Gestapo ne supporteront pas un interrogatoire, répondit le jeune homme en regardant fixement le fond de son verre.

Michelle frissonna.

— Est-ce qu'ils... Est-ce qu'ils avaient des documents sur eux ?

Jacobi eut un signe négatif de la tête, et les espoirs de Michelle renaquirent.

— Et vous, avez-vous quelque chose ?

Jacobi sortit de la poche intérieure de son veston une enveloppe scellée.

— De la part d'Abraham.

— C'est tout ?

— Madame McQueen, dit-il tristement, je travaillais dans les services juridiques d'Essenheimer. Obtenir le genre de renseignements voulus par Abraham y est impossible. Il y a trois, voire quatre jeux de livres. Toute information est très bien gardée. Il faut une autorisation spéciale pour simplement consulter un contrat, et en subtiliser un est tout simplement impensable. Dieu vous vienne en aide si vous oubliez de rapporter un document emprunté avant la fin de la journée.

L'avocat but une gorgée de cognac avant de poursuivre.

– J'ai pris tous les risques possibles pour sortir un de ces documents, mais mon chef direct est devenu soupçonneux. C'est pour cette raison qu'Abraham nous a fait emprunter la filière. (Il lança un regard implorant à Rose.) Mais j'ai une excellente mémoire et j'en sais beaucoup sur Essenheimer et Global. Je vous en prie, madame McQueen, écoutez-moi. Emmenez-moi auprès de gens qui sont capables d'arrêter cette horreur!

– Demain, dit Michelle avec douceur. Nous aurons tout le temps. Vous devez vous reposer d'abord.

43

– Par ici!

Michelle fit volte-face, le vit et courut en bas de la passerelle de débarquement pour se jeter dans les bras de Monk.

– Mon Dieu, tu m'as tant manqué! grogna le journaliste dans la chevelure de sa femme.

– Et toi!

Michelle s'accrochait à lui avec passion.

– Mais qui est-ce donc? plaisanta-t-il, malgré son émotion.

Cassandra, qui s'était immobilisée à deux mètres d'eux, vint enserrer les deux adultes avec la même joie. Non sans fierté, Monk nota en un coup d'œil combien sa fille avait grandi – elle dépassait sa mère –, et comme elle était belle.

Après des effusions prolongées, Monk fit porter leurs bagages dans son énorme Cadillac et leur offrit une visite commentée de Manhattan qui arracha des exclamations de surprise ravie à Cassandra. Puis il remonta vers Upper West Side et se gara devant une majestueuse bâtisse.

– Chez nous, annonça-t-il.

Bâti au début du siècle, le Carlton Towers était le plus énorme building que Cassandra eût jamais vu. Il occupait un bloc entier et comptait plus de soixante étages. L'extérieur évoquait un grand château, avec tourelles et gargouilles. Dans le hall d'entrée immense, Cassandra fut perdue. Et ils durent prendre successivement deux ascenseurs pour atteindre l'appartement. Une Noire replète les accueillit à la porte.

– Ah, Abilene, fit Monk en posant les valises dans le vestibule. Voici ma femme, Michelle, et ma fille, Cassandra. Ladies, je vous présente Abilene Lincoln, la femme sans qui je serais comme un oisillon tombé du nid.

– Bienvenue! lança aussitôt Abilene, et d'autorité elle embrassa Cassandra. Je suis sûre que vous vous plairez ici.

Tandis que la Noire emmenait Cassandra visiter l'appartement – qui parut magnifique à l'adolescente –, Monk embrassa longuement Michelle.

– Elle est presque aussi belle que toi, lui murmura-t-il. Jamais je n'aurais rêvé...

– A court de mots, pour une fois? se moqua-t-elle.

Monk détailla le visage de cette femme qu'il aimait tant, repaissant ses yeux de la finesse des traits, de l'éclat du regard. Il sentit son désir pour elle grandir, mais quelque invisible barrière au-delà de la fraîcheur des lèvres de Michelle l'arrêta.

– Qu'est-ce qui ne va pas, ma chérie?

Elle inspira profondément et lui relata comment Abraham Warburg avait eu vent d'informations extraordinaires concernant la firme Essenheimer et Steven Talbot. Elle lui donna les détails transmis et lui décrivit le rôle plus que probable tenu par Steven Talbot dans la nouvelle Allemagne.

Ce fut un choc d'envergure pour le journaliste. L'idée qu'un Américain de la stature et de l'influence de Steven puisse travailler avec et pour les nazis était un outrage au bon sens. En dehors de quelques personnalités égarées telles Henry Ford, la très grande majorité de la nation américaine se moquait des nazis. Certains pourtant, dont Monk, décelaient le danger potentiel du fanatisme de Hitler et tentaient d'en avertir leurs compatriotes.

– Le problème, c'est que je n'ai aucune preuve tangible à montrer à Rose, conclut Michelle. D'un autre côté je ne peux pas laisser Steven poursuivre l'approvisionnement du Reich. Je dois donc essayer de la convaincre moi-même.

– Rose sait-elle que tu dois venir?

– J'ai rendez-vous avec elle demain à la première heure.

Le visage de Monk se fit soucieux.

– Pourquoi ne pas m'en avoir parlé avant, Michelle? J'ai beaucoup d'amis en Europe qui auraient pu t'aider. Bon sang, je serais venu moi-même!

– C'est bien pour cela que je ne t'ai rien dit, mon amour. Nul ne peut rien faire, à l'exception de Rose. Si elle me croit...

– Et si elle ne te croit pas?

– Alors il faudra trouver un autre moyen d'arrêter Steven.

*

Le lendemain matin, en route vers Lower Broadway, Michelle se remémora l'ironie qui l'avait accueillie lors de son arrivée à New York et se demanda si aujourd'hui elle pourrait revivre ici. Oui, sans doute. Les gens qui l'avaient blessée ne pouvaient plus le faire; après tout, la ville lui appartenait au moins autant qu'à eux, maintenant.

En approchant du quartier des affaires, ses pensées se fixèrent sur Rose. En d'autres temps, elle avait tenté de la convaincre de la vérité, et toujours Rose avait choisi de ne pas la croire. Pourquoi en irait-il différemment cette fois?

Parce que l'enjeu est trop grand, songea-t-elle.

— Michelle! dit aimablement Rose quand elle fut introduite dans le bureau directorial de Global. C'est un réel plaisir de vous revoir. Vous êtes radieuse.

Un sourire aux lèvres, elle contourna son bureau et vint prendre les mains de sa visiteuse dans les siennes. Elle était vêtue d'une jupe et d'un chemisier élégants qui restaient sobres sans sacrifier sa féminité. Michelle crut discerner un changement dans son visage. Les traits énergiques paraissaient s'être adoucis avec les années, même si le regard restait impérieux.

— Je suis également heureuse de vous voir, dit Michelle.

Rose désigna le coin salon. Sur la table basse étaient servis du café chaud et des pâtisseries fines.

— Je peux vous offrir quelque chose?

Michelle refusa poliment et s'assit sur le canapé en face du bureau.

— Comment va Cassandra? s'enquit Rose. J'espère avoir l'occasion de la rencontrer.

— Elle en sera ravie.

Un silence gêné suivit ces amabilités.

— Michelle, dit enfin Rose, ce n'est facile ni pour vous ni pour moi. Il y a eu beaucoup d'inimitié entre nous, mais cela ne signifie pas que nous ne pouvons pas repartir sur des bases saines. Je suis terriblement impressionnée par ce que vous avez accompli avec les chèques de voyage, et je crois deviner la raison de votre présence à New York. J'ai demandé à Steven de se libérer. Peut-être pourrait-il nous rejoindre?

— Steven?

Pendant une seconde Michelle crut que Rose avait effectivement deviné la raison de sa venue. Puis elle comprit. Steven n'avait pas entrepris son voyage européen de son propre chef. C'est sa mère qui l'avait envoyé, pour voir comment se portaient les affaires de Michelle. Mais dans quel but? Pour offrir de la racheter? Pour proposer une fusion? Quel que fût le motif, Michelle était certaine que Rose ne savait rien des rapports de son fils avec les Allemands.

— Je ne pense pas qu'il soit souhaitable que vous fassiez venir Steven maintenant, répondit-elle. C'est à cause de lui que je suis ici.

— D'après votre ton, j'ai l'impression que notre entrevue ne sera pas agréable, murmura Rose. Je ne souhaitais pas cela.

— Croyez-moi, Rose, je ne le souhaitais pas non plus.

— Eh bien, quoi qu'il en soit, venons-en au fait.

Michelle présenta un résumé de la situation où elle omit d'accuser directement Steven et suggéra qu'il n'était sans aucun doute qu'un pion innocent dans le jeu des nazis. A sa surprise, Rose l'écouta sans l'interrompre et avec un intérêt certain. Ce n'est que lorsque le nom de son fils fut associé à celui de l'Allemagne qu'elle réagit.

— La situation actuelle de ce pays me répugne, dit-elle avec calme. Et maintenant vous me dites que Steven aide ces nazis à construire une machine de guerre ?

— Si je ne croyais pas les gens qui m'ont fourni ces renseignements, je ne serais pas venue vous voir. Il est aussi difficile pour moi de vous dire tout cela que pour vous de l'entendre.

— Et qu'attendez-vous de moi ?

— Que vous parliez à Steven, Rose. Que vous lui demandiez de vous dire la vérité.

— La vérité, Michelle, c'est que Steven a magnifiquement développé Global Europe. Je l'ai envoyé là-bas pour cela, en espérant qu'un jour vous et moi pourrions associer nos forces. Et j'espérais que c'était ce que vous aviez à l'esprit en venant ici.

— Je suis désolée de vous decevoir. Si j'avais pu agir autrement...

Rose leva une main d'un geste sec.

— S'il vous plaît, Michelle, ne sombrons pas dans le sentimentalisme. Pour vous, j'accepte de demander des précisions à Steven sur ses opérations en Allemagne. Mais s'il me prouve qu'il n'y a aucune relation entre la compagnie et les nazis, j'estime que vous devrez présenter des excuses.

Michelle ne répondit pas. Jamais elle ne pourrait s'excuser devant Steven.

— Merci de m'avoir écoutée, Rose.

Celle-ci acquiesça et la raccompagna jusqu'à la porte.

— Ce n'est qu'en mûrissant qu'on apprend à regretter vraiment certaines erreurs, dit-elle, et surtout à ne pas les répéter. Je vous souhaite d'atteindre bientôt cette maturité, Michelle.

*

Dès que Steven avait appris l'arrivée de Michelle aux États-Unis, il avait vécu dans un état d'anxiété permanente. Il n'en montrait rien en public, mais dès qu'il se retrouvait seul dans ses appartements il vérifiait inlassablement ses rapports et ses dossiers pour déceler la fausse note qui le perdrait, et s'il n'en avait pas trouvé sa tension ne s'en était pas relâchée pour autant. Et il aurait donné une fortune pour pouvoir entendre ce qui se disait entre Michelle et Rose, à trois pièces de là.

Quand la porte s'ouvrit et que sa mère apparut, il dut maîtriser un sursaut nerveux.

– C'était plutôt bref, dit-il du ton le plus léger qu'il put adopter. Comment va Michelle ?

Le visage fermé, Rose l'étudia en silence quelques secondes.

– Elle prétend que tu assures clandestinement le transport de matières premières pour les nazis, lâcha-t-elle abruptement. Je veux savoir si c'est vrai.

Steven rougit et simula une colère difficile à contenir.

– Non, Mère, c'est faux.

– C'est ce que je veux croire. Mais je me demande pourquoi elle porte une telle accusation. Quelle raison pourrait la pousser à agir ainsi ?

Le moment était venu de jouer le va-tout. Steven ne le laissa pas passer.

– Oh, mais je peux vous prouver qu'elle ment, Mère. Les livres de comptes de Global Europe vous le prouveront. Je les ai amenés, justement. Michelle ment. Pas eux.

Sans attendre il appela sa secrétaire par l'interphone pour lui enjoindre d'apporter les dossiers.

– Fais aussi monter du café et des sandwichs, lui dit Rose. Ça risque d'être long.

*

Dix-huit heures plus tard, à quatre heures du matin, Rose se frotta les yeux, repoussa sa tasse de café froid et referma le dernier dossier. De l'autre côté du bureau, Steven ne la quittait pas des yeux. Il aurait dû y être habitué, mais la concentration et la résistance de sa mère le stupéfiaient toujours. Elle avait travaillé dans un mutisme presque total, ne parlant que lorsqu'elle voulait une explication sur un point précis, ce qui était rare.

– Maudite Michelle, souffla-t-elle.

Le soulagement submergea Steven.

– Désolée que cela ait pris si longtemps, ajouta-t-elle. Tu as accompli un travail magnifique, Steven. Et je te dois des excuses pour avoir pu en douter.

Il imita très bien une grimace de modestie embarrassée.

– Que faisons-nous, maintenant ?

– Toi, tu rentres te reposer, dit Rose d'un ton ferme. Moi, j'ai une petite visite à rendre à Michelle.

*

Du balcon de l'appartement de Monk, Cassandra contemplait l'aube qui se glissait sur la cime des arbres dans Central Park. Bien qu'elle se fût couchée tard le sommeil l'avait fuie. Le rythme de la grande cité s'était infiltré en elle et la surexcitait.

L'horloge de son grand-père sonna six coups. De la cuisine lui parvenaient les effluves appétissants de jambon frit et de *pancakes* en pleine cuisson. La jeune fille allait s'y rendre pour boire un verre de jus d'orange quand elle entendit le carillon de la porte d'entrée.

— J'y vais! cria-t-elle à l'adresse d'Abilene.

Quand elle ouvrit, Cassandra se trouva nez à nez avec une des plus belles femmes qu'il lui ait été donné de voir. Vêtue d'un ensemble bleu simple et seyant, Rose s'était autorisé pour unique bijou une broche navajo en argent et turquoise. Seule une mèche blanche au-dessus du front trahissait son âge, en un étonnant contraste avec la masse noire de la chevelure. Cassandra resta plusieurs secondes immobile, pétrifiée, bouche ouverte. La visiteuse paraissait également surprise, mais son regard parcourut le visage de la jeune femme et un sourire doux détendit ses traits.

— Vous devez être Cassandra?

— Oui...

— Je m'appelle Rose, se présenta-t-elle. Je suis votre tante.

Elle a les cheveux et la taille de Franklin, mais c'est tout, songea-t-elle.

La beauté de Cassandra était indéniable, avec ses grands yeux bleus et ses longs cheveux d'un blond cendré. Il existait en elle un mélange d'innocence et de détermination, une féminité en plein épanouissement. Rose sentit aussitôt que Cassandra serait une femme exceptionnelle. En plus de sa beauté, quelque chose de trop subtil pour être défini la distinguait de toutes les autres. Cette singularité toucha profondément Rose.

— Je... Je suis désolée mais je ne vous connais pas, bafouilla la jeune fille en rougissant.

Rose eut un rire aimable.

— J'ai bien peur que ce soit le cas pour moi aussi. Mais peut-être pourrons-nous remédier à cela plus tard, si vous le voulez.

— Oh oui! dit Cassandra avec un enthousiasme non feint.

De sa tante elle ne connaissait que deux photos où elle apparaissait avec son père; et Michelle ne fournissait que de vagues réponses quand elle l'interrogeait sur le compte de Rose. C'était un sujet qui semblait l'attrister, aussi Cassandra n'avait jamais osé insister. Mais sa curiosité n'avait fait que croître.

— Cassandra!

Celle-ci se retourna et vit Michelle derrière elle, enveloppée d'une grande robe de chambre.

— Maman, regarde qui...

— Je sais, ma chérie. Bonjour Rose. Vous êtes très matinale. (A sa fille, elle dit :) Ta tante et moi avons quelques petites choses à discuter, et je crois qu'Abilene a préparé ton petit déjeuner.

Cassandra reconnut l'intonation impérieuse dans ces paroles, mais elle répugnait visiblement à partir. Dans un mouvement impulsif elle s'approcha de sa tante et déposa un baiser sur sa joue.

— J'adorerais faire du shopping avec vous, lui chuchota-t-elle avant de disparaître dans l'appartement.

Rose la suivit des yeux et de deux doigts caressa l'endroit où les lèvres de la jeune fille s'étaient posées.

— Vous avez fait une certaine impression, commenta Michelle.

— Oui, on le dirait.

— Puis-je vous offrir une tasse de café?

Rose secoua la tête.

— Je sais qu'il est tôt et je vous prie de m'excuser d'arriver ainsi à l'improviste. Mais j'ai travaillé toute la nuit et je voulais vous voir dès que possible.

— Très bien. Nous pouvons aller ici, dit Michelle en désignant le bureau de Monk.

Rose la suivit, consciente de cette odeur musquée qui s'attache à une femme qui vient de faire l'amour. Pour elle, ces plaisirs faisaient malheureusement partie du passé.

— Michelle, vous devez me dire pourquoi vous avez proféré ces accusations contre Steven. Elles sont fausses. J'ai vérifié tous ses comptes moi-même. Global Europe n'est relié à rien de ce que vous avez prétendu.

Des deux bras, Michelle serra sa robe de chambre autour d'elle.

— Rose, ces gens qui travaillaient pour la firme Essenheimer ont risqué leur vie pour faire passer les renseignements dont je vous ai parlé. Et non, ils n'ont pu se procurer de documents prouvant les rapports de Steven avec les nazis. Mais pour l'amour de Dieu! Ils n'avaient aucune raison d'inventer une telle fable! Ils voulaient nous prévenir, Rose!

— Vous espérez vraiment que je vais croire les accusations infondées de gens que je n'ai jamais vus, contre mon fils?

— Vous savez aussi bien que moi combien il est facile de falsifier une comptabilité et des rapports! Steven participe à quelque chose de terrible, Rose, et je ne peux l'arrêter seule. D'une façon ou d'une autre je vous procurerai ces preuves. Alors vous devrez décider!

Rose regarda la jeune femme et un sourire triste passa sur son visage. Elle retrouvait tant d'elle-même en Michelle...

— J'avais espéré qu'une fois Global Europe reconstruit vous verriez l'intérêt de joindre nos forces, dit-elle. Je sais que dans le passé nous nous sommes mal comportés envers vous, et je ne vous demande pas de nous pardonner. Mais cela ne signifie pas que nous devions porter le fardeau de nos erreurs pour le restant de notre vie. J'avais vraiment cru que ce serait le début de nouvelles relations entre nous, Michelle...

— Je ne me doutais pas du tout... Mais alors pourquoi Steven n'est-il pas venu me voir?

Mais Michelle connaissait déjà la réponse à cette question : parce qu'il la haïssait. Il n'avait jamais eu l'intention d'autoriser ce rapprochement entre elle et Rose. Il n'avait fait tout cela que pour créer sa propre monstruosité.

Rose se leva.

– Dans la situation actuelle, cela n'a plus guère d'importance, n'est-ce pas? Je vous souhaite tout le bonheur et la réussite possibles, Michelle. Vous avez une fille ravissante que vous aimez autant que j'aime Steven, je n'en doute pas. Merci de vous en souvenir, si un jour nous devons discuter de nouveau ensemble.

*

Loin de suivre le conseil de sa mère, Steven ne retourna à son appartement de Park Avenue que pour prendre une douche rapide et se changer. L'express de neuf heures le mena à Washington, et il arriva à l'ambassade d'Allemagne à temps pour le déjeuner.

– Alors? lui demanda Essenheimer dès son entrée dans le restaurant réservé au corps diplomatique.

Steven eut un sourire froid.

– Elle n'a rien trouvé. Pas la moindre chose!

– Vous en êtes bien sûr?

– Tout à fait.

– Vous n'imaginez pas quelle était mon angoisse, soupira Essenheimer avec lassitude. J'ai à peine dormi. A tout instant je m'attendais à recevoir un câble de vous annonçant que tout était perdu.

Steven repensa à ces longues heures passées dans le bureau de Lower Broadway. Il revit la concentration inflexible de sa mère tandis qu'elle vérifiait chaque ligne de chaque dossier.

– Nous avons survécu, dit-il en emplissant de nouveau leurs verres. Mais le problème que pose Michelle subsiste. Elle n'abandonnera pas aussi facilement. Elle va revenir en Europe et recommencer à fouiner. Pire, maintenant qu'elle a entraîné son mari avec elle, il ne fait aucun doute que lui aussi fera ses propres recherches. Et Monk McQueen est un homme dangereux.

– Nous devons donc les arrêter, conclut Essenheimer avec le plus grand calme. Il n'y a pas d'autre solution. Ce que nous faisons est trop important, pour nous comme pour le Reich. Vous avez un plan en tête, Steven?

– Plusieurs, en fait. Mais j'aurai besoin de votre aide.

– Il vous suffit de demander.

Dans le train, Steven avait tourné et retourné ce problème dans son esprit. Il s'était remémoré tout ce qu'il savait sur Michelle. La seule chose qui semblait étrange était sa grossesse survenue juste avant la mort de Franklin. Étant donné leur passion mutuelle, elle lui paraissait bien tardive.

Steven sentait là une anomalie et de ne pouvoir la préciser

l'irritait considérablement. Mais l'enfant était la clé, d'une façon ou d'une autre, il en avait la certitude.

— Tout d'abord, dit-il, nous devons retrouver notre vieil ami Harry Taylor.

44

— Je t'en prie, Cassandra, ne rends pas les choses plus difficiles qu'elles ne le sont déjà!

Aujourd'hui tout exaspérait Michelle. Elle avait à peine commencé à faire les bagages, il était déjà une heure, et le *Normandie* appareillait en fin d'après-midi. Or Cassandra ne se montrait d'aucune aide, et son attitude trahissait clairement son envie de rester à New York.

— Mais pourquoi faut-il partir si tôt? demanda-t-elle une fois encore, les larmes aux yeux.

— Parce que tu dois retourner à l'école. Tu as déjà assez manqué.

— Je ne pourrais pas continuer ici?

Monk s'assit à côté d'elle sur le canapé et la prit doucement par les épaules.

— Je ne veux pas que tu partes, moi non plus. Mais tu as tes études et ta mère a son travail. Je vous rejoindrai dans un mois à peu près. Probablement avant Thanksgiving. Le temps va passer vite, crois-moi.

Un peu rassérénée, Cassandra sortit de la pièce. Mais Michelle découvrit que Monk n'en avait pas terminé avec ce sujet.

— Tu ne veux vraiment pas changer d'avis et retarder votre départ jusqu'à ce que je puisse vous accompagner? Je n'aime pas l'idée que tu t'attaques seule à Steven...

— S'il te plaît, Monk... Je ne peux pas laisser Steven continuer tranquillement ce qu'il fait.

— Et tu es la seule qui puisse t'opposer à lui? Michelle, je ne te demande que d'attendre un peu. Je suis tout à fait d'accord avec toi : il faut arrêter Steven. Mais il existe des façons d'y parvenir beaucoup moins risquées que les tiennes.

— Moins risquées, peut-être. Mais nous ne pouvons plus attendre.

Monk comprit qu'aucun argument ne viendrait à bout de la détermination de sa femme. Au moins pour Cassandra, il pouvait peut-être limiter un peu le danger.

— D'accord. Mais promets-moi une chose : ne va pas en Allemagne avant que je vous rejoigne. A Paris, tu seras en sécurité. Warburg peut t'y faire parvenir les renseignements. Mais je ne veux pas que tu mettes les pieds à Berlin.

L'amour de Monk était si perceptible dans sa voix qu'un instant Michelle se sentit faiblir.

– Je te le promets. Je ne quitterai pas Paris jusqu'à ton arrivée. Mais ensuite...

– Ensuite nous travaillerons ensemble, termina Monk en lui caressant tendrement la joue du revers de la main. Et nous irons au fond de cette affaire.

Michelle acquiesça et se serra contre lui.

*

L'hôtel était une de ces bâtisses sans style qu'on trouve à proximité de toutes les gares dans les capitales européennes. Situé en face de Paddington, le *King's Arms* avait pour principale clientèle des voyageurs de commerce et de modestes hommes d'affaires. Avec ses deux cents chambres et son pub décoré en faux Tudor, c'était exactement le genre d'établissement auquel Harry Taylor n'aurait pas accordé le moindre regard... naguère. A présent il n'avait plus le choix.

Après l'humiliation publique de la nomination de Steven en Europe, il avait essayé de faire comme si de rien n'était. Mais ses collaborateurs avaient très vite changé d'attitude. Alors qu'auparavant ils buvaient chacune de ses paroles, ils se mirent à contester ses ordres. Les chefs de secteur s'adressaient directement à Rose sans l'en avertir. Les mois s'écoulèrent et Harry ne put bientôt plus ignorer qu'il était devenu un poids mort dans l'entreprise. Très vite ses journées prirent fin à quatre heures de l'après-midi, quand il allait dans un des nombreux bars où il avait un compte ouvert.

C'est après une soirée particulièrement arrosée que Harry décida de partir de Global. Le matin suivant, encore sous l'emprise de l'alcool, il se rendit au service comptable et remplit les formulaires nécessaires pour toucher sa paie. Puis il revendit son portefeuille d'actions et fit transférer son compte en banque de la Chase Bank de Manhattan à la Barclay's de Londres.

Vingt-quatre heures plus tard il mettait en vente son appartement de Park Avenue avant de s'embarquer sur le *U.S.S Constitution* pour Southampton, avec un minimum de bagages. Il abandonnait le Nouveau Monde pour le Vieux Continent.

Arrivé en Angleterre il s'installa au *Ritz* et le lendemain matin alla faire une promenade dans Londres. Ses pas le menèrent devant le grand immeuble abritant les bureaux de Cooks. Il s'arrêta une dizaine de minutes sur le trottoir opposé et considéra la bâtisse. Harry Taylor avait des arguments de poids pour se faire écouter par la firme, et en particulier par Sir Thomas Ballantine. S'il utilisait cet atout avec finesse, il pouvait en faire le sésame d'une nouvelle carrière, plus prestigieuse encore que celle qu'il avait réussie à Global avant d'être trahi. Harry ne précipita pas les choses. Dans Savile Row il se fit tailler trois costumes dans les meilleures étoffes. Il acheta chemises et cravates chez Turnbull and Asser tandis que Llewelyn fournissait les chaussures. Son agent lui trouva un appartement de classe dans Mayfair. Des cartes de visite gravées à son nom apportèrent la touche finale. Certain de passer pour un modèle de bon goût et de prospérité, Harry prit alors rendez-vous avec Sir Thomas.

La pièce dans laquelle Ballantine le reçut était aussi sombre que dans le souvenir de Harry. Sir Thomas semblait ne pas avoir changé. Peut-être seulement ressemblait-il un peu plus à une momie.

— Que désirez-vous, Mr. Taylor ?

Avec son habituelle aisance, Harry mentit habilement sur la présentation des faits, disant qu'il avait épuisé les perspectives professionnelles à Global et désirait explorer de nouveaux horizons. Avec la masse de renseignements qu'il possédait sur Lower Broadway, il avait pensé qu'il pourrait se rendre utile à Cooks.

— Vraiment ? rétorqua Sir Thomas d'une voix grinçante. Laissez-moi vous apprendre que je n'ai aucun goût pour les traîtres, Mr. Taylor. Vous m'avez servi une fois et vous avez reçu de justes compensations pour ce service. En ce qui me concerne, je ne vous dois rien et nos rapports sont donc clos. Maintenant et à l'avenir. Je vous souhaite le bonjour.

Harry allait protester quand la porte s'ouvrit sur deux gardes du corps.

— Veuillez raccompagner Mr. Taylor.

De cet instant Harry descendit lentement la pente. La consigne était passée, et nul n'osait aller contre l'avis du très influent Sir Thomas. Harry contacta ceux qui avaient le pouvoir d'ouvrir certaines portes, mais il n'obtint que de vagues promesses. Il dépensa des fortunes pour donner des soirées fastueuses au *Cafe Royale*, paria sans compter dans les clubs de Mayfair, courtisant ici et là les filles des hommes les plus importants, financiers et banquiers. Mais il se rendit vite compte que ses succès féminins ne menaient à rien. Ces jeunes femmes de bonne famille se contentaient de comparer ses prouesses sexuelles avec celles d'amants plus jeunes, sans jamais essayer d'intercéder auprès de leur père.

Peu à peu sa fortune fondait. Il arrêta de fréquenter les tables de roulette et se mit à jouer follement en Bourse, dans l'espoir de décrocher un pactole. Cela ne fit que précipiter sa chute. Il dut abandonner son appartement dans Mayfair et se réinstalla au *Ritz* jusqu'à ce qu'il ne puisse plus payer la note. Petit à petit, ses hôtels se firent de plus en plus modestes jusqu'à ce qu'il échoue au *King's Arms*.

Une paralysie diffuse envahit Harry quand il se rendit compte qu'il avait touché le fond. Il chercha dans le gin la raison de sa déchéance et ingurgita de plus en plus d'alcool à mesure que les réponses lui échappaient.

Harry s'assit lourdement sur une des banquettes du pub et fit signe au serveur. Il était décidé à boire suffisamment pour ne plus penser.

— Bonsoir Harry. Ça fait longtemps...

L'homme qui s'assit en face de lui avait le visage d'un fantôme du passé : celui de Steven Talbot.

★

A la minute où elle avait réintégré sa chambre de l'île Saint-Louis, Cassandra avait accroché au mur un calendrier. Elle avait l'intention de barrer au fur et à mesure chaque jour qui la séparait de l'arrivée de son père. Dès le début, l'attente lui parut insurmontable. De plus la jeune fille s'inquiétait pour sa mère qui travaillait jour et nuit. Un défilé ininterrompu d'inconnus aux yeux effrayés et aux traits tirés venaient lui rendre visite. Ils parlaient allemand ou polonais, et une autre langue que Cassandra ne connaissait pas mais qu'elle finit par savoir être du yiddish. Parfois ces gens restaient une ou deux nuits, puis ils repartaient aussi furtivement qu'ils étaient venus. Quand elle l'interrogeait sur leur identité, sa mère lui répondait qu'il s'agissait de lointaines relations d'Allemagne.

Sur le chemin de retour de l'école, Cassandra décida de s'offrir une glace. Elle entra dans la pâtisserie et fut accueillie jovialement par Mme Delamain. La commerçante était une femme haute en couleur qui connaissait Cassandra depuis qu'elle était bébé et partageait avec elle le goût du bavardage à bâtons rompus. Tandis qu'elle empilait des boules de glace sur un cône en gaufrette, elle prit des nouvelles de sa jeune amie.

— Alors, ma petite, encore quelques jours d'attente, n'est-ce pas ? fit-elle en lui tendant son œuvre.

Cassandra passa une langue gourmande sur sa glace et croisa les doigts.

— Ne t'en fais pas, dit Mme Delamain en se tapotant le front du bout des doigts.

Elle se targuait de dons de voyance et adorait raconter ses visions à toute oreille complaisante. Cassandra les avait toutes entendues au moins une fois.

— Bon sang! cracha la commerçante en fronçant les sourcils. Qui est cet abruti ?

Dans un crissement de pneus, une conduite intérieure Citroën venait de s'arrêter devant la pâtisserie. Le conducteur faisait vrombir son moteur.

— Ne vous inquiétez pas, madame, dit Cassandra. Je vais voir qui c'est.

La jeune fille sortit sur le trottoir et fut momentanément aveuglée par l'éclat du soleil. Elle levait une main devant son visage pour faire écran quand elle entendit la portière qui s'ouvrait.

— Bonjour, mademoiselle McQueen, fit une voix gutturale.

Deux mains lui saisirent les bras et l'attirèrent à l'intérieur de l'auto avec une force irrésistible.

— Non! hurla-t-elle.

Mais déjà la portière se refermait sur elle. La Citroën démarra dans un hurlement de gomme arrachée. Au moment où Mme Delamain surgissait sur le trottoir, la voiture tourna le coin de la rue sans presque ralentir.

★

A seize heures trente, dans le quartier de l'Opéra, Steven savourait les derniers instants d'un déjeuner gastronomique commencé à midi. Hormis lui, cinq personnes se trouvaient à sa table : deux hommes représentant des banques françaises, et trois jolies femmes dont deux étaient ses maîtresses attitrées. La troisième avait quant à elle l'ambition de faire de ce séduisant et richissime Américain son époux. La situation amusait grandement Steven.

Il consulta sa montre et fit un signe pour réclamer l'addition. Après quelques protestations plus polies que sincères de la part de ses invités masculins, il régla la note. Puis il suggéra à sa blonde maîtresse une promenade dans la rue du Faubourg Saint-Honoré. L'idée des vitrines de Cartier, Hermès et Lanvin illumina le visage de la jeune femme, de même que la proximité de l'hôtel *Meurice* où était descendu Steven.

★

Michelle travaillait dans la bibliothèque quand le hululement d'une voiture de police résonna dans les rues habituellement calmes de l'île Saint-Louis. Une minute plus tard Ernestine venait la trouver.

— L'inspecteur Savin voudrait vous parler, madame.

Michelle se força à ne pas regarder les documents éparpillés sur son bureau et dit d'une voix calme :

— Je suis à lui dans une minute.

Dès qu'Ernestine eut refermé la porte elle rassembla les papiers et se hâta de les déposer dans la cache secrète, derrière un rayonnage de la bibliothèque. Elle vérifia sa mise dans le miroir et inspira plusieurs fois lentement, pour endiguer sa nervosité. La police française avait-elle découvert qu'elle aidait des réfugiés ?

L'inspecteur Savin était un homme entre deux âges, puissamment charpenté, aux yeux toujours en mouvement. Michelle sut immédiatement qu'elle avait devant elle une intelligence très difficile à berner.

— Veuillez me pardonner cette intrusion, madame McQueen, dit-il sans autre préambule en lui tendant sa carte tricolore. Pourriez-vous me dire où se trouve votre fille?

Michelle ne s'attendait pas à cette question, et elle fut d'abord étonnée.

— Eh bien, elle devrait être ici à l'heure qu'il est... Ernestine?

— Non, madame, répondit la domestique. Elle n'est pas encore rentrée de l'école.

— Mais... Elle devrait déjà être revenue, murmura Michelle, soudain saisie par l'inquiétude. Elle a eu un accident!

— Madame, avez-vous envoyé une voiture la chercher? demanda Savin d'un ton neutre.

— Non, bien sûr! Elle rentre tous les jours à pied... Que se passe-t-il?

— Je vais vous prier de m'écouter attentivement, madame. Nous avons toutes les raisons de croire que votre fille a été enlevée...

— Non!

— Madame, écoutez-moi. Cela s'est produit il y a moins de vingt minutes, devant une pâtisserie tenue par une certaine Mme Delamain. Elle a tout vu et nous a appelés immédiatement. Les ravisseurs n'ont encore qu'un léger avantage. Si vous possédez un renseignement qui pourrait nous être utile, je vous saurai gré de nous le communiquer maintenant. Chaque minute compte.

— Mais je ne sais rien! s'écria Michelle, affolée. Pourquoi aurait-on enlevé ma fille? Mon Dieu!

— C'est ce que vous pouvez peut-être nous apprendre, madame. Avez-vous reçu des menaces? Des coups de téléphone ou des lettres anonymes? Avez-vous remarqué des étrangers suspects rôdant dans le voisinage? Votre fille a-t-elle mentionné avoir été importunée par un ou des inconnus?

— Non, non, non!

Savin voyait ses derniers espoirs s'envoler. S'il avait existé des menaces contre cette femme ou sa fille, cela lui aurait donné un début de piste. En l'occurrence, sans description des ravisseurs et avec seulement quelques détails sur une voiture de modèle très courant à Paris, l'affaire s'annonçait ardue. Pourtant Savin ne trahit pas sa déception. Il savait que son attitude pouvait décider cette femme entre le désespoir et la coopération.

— Comment était vêtue votre fille, madame?

Michelle le regarda comme s'il était fou.

— Mon enfant a disparu et vous vous préoccupez de ses vêtements?

— Madame, dit Savin avec fermeté, mes hommes sont en train d'interroger Mme Delamain. D'autres sont déjà à l'école de votre fille et questionnent ses professeurs. D'autres encore sont allés voir ses camarades de classe et ses amies pour savoir s'il est arrivé quoi que ce soit d'anormal aujourd'hui, ou récemment. Un coursier attend de porter la description de votre fille ainsi qu'une ou plusieurs photographies d'elle à l'île de la Cité. Plus tôt nous aurons ces documents et plus vite ils seront diffusés dans tout Paris.

Hagarde, Michelle le dévisagea.

— Pourquoi? bredouilla-t-elle. Pourquoi l'a-t-on enlevée?

— Je ne sais pas, madame. Mais nous devons d'abord savoir ce qu'elle porte. S'il vous plaît...

45

Sous la ville-lumière se trouve une autre cité constituée d'un réseau de galeries de quelque trois cents kilomètres reliant entre elles les innombrables anciennes carrières exploitées dans le passé pour construire les bâtisses de surface. Ce dédale servit de refuge aux chrétiens pendant les persécutions romaines. Ils y enterrèrent leurs morts, comme le firent des générations successives pour des raisons diverses. On estime à six millions le nombre de squelettes qui reposent dans les entrailles de Paris. Malgré la renommée que les catacombes ont gagnée grâce à Gaston Leroux et Victor Hugo, aucun Parisien sain d'esprit ne se risquerait dans ce monde souterrain. Dans les ténèbres perpétuelles on s'égare presque certainement, et seul un miracle permet alors de trouver une sortie. Encore faut-il que ce miracle se produise avant que ceux qui hantent ces lieux, malades mentaux, meurtriers et voleurs, ne croisent le chemin de l'imprudent. Pour ces désaxés, tout intrus est une proie en puissance. Une proie condamnée.

*

Dix mètres sous les trottoirs de Paris, Harry Taylor grelottait de froid. Les genoux repliés contre le torse, il était assis entre les quatre lampes à pétrole disposées autour de lui. Les ombres dansaient sur les parois de la petite salle, une excavation en forme de cloche de quelques mètres carrés de surface. Une odeur fétide de moisi alourdissait l'air, mais Harry Taylor n'y prêtait même plus attention.

Il se sentait glacé et misérable. Bien qu'équipé d'une veste épaisse et chaude, de couvertures, de provisions de bouche et de médicaments, il ne pouvait lutter contre l'humidité qui le pénétrait jusqu'aux os. Contre la terreur que lui inspiraient les cataphiles, en revanche, il avait à portée de main un revolver de gros calibre.

A quelques pas de lui, enroulée dans un sac de couchage, gisait

Cassandra McQueen. Harry consulta sa montre et ouvrit la petite trousse à pharmacie. En plus des habituels médicaments de premiers soins elle contenait une série de seringues, chacune emplie d'une dose déterminée de morphine. Huit heures auparavant, quand les deux Allemands avaient précipité la jeune fille dans la voiture, Harry lui avait administré la première injection. Le moment était venu de lui faire la seconde.

Harry se pencha au-dessus de l'adolescente inconsciente. Elle paraissait dormir d'un sommeil paisible. Elle était tellement innocente et vulnérable que Harry ne pouvait s'empêcher d'éprouver des remords chaque fois qu'il posait les yeux sur elle. Ce qu'il avait voulu infliger à Michelle n'aurait pas dû prendre la forme de ce kidnapping... Harry s'était rendu compte qu'il ne savait pratiquement rien de ce plan dans lequel il n'était qu'un pion. Il hésita. Peut-être une autre dose n'était-elle pas nécessaire ? Mais qu'arriverait-il s'il s'assoupissait et que Cassandra s'éveillait ? Elle fuirait dans les catacombes, où jamais il ne pourrait la retrouver. Alors tout serait perdu.

Harry fit l'injection à la saignée du coude droit de la jeune fille, puis il retourna s'asseoir dans le halo réconfortant des lampes à pétrole. Il aurait donné sa fortune passée pour une bouteille de gin, mais bien sûr tout alcool lui avait été interdit. Il s'emmitoufla dans une couverture et rapprocha le revolver de sa main. Encore quarante-huit heures, se répéta-t-il en se laissant aller au sommeil. Encore quarante-huit heures et il aurait gagné le droit de refaire sa vie...

*

Le plan que Steven Talbot avait détaillé à Harry Taylor dans le pub du *King's Arms* était à la fois efficace et simple. Harry devait partir pour Paris pour y passer quelques jours, comme un homme d'affaires en vacances. Il se mêlerait aux milliers de touristes étrangers qui traversaient quotidiennement la Manche. Arrivé dans la capitale française, il devait éviter de se faire remarquer et attendre que Steven lui fasse signe. Le jour dit, lui et deux autres hommes dont il n'avait pas à connaître l'identité kidnapperaient Cassandra et l'amèneraient à l'endroit prévu au cœur des catacombes.

— Tout ce dont vous aurez besoin sera déjà là quand vous arriverez, lui assura Steven. Votre seul rôle sera de veiller sur notre otage pendant que j'arrangerai les termes de la rançon.

— Une rançon ? Mais vous avez dit que...

— Il s'agit d'un enlèvement, Harry, répéta Steven avec patience. La police s'attendra à une demande de rançon, et nous ne la décevrons pas. Mais le but réel est d'isoler Michelle et de la persuader que, si elle n'accepte pas de revendre ses affaires à Global pour un prix fixé d'avance, elle ne reverra jamais Cassandra. Une fois que j'aurai cet engagement manuscrit et signé de sa main, vous relâcherez sa fille.

Les doigts de Harry tremblèrent en se refermant sur le verre de gin.

— Mauvaise idée... bredouilla-t-il. Ça ne marchera pas... Trop dangereux...

— Je crois que vous ne comprenez pas, répondit Steven avec raideur. Vous n'avez pas le choix.

— Pas le choix? grinça Harry. Mais je peux me lever et sortir d'ici tout de suite si je veux!

— Et aller directement en prison.

Harry regarda son interlocuteur d'un air médusé.

— Avez-vous réellement cru que je viendrais vous trouver sans m'être renseigné? Il ne m'a pas fallu très longtemps pour vous localiser, Harry, et encore moins pour découvrir l'existence du petit « arrangement » que vous avez autrefois conclu avec Sir Thomas Ballantine. Maintenant, que pensez-vous que Rose vous ferait si elle apprenait qu'au lieu d'aider son cher frère vous l'avez joyeusement poignardé dans le dos?

Harry passa la langue sur ses lèvres desséchées.

— Je ne sais pas de quoi vous voulez parler...

— Ne me prenez pas pour un imbécile, susurra Steven. Vous croyez être dans une situation inconfortable actuellement? Ne doutez pas un instant qu'elle vous apparaîtra paradisiaque si Rose est mise au courant du petit tour que vous avez joué à son défunt frère.

Harry comprit que Steven Talbot ne bluffait pas. Le cynisme de son regard et de son sourire ne laissait aucune équivoque.

— Si je vous aide, qu'en retirerai-je?

— Michelle me revendra sa compagnie, ce qui signifie que ce sera moi qui contrôlerai les chèques de voyage ici, et non ma mère. Or je suis déjà à la tête de Global Europe, et j'ai peu de temps libre. J'aurai besoin de quelqu'un de confiance pour s'occuper de l'ex-compagnie de Michelle. Vous êtes cette personne, Harry. Je vous offre la direction d'une grande compagnie européenne, comme vous le souhaitiez.

Harry était abasourdi par la proposition. Steven lui donna une petite tape sur l'épaule.

— Allons, Harry, réfléchissez. Je vous reverrai demain à la même heure. Et ne parlez à personne de tout ceci. Si vous le faisiez, je le saurais. Et je vous tuerais sans hésiter, Harry.

*

Dans les heures qui suivirent l'enlèvement de Cassandra McQueen, une gigantesque chasse aux ravisseurs se déclencha dans la capitale. Les unes des journaux furent modifiées tandis que les radios interrompaient leurs programmes à intervalles réguliers pour donner une description de la jeune fille et lancer des appels à témoins. Dans tous les commissariats de la ville on distribua aux policiers des photos de Cassandra et on leur ordonna de les montrer lors de leurs rondes. Des équipes d'inspecteurs visitèrent toutes les maisons closes, les tripots, les salles de jeu, les clubs et les bars. Les informateurs habituels furent pressés de fournir des indices, mais sans succès. L'ordre était venu du ministre de l'Intérieur en personne : tous les efforts devaient être déployés pour retrouver au plus vite la fille de Mme McQueen.

Michelle arpentait sans répit les pièces de son appartement. Elle ne pouvait croire à ce qui était arrivé. Des policiers gardaient sa porte et avaient branché son téléphone sur écoute. Après quelques heures où l'inquiétude anéantit toutes ses facultés de raisonnement, Michelle se mit à réfléchir aux mobiles et à l'identité des ravisseurs. Très vite elle arriva à une conclusion d'autant plus terrible qu'elle ne pouvait la partager avec l'inspecteur Savin.

C'est Steven. Rose lui a fait part de mes accusations, et il a prévenu les Allemands... Ce qui veut dire qu'ils demandent quelque chose en échange de la libération de Cassandra, quelque chose que moi seule suis en mesure de leur donner. Donc ils ne lui feront aucun mal. Sinon ils n'auraient plus de monnaie d'échange...

Ces pensées la rendirent furieuse tout autant qu'elles lui redonnèrent espoir.

Je leur accorderai tout ce qu'ils veulent pourvu qu'ils ne touchent pas à Cassandra. Mais une fois qu'elle aura été libérée, une fois qu'elle sera en sécurité...

On frappa à la porte et Savin entra dans la pièce avec un médecin qui lui proposa un sédatif pour dormir quelques heures, l'assurant qu'elle devait prendre un peu de repos. Mais elle refusa net.

Savin n'insista pas et ressortit avec le praticien. Mais il était troublé. Son instinct de policier lui disait que Mme McQueen lui cachait quelque chose. Il se fit apporter du café par un de ses hommes. Il avait l'intention de garder un œil sur Michelle McQueen, et la nuit serait longue.

*

Quand elle s'éveilla le lendemain matin d'un repos trop court, Michelle regretta de ne pas avoir accepté de sédatif. Chaque muscle de son corps était noué et elle avait l'impression d'avoir subi une bastonnade en règle. Au visage lugubre d'Ernestine, et avant même de lui poser la question, elle comprit qu'aucun fait nouveau ne s'était produit pendant son sommeil. Elle ne jeta qu'un coup d'œil superficiel aux gros titres des journaux. Un télégramme de Monk l'attendait. Les phrases courtes étaient emplies de colère et d'angoisse, et il affirmait s'embarquer sur le premier navire en partance pour la France. Dans l'esprit de Michelle résonna la voix de son mari tentant de la dissuader de venir seule avec Cassandra à Paris. Mais s'il avait été là, sa simple présence aurait-elle empêché le drame?

Perdue dans ses pensées cahotiques, elle buvait sa deuxième tasse de café quand l'inspecteur Savin entra dans la cuisine. Il paraissait très mécontent.

— Bonjour, madame, dit-il. Veuillez excuser cette intrusion, mais le ministre de l'Intérieur attend dehors. Il aimerait vous voir.

— Le ministre?

— Il tient à vous assurer lui-même que tout ce qui est humainement possible de faire a été entrepris.

Michelle décela l'irritation dans la voix de Savin. La dernière chose dont avait besoin le policier était bien d'un politicien soucieux de paraître préoccupé. Michelle compatit.

— Faites-le entrer. Je m'en occupe.

Avec un bref sourire de gratitude Savin ouvrit au ministre rondouillard qui s'avança aussitôt vers Michelle, mains tendues, une expression catastrophée sur son visage bouffi.

— Madame, je suis horriblement désolé!

Mais Michelle ne le regardait déjà plus. Ses yeux s'étaient rivés sur l'homme qui suivait le ministre.

Steven Talbot.

— *Steven!*

— Bonjour, Michelle. Je suis vraiment désolé que nous nous rencontrions dans de telles circonstances...

Les yeux de Michelle jetèrent des éclairs.

— Que venez-vous faire ici?

— Je suis à Paris depuis la semaine dernière, répondit Steven avec une réserve calculée. Dès que j'ai appris ce qui était arrivé j'ai contacté Rose. Elle m'a donné l'instruction formelle de faire tout ce qui est en mon pouvoir pour vous aider. Monsieur le ministre s'est trouvé assez concerné pour m'accompagner et voir où en était l'enquête.

Le ministre se mit à débiter une série d'excuses et de promesses aussi confuses que grandiloquentes, mais Michelle l'entendit à peine. La tête lui tournait. Dès qu'elle le put elle s'adressa à nouveau à Steven.

— Quand êtes-vous arrivé à Paris?

— Je vous l'ai dit: la semaine dernière. Je déjeunais avec des amis quand... quand j'ai appris la nouvelle. Croyez-moi, Michelle, je suis aussi bouleversé que vous par l'enlèvement de Cassandra.

Michelle retint à grand-peine la fureur qui montait en elle. Tous ses soupçons lui revinrent. Et à présent il était là, devant elle, avec un alibi parfait.

Michelle prit soudain conscience que le ministre et Savin se rendaient compte de son animosité envers Steven.

344

– Merci, Steven, parvint-elle à dire. Et veuillez remercier Rose pour moi. Mais comme vous le voyez la police fait déjà le maximum.

Elle répéta en français pour le ministre qui eut un geste semblant dire : « C'est tout à fait normal. Je n'en attendais pas moins. »

– Je vous en prie, Michelle, ajouta Steven avant de partir, si je peux faire quoi que ce soit, n'hésitez pas à me contacter. Je suis descendu au *Meurice*.

Après son départ en compagnie du ministre, l'inspecteur Savin resta un moment encore, considérant Michelle d'un air songeur.

– Il y a un lourd contentieux entre vous et ce monsieur, n'est-ce pas? dit-il simplement.

– C'est une vieille histoire, qui date de New York. Rien à voir avec ce qui vient d'arriver.

– Vous en êtes bien certaine, madame?

– Oui.

Le policier haussa les épaules. Il ne la croyait pas le moins du monde et elle le savait.

*

À quatre heures précises cet après-midi-là, soit vingt-quatre heures après l'enlèvement, deux événements se produisirent simultanément dans deux endroits différents de Paris.

Dans le Faubourg Saint-Honoré, un individu bien vêtu et au teint mat entra chez Rothschild & Fils. Il donna à la secrétaire une enveloppe scellée en précisant que c'était une affaire confidentielle et très urgente. Après avoir porté l'enveloppe à Émile Rothschild, l'employée revint précipitamment pour dire à l'inconnu que son directeur voulait lui parler. Mais le messager avait disparu.

Un homme aux yeux sombres pénétra dans la pâtisserie déserte et se dirigea directement vers la caisse.

– Écoutez-moi attentivement, car si vous ne le faites pas la petite risque la mort. Vous comprenez de qui je parle?

Terrorisée, Mme Delamain approuva avec empressement.

– Vous fermerez à l'heure habituelle. Ensuite vous préparerez un gâteau que vous porterez à Mme McQueen. Sous le gâteau, vous aurez glissé ceci.

Il tendit une enveloppe scellée à la commerçante.

– Mais la police... voulut-elle protester.

– La police vous connaît. Vous êtes le bon Samaritain qui amène un peu de réconfort à une mère affligée. Vous n'aurez aucune difficulté à l'approcher. N'oubliez pas de dire à Mme McQueen que ce gâteau est *spécial*, et qu'elle doit suivre les instructions à la lettre. Si elle ne le fait pas ou si vous commettez un impair, la petite mourra.

★

— Allô, Émile ?

— Michelle ! Je... Je suis content de vous entendre.

— J'ai reçu des nouvelles encourageantes, Émile.

— Moi également.

— Peut-être pourrions-nous en discuter demain ?

— Je crois que c'est indispensable, oui.

— Alors à demain. Bonne nuit, Émile.

— Bonne nuit, ma chère Michelle. Courage.

★

Michelle se leva à quatre heures du matin et passa rapidement les vêtements amples et confortables qu'elle avait préparés. Elle sortit de sa chambre et alla jusqu'à la cuisine qu'elle traversa sur la pointe des pieds. Du salon lui parvenaient les ronflements réguliers de l'inspecteur, de la chambre d'Ernestine le sifflement paisible de sa respiration. Sans faire plus de bruit qu'une ombre elle ouvrit la porte de l'entrée de service. Elle descendit l'escalier en colimaçon sans allumer la minuterie et frissonna quand l'air frais de l'aube l'accueillit au rez-de-chaussée.

C'est de la folie !

Mais c'était sa seule chance. La lettre sous le gâteau contenait des instructions brèves et explicites. Si Michelle voulait revoir sa fille vivante, elle devait les suivre scrupuleusement. L'idée de partager ces informations avec l'inspecteur Savin n'avait pas effleuré un instant l'esprit de Michelle. Alerter la police aurait mis la vie de Cassandra en danger.

Michelle se glissa derrière l'alignement de poubelles, puis longea la palissade de bois et risqua un coup d'œil dans la rue. Une voiture de police était garée devant l'immeuble, occupée par un conducteur endormi. Michelle s'assura qu'il n'y avait aucun autre policier en faction dans les parages et elle parcourut la rue au pas de course, en restant dans l'ombre des façades.

A cette heure le métro était fermé, mais elle connaissait un endroit sur le boulevard Saint-Michel où les chauffeurs de taxi se réunissaient pour boire un café-calva avant de rentrer chez eux. Elle offrit le triple de la course pour se faire conduire à la place Denfert-Rochereau. Arrivée là, elle descendit les quelques marches d'une bouche de métro. Les portes étaient naturellement cadenassées, mais Émile Rothschild l'attendait comme prévu. Il lui tendit l'épais paquet enveloppé de papier journal.

— Un million de francs, dit-il. Et maintenant ?

Michelle eut un sourire crispé.

— Les ravisseurs de Cassandra ont un certain goût pour le mélodrame. Je dois descendre dans les catacombes.

Rothschild blêmit.

– Non! C'est impossible! Pour l'amour de Dieu, Michelle, c'est un véritable labyrinthe! Si vous vous égariez...

– Ils m'ont transmis des directives très précises.

– Mais vous serez seule!

– Il le faut, mon ami. Ne me suivez pas et n'avertissez pas la police. Ils ont choisi les catacombes sans doute parce qu'ainsi ils peuvent surveiller ma venue. Ils sauraient tout de suite si quelqu'un me suivait... (Elle fourra le paquet dans son sac.) Je dois y aller, Émile. Merci d'avoir joué votre rôle. Je vous appellerai dès que possible.

Elle déposa un baiser rapide sur sa joue et s'éloigna d'un pas décidé.

*

La sonnerie du téléphone tira Armand Savin de son assoupissement.

– Oui?

– Inspecteur Savin? Steven Talbot à l'appareil.

Le policier recouvra instantanément toute sa vivacité d'esprit.

– Que se passe-t-il, Mr. Talbot?

– Je n'en suis pas sûr, inspecteur. Je sortais de chez des amis quand j'ai vu Michelle – Michelle McQueen – qui entrait dans la station de métro de Denfert-Rochereau. J'ai pensé...

– Ne quittez pas, Mr. Talbot.

Le policier se précipita dans la chambre de Michelle et jura en découvrant le lit vide. Il revint aussitôt au téléphone.

– Quand l'avez-vous vue, Mr. Talbot?

– Il y a environ cinq minutes. En fait je vous appelle d'une cabine téléphonique à l'entrée de la station.

– Le métro est fermé, dit Savan, plus pour lui-même que pour l'Américain. Avez-vous vu quelle direction elle prenait?

– Elle est descendue dans un des passages pour piétons, inspecteur. C'est plutôt étrange, n'est-ce pas?

Tout à fait juste, mon ami...

La veille, la réaction de Michelle face à Talbot avait éveillé sa méfiance. Assez pour qu'il fasse discrètement vérifier la véracité de son alibi. Celui-ci était sans faille, mais le malaise ressenti par Savin ne diminua pas pour autant. Quelque chose avait opposé et opposait encore Steven Talbot et Michelle McQueen, et ce quelque chose avait à voir avec l'enlèvement. Or Savin était bien décidé à découvrir ce secret. Il nota en esprit de faire vérifier où l'Américain avait passé la nuit. Qu'il ait vu Mme McQueen à l'instant où elle descendait dans le métro à Denfert-Rochereau était une coïncidence trop heureuse pour ne pas être suspecte.

– Voulez-vous que je la suive, inspecteur? demanda Steven Talbot.

– Non. Ne faites rien avant mon arrivée. Je viens tout de suite.

– Mais, inspecteur...

– C'est un ordre, Talbot!

Il raccrocha d'un geste brusque.

Que diable va-t-elle faire à la station Denfert-Rochereau?

L'esprit logique de Savin cherchait déjà une explication au comportement étrange de Mme McQueen. D'une manière ou d'une autre, une demande de rançon lui était parvenue, avec des instructions à suivre. Les trois seules personnes en dehors de la police à avoir approché Mme McQueen étaient le Dr Latour, Ernestine la domestique, et la pâtissière qui avait amené un gâteau, Mme Delamain. Savin écarta aussitôt les deux premières. Ne restait que la commerçante.

Il appela le commissariat central et fit envoyer deux voitures à l'entrée de la station Denfert-Rochereau.

– Dites aux hommes de m'attendre, ordonna-t-il. Et qu'ils soient armés.

Mais un détail intriguait Savin. Le métro étant fermé, Michelle McQueen ne pouvait parvenir aux quais ou aux tunnels.

L'entrée des catacombes!

Il rappela le QG, et dix minutes et deux cigarettes plus tard il obtenait le nom du géologue de l'Inspection générale des carrières, l'organisme qui possédait le relevé topographique des sous-sols parisiens.

– Trouvez-moi son adresse et envoyez une voiture le chercher, aboya-t-il. Oui, maintenant! Si quelqu'un fait des difficultés, dites que c'est sur ordre du ministre de l'Intérieur. Je veux qu'elle soit place Denfert-Rochereau dans moins de trente minutes.

Il raccrocha et se rua hors de l'appartement.

*

Si la porte d'acier n'avait pas été marquée à la craie comme le précisaient les instructions, Michelle serait passée devant sans la remarquer. Le lourd panneau semblait scellé, mais il céda lentement sous la poussée de la jeune femme. Elle progressa de deux mètres dans les ténèbres avant que son pied ne heurte un objet à terre. Elle le ramassa et reconnut une puissante torche électrique. L'allumant, elle découvrit le plan qui y était attaché.

Le faisceau lumineux apaisait un peu sa terreur, et elle se força à ignorer les bruits ténus qui s'élevaient dans l'obscurité – grattements de rats, frottements indéfinissables, eau tombant goutte à goutte des stalactites – pour se concentrer sur son itinéraire.

Cassandra... Ne pense qu'à Cassandra...

Michelle perdit rapidement toute notion du temps. Deux fois elle faillit prendre le mauvais chemin mais corrigea l'erreur au dernier moment.

Enfin elle arriva au dernier tournant et vit une lueur. Elle entra dans une petite salle en forme de dôme. Contre la paroi, éclairée par plusieurs lampes à pétrole était assise la silhouette immobile d'un homme. Son visage était couvert d'une cagoule.

– Qui êtes...

Michelle s'interrompit sur un cri aigu et avança dans la salle, sans se soucier du revolver que braquait l'inconnu. Deux mètres devant lui elle venait de découvrir une forme emmaillotée dans un sac de couchage, le visage tourné vers elle et aveuglé d'un bandeau. Cassandra.

*

Steven n'eut aucune difficulté à repérer la salle. Il avait parfaitement mémorisé le chemin dont il avait dicté le tracé à Harry Taylor. Suivant Michelle, il pénétra à son tour dans la salle. Elle s'était agenouillée auprès de sa fille et lui soulevait la tête avec tendresse. Cassandra gémit et remua mollement.

– Je croyais vous avoir dit de lui administrer une dose de morphine une demi-heure avant le rendez-vous, fit-il d'un ton sec.

Michelle se retourna et le contempla avec un ébahissement qu'il savoura pleinement.

– Steven! (Puis elle comprit le sens de ses paroles.) Morphine... que savez-vous de tout cela? Et qui est-ce?

Elle désigna la mystérieuse silhouette au revolver.

– Bon sang, Harry, retirez cette cagoule ridicule! lança Steven.

– Harry?

Michelle ne comprenait pas ce qui arrivait. L'univers semblait être sens dessus dessous.

– Vous avez kidnappé Cassandra?

Taylor ôta la cagoule d'un geste rageur.

– Très malin, Steven! cracha-t-il. Vous m'aviez promis qu'elle ne saurait jamais rien de ma participation!

Michelle poussa un hoquet horrifié en le reconnaissant. Puis son regard alla de l'un à l'autre, et sa peur le céda à une colère grandissante.

– Que signifie tout ceci?

Steven s'approcha des lampes à pétrole.

– Pourquoi ne le lui dites-vous pas, Harry? Mais dépêchez-vous. La police ne doit plus être très loin.

– Pourquoi ne pas simplement respecter nos accords? rétorqua Harry.

– Nos « accords »? De quoi parlez-vous? Vous n'avez demandé que de l'argent... (Elle sortit le paquet de son sac et le lança vers Harry.) Allez-y, ouvrez! Tout y est!

Furieux, Harry déchira le papier journal.

– Qu'est-ce que ça signifie! Nous ne voulons pas d'argent! Vous étiez censée nous céder votre compagnie!

— Je ne sais pas de quoi vous parlez.

Le cœur de Michelle avait bondi dans sa poitrine quand Steven avait mentionné la police. S'il disait vrai, elle devait les forcer à parler pour gagner du temps. Elle pouvait tirer avantage de la confusion visible qui régnait entre eux.

— Eh bien, on dirait que les plans ont changé, fit Steven.

— Que voulez-vous dire ?

— Allons, Harry, railla Steven, il est évident qu'elle nous a doublés. Et maintenant elle a vu nos visages. Même vous, vous devriez comprendre qu'on ne peut la laisser partir...

— Il n'était pas question d'accords dans vos instructions ! s'écria Michelle. Vous ne parliez que d'argent !

Cassandra leva un peu la tête et poussa un grognement sourd.

— Maman...

— Je suis là, ma chérie, lui chuchota-t-elle. Tout ira bien.

Harry fixait sur Steven le regard d'un possédé.

— Mais si nous ne pouvons pas les laisser partir, alors...

— Exact, Harry. Vous devez les supprimer.

Taylor secoua la tête frénétiquement.

— Pas question ! Ce n'est pas ce qui était prévu. Personne ne devait être blessé !

— En France, déclara Steven, les auteurs d'un enlèvement finissent sur l'échafaud, Harry. Si elles ne meurent pas, ce sera vous.

Harry comprit soudain que Steven avait tout manigancé depuis le début ; et lui avait cru cette histoire – assez convaincante il est vrai – de kidnapping et de rançon parce que cela l'arrangeait, lui redonnait espoir. Il n'avait pas écouté sa conscience car il avait trop peur de l'avenir.

— Vous saviez que nous en arriverions à ce point, n'est-ce pas ? dit-il à voix basse. Vous vouliez que Michelle me voie pour que je sois forcée de la tuer.

— Toutes les deux, corrigea Steven. Elles doivent mourir toutes les deux.

Harry sentait tous ses espoirs s'écrouler. Il se vit dans une cellule, attendant le jour où le couperet tomberait, et cette idée le terrifia. Il préférait encore fuir au bout du monde. Il se releva brusquement et repoussa la couverture.

— Je sors d'ici. Faites ce que vous voulez !

— Ne soyez pas ridicule, Harry. Vous ne sortirez jamais vivant des catacombes.

— Vous avez averti la police aussi, n'est-ce pas ? gronda Taylor. Ils savent où nous trouver, et je suppose qu'ils ne doivent arriver que lorsque j'aurai assassiné Michelle... et Cassandra. Alors vous me livreriez et vous deviendriez le héros qui a essayé de m'arrêter. La police vous croirait. Elle n'hésiterait pas une seconde entre la parole du respectable Mr. Talbot et celle d'un raté alcoolique. Exactement le rôle que vous m'avez assigné dès le début...

D'une détente Steven bondit sur Harry et lui saisit le poignet. Les deux hommes roulèrent sur le sol de pierre, luttant sauvagement pour prendre le contrôle de l'arme. Michelle n'hésita qu'une fraction de seconde. Elle releva Cassandra et passa un bras sous ses aisselles.

— Je t'en prie, ma chérie. Tu dois marcher. Marche, Cassandra!

Elle tituba sur le sol inégal, soutenant le corps sans force de sa fille.

— Encore un effort, ma chérie...

La déflagration fut tellement assourdissante que tout d'abord Michelle crut que les lampes avaient toutes explosé ensemble. Un choc terrible la jeta en avant, comme si un géant lui avait donné une bourrade monstrueuse dans le dos. Elle lâcha sa fille et s'abattit sur la pierre froide tel un pantin désarticulé. Une brûlure horrible mordait sa colonne vertébrale.

— Cassandra...

Ses doigts griffèrent la roche tandis qu'elle essayait de toucher le corps de sa fille.

Le coup de feu interrompit le combat. Steven fut le premier à profiter de l'occasion. Il réussit à retourner l'arme contre la poitrine de son adversaire.

— Adieu, Harry, grogna-t-il en appuyant sur la détente.

Avec le second coup de feu un geyser de sang éclaboussa Steven. Il repoussa le corps de Taylor et se releva péniblement. Malgré l'écho de la détonation, il perçut le faible cri de Cassandra et des voix d'hommes, quelque part en dehors de la salle. Il se rapprocha de la jeune fille. Il allait en terminer avec elle en lui écrasant le crâne contre la roche.

Les déflagrations avaient déchiré le voile de la drogue, et Cassandra avait recouvré un peu de sa lucidité. Toujours aveuglée par le bandeau, elle appela sa mère et tâtonna autour d'elle pour la toucher. Sa main rencontra un objet brûlant, et elle recula avec un petit cri d'effroi.

— Maman!

Elle allait arracher le bandeau quand un poids terrifiant l'écrasa. Une main agrippa ses cheveux et une force irrésistible lui cogna le crâne contre la paroi de pierre. Elle perdit presque connaissance.

Non, je ne veux pas... mourir...

Sa main se referma sur l'objet brûlant qu'elle avait localisé un instant plus tôt. Elle hurla de douleur en saisissant la base de la lampe à pétrole. Dans un effort désespéré, Cassandra se jeta de côté et lança la lampe vers son agresseur.

Steven vit le danger du coin de l'œil, mais il était déjà trop tard. Il leva une main pour se protéger mais le réservoir se brisa contre sa pommette et le liquide gicla sur son visage. Une seconde plus tard, il s'enflammait.

Avec un rugissement de douleur, Steven relâcha Cassandra et roula sur lui-même en se griffant follement la face. Quand les policiers, l'inspecteur Savin en tête, firent irruption dans la petite salle, ils s'arrêtèrent net, horrifiés. Devant eux un homme était agenouillé, comme en prière, son visage en feu.

CINQUIÈME PARTIE

46

Sa première sensation fut une odeur froide, de désinfectant et d'alcool. Puis le toucher : ce qu'elle portait était raide et irritait sa peau. Cassandra ouvrit les yeux et plissa les paupières pour se protéger de la lumière trop vive. Elle focalisa sa vision sur l'arceau de métal blanc au pied du lit, puis sur le crucifix accroché au mur en face d'elle.

— Cassandra... Ma chérie...

Cassandra se mit à pleurer doucement. Elle tourna la tête et vit son père assis auprès d'elle.

— Tout va bien aller, ma chérie.

— Maman...

Sa voix était rauque mais elle voulait absolument parler. Elle tenta de s'asseoir dans le lit et Monk l'aida d'un bras. Il porta un gobelet d'eau à ses lèvres et elle but avec gratitude.

— Où suis-je ?

— A l'hôpital. Tu es saine et sauve. Tu as dormi comme un bébé.

Cassandra réussit à sourire, mais les souvenirs affluèrent et chassèrent toute joie de son expression.

— C'est fini, répéta Monk. Tu es en sécurité ici.

Cassandra regarda autour d'elle la pièce d'une sobriété sévère.

— Où est Maman ?

Le visage de Monk se rembrunit.

— *Où est-elle ?*

— Les médecins sont auprès d'elle en ce moment. Elle va se remettre.

Mais Cassandra avait vu s'éteindre la lueur dans le regard de Monk, et elle avait compris la vérité.

Quand l'infirmière vint jeter un œil dans la chambre elle vit l'homme au physique de géant qui serrait dans ses bras la frêle jeune fille blonde. Ils semblaient les deux derniers êtres humains sur terre. L'infirmière se souvenait de ses consignes, pourtant elle rendit visite à trois autres patients avant d'aller prévenir le détective qui attendait dans le jardin d'hiver.

*

Dans une autre aile de l'hôpital, Steven Talbot était allongé dans un lit identique, parfaitement immobile. Ses mains et son visage étaient entourés de bandages et il gardait les yeux clos. Mais il était conscient. Il lui fallait toute sa volonté pour combattre la douleur qui rongeait son corps comme un acide. Mais au-delà de la souffrance, c'était la peur qu'on apprenne ce qui s'était réellement passé dans les catacombes qui le soutenait.

– Je n'ai jamais rien vu de pareil, fit une voix masculine. Même pendant la guerre.

– Je suis surpris qu'il soit encore en vie, ajouta une autre.

– C'est un fou pour s'être ainsi lancé seul à la poursuite des ravisseurs. Un héros et un fou.

– Savin veut lui parler dès qu'il reprendra conscience.

Steven entendit une exclamation de mépris.

– Qu'il aille au diable, ce Savin! Ce type a de plus gros problèmes en ce moment que de répondre à un interrogatoire.

– Mais Savin veut être averti dès qu'il pourra parler.

– Parler? Oui, sans doute, il le pourra. Le pire pour lui sera quand il se verra. Il est complètement défiguré...

Les voix se turent et Steven entendit la porte qui se refermait. Il resta immobile, conscient maintenant de la crème étalée sur sa peau.

Il est complètement défiguré.

Il se mit à pleurer.

*

Quand Monk vit le sang qui tachait la blouse du chirurgien, il sentit ses espoirs vaciller. Le praticien le prit par le coude et l'emmena dans un bureau désert. Avant de parler, il alluma une cigarette et tira dessus avec avidité.

– Le pire, c'est la balle. Elle a explosé à l'impact. La colonne vertébrale a été effleurée, un poumon perforé... le cœur frôlé. Seule sa force de caractère la maintient en vie...

Monk baissa la tête.

– Quelles sont ses chances?

– J'aimerais pouvoir vous le dire, monsieur.

– Je peux la voir?

– Bien sûr. Suivez-moi.

Elle paraissait très fragile dans le lit, ses bras pâles couverts de taches de rousseur posés sur la blancheur du drap. Monk approcha une main hésitante du visage figé. Ce n'est qu'en sentant le souffle léger de sa respiration sur sa paume qu'il fut rassuré.

Oh, Michelle, ne t'en va pas...

Monk perdit la notion du temps. Quand il regarda au-dehors, la nuit était tombée. Les couloirs de l'hôpital étaient silencieux lorsqu'il alla jusqu'à la chambre de Cassandra. Il prit des nouvelles auprès de l'infirmière et s'assit à côté de la jeune fille un moment. Puis il se rendit à la chapelle. Monk n'avait jamais été très croyant, mais il se souvenait d'une prière apprise à l'école. Il la récita en pleurant d'impuissance. Plus tard encore il sortit et acheta des fleurs à une marchande ambulante. Revenu auprès de Michelle, il lui prit la main et la referma autour du bouquet. Peut-être, si elle ne pouvait l'entendre ou le voir, était-elle capable de sentir le contact des fleurs et ainsi de savoir qu'il était là. Il l'espérait de tout son cœur.

La nuit s'écoula lentement. La lune monta au-dessus des nuages et un rayon blafard baigna le visage de Michelle. Elle ne réagit pas. La lumière n'existait plus pour elle.

Elle est partie...

Monk lui prit une main dans les siennes. Non, la peau était toujours tiède. Il allait la relâcher quand il sentit une crispation des doigts. Les paupières de Michelle battirent. Elle ouvrit les yeux.

— Cassandra ?

Il se baissa très près d'elle.

— Elle est tirée d'affaire. Elle va se remettre. Vous allez vous remettre toutes les deux.

D'un geste tremblant, Michelle essuya la larme qui mouillait la joue de son mari.

— Ne pleure pas, murmura-t-elle. Tu dois être fort... pour Cassandra... (Une grimace de douleur tordit ses traits.) Pour moi...

— Je suis là, Michelle. Je suis avec toi.

Elle resta silencieuse si longtemps qu'il la crut retombée dans l'inconscience. Puis elle parla de nouveau :

— J'ai froid, mon chéri. Serre-moi contre toi...

Monk se pencha et la prit dans ses bras avec une douceur extrême.

— Je t'aime, Monk. Je t'aimerai toujours... Sois fort, je t'en prie...

— Je le serai, ma chérie. Je te jure que...

Un long frisson secoua le corps de Michelle. Au dernier instant, elle écarquilla les yeux et releva la tête. Puis, très lentement, ses paupières s'abaissèrent et un sourire très doux apparut sur ses lèvres. Elle était morte.

— Je suis vraiment désolé de vous ennuyer avec cela en un tel moment, mademoiselle, mais tout ce que vous pourrez nous dire aidera grandement l'enquête.

Les yeux de Cassandra étaient secs, mais le sel des larmes les brûlait encore. *Maman est morte.* Elle avait accepté la vérité. Monk la lui avait annoncée d'une voix brisée. Michelle avait été blessée en essayant de la sortir des catacombes. Et elle était morte au matin où Cassandra revenait à la vie.

Maintenant c'est à moi de l'aider, comme elle l'a fait pour moi. Je serai sa voix...

— Avez-vous vu le visage des hommes qui vous ont enlevée ? demanda l'officier de police.

Cassandra se souvenait. On l'avait jetée dans une voiture, quelqu'un l'avait frappée et elle s'était débattue.

— Il portait une cagoule noire...

La douleur de la piqûre, puis l'oubli et le cauchemar...

— J'étais inconsciente...

— Cela nous le savons, approuva Savin avec patience. Mais juste avant que nous ne vous trouvions, vous souvenez-vous de quelque chose ?

— Je ne voyais rien. J'ai entendu Maman.

— A-t-elle dit un nom ?

— Harry... Elle a dit : Harry.

Cassandra vit Savin échanger un regard avec Monk. L'expression des deux hommes s'était figée.

— A-t-elle dit autre chose, Cass ? la pressa Monk.

— Je n'arrive pas à me souvenir, murmura Cassandra. Il y avait beaucoup de bruit, et quelqu'un me faisait mal. J'ai pris quelque chose de très chaud, de brûlant... Je l'ai frappé...

— Très bien, dit le policier. Cela nous suffira pour l'instant. Reposez-vous, maintenant. Nous reparlerons plus tard.

— Je ne veux pas dormir ! s'écria Cassandra. J'ai peur de fermer les yeux. Monk, je t'en prie !

— Ne t'inquiète pas, ma chérie, répondit celui-ci d'un ton rassurant. Tu n'es pas obligée de dormir. Je te promets que l'infirmière ne te donnera aucun sédatif si tu ne le veux pas. Je dois aller chercher quelques affaires... (Il sentit la main de sa fille agripper son bras.) Mais je vais revenir. Je ne t'abandonnerai jamais, Cass, j'en fais le serment.

Dans le couloir, Monk coinça un cigare entre ses dents, mais il attendit d'être sur le balcon du bureau du médecin-chef pour l'allumer. Savin l'avait accompagné et l'observait avec attention. Quelques heures plus tôt cet homme avait vu sa femme mourir dans ses bras. Et à présent il devait se souvenir du supplice enduré par sa fille. Monk McQueen ne tenait que grâce à l'adrénaline que la rage déversait dans ses veines. Le policier français se demandait combien de temps il pourrait continuer ainsi.

— Elle ne sait rien de plus, dit Monk. Il lui ont injecté assez de morphine pour la tuer...

— Ils ?

— Celui ou ceux qui travaillaient avec Harry Taylor.

— Et si vous me parliez de lui ?

Monk lui raconta ce qu'il savait, et quand il eut fini il vit que Savin était convaincu de la culpabilité de Taylor. Il lui tendit une feuille de papier dactylographiée.

— Tout ce que vous me dites l'accable. Ceci est la liste des indices trouvés dans les catacombes. Vous remarquerez le ticket de ferry pour la traversée de la Manche. Harry Taylor a dû montrer son passeport pour l'acheter. Son nom y figure.

— Alors il est idiot ou il était persuadé de ne jamais être pris.

— Le pensez-vous capable d'avoir conçu et exécuté un plan aussi élaboré ?

Monk secoua la tête avec une moue.

— Plus maintenant. Il était devenu alcoolique. Je ne sais pas ce qu'il faisait à Londres, mais je peux vous assurer qu'il était déjà détruit par l'alcool à New York.

— Pour Londres, nous ne tarderons pas à savoir. Scotland Yard coopère avec nous à cent pour cent... Mais si comme vous le dites Harry Taylor n'était pas en mesure de monter cet enlèvement seul, qui l'a aidé ?

— Pourquoi ne pas poser la question à Steven Talbot ?

Savin eut un mouvement de recul devant la colère de l'Américain. Il prit le cigare de Monk et l'écrasa avec application dans un cendrier :

— Cela pourrait nous poser un petit problème, mon ami. Suivez-moi, vous allez comprendre.

Les deux hommes se dirigèrent sans un mot vers l'aile est de l'hôpital. Alors qu'ils allaient pénétrer dans la chambre de Steven, Savin prit Monk par le bras.

— Ne dites rien pour l'instant. Nous devons d'abord y voir un peu plus clair.

En entrant, McQueen comprit ce que voulait dire le policier français. Debout auprès du lit où reposait Steven se tenait Rose Jefferson.

*

C'était une Rose que Monk ne connaissait pas, visiblement perdue, fragile et apeurée. Ses yeux étaient emplis d'une peine réelle impossible à dissimuler. Monk ravala les accusations dont il était prêt à accabler Steven Talbot.

— Oh, Monk, je suis tellement désolée...

Il la prit dans ses bras et sentit ses doigts fins l'agripper avec une force désespérée. Rose Jefferson semblait émaciée, et ses yeux étaient rendus immenses par le chagrin. Derrière elle, McQueen reconnut le ministre de l'Intérieur et un inconnu. A voir la déférence immédiate de Savin à son égard, ce devait être un haut fonctionnaire de police.

— Il a essayé de la sauver, balbutiait Rose. Steven a risqué sa vie pour les sauver toutes les deux... Il s'est conduit en héros, Monk.

Un goût âcre monta dans la gorge du journaliste mais il se souvint du conseil de Savin et se maîtrisa. L'officier de police conversait à voix basse avec ses deux supérieurs, et Monk devinait aisément leurs propos.

— Comme va Steven ?

— Il survivra.

Monk posa un regard glacé sur la forme emmaillotée de bandages et détourna aussitôt les yeux pour que Rose n'y lise pas la rage qui le consumait.

L'air grave, le ministre de l'Intérieur s'approcha de Rose.

— Madame, l'inspecteur Savin a une requête à vous présenter. Si les médecins le permettent, il aimerait parler à votre fils.

— Eh bien moi je refuse! répliqua Rose. Mon Dieu, vous ne voyez donc pas son état ? C'est à peine s'il a pu me dire un mot...

— Je veux... parler.

La voix n'était qu'un râle torturé. Rose s'agenouilla aussitôt auprès du lit.

— Michelle... est sauvée ?

Ignorant le regard de tigresse de Rose, Savin se pencha aussi près qu'il l'osait du visage bandé.

— Mr. Talbot, je suis l'inspecteur Savin. Vous m'entendez ?

— Oui...

— Dites-nous ce qui s'est passé.

Bien sûr je vais vous le dire. Maintenant, pendant que vous ne pouvez que me croire.

— J'aurais dû vous écouter, inspecteur... attendre au lieu de... suivre Michelle... J'ai voulu la sauver...

Par bribes de phrases murmurées, Steven narra sa version, comment il avait suivi Michelle dans les catacombes, avait bondi sur Harry Taylor qui tenait un pistolet à la main, alors que Cassandra gisait inconsciente à ses pieds.

— Essayé de... le désarmer... Le coup est parti. Michelle a hurlé... Rien pu faire. Pouvais pas lâcher le pistolet... Tué Harry...

Avant que Savin ne puisse lui intimer le silence, Rose intervint :

— Tu n'as pas tué Harry, mon chéri. Il s'est échappé.

Steven n'en croyait pas ses oreilles. Il avait encore en mémoire la sensation du canon de l'arme qu'il pressait sur la poitrine de Taylor, son doigt qui écrasait la détente, le tonnerre de la déflagration tandis que la balle déchirait les chairs. Harry était vivant! Capable de raconter *sa* version. La vérité...

Steven chassa la peur qui s'insinuait dans son esprit. Il fallait qu'il profite de la situation. Personne ne douterait de son témoignage maintenant. Et l'affaire serait très vite classée, sa mère y veillerait.

— J'ai essayé d'atteindre Cassandra... Pour l'aider. Elle a dû croire que j'étais Harry... La brûlure....

— C'est assez! coupa sèchement un des médecins présents. Veuillez tous quitter cette chambre, je vous prie. Infirmière, sédatif!

Il fallut deux médecins pour arracher une Rose Jefferson en larmes du corps immobile de son fils. Monk McQueen et Savin s'entre-regardèrent. Ce qu'ils venaient d'entendre aurait autant de poids que la confession d'un mourant, c'était évident.

*

— Et maintenant, que va-t-il se passer? demanda Monk dès qu'ils furent dans le couloir.

— A votre avis? L'affaire est on ne peut plus simple. Nous allons quadriller Paris, fouiller les catacombes pour dénicher Harry Taylor. Et si nous lui mettons la main au collet il sera inculpé d'enlèvement et de meurtre.

— Ne me dites pas que vous croyez ce que vous venez d'entendre!

Savin entraîna Monk à l'écart.

— Pas un mot, lui avoua-t-il à l'oreille. Mr. Talbot ment. Seul un idiot ou quelqu'un qui connaissait très bien cette partie des catacombes aurait osé y suivre votre épouse. Sinon il se serait perdu, c'est une certitude. Et je ne prends pas Mr. Talbot pour un idiot. De plus, pourquoi se serait-il jeté sur un homme armé alors qu'il savait la police toute proche? Dans un lieu aussi exigu, même mauvais tireur, Harry Taylor ne pouvait pas le rater.

— Ils étaient ensemble, murmura rageusement Monk. Steven savait qu'Harry serait là et qu'il détenait Cassandra...

— C'est une conclusion plus que plausible, mon ami. Mais nous n'avons aucune preuve.

— Vous les aurez quand vous aurez retrouvé Taylor!

— Si nous le retrouvons... corrigea Savin avec une pointe d'amertume. Je n'ai pas besoin de vous dire combien les catacombes sont dangereuses. Et nous savons que Taylor a été blessé. Il se peut qu'il ait survécu, mais il est très certainement mort de sa blessure ensuite. S'il n'a rencontré l'un ou l'autre de ces cinglés qui hantent les catacombes. Auquel cas nul ne le reverra jamais. Non, Mr. McQueen, n'espérez pas retrouver Harry Taylor vivant.

— Alors vous allez accepter la version de Steven?

Savin eut une moue dépitée.

— Cassandra McQueen ne peut nous donner d'autre identité que celle de Taylor. Elle n'a jamais entendu ou su quoi que ce soit qui puisse incriminer Steven Talbot. Quant au combat qu'elle a livré, elle a très bien pu repousser quelqu'un qui voulait la secourir. Je ne le crois pas, sachez-le, mais une fois encore personne ne peut contredire la version de Mr. Talbot... (Après un temps il ajouta :) Je comprends ce que vous ressentez, Mr. McQueen. Mais vous avez vu comme moi l'importance des gens rassemblés dans cette chambre. Leur simple présence absout déjà Steven Talbot, et je ne peux rien y faire. Même si je mets la main sur Harry Taylor, quel poids croyez-vous qu'on accordera à son témoignage ?

Monk était écœuré par la justesse de ces propos. La promesse qu'il avait faite à Michelle prenait une ironie révoltante.

— Il ne s'en tirera pas à si bon compte, dit-il d'un ton définitif. Il a tué ma femme, mon amour, ma vie. Il a torturé ma fille. Steven Talbot paiera.

*

Quatre jours plus tard, Monk fut autorisé à venir chercher sa fille à l'hôpital. En entrant dans l'appartement, ils comprirent que jamais ils n'y pourraient revivre. Michelle était partout. Son rire résonnait dans chaque pièce, son sourire dansait dans les poussières illuminées de soleil devant les fenêtres. Ils entendaient sa voix dans les cloches de Notre-Dame et les rires des enfants qui fonçaient à bicyclette dans les étroites rues pavées de l'île Saint-Louis.

Cette nuit-là Cassandra s'éveilla en hurlant de terreur. Le lendemain matin Monk louait une suite au *Ritz*. Il retourna avec Ernestine à l'appartement pour emballer leurs affaires.

— Où irez-vous, Monsieur ? demanda la domestique d'une voix timide.

— Aussi loin que possible d'ici. Chez moi... En Amérique.

Quand les peintures et les objets d'art rassemblés par Michelle furent mis en caisses, les meubles couverts de draps et les vêtements de la morte donnés à une organisation de charité, Monk s'attela à la tâche la plus ardue. Durant des heures il tria les papiers de Michelle. Ceux qui concernaient les chèques de voyage, il les mit de côté. Émile Rothschild et Pierre Lazard l'aideraient plus tard à les ordonner. Il s'intéressait surtout à tout les documents provenant de Warburg à Berlin, les lettres, les déclarations sous serment, les notes relatant les liens de Steven avec les nazis. La masse de documents amassée par Michelle l'ébahissait et chaque nouvelle preuve l'accablait un peu plus. Michelle était morte à cause de ces papiers. Cassandra n'avait été qu'un pion.

– Je finirai ce que tu as commencé, dit Monk à voix haute. Je découvrirai ce qui t'avait échappé. Je te le jure, mon amour...

*

Michelle McQueen fut enterrée au cimetière du Père-Lachaise une semaine après son décès. Ceux qui, au gouvernement, avaient eu à traiter avec la disparue vinrent lui rendre un dernier hommage, tout autant que les banquiers, les financiers, ses domestiques, et les gens modestes qu'elle avait côtoyés quotidiennement. Des centaines de gens défilèrent devant sa tombe et tous avaient aux yeux les mêmes larmes, au cœur la même peine. Le maire de Saint-Eustache eut l'honneur de remettre à Cassandra les médailles de sa mère. Celle-ci vivait dans une sorte de brouillard mental depuis le drame. La mort de sa mère lui semblait irréelle, car elle voyait Michelle partout. Pourtant, quand elle l'appelait ou voulait la toucher, sa mère disparaissait. Peu à peu, pour sortir de cet état de choc, Cassandra se mit à poser des questions. Elle demanda à Monk de lui dire tout ce qu'il savait sur Harry Taylor. Elle voulait comprendre ce qui avait pu pousser cet homme à s'acharner sur ceux qu'elle aimait.

– Il voulait de l'argent, avait répondu Monk. C'est tout.

Pour la première fois Cassandra avait détecté une note fausse dans sa voix.

– Parle-moi de Steven.

Elle avait écouté avec attention Monk lui expliquer comment Steven s'était retrouvé dans les catacombes. Cette fois le mensonge était encore plus évident dans les mots de son père. Il répétait très exactement ce qu'elle l'avait entendu raconter à l'inspecteur Savin. La première fois déjà, elle avait compris qu'il ne croyait pas ce qu'il disait. Tout cela signifiait-il que Steven Talbot n'était pas le héros acclamé par tous? Se pouvait-il qu'il ait eu un rôle dans la mort de sa mère?

Intuitivement, Cassandra sut que son père ne lui en révélerait pas plus. Et elle ne pouvait le lui demander. Elle souffrait à l'idée de ce qu'il avait enduré. Il fallait lui laisser le temps de pleurer, d'accepter, de reprendre goût à la vie, elle le savait. Comme elle savait qu'un jour elle connaîtrait toute la vérité.

Immédiatement après les funérailles, Monk retourna au *Ritz* avec Cassandra. Laissant sa fille aux soins d'Ernestine, il rencontra comme prévu Abraham Warburg dans le bureau du directeur de l'hôtel.

– C'était une femme très courageuse, dit le banquier allemand avec une simplicité digne. Elle a sauvé des milliers de vies humaines. Jamais nous ne l'oublierons.

L'anxiété derrière la sincérité de ces mots n'échappa pas à Monk.

— Si vous avez quelque inquiétude pour les documents que Michelle gardait chez elle, soyez rassuré. Je les ai tous mis en sûreté dans le coffre de l'hôtel. Si vous le voulez bien, j'aimerais que nous les examinions demain. Il y a beaucoup de choses que je ne comprends pas.

— Bien sûr, murmura Warburg. Il faut régler cette affaire.

— Nous ne réglerons rien! dit Monk avec force. Ce qu'avait entrepris Michelle sera poursuivi.

Surpris, Warburg cligna des yeux plusieurs fois.

— Par qui donc? Sans vouloir vous offenser, Herr McQueen, vous ne pouvez la remplacer.

— Ce n'est pas mon intention. Mais il y a certainement des gens qui savent ce qui doit être fait.

— Certes, acquiesça lentement le banquier. Mais les détails sont très complexes. Beaucoup d'argent passe entre de très nombreuses mains. Michelle a créé un réseau qui égarerait même les spécialistes de la Gestapo.

— S'il en est ainsi, nous n'aurons donc pas à le modifier, n'est-ce pas? Je vous promets que l'argent pour votre travail – *son* travail – continuera à être versé... Pouvez-vous me donner l'assurance que des gens capables reprendront ce qu'elle avait mis en place et continueront comme elle l'aurait fait?

— Vous avez ma parole d'honneur, dit Abraham Warburg avec gravité. Ma vie, si nécessaire...

La deuxième entrevue de Monk eut lieu dans les bureaux sombres de Rothschild & Fils près de l'Opéra.

— Tout est en ordre, annonça Pierre Lazard. La question est de savoir ce que nous faisons maintenant.

— Michelle vous a confié une réplique exacte du testament remis à son avocat. Je pense que nous pouvons en prendre connaissance sans violer la loi.

Les deux banquiers approuvèrent. Le contenu du testament n'étonna personne. Michelle léguait tous ses biens, personnels et professionnels, à Cassandra. Elle stipulait que l'opération des chèques de voyage serait administrée par Monk ou des gens désignés par lui. Une partie des profits réalisés devrait être utilisée pour assurer le bien-être quotidien de Cassandra, le reste placé sur des comptes en fidéicommis dont elle recouvrerait la disposition le jour de ses vingt et un ans, en même temps que la direction de la compagnie.

— Ce qui veut dire dans six ans, commenta Émile Rothschild.

— Pourrions-nous reparler de ce sujet après que j'aurai ramené ma fille à New York?

— Bien entendu. Si je puis me permettre, avez-vous un projet pour elle?

— J'aimerais en avoir un.

*

Exténué par toutes ces responsabilités, Monk se réfugia au bar du *Ritz* où il s'accorda deux calvados et un quart d'heure de répit. Puis il appela Ernestine pour s'assurer que Cassandra allait bien. La gouvernante lui apprit que la jeune fille avait mangé très légèrement et s'était couchée pour s'endormir aussitôt. Rasséréné, Monk se rendit à la suite occupée par Rose Jefferson.

Elle n'avait pas quitté la tenue noire qu'elle portait à l'enterrement de Michelle.

— Comment vous sentez-vous, Monk?

— Aussi bien que ma situation le permet, je suppose.

— Cassandra?

— Ça ira.

Sans rien lui demander, Rose lui offrit un cognac.

— Qu'allez-vous faire maintenant?

— Je vais la ramener à New York. Il n'y a plus rien pour elle ici.

— Je déteste ce pays! dit soudain Rose. Il m'a pris Franklin, et maintenant il a presque tué Steven...

Monk fut incapable de répondre.

— Vous ne me croirez pas si je vous dis que je suis désolée pour Michelle, n'est-ce pas? Pourtant c'est vrai. Elle et moi nous avions une chance de réparer les erreurs du passé, du moins quelques-unes. Et c'est ce que je voulais, Monk. C'était très important pour moi. A présent c'est impossible... Et je le regrette plus que vous ne pouvez l'imaginer.

Monk réussit enfin à poser la question qui lui brûlait les lèvres :

— Comment va Steven?

Il vit Rose se raidir.

— Les médecins font tout ce qu'ils peuvent. Ils ont tiré une grande expérience de la guerre. Ensuite il ira en Suisse. La chirurgie plastique prendra des années... Mais il ne sera jamais comme avant. Jamais.

— La police a retrouvé la trace de Taylor?

Rose posa sur lui un regard vide de toute expression.

— Pas encore. Mais cela arrivera. Je le connaissais bien, Monk. Harry Taylor est un survivant-né. Il est vivant, quelque part. Et un jour quelqu'un le reconnaîtra.

Rose passa sous silence la récompense de cent mille dollars qu'elle avait offerte pour la tête de Taylor. A présent l'annonce de cette prime s'était répandue dans toute la pègre de l'Europe. Une fortune attendait celui qui amènerait l'Américain vivant.

— Je sais que vous n'êtes pas venu pour me réconforter, Monk, dit Rose d'un ton neutre. Il y a des choses dont nous devons parler. J'imagine que vous vous êtes entretenu avec l'avocat de Michelle. Je devine les termes de son testament.

Monk les lui décrivit.

— Donc, conclut-il, je contrôle l'opération des chèques de voyage. Mais franchement je ne sais pas si je pourrai assumer une telle charge. Cassandra va avoir besoin de moi...

— Monk, j'aimerais beaucoup vous aider, ainsi que Cassandra, si vous le voulez bien.

— Que proposez-vous ?

— Laissez-moi administrer les chèques de voyage. Je ne veux rien de ce qu'a construit Michelle et qui revient en toute justice à Cassandra. Mais je peux prendre soin de son legs jusqu'à la majorité de Cassandra... (Elle eut un sourire triste.) Oh, je sais que vous n'avez guère de raisons de me faire confiance. Mais les gens changent, Monk. *J'ai changé.* Définissez les conditions les plus draconiennes pour éviter tout risque, je les respecterai. Je ne veux que vous aider.

Monk accepta un second cognac. Il n'avait ni les connaissances ni le temps pour gérer l'empire financier créé par Michelle. Il voulait concentrer tous ses efforts sur l'Allemagne et Warburg, garder le réseau ouvert pour aider à fuir tous ceux qui se sentaient menacés dans ce pays. C'était parmi ces centaines de réfugiés, il en était sûr, qu'il trouverait celui ou ceux qui détenaient les renseignements permettant de détruire l'écœurante alliance de Steven Talbot.

Par ailleurs il n'était pas certain d'avoir d'autre choix que d'accepter l'offre de Rose. Elle avait elle-même inventé le système du mandat Global et connaissait parfaitement la sphère financière européenne, ce qui n'était pas son cas. Plus important encore, Rose se sentait en dette envers Michelle, et pour soulager sa conscience Monk ne doutait pas qu'elle tiendrait parole.

— Nous pouvons essayer, dit Monk après un temps de réflexion. Je ne sais pas combien de temps il nous reste en Europe avant que Hitler ne déclenche cette guerre qu'il semble tant désirer, mais je ne peux pas abandonner tout ce que Michelle a construit.

— Je ne quitterai pas l'Europe avant de savoir ce qui va arriver à Steven, déclara Rose. Gérer ces affaires m'occupera l'esprit, et j'en ai besoin...

Elle tendit sa main vers Monk, qui hésita puis la prit.

— Nous sommes meurtris tous les deux, murmura-t-elle. Je vous en prie, ne nous déchirons plus.

47

Monk McQueen tentait de faire l'impossible. D'un côté, ni lui ni Cassandra ne pouvaient quitter Paris sans l'assurance que l'opération des chèques de voyage serait gérée par des gens aussi capables que l'avait été Michelle. Ce qui impliquait de longues concertations avec Rose Jefferson, les banquiers Rothschild et Lazard et une pléiade de juristes et d'avocats. Très vite les jours parurent trop courts à Monk. Et cette activité intensive le tenait éloigné de Cassandra la plupart du temps.

Monk se faisait beaucoup de soucis pour sa fille. Malgré les bons soins d'Ernestine, qu'il avait installée au *Ritz*, Cassandra restait très pâle et ne reprenait pas les kilos perdus. Elle ne sortait presque jamais de l'hôtel et, quand il l'emmenait dîner dans un restaurant, elle picorait les mets les plus fins sans enthousiasme et dans un silence inquiétant. Rien de ce qu'il faisait ou disait ne semblait éveiller l'intérêt de Cassandra, et il avait l'impression qu'elle se murait dans un univers à elle, aussi éloigné que possible de l'horreur et de la douleur.

Tard un soir, alors qu'il s'interrogeait pour la millième fois sur la meilleure façon de l'aider, elle vint se pelotonner contre lui sur le canapé.

— Renvoie-moi à la maison, je t'en prie.

— C'est impossible, ma chérie, lui répondit-il avec douceur. Il me faut encore au maximum deux semaines ici. D'ailleurs, il n'y a pas de bateau en partance avant ce délai.

— Il y a un autre moyen.

Cassandra lui montra un article de journal qu'elle avait découpé.

— Tu n'es pas sérieuse ?

— Si.

— Mais même si je pouvais te trouver une place, tu voyagerais seule !

— J'ai déjà voyagé seule auparavant, lui rappela-t-elle. Et puis, Abilene serait là pour m'accueillir.

Monk secoua la tête, un peu dépassé par la proposition.

— Je ne sais pas... Ça m'a tout l'air d'un voyage long et pénible.

— Tu veux dire que tu trouves ça dangereux ?

— Aussi, oui, admit Monk.

— Non, répliqua Cassandra fermement. Ce serait une expérience amusante, au contraire. Je t'en prie... Tu ne vois pas ce qui m'arrive ici ? Tu n'es jamais là. Bien sûr Ernestine fait de son mieux pour m'occuper, mais dès que je regarde au-dehors je pense à Maman. Paris, c'était un peu notre ville, nos rues... Mais plus maintenant. Plus jamais...

Monk décela la supplique dans la voix de sa fille et se souvint du bonheur qu'elle avait éprouvé à New York. Qui pouvait dire si elle n'avait pas raison ?

Le lendemain matin il appela Rose et lui expliqua ce dont il avait besoin.

— C'est comme si c'était fait, répondit-elle aussitôt. D'ailleurs, il y a deux personnes qui doivent arriver en même temps et que j'aimerais vous présenter.

Trois jours plus tard, Monk et Cassandra prirent le train pour Marseille. Un taxi les mena sur le port d'où ils découvrirent un spectacle qui attirait déjà des milliers de badauds. Amarré à un ponton, un hydravion bleu et argent se balançait doucement sur l'eau. Le logo de la Pan American décorait son fuselage et sa queue, et sous le cockpit se lisait son nom : *Yankee Clipper*.

– Il est magnifique, souffla Cassandra, les yeux brillants d'excitation.

– Le transport de l'avenir, approuva Rose. Le voyage de Marseille à Port Washington prendra environ vingt-sept heures, mais tu profiteras d'un confort rare : cabine privée, salle à manger, et même salon pour dames! Il fera escale à Lisbonne, aux Açores puis traversera l'Atlantique d'un coup d'ailes...

– Je croyais que cette ligne ne devait pas entrer en service avant dix-huit mois? fit Monk.

– C'est exact. Ce vol est uniquement promotionnel.

Monk prit Rose à part.

– Êtes-vous certaine que c'est sans danger?

– Monk, cet avion traverse régulièrement le Pacifique depuis des années. Il a un équipage de douze personnes expérimentées et ne transporte que vingt-deux passagers. Croyez-moi, Cassandra sera en sécurité.

En voyant l'expression ravie sur le visage de sa fille, Monk oublia presque ses craintes.

– Tu m'enverras un câble de chaque escale?

– Bien sûr!

– Et dès ton arrivée à New York?

Cassandra posa sa main sur sa joue, dans un geste qui avait été familier à Michelle, et son père sentit l'émotion étreindre son cœur.

– Rejoins-moi vite, papa, lui murmura-t-elle. C'est tout ce que je demande, Reviens vite à la maison.

– Je te le promets, ma chérie.

– Je t'aime, papa.

– Moi aussi je t'aime, Cass.

*

Dans le train qui les ramenait vers Paris, après l'envol du *Yankee Clipper,* Rose présenta à Monk ses deux plus proches collaborateurs, Eric Gollant et Hugh O'Neill.

– Je propose qu'ils s'occupent de la gestion des chèques de voyage Global pour l'Europe, dit-elle. Ils connaissent parfaitement le système des mandats. Eric peut s'installer à Paris pour s'occuper de l'aspect financier tandis que Hugh restera disponible pour aller régler les problèmes qui pourraient survenir n'importe où en Europe. Il a toujours son passeport irlandais. La neutralité traditionnelle de ce pays lui facilitera le passage des frontières.

Monk accepta. Les deux hommes jouissaient d'une excellente réputation professionnelle. De plus, Rose lui démontrait ainsi qu'elle tenait sa parole : elle se contentait de superviser de loin la bonne marche des affaires de Michelle.

De retour à Paris, il fallut aux trois hommes moins d'une semaine pour définir un accord satisfaisant. Monk rassembla tous les directeurs européens et leur expliqua les changements d'organisation décidés. Satisfait, il put enfin partir pour Berlin.

*

— La seule chose qu'ignorent O'Neill et Gollant, c'est la raison réelle de ces « voyages organisés », dit Monk à Warburg quand ils se rencontrèrent dans la demeure gothique du banquier. Vous devrez trouver ces gens dignes de confiance à Paris pour prendre la place de Michelle.

— Emile Rothschild et Pierre Lazard s'en tirent déjà très bien, répondit Abraham Warburg. Ils continuent à loger les réfugiés à leur arrivée. Et j'ai des amis sûrs ici également.

— Et les preuves contre Talbot ? Le temps passe, Abraham. Les nazis gagnent chaque jour en puissance. Si nous ne pouvons démasquer Talbot rapidement, il sera trop tard pour le stopper, ainsi que Hitler.

— Hélas, il est peut-être déjà trop tard, Herr McQueen. Les nazis contrôlent le gouvernement et les principales industries. Nos sources de renseignement se tarissent un peu plus chaque semaine. Ajoutez à cela la peur dans laquelle vivent nos quelques informateurs, et vous comprendrez que notre situation devient impossible.

— Alors nous la rendrons possible ! insista Monk. Steven et cette bande de salauds ont assassiné Michelle. Je veillerai à ce qu'ils soient pendus pour ça !

Warburg posa une main sur l'épaule de l'Américain.

— Nul ne partage mieux votre souffrance que moi, mon ami. Mais vous devez aussi comprendre que, dans les circonstances actuelles...

Monk comprenait très bien, mieux même qu'il ne l'aurait voulu. Mais les difficultés pour obtenir des renseignements d'Allemagne n'apaisaient en rien son désir de vengeance.

La patience restait sa seule arme. Il devait attendre que Steven commette un faux pas ou que lui, Monk, bénéficie d'un coup de chance extraordinaire. Si cette occasion se présentait, il était sûr de savoir la saisir au vol et d'en profiter au maximum.

Monk arriva à Paris la veille du jour où le *Constitution* devait appareiller du Havre. C'était la première fois depuis la mort de Michelle qu'il disposait d'une journée pour faire la paix avec lui-même.

Il déambula dans l'île Saint-Louis où il s'était promené avec Michelle, s'arrêta aux boutiques d'antiquaires et aux galeries d'art qu'elle aimait tant visiter. Puis il longea les quais de la Seine avec leurs bouquinistes avant d'errer jusqu'au Marais. Là, il s'en souvenait, Michelle lui avait raconté la Révolution française. Le crépuscule le trouva aux Halles, à contempler l'incessant ballet des camions et des chariots qui amenaient fruits, légumes, viandes et poissons de tous les coins du monde au marché en plein air.

Quand l'aube accéléra de nouveau le pouls de la ville, il traversa la Seine et entra dans un café où, une éternité plus tôt, il avait rencontré Michelle. L'endroit était semblable au souvenir qu'il en gardait, avec son long comptoir en zinc, ses tables trop petites et ses chaises cannées.

– Bonjour, monsieur.

Le serveur n'avait pas changé, lui non plus. Seulement un peu vieilli. Mais son sourire indiquait qu'il avait reconnu l'Américain.

– Un crème, s'il vous plaît.

– Un seul, monsieur ? Madame ne vous rejoindra pas ?

Alors Monk McQueen sentit quelque chose se briser en lui, et il baissa la tête sous le poids de ses larmes.

*

Blotti contre le flanc d'une montagne sur un plateau proche du village de Jarlsburg, dans le Jura souabe, la clinique Hoffmann était un des centres les plus réputés de chirurgie plastique au monde. Le bâtiment central, en forme de T, comportait trois niveaux où étaient réparties les installations chirurgicales. Des chalets privés, munis de tous les aménagements nécessaires aux patients, étaient disséminés alentour, selon un désordre savamment calculé. La clinique n'acceptait que vingt clients à la fois et, en dehors d'honoraires très sélectifs, se réservait le droit de ne prendre que des cas non désespérés. En ce qui concernait Steven Talbot, dont la demande avait bénéficié d'une priorité absolue, les chirurgiens avaient conclu qu'avec suffisamment de temps il leur serait sans doute possible de lui redonner ce que chaque être humain estime naturel : un visage.

Assis sur la terrasse, le visage protégé du soleil par un voile de coton, Steven Talbot contemplait la vallée en contrebas. Les meuglements des vaches et le tintement de leurs clochettes montaient jusqu'à lui, mais il restait peu sensible à cette ambiance bucolique. Beaucoup plus attrayant fut pour lui le grondement du moteur d'une voiture se rapprochant par la route en lacets. Depuis des mois il n'avait pas ressenti une telle excitation. Les véhicules autorisés à visiter la clinique devaient posséder un laissez-passer spécial. La Mercedes qui montait vers lui l'avait, à n'en pas douter. Les fanions sur ses ailes étaient frappés de la svastika nazie.

L'homme qui sortit de la voiture portait un long manteau de cuir noir. En repérant la silhouette assise sur la terrasse il lui adressa un signe et lui cria un salut. A cause de l'appareil dentaire qui maintenait sa mâchoire, Steven Talbot ne lui répondit pas.

Kurt Essenheimer gravit souplement les quelques marches de bois et avança vers lui, bras tendus. Steven l'arrêta net et lui montrant le tableau d'écolier sur lequel il avait écrit quelques lignes serrées à la craie.

— RAPPELEZ-VOUS : VOUS NE DEVEZ PAS ME TOUCHER ET JE NE PEUX PAS PARLER. JE DOIS TOUT ÉCRIRE MAIS J'ENTENDS, ALORS NE ME PARLEZ PAS COMME À UN ENFANT ATTARDÉ.

— Je suis content de vous revoir, mon ami, dit Essenheimer.

— VRAIMENT ? MAIS VOUS NE M'AVEZ PAS VRAIMENT VU. LE VOULEZ-VOUS ?

Essenheimer approuva sans hésiter. Il avait déjà contemplé beaucoup d'horreurs dans l'Allemagne nouvelle, dans des endroits nommés Dachau et Buchenwald, et c'est sans doute pour cela qu'il ne marqua aucune émotion quand Talbot releva son voile.

La craie grinça de nouveau sur l'ardoise.

— CETTE PETITE PUTAIN A RÉUSSI SON ŒUVRE, N'EST-CE PAS ? J'EN AI POUR DES ANNÉES, DISENT LES CHIRURGIENS. MAIS JE LA RETROUVERAI. JE ME LE SUIS JURÉ, KURT. ET CE JOUR-LÀ JE...

Le bâton de craie se brisa sur le tableau. En proie à une rage vibrante, Talbot jeta le morceau restant et le regarda rebondir sur le plancher.

Essenheimer grimaça. Si la violence ne lui était en rien étrangère, il n'aimait guère l'obsession de vengeance qui habitait Steven Talbot. Celui-ci avait pris une autre craie dans sa poche. Il essuya le panneau d'ardoise de sa manche et se remit à écrire.

— DES ANNÉES D'ENNUI ICI, KURT. MAIS NOUS SERONS TRÈS OCCUPÉS, N'EST-CE PAS ? C'EST PEUT-ÊTRE MIEUX AINSI. J'AI DONNÉ DES ORDRES STRICTS : AUCUNE VISITE SAUF VOUS OU VOS MESSAGERS. ET MÈRE, BIEN SÛR. ICI NOUS AVONS TOUTE LA DISCRÉTION NÉCESSAIRE. ALORS, RACONTEZ-MOI LES DERNIÈRES NOUVELLES.

Ils rentrèrent et s'installèrent dans des fauteuils confortables devant la cheminée. Kurt Essenheimer lui fit un récit circonstancié de tout le travail accompli et des fruits qu'il portait déjà. Tout ce dont l'Allemagne avait besoin pour préparer la guerre transitait par les filières mises en place, qui s'étendaient aussi loin que l'Afrique équatoriale et la Malaisie.

– IL SEMBLE DONC QUE LE PLAN SE DÉROULE COMME PRÉVU, écrivit Steven.

– C'est exact. Il n'y a eu qu'une petite anicroche. Sans importance, vraiment.

– QUELLE EST-ELLE ?

Essenheimer expliqua l'enquête qu'à l'évidence Monk menait depuis la mort de Michelle.

– A l'automne dernier, McQueen a rencontré le Juif Warburg. Un peu plus tard, il a rendu visite aux directeurs de plusieurs journaux importants d'Europe. Depuis, quelques journalistes sont venus fouiner à Berlin. Par chance, l'un d'eux a une grande sympathie pour Hitler et le parti. Il m'a dit que McQueen cherche à prouver que vous approvisionnez la remilitarisation allemande par l'intermédiaire de Global. Risible, n'est-ce pas ? Comme si ce McQueen pouvait espérer percer nos dispositifs de sécurité !

Steven ne partageait pas l'insouciance d'Essenheimer. Il connaissait beaucoup mieux McQueen que l'Allemand.

– OÙ SE TROUVE MCQUEEN, ACTUELLEMENT ?

– Il est retourné aux États-Unis, ainsi que sa fille adoptive. Il ne peut rien contre nous.

Steven marcha nerveusement devant le tableau d'ardoise, puis il se mit à écrire.

– NE LE SOUS-ESTIMEZ PAS. IL EST INTELLIGENT, PLEIN DE RESSOURCES, ET DÉTERMINÉ. QU'IL SOIT À CINQ MILLE KILOMÈTRES NE DOIT PAS NOUS FAIRE NÉGLIGER LA MENACE QU'IL REPRÉSENTE.

– Ne vous inquiétez pas, s'empressa de répondre Essenheimer. Vous savez que nous avons des amis en Amérique. Ils garderont un œil sur lui.

Steven se détendit un peu, mais il n'était pas rassuré pour autant. Pour l'instant, McQueen était simplement gênant, mais plus tard il pouvait devenir une menace réelle. Steven se promit de penser à un plan décisif au cas où le journaliste se ferait trop dangereux.

A présent, pourtant, il était beaucoup plus important d'expliquer à Essenheimer ce qu'il voulait obtenir à Londres.

Éberlué, le nazi relut plusieurs fois la demande de Talbot.

– Pour arriver à cela, nous risquons de griller notre agent le plus efficace à Londres, objecta-t-il enfin.

Des éclats de craie volèrent contre l'ardoise quand Steven inscrivit une réponse rageuse.

– LE FÜHRER M'A TOUJOURS FOURNI CE DONT J'AVAIS BESOIN !

– Mais pourquoi ce renseignement est-il si important ?

– JE N'AI PAS À VOUS L'EXPLIQUER ! TRANSMETTEZ MES INSTRUCTIONS À VOTRE AGENT.

Essenheimer haussa les épaules. Inutile de discuter. Néanmoins il jugea utile de préciser certaines réalités à Talbot.

– J'aurai sans doute quelques difficultés à convaincre nos services de renseignement de faire ce que vous demandez. Et il y a le problème du risque que nous prendrions à contacter notre agent. En fin de compte, c'est lui qui décidera quand et comment agir.

– PARFAIT.

★

– Je crois cette paix honorable...

– Quel abruti! gronda Monk en éteignant le gros poste de radio RCA.

Il était assis avec Cassandra dans le salon de l'appartement de Carlton Towers. Ils avaient écouté la déclaration à la BBC du Premier ministre anglais Neville Chamberlain, de retour de Munich. Chamberlain s'était vanté d'avoir accompli une excellente manœuvre diplomatique auprès de Hitler. Comme si l'acceptation de l'annexion par le dictateur allemand d'un tiers de la Tchécoslovaquie représentait une victoire.

– Ça veut dire qu'il va y avoir la guerre? demanda Cassandra.

Par la fenêtre elle regarda les teintes rousses qui marquaient les frondaisons de Central Park sous le soleil de septembre. Devant une vue aussi agréable, il lui était presque impossible d'envisager la possibilité d'une guerre.

– C'est possible, ma chérie, répondit Monk à contrecœur. Plus Hitler prend de territoires, plus il en veut. Un jour quelqu'un devra bien l'arrêter.

Il songea à Abraham Warburg et se demanda quelles épreuves traversait son ami. Au printemps 1938, après l'Anschluss, Monk l'avait instamment prié de quitter l'Allemagne. Les nazis avaient nationalisé sa banque, mis ses avoirs sous séquestre, et même réquisitionné sa maison. Mais Warburg refusait de fuir.

« L'Allemagne, avait-il écrit à Monk, est au bord d'une catastrophe morale. Je ne peux abandonner ceux qui risquent d'être balayés dans la tourmente qui se prépare. »

McQueen avait tenté de convaincre Warburg qu'il risquait fort lui-même de faire partie de ces victimes, mais le banquier était déterminé à rester pour combattre.

Monk jeta un coup d'œil à Cassandra. Assise dans un fauteuil, jambes repliées sous elle, la jeune fille se mordillait la lèvre inférieure avec une expression maussade.

– Qu'est-ce qui ne va pas, ma chérie?

Cassandra hésita un peu avant de répondre.

– Tout le monde parle de guerre en ce moment. Même à l'école. J'ai des amis qui pensent que Hemingway et ceux qui sont partis combattre en Espagne sont des héros, et d'autres qui disent que l'Amérique ne devrait pas se mêler de la prochaine guerre en Europe. C'est comme ça qu'ils l'appellent: « la prochaine ».

– Et tes études, au fait ? Où en es-tu ? fit Monk pour changer de sujet.

Toute trace de morosité s'envola du visage de Cassandra.

– Je pense me spécialiser en économie quand j'entrerai au collège.

Monk eut une mimique étonnée.

– Je veux être aussi douée que Maman, expliqua la jeune fille avec enthousiasme. Je veux qu'elle soit fière de moi.

Dès son retour à New York, Cassandra avait su qu'elle avait fait le bon choix. Avec son ambiance électrique, Manhattan avait chassé sa tristesse. Ici elle se sentait en sécurité, et elle ne regardait plus par-dessus son épaule quand elle se promenait dans les rues. Elle avait la gentillesse d'Abilene pour lui tenir chaud au cœur, et l'amour de Monk quand il rentrait.

Pourtant, malgré les deux ans écoulés, le cauchemar vécu à Paris rôdait toujours en elle. Il suffisait d'une odeur ou d'un bruit particulier – le cri d'un enfant dans le parc, la pétarade d'une automobile au démarrage – pour la faire sursauter. Elle s'en voulait d'être aussi vulnérable et assaillait Monk de questions sur le seul homme qui, elle le pensait, pourrait éteindre à jamais cette terreur lovée en elle.

– Pourquoi la police n'a-t-elle pas encore retrouvé Harry Taylor ? Où peut-il s'être enfui ?

– On ne le retrouvera sans doute jamais, répondait Monk. Les catacombes sont très dangereuses, tu le sais. Quand on s'y perd, on en ressort rarement. Et nous savons qu'il était blessé...

Il préférait ne pas évoquer les désaxés qui hantaient les catacombes. Comme l'inspecteur Savin, il pensait qu'Harry avait été leur victime.

Sous le feu roulant de ses questions, il lui raconta la carrière de Harry Taylor chez Global, comment son ambition avait fini par causer sa perte. Il lui expliqua aussi le long conflit qui avait opposé Michelle et Rose.

– Maintenant, je comprends mieux pourquoi Maman parlait aussi peu d'elle.

– Rose a rendu ta mère très malheureuse. Elle avait ses propres rêves et ceux-ci n'incluaient pas Michelle.

– Pourtant elle semble si gentille, si généreuse.

Depuis qu'elle avait organisé le retour de la jeune fille aux États-Unis, Rose l'appelait régulièrement pour prendre de ses nouvelles.

– Au fond d'elle-même, sans doute, avait murmuré Monk. Parfois nous agissons mal pour des raisons qui nous semblent parfaitement justes. Ce n'est que plus tard que nous découvrons la naïveté et la folie de nos mobiles, et comment nous avons blessé les autres. Ta mère et Rose auraient pu devenir des amies. Je vais te montrer pourquoi je dis cela.

Il avait pris dans son bureau les cahiers où Michelle avait noté tous les faits importants, depuis son arrivée à New York jusque quelques jours avant sa mort.

— Lis bien ces cahiers. Et souviens-toi que les temps comme les personnes changent. Je crois que Rose avait reconnu ses erreurs et voulait les racheter. Et si elle n'a jamais eu la chance de le faire avec ta mère, je pense que c'est ce qu'elle veut faire avec toi.

Cassandra était à la fois fascinée et horrifiée par ce qu'elle lisait. Parfois son cœur se serrait à certains passages, quand Michelle livrait ses espoirs et ses rêves. A lire ces phrases simples, elle vivait les souffrances endurées par la disparue et se demandait comment elle avait pu triompher de telles épreuves.

Certaines références à Rose éveillaient une colère étrange chez Cassandra, mais elle s'aperçut vite de l'admiration secrète que sa mère lui avait portée et de tout ce qu'elle avait appris d'elle. Assez en tout cas pour l'affronter le moment venu et refuser d'abandonner à Rose ce qu'elle avait édifié, songea la jeune fille en lisant le passage concernant les négociations de Michelle pour l'opération des chèques de voyage.

Cassandra trouva dans ces cahiers des points de repère qui lui révélèrent la vie d'une femme qu'elle connaissait à peine mais qui avait joué un rôle déterminant dans la vie de sa mère. Un jour elle demanda à Monk ce qu'il était advenu de la grande compagnie créée par Michelle.

— Elle est à toi, ma chérie, lui répondit-il avec un sourire. Ou plutôt elle le sera vraiment dans quatre ans, à ton vingt et unième anniversaire. Deux des meilleurs experts de Rose l'ont sous tutelle jusque-là, et crois-moi elle et moi surveillons de près ce qu'ils en font.

Cassandra réfléchit un moment à cette révélation, et son esprit passa à un autre sujet :

— Et Steven ? Je sais que tu ne le prends pas pour un héros, comme tous les autres.

— Steven est très loin, et jamais il ne reviendra.

— Est-ce qu'il a quelque chose à voir avec la mort de Maman ?

— Je ne sais pas, ma chérie.

Cassandra lut le chagrin dans les yeux de Monk et jugea préférable d'abandonner le sujet. Pour l'instant.

*

Des trois pièces formant l'étage de l'appartement au Carlton Towers, Cassandra avait fait son domaine. Elle avait accroché les trésors artistiques de sa mère aux murs, et les quelques photographies qu'elle possédait trônaient sur les étagères. Après quelques semaines elle était capable de les contempler sans ressentir de tristesse.

Le collège l'aida beaucoup à sortir de sa coquille. Comparée à la discipline stricte de l'éducation religieuse en France, la liberté relative de ce type d'établissement fut pour elle un véritable élixir. Et le paternalisme bougon de Monk devant ses premiers flirts l'emplit d'une joie malicieuse.

– Bon, il est temps que j'aille travailler, annonça Monk un soir, après que son chevalier servant eut raccompagné Cassandra chez elle.

Comme en écho à ces paroles, l'horloge du salon égrena les douze coups de minuit.

– Je peux venir avec toi?

Cassandra adorait l'ambiance survoltée qui régnait à *La Sentinelle*. Quand Monk l'y avait amenée la première fois, toute l'équipe du journal avait tenu à venir la saluer pour la mettre à l'aise.

– A cette heure il n'y a personne, ma chérie. Je veux juste lire les derniers câbles arrivés d'Europe. Rien de très exaltant. Et puis, il faut que tu te reposes.

Malgré ces excuses anodines, Cassandra savait que Monk se rendait au journal pour prendre connaissance des messages d'Abraham Warburg. Peu après la mort de Michelle, Monk lui avait expliqué ce que sa mère avait fait. Cassandra avait été abasourdie d'apprendre le nombre de vies que sa mère avait aidé à sauver, les sacrifices qu'elle avait consentis. *Des gens que je traitais presque avec mépris*, se souvint la jeune fille avec une poussée de honte rétrospective.

Si seulement je pouvais lui dire maintenant combien je m'en veux de cette attitude. Peut-être, si elle m'avait dit la vérité...

Mais Cassandra savait qu'il était inutile de s'appesantir sur les erreurs passées. Elle préféra se joindre aux groupes qui se formaient pour prévenir le danger que représentait Adolf Hitler, et elle eut plus d'une discussion houleuse avec ceux qui prétendaient que la guerre n'aurait pas lieu. En ce qui la concernait, Cassandra était persuadée que son père combattait déjà quand il partait ainsi en pleine nuit.

48

Les préparatifs pour la guerre s'effectuaient sur différents fronts, dont celui très discret des agents secrets, traîtres et autres tueurs à gages. Sir Dennis Pritchard ne savait rien de ce monde. Pourtant il devint une de leurs cibles.

Pritchard considérait la serre installée derrière son cabinet médical comme une oasis où il aimait à se ressourcer après avoir supporté la vue de la table d'opération ensanglantée. Le chirurgien effleura de l'index le velours d'une rose.

– Bonjour, Sir Dennis.

Pritchard sursauta et fit volte-face pour découvrir un jeune homme blond de grande taille, les mains enfoncées dans les poches de sa gabardine.

– Comment diable êtes-vous entré ici ? Mon infirmière n'est pas encore arrivée et...

– Docteur Pritchard, je suis venu pour un certain dossier, fit l'inconnu avec une pointe d'accent irlandais. (Il posa un papier sur la table.) Ce dossier, pour être précis.

Le médecin fronça les sourcils en lisant le nom.

– C'est une plaisanterie ? Cet homme est mort depuis des années...

– Mais vous avez toujours son dossier, n'est-ce pas ?

Le médecin sentit l'irritation le gagner.

– Je crois que vous feriez bien de déguerpir avant que je n'appelle la police, jeune homme.

– En fait, je suis certain que vous avez toujours ce dossier, poursuivit l'autre sans marquer la moindre réaction. Voyez-vous, j'ai pris la liberté de fouiller votre cabinet, et il ne s'y trouve pas. Je me suis alors dit : un camarade aussi consciencieux que ce bon vieux Dennis doit ranger quelque part ses archives... J'ai donc fouillé aussi le local où vous les entreposez. Hélas, mes recherches sont une fois encore restées vaines. Ce qui signifie que vous conservez ce dossier dans un endroit très, très spécial. Je me trompe ?

– Sortez d'ici ! s'écria le médecin.

Il ne vit pas le mouvement tant il était rapide, mais l'instant suivant il se retrouvait un bras dans le dos, maintenu par une poigne de fer.

– Londres a besoin de tous ses chirurgiens, Dennis. Ce serait dommage de priver la ville de l'un des meilleurs...

L'inconnu remonta un peu l'avant-bras de Pritchard, et celui-ci retint un cri de douleur.

– Je pense toujours que ce dossier se trouve ici, fit l'homme, du même ton calme. Et avant que vous ne disiez autre chose qui risque de me vexer un peu plus, entrons dans votre cabinet pour passer un coup de fil.

Poussant le médecin devant lui, l'homme le mena dans la pièce voisine.

– Maintenant, regardez bien le numéro que je compose...

Horrifié, Pritchard reconnut celui de son domicile. L'homme lui colla le récepteur contre l'oreille.

– Écoutez...

– Dennis ! Dennis c'est toi ? Chéri, que se passe-t-il ? Il y a des hommes ici...

Pritchard serra les mâchoires en entendant le cri d'effroi de sa femme. Il ne pouvait supporter l'idée de ce qui se passait peut-être chez lui en ce moment.

— Mes associés ne feront aucun mal à votre charmante épouse, Dennis. A moins, bien sûr, que vous ne jugiez ce dossier plus important que sa vie.

— Je vais vous le donner! fit aussitôt le chirurgien.

— Alors allons-y, Dennis.

Assuré de sa coopération, l'inconnu lui lâcha le bras et Pritchard alla jusqu'à un meuble bas près de son bureau. Il en ouvrit le tiroir supérieur qu'il délogea de ses rails. Derrière se trouvait un petit coffre-fort dont il composa la combinaison d'une main tremblante. La porte s'ouvrit et il pêcha un épais dossier bleu.

Vu la rapidité à laquelle il le parcourut, il était clair que l'homme cherchait un document précis. Il parut le trouver assez vite car un sourire satisfait accrocha ses lèvres un instant.

— Vous avez agi sagement, Dennis, fit-il. A présent je vais respecter moi aussi ma part du marché : votre femme n'aura aucun problème. Mais vous devriez peut-être rentrer chez vous. Il se peut qu'elle ait besoin d'un calmant.

— Qui êtes-vous? tenta Pritchard.

— Quelqu'un qui reviendra vous rendre visite si vous parlez à la police ou à toute autre personne. Oubliez notre rencontre, Dennis. Si quelqu'un vous demandait ce dossier, dites qu'il a été égaré ou détruit depuis longtemps. Ainsi vous accroîtrez vos chances de vivre vieux et prospère.

L'homme disparut aussi soudainement qu'il était apparu. Il prit un train puis un ferry pour traverser la mer d'Irlande. Il espérait que Berlin serait satisfait. Depuis dix-huit mois les nazis le harcelaient pour qu'il remplisse cette mission, mais il en avait eu plusieurs autres entre-temps. Pourtant il ne comprenait toujours pas l'intérêt que pouvait représenter le dossier médical d'un homme mort depuis plusieurs années.

*

Rose Jefferson faisait partie de la très petite minorité qui jugeait une Seconde Guerre mondiale inévitable. Durant tout l'automne 1938, elle fit de fréquents voyages à Washington pour s'entretenir avec les secrétaires de la Défense et de l'Économie, et plusieurs fois même avec le président Roosevelt. Global Entreprises correspondait exactement à son nom : c'était devenu un empire financier, commercial et industriel s'étendant sur le monde entier. Or le gouvernement n'ignorait pas que tous ces bateaux, chemins de fer et usines que contrôlait Rose seraient indispensables pour la nation en cas de conflit. Sans parler de l'immense pouvoir financier qu'elle représentait.

Rose était également membre des différentes commissions qui étudiaient les événements européens pour y adapter la position de la nation. Après la Nuit de Cristal, le 9 novembre 1938, où des bandes de nazis attaquèrent des Juifs et leurs commerces, Rose pesa de toute son influence pour obtenir un droit d'immigration total pour tous les Juifs qui voulaient quitter l'Allemagne et venir aux États-Unis. Mais bon nombre des membres du cabinet de Roosevelt qualifièrent ce pogrom de simple incident. Rose suggéra alors à Monk de trouver un moyen pour que tous les employés juifs de Global puissent quitter rapidement l'Europe, en commençant par l'Allemagne.

— Nous avons pris les devants, lui dit Monk avec un léger sourire.

Parce qu'il restait incertain de sa réaction, il ne lui avait jamais soufflé mot de la filière imaginée par Michelle et Abraham Warburg en Allemagne. Rose fut à la fois stupéfaite et pleine d'admiration devant l'action humanitaire de Michelle. En écho, elle proposa aussitôt quelques innovations.

— Nous pourrions recruter des gens chez Global et les envoyer en stage de formation aux États-Unis...

Monk approuva l'ingéniosité de l'idée et la communiqua à Warburg. Le banquier la mit très vite en application.

Pendant l'été 1939 et contre l'avis de ses conseillers, Rose fit un dernier voyage en Europe. Malgré un itinéraire très chargé, elle passa tout d'abord par la Suisse et se rendit en tout premier lieu à la clinique Hoffmann.

Elle aurait préféré que son fils fût soigné à New York, mais les plus grands spécialistes se trouvaient en Suisse, et en particulier le meilleur de tous : Joachim Hoffmann.

Celui-ci l'accueillit avec déférence.

— Nous avons beaucoup progressé, lui assura-t-il. Mais comme je vous l'ai dit à l'admission de votre fils, rien ne peut remplacer le temps.

— Puis-je le voir ? Je veux dire : le voir vraiment ?

A sa dernière visite, le visage de Steven était encore entouré de bandages. A présent elle ne savait à quoi s'attendre.

— Je ne vous le conseillerai pas, répondit Hoffmann avec fermeté. Steven sait que sa guérison a avancé; nous, ses médecins, le savons également. Mais vous auriez l'espoir de voir un visage que vous connaissez... Non, il vaut mieux ne pas brusquer les choses, madame Jefferson. Pour le bien de tous.

Elle monta jusqu'à son chalet. Steven était sur le balcon. Il portait une casquette maintenant un voile autour de son visage. Quand elle arriva au pied de l'escalier, il descendit jusqu'à elle.

— Bonjour, Mère.

Sa voix s'était faite un peu plus rauque. Rose était paralysée par l'incertitude de ce qu'elle pouvait faire ou non. Pourtant, quand il approcha, elle tendit impulsivement les mains vers lui. Steven lui saisit les poignets.

— Non, Mère. Vous ne devez pas toucher mon visage.

Rose retint les larmes qui lui montaient aux yeux.

— Je comprends, chéri.

Il lui offrit son bras.

— Si nous allions nous promener un peu? C'est le moment le plus agréable de la journée, quand le soleil disparaît peu à peu derrière les montagnes.

Steven l'emmena sur un sentier sinueux jusqu'à un petit lac. Des bancs avaient été placés ici et là pour permettre aux malades de se reposer.

— Vous auriez dû me prévenir de votre arrivée, Mère, dit Steven.

— Je... Je voulais te faire la surprise.

— Et c'en est une.

Rose remarqua la sécheresse de son intonation. Parfois, selon le jeu de la lumière sur le voile, elle entrevoyait des taches de chair rouge.

— Comment allez-vous? demanda-t-il.

— Bien. Et toi?

— Je vais de mieux en mieux, Mère. Et je redeviendrai tel que j'étais avant.

L'espoir de Rose fut décuplé par la détermination qui faisait vibrer la voix de son fils.

— Parlez-moi de Global... et de New York. Ici on ne sait pas grand-chose de ce qui se passe dans le reste du monde.

Tout d'abord, Rose s'en tint à quelques propos généraux. Elle était très impressionnée par la maîtrise et le calme presque distant de son fils. Peu à peu elle en vint à lui dire tout ce qu'il voulait savoir sur Global. Elle parla de Monk McQueen et de l'accord passé pour les chèques de voyage, elle lui décrivit avec enthousiasme les décisions prises par les commissions dont elle faisait partie à Washington.

— Washington... dit-il d'un ton rêveur. Cela semble fascinant...

Sans le savoir, Rose lui livra bien des secrets jusque après le coucher du soleil.

— Mais je suis là à pépier comme un oiseau et je t'ai à peine laissé parler, finit-elle par dire, un peu embarrassée.

— Non, Mère, je vous assure. Et puis je ne dois pas parler trop longtemps. La peau doit se fixer aux muscles, sinon...

— Bien sûr, répondit Rose avec précipitation.

— Quelle destination prendrez-vous ensuite, Mère?

— Berlin d'abord. Ensuite Rome, Amsterdam et Paris. Nous fermons toutes nos agences de chèques de voyage. Monk et moi nous sommes accordés pour ne pas laisser les employés plus longtemps dans une situation à risques.

– Sage précaution, commenta-t-il d'un ton neutre. Et Harry Taylor? A-t-on des nouvelles?

– Non, et en ce qui me concerne, Harry Taylor est mort dans les catacombes et il est allé directement en enfer. Je ne lui pardonnerai jamais ce qu'il t'a fait. Jamais.

Steven était au courant de la récompense officieusement offerte par sa mère pour la capture de Taylor. Chaque jour il s'était attendu à apprendre dans un journal son arrestation, et avec Essenheimer ils avaient défini un plan d'action s'il devait être retrouvé vivant un jour, plan qui garantissait le silence éternel de Harry Taylor. Mais il doutait à présent, puisque même la pègre de l'Europe n'avait pas réussi à le localiser, malgré la récompense, que nul n'y parvienne jamais.

Steven prit la main de sa mère. Il savait l'effet garanti.

– Donnez-moi le temps nécessaire, Mère. Je me remettrai, vous verrez.

– Je suis prête à te donner tout ce dont tu as besoin, murmura Rose.

Comme vous l'avez toujours fait... songea-t-il ironiquement en la raccompagnant à la limousine. Il était impatient de voir l'expression de Kurt quand il lui rapporterait tous ces détails sur la politique du gouvernement américain.

Alors qu'elle montait dans la voiture, il demanda à sa mère, d'un ton détaché :

– Vous avez revu Cassandra?

La question la surprit une seconde, puis elle sourit.

– Oui. En fait, nous nous rendons visite assez régulièrement. C'est une jeune fille ravissante, tu sais. Franklin aurait été fier d'elle.

– Je n'en doute pas, murmura Steven.

Il retourna au balcon de son chalet et suivit des yeux la limousine qui s'éloignait. Quand elle ne fut plus qu'un point, il rejeta la tête en arrière et poussa un hurlement de joie féroce.

Sa mère était encore plus stupide qu'il ne l'avait cru. Il lui suffisait de se retourner pour voir par la fenêtre du salon son bureau. Et sur le sous-main de cuir le dossier médical de Franklin Jefferson, avec le nom de Sir Dennis Pritchard sur la couverture.

Oui, Mère, vous êtes vraiment stupide...

49

Le 3 septembre 1939 éclatait la « drôle de guerre ». Des sous-marins allemands coulaient le bateau britannique *Athena* au large de l'Irlande, précipitant la France et l'Angleterre dans l'affrontement contre l'Allemagne.

— Dieu merci, nous avons rapatrié tous nos employés, dit Monk à Cassandra. Hitler ne fera qu'une bouchée de l'Europe.

Hélas, ses prédictions ne furent pas démenties. A l'automne 1940, la France, la Belgique, les Pays-Bas, le Danemark, la Norvège et la Roumanie avaient capitulé devant la machine de guerre allemande qui paraissait invincible. Cassandra avait pleuré en voyant des bandes d'actualité montrant les forces hitlériennes défilant sous l'Arc de Triomphe. Elle ne pouvait croire à l'attitude des États-Unis face à la guerre.

— Ils ne voient donc pas ce qui se passe ? Si nous n'entrons pas dans le conflit, l'Angleterre cédera bientôt, elle aussi.

Monk était du même avis. Jour et nuit il rédigeait des articles et des appels à l'intervention américaine. Mais il rencontrait une opposition non négligeable : l'ancien président Herbert Hoover, Henry Ford et Charles Lindbergh s'étaient faits les chantres de l'isolationnisme.

Cassandra s'investissait autant que son père. Elle traduisait les écrits de Monk en français, en allemand, en italien et en espagnol. Ces versions étaient ensuite transmises par des circuits clandestins dans l'Europe occupée où ils étaient imprimés dans les journaux, les tracts et les pamphlets de la Résistance.

— Jusqu'à quand allons-nous attendre pour intervenir ? s'exaspérait Cassandra tandis que la Bataille d'Angleterre faisait rage.

— Jusqu'à ce qu'une catastrophe nous touche suffisamment pour que nous ne puissions plus ignorer la réalité.

Le 7 décembre 1941, trois cent soixante avions de combat japonais attaquaient Pearl Harbor. Pour les États-Unis, le temps de la non-ingérence était révolu.

*

La neige recouvrait les montagnes autour de la clinique suisse, ouatant le paysage. A l'intérieur du chalet, un feu agréable crépitait dans la cheminée.

— Ce que vous demandez est réalisable, Steven, dit Essenheimer. Mais le risque est énorme, en particulier en ce moment, alors que la guerre atteint une phase critique. S'il arrivait autre chose que ce qui est prévu à notre « traître » et aux renseignements qu'il transportera, ce serait l'arrêt de mort de toute notre organisation.

— Mais si nous n'agissons pas, l'arrêt de mort n'en est pas moins probable, répliqua Steven du coin de pénombre où se trouvait son fauteuil. McQueen n'a jamais cessé de fouiner, de chercher la preuve de mes liens avec le Reich. Jusqu'ici nos services de sécurité n'ont pas failli, mais nous avons eu beaucoup de chance. Avec Hitler bloqué sur deux fronts, certains pourraient se persuader que l'Allemagne ne vaincra pas. Et ils essaieront alors de se trouver un sauf-conduit, par exemple des documents à vendre en échange de leur pardon, afin d'échapper à la curée qu'ils pressentent. Avec ses contacts de haut niveau, Monk McQueen sera certainement quelqu'un qu'ils tenteront d'approcher... (Steven se tut quelques secondes, puis reprit, de la même voix froide :) Et il y a une autre raison. Tant que les États-Unis restaient en dehors du conflit, ce que je faisais – si on l'avait découvert – n'aurait été jugé que comme une pratique commerciale peu recommandable. J'aurais sans doute été très critiqué, Mère aurait tout fait pour nous briser, mais rien de plus. A présent les États-Unis sont en guerre, Kurt, et je collabore avec l'ennemi. Cela fait de moi un traître, et vous savez le sort qu'on réserve aux traîtres...

Un long moment, les deux hommes contemplèrent en silence la danse des flammes dans l'âtre.

– Nous n'avons pas le choix, Kurt. Nous savons que McQueen continuera toujours le travail de Michelle. Le moment est venu de l'arrêter.

Essenheimer alluma une cigarette et jeta l'allumette dans le feu.

– Très bien. Nous allons mettre en œuvre votre plan. Mais il nous faudra quelque temps pour régler tous les détails. Nous sommes en février... disons dans trois mois.

Steven allait objecter mais il comprit l'immensité de la tâche qu'allait affronter son ami. A la réflexion, lui-même n'aurait pas exigé un délai moins long.

– Parfait. Trois mois. Tenez-moi au courant, Kurt. Et n'oubliez pas : rien ne doit être laissé au hasard. Rien.

*

Cent jours plus tard, en mai 1942, un jeune homme aux cheveux bruns coupés en brosse et à l'allure raide d'officier entra dans un immeuble de la Bahnhofstrasse, à Zurich. Au sixième étage, il le savait, se trouvaient les bureaux du Service international d'aide aux réfugiés. Il savait également que cette organisation assumait bien des activités humanitaires. Mais derrière cette façade se cachait un réseau d'aide aux ennemis du nazisme remarquablement structuré, efficace et étendu à toute l'Europe.

Le Service international d'aide aux réfugiés était une arme de plus dans la panoplie des Alliés, et deux hommes y consacraient leurs efforts et leur ingéniosité : Monk McQueen à New York, et Abraham Warburg à Zurich.

L'homme monta au sixième étage et demanda à parler au banquier.

– Je suis désolée, nous n'avons aucun Herr Warburg ici, lui répondit aimablement la réceptionniste. Mais un des administrateurs pourra peut-être vous renseigner ?

L'officier sortit alors un fin dossier à couverture rouge sombre de sa mallette. Il le posa sur le comptoir, et la jeune femme vit qu'il était scellé à la cire et marqué de l'emblème de la SS.

— Donnez ceci à Warburg, dit-il. Et dites-lui de ne pas me faire perdre mon temps.

La réceptionniste, qui était juive, frissonna au ton glacial de l'officier. Elle avait déjà vu des hommes comme lui, à Berlin, et elle en gardait un très mauvais souvenir.

— Si vous voulez bien attendre une minute...

L'officier s'assit sur une des chaises et fuma une cigarette tranquillement. Il l'avait à peine terminée que la réceptionniste reparaissait.

— Si vous voulez bien me suivre.

Elle l'introduisit dans un bureau dont les fenêtres ouvraient sur la Bahnhofstrasse. Le mobilier était des plus réduits. Sur le bureau était posé un téléphone. Un classeur métallique occupait un coin de la pièce.

Warburg lui tournait le dos. Il pivota, le dossier à la main, et l'officier nota que le sceau en était brisé.

— Un réel plaisir de vous rencontrer, Herr Warburg, dit-il.

— Qui êtes-vous ? s'enquit le banquier.

— Colonel Gunther Von Kluge, attaché à l'Inspection générale au ministère des Finances, à Berlin.

Il lui tendit des cartes d'identification que Warburg examina très attentivement. Le banquier avait un flair particulier pour déceler les faux, et ces papiers ne l'étaient pas, il le sut aussitôt.

— Que puis-je pour vous ?

Von Kluge désigna le dossier du menton.

— Cela devrait vous être évident.

— Vous êtes dans un bureau d'aide aux réfugiés, colonel. Les documents dans ce dossier se réfèrent à un Américain nommé Talbot et à ses transactions avec l'Allemagne. Je crois que vous vous êtes trompé de personne en venant me voir...

Von Kluge s'assit sur une chaise et croisa les jambes.

— Saviez-vous que la Gestapo avait arrêté trois hommes la semaine dernière ?

Il donna les noms et vit avec satisfaction une pâleur soudaine envahir le visage du banquier.

— Ils ont été emmenés à Buchenwald. A l'heure actuelle ils sont morts, selon toute probabilité. Et savez-vous pourquoi, Herr Warburg ? Parce qu'ils ont tenté de voler les papiers que vous avez en main à présent.

Warburg sentit une soudaine froideur le long de sa colonne vertébrale.

— Je sais ce que vous et Monk McQueen cherchez, poursuivit Von Kluge du même ton détaché. Voyez-vous, c'était mon travail de m'assurer que vos amis n'approchent pas de ces documents. Mais maintenant vous pouvez tout avoir.

— Qui êtes-vous ?

— Un homme réaliste, Herr Warburg. L'offensive de Hitler contre la Russie l'année dernière a été une erreur fatale. A présent, l'Allemagne aura un besoin accru de ravitaillement. Si je vous donne les preuves que Steven Talbot convoie toutes ces matières premières pour le Reich, vous pourrez l'arrêter et ainsi resserrer un peu la corde qui étrangle déjà le Führer. C'est ce que vous désirez, n'est-ce pas ?

— Pourquoi faites-vous cela ?

— Je n'ai aucune envie d'être enterré sous les décombres de l'Allemagne. C'est pourquoi je vous propose ce marché : les renseignements incriminant Talbot contre un sauf-conduit pour les États-Unis et un million de dollars.

— C'est absurde !

— C'est donné, rétorqua Von Kluge. Oh, et une autre chose : je ne traiterai qu'avec McQueen en personne, ici à Zurich... C'est à prendre ou à laisser. Alors, Herr Warburg, poursuivons-nous cette conversation ?

Lentement, le banquier fit le tour de son bureau pour s'asseoir. Von Kluge resta impavide, mais il savait que la première partie du plan était accomplie. Steven Talbot serait content.

*

Cassandra sentit le changement immédiatement. Elle prenait le petit déjeuner avec Monk sur la terrasse, au milieu des géraniums, des roses et de la vigne vierge. L'excitation de Monk rendait l'air électrique.

— Que se passe-t-il ? demanda-t-elle joyeusement en déposant un baiser sur sa joue.

— Les nouvelles de cette nuit. On dirait bien que Hitler s'est attaqué à un morceau un peu trop dur. Les Russes ont déclenché une contre-offensive.

Cassandra pencha la tête, intriguée. Elle savait que Monk ne lui mentait pas, il en était incapable. Mais il ne lui disait pas tout.

— Rien d'autre ?

Elle le vit chercher les mots.

— Rien d'aussi dramatique.

La jeune fille abandonna le sujet. En temps voulu, elle saurait de quoi il retournait.

Mais de ce jour l'atmosphère dans l'appartement changea. Monk devint de plus en plus préoccupé. Il passait beaucoup de temps à Washington et, quand il revenait (souvent pour simplement se changer avant de repartir), il éludait toutes les tentatives de sa fille pour en savoir plus.

Un matin, Cassandra s'éveilla en sursaut. Des voix lui parvenaient de la terrasse. Elle se glissa hors du lit et enfila une chemise de nuit confortable en flanelle sans cesser de tendre l'oreille. La conversation avait cessé, mais elle perçut le grincement de pieds de chaises sur les dalles. Monk était revenu de Washington et prenait son petit déjeuner avec quelqu'un. Cassandra se brossa les dents et s'aspergea le visage d'eau, puis elle sortit sur la terrasse.

— Eh bien, il était temps que tu...

Ses lèvres formèrent un cercle parfait et elle se tut en voyant l'inconnu. Il était plus grand qu'elle et sans doute plus âgé de quelques années. Elle lui donnait vingt-cinq ans. Ses cheveux noirs et bouclés encadraient un visage volontaire illuminé par des prunelles d'un vert magnétique. Malgré son nez cassé et la fine cicatrice blanche qui se détachait sur sa joue gauche, il se dégageait de lui un charme indéniable.

— Bonjour, dit-il d'une voix au timbre profond. Je m'appelle Nicholas Lockwood.

— Cassandra McQueen, balbutia-t-elle.

— Monk m'a beaucoup parlé de vous.

— Je vois que vous avez fait connaissance, dit Monk en arrivant sur la terrasse avec un plateau chargé de tout le nécessaire pour un copieux petit déjeuner.

Cassandra se hissa sur la pointe des pieds pour l'embrasser et en profita pour lui chuchoter à l'oreille :

— Qui est-ce ?

— Tu nous accompagnes ? proposa Monk à haute voix.

En s'asseyant, Cassandra sentit la flanelle qui se tendait sur ses formes et elle se rappela qu'elle était nue sous la fine toile. Aussi discrètement que possible elle réarrangea le vêtement.

— J'ai rencontré Nicholas à Washington, dit Monk en servant le café. Il travaille au Département d'État.

Ce qui n'était qu'une demi-vérité. Car Lockwood était sous les ordres directs du général « Wild Bill » Donovan, le fondateur de l'Office des services stratégiques. L'OSS était à la fois le service de renseignements américain et celui des opérations spéciales. Lockwood était un de ses premiers membres.

— Nicholas et moi partons pour l'Europe la semaine prochaine, annonça Monk d'un ton négligent.

— Où ?

— Zurich, fit Lockwood. Il y a là-bas une organisation nommée le Service international d'aide aux réfugiés. Des écrivains et des journalistes de renom, que les nazis aimeraient beaucoup capturer, ont réussi à fuir en Suisse. Si notre gouvernement voulait les faire venir ici officiellement, il rencontrerait des problèmes insurmontables. Mais si *La Sentinelle* les embauche pour leurs qualités professionnelles...

— C'est une très bonne idée, dit-elle avec enthousiasme.

Lockwood fut heureux de voir que la jeune femme acceptait ce

384

pieux mensonge. Lui-même n'avait reçu que des instructions assez vagues pour cette mission : accompagner McQueen en Europe et s'assurer qu'il revienne sain et sauf avec ce qu'il devait y trouver. Monk lui avait simplement dit qu'il avait découvert un moyen de priver le Troisième Reich d'un approvisionnement en matières premières vital. Mais il ne lui avait pas fait part des conséquences de cette action : en ruinant l'organisation parallèle de Steven, Monk porterait peut-être un coup mortel à Global, et donc à Rose. Cela Lockwood l'ignorait, mais le fait qu'il soit engagé pour cette mission lui prouvait toute son importance stratégique, et cela lui suffisait.

— Quand partez-vous ? demanda Cassandra.

— Dans cinq jours, répondit Monk avant de se tourner vers le jeune homme. Et cela signifie que je ferais bien de régler tous les détails.

Les deux hommes finirent rapidement leur café et se levèrent.

— C'était un plaisir de vous rencontrer, Mr. Lockwood, dit la jeune fille en souriant. Peut-être l'aurai-je à nouveau ?

Il lui sourit également, et elle en fut curieusement émue.

— Vous pouvez y compter.

— Je m'en souviendrai, fit-elle sur le ton de la plaisanterie.

— J'y compte bien aussi.

*

Le clipper de la Pan American les amena à Lisbonne. Grâce à leurs papiers de la Croix-Rouge, ils purent sans difficulté passer la frontière et remonter en France jusqu'à Vichy où, deux jours plus tard, ils prirent un train qui les transporta jusqu'en Suisse. Arrivés à Zurich, ils se rendirent directement au Service international d'aide aux réfugiés.

— Il serait préférable que je rencontre le directeur seul, dit Monk quand ils entrèrent dans le bureau de Warburg.

Lockwood accepta à contrecœur et le banquier le conduisit dans le hall d'entrée. Lockwood s'assit dans un coin en retrait tandis que Warburg revenait auprès de Monk et faisait entrer Von Kluge dans le bureau. Le journaliste contempla un instant l'homme qui pouvait briser une des familles les plus puissantes des États-Unis.

— Herr McQueen, fit l'Allemand en tendant la main, c'est un plaisir. Votre réputation vous précède.

— Comme la vôtre, répondit sèchement Monk.

— J'ose espérer que vous avez amené ce qui était convenu ?

Sans un mot, l'Américain lui donna une enveloppe. A l'intérieur se trouvaient une lettre du secrétaire de la Défense garantissant au porteur l'entrée aux États-Unis et un chèque certifié d'un million de dollars tiré sur le compte personnel de Monk.

— Excellent, commenta Von Kluge.

— A votre tour.

L'Allemand ouvrit sa mallette et en sortit un dossier.

— Les derniers états de l'organisation, comme promis.

Monk jura doucement en parcourant des yeux les contrats d'affrètement. Il avait toujours douté de Von Kluge : le revirement de l'homme était trop beau pour ne pas lui paraître suspect et, s'il désirait ardemment faire tomber Steven, Monk n'en gardait pas moins sa prudence. Mais ce qu'il voyait maintenant était indiscutable : malgré toute son intelligence et sa méfiance, Steven avait signé de sa propre main des documents qui pouvaient causer sa perte.

— Cela vous satisfait-il, Herr McQueen ?

Monk acquiesça.

— Dans ce cas, j'ai une surprise pour vous.

L'Allemand exhiba une clef de coffre.

— Puisque je savais qu'il me serait impossible de retourner dans mon pays, j'ai pris quelques autres petites choses qui vous intéresseront, je n'en doute pas. Elles sont en sécurité dans la banque de l'autre côté de la rue. Si vous n'y voyez pas d'objection, je vais aller les chercher.

— Faites donc, Herr Von Kluge. Nous sommes intéressés par tout ce que vous pourrez nous montrer.

Avec un demi-tour très militaire, l'Allemand sortit du bureau. Alors qu'il passait dans le hall il ne remarqua pas le jeune homme qui l'étudiait d'un regard perçant, le visage à demi-caché par une revue. Par cet instinct que sa formation lui avait permis de développer, Lockwood sut immédiatement que c'était l'homme que devait rencontrer Monk.

— Eh bien, nous y voici, murmura Warburg.

Il avait pensé qu'il ressentirait une grande joie et il n'éprouvait soudain qu'une sensation de vide. Il venait de se rendre compte que les épreuves ne faisaient que commencer pour l'Américain.

— Ce qu'a fait Steven est réellement ingénieux, observa Monk. Sans ce Von Kluge, jamais nous n'aurions pu le démasquer... Avez-vous idée de ce qu'il est parti chercher à la banque ?

Warburg secoua la tête.

— Non, mais quoi que ce soit je suis certain que cela intéressera Washington.

*

Von Kluge traversa la rue et se rendit directement à la banque de Crédit suisse. Mais il n'alla pas au bureau où se trouvait l'employé responsable des coffres. Il se plaça derrière un homme qui attendait à la caisse, une mallette posée à ses pieds. L'inconnu termina son opération et sortit de la banque. Sans la mallette. Von

Kluge discuta deux minutes avec l'employé au sujet de l'ouverture d'un compte avant de partir lui aussi. Avec la mallette.

Quelques minutes plus tard l'Allemand était de retour à l'étage où se trouvaient les bureaux du Service international d'aide aux réfugiés. De nouveau il ne prêta pas spécialement attention au jeune homme assis dans un des fauteuils de l'entrée. Leurs regards se croisèrent pourtant et Lockwood sourit poliment avant de détourner les yeux. Personne ne l'observant, Von Kluge glissa la mallette derrière l'énorme pot d'une plante verte, juste à l'extérieur du bureau de Warburg.

Lockwood laissa passer cinq secondes et jeta un coup d'œil négligent sur le hall. Il repéra Von Kluge qui rebroussait chemin d'un pas nerveux.

Où va-t-il maintenant? Peut-être a-t-il oublié quelque chose...
Mais l'instinct de Lockwood était en alerte. Il avait remarqué les gouttes de transpiration sur le front de l'Allemand et sa démarche pressée. L'Allemand se retenait pour ne pas courir. Lockwood bondit de sa chaise et se hâta à sa suite, mais la porte de l'ascenseur se refermait sur Von Kluge quand il arriva.

Sans perdre une seconde l'Américain retourna dans le bureau de Warburg. Ils examinaient des documents éparpillés sur le bureau.

— Le type avec qui vous avez discuté, que voulait-il?
Monk McQueen et le banquier le dévisagèrent sans comprendre.

— De quoi parlez-vous? fit Monk. Il est sorti et n'est pas encore revenu.

— Il était à la porte de votre bureau il y a une minute! Il est passé devant moi avec une mallette...
La mallette! L'homme ne l'avait plus en repartant!
Lockwood se rua hors du bureau et regarda autour de lui. Il vit aussitôt la mallette posée derrière la plante. Et le fil électrique coincé dans la serrure.

— Une bombe! rugit-il. Tout le monde dehors!
Warburg sortit du bureau, livide.

— Faites partir tout le monde, vite!
Dans le bureau, Monk ramassait les papiers épars et les fourrait dans une chemise-accordéon.

— Pas le temps! hurla Lockwood.
McQueen prit les derniers documents au moment où le jeune homme le saisissait par le bras et le propulsait vers le hall avec une force étonnante.

Ils coururent vers la sortie derrière Warburg et les employés affolés.

L'explosion fut d'une puissance terrifiante. Des éclats de bois et de verre sifflèrent dans l'air, et les machines à écrire et les téléphones se transformèrent en projectiles mortels. Nicholas se jeta sur Monk pour le protéger de son corps. Mais il ne fut pas assez rapide. Le souffle de feu les submergea.

*

Étourdi mais intact, Nicholas se redressa en titubant. Pour se coucher aussitôt sur Monk dont les vêtements brûlaient. La déflagration avait ravagé tout le hall et une muraille de feu bloquait l'accès aux ascenseurs. Plusieurs autres corps jonchaient le sol, mais Lockwood ne pouvait s'en occuper. La seule issue possible était l'escalier de l'autre côté du hall. Il passa un bras sous les aisselles de Monk et le releva en ahanant.

Atteindre la porte de l'escalier fut un supplice interminable. L'air surchauffé était irrespirable, et le corps de McQueen d'une lourdeur désespérante. Quand enfin il repoussa le panneau d'un coup de pied, Nicholas était à bout de forces. Ils roulèrent tous deux sur le palier.

La poitrine de Monk se soulevait à un rythme de plus en plus lent, et sa peau avait pris la teinte grisâtre de l'agonie. Nicholas se pencha sur lui, prêt à lui faire une respiration artificielle qu'il devinait inutile. Mais les mots torturés jaillirent des lèvres du mourant et il se figea :

— Les documents... montrez-les seulement à Rose. Il faut... arrêter Steven...

Dans la rue, le hululement des sirènes des pompiers se rapprochait.

— Tenez bon, Monk!

— A Rose...

Les vitres explosèrent toutes en même temps. Lockwood se protégea le visage des deux bras contre la pluie de verre. Quand il regarda de nouveau Monk McQueen, ce dernier avait cessé de vivre.

Nicholas desserra doucement ses doigts et prit la chemise-accordéon. Il hésita une seconde devant le sacrilège d'abandonner un homme mort, puis il se remit debout et descendit l'escalier.

*

Les bûches craquaient dans la cheminée et l'odeur du feu se mariait à merveille avec celle du vieux calvados que savourait Steven Talbot. Il était neuf heures et il écoutait le bulletin d'informations de la radio. Il ne retint rien des derniers développements internationaux, mais son attention s'aiguisa aussitôt que le présentateur aborda les nouvelles locales.

Le sujet le plus important du jour était l'incendie qui avait ravagé les trois étages supérieurs d'un immeuble de Zurich, dans la Bahnhofstrasse. Neuf personnes avaient péri dans le sinistre, au nombre desquelles le célèbre journaliste américain Monk McQueen et Abraham Warburg, directeur du Service international d'aide aux réfugiés. C'est d'ailleurs dans les bureaux de cette organisation, au sixième étage, que le feu s'était déclaré. Des témoins affirmaient avoir entendu une explosion juste avant l'incendie, et les autorités enquêtaient sur une éventuelle fuite de gaz.

Steven leva son verre dans un toast silencieux. Son plan avait fonctionné parfaitement. En un seul coup il avait éliminé Monk McQueen et le Juif Warburg. Von Kluge, qui avait lui-même fabriqué la bombe, lui avait assuré que pas un morceau de papier ne réchapperait de l'explosion de la charge incendiaire. Ce point avait été une source d'angoisse pour Steven, car il avait convaincu Essenheimer que Warburg comme McQueen ne se laisseraient pas berner par des faux. Il avait donc fallu appâter le banquier avec les vrais documents portant la signature de Steven, documents que le journaliste avait vus lui aussi.

Le risque était énorme, mais il avait payé. L'organisation qu'il avait créée pourrait continuer à livrer à l'Allemagne nazie les matières brutes indispensables à son effort de guerre. En contrepartie, Steven verrait sa fortune secrète s'agrandir encore, ainsi que sa puissance.

A présent, il pouvait rentrer aux États-Unis.

Steven Talbot prit un miroir et observa ses traits. C'était un geste qu'il répétait cent fois par jour. Sa peau était rouge, légèrement luisante, et totalement dépourvue de pilosité. Les cicatrices au coin de ses yeux les bridaient très légèrement. Sur le bord des joues une cicatrice rectiligne allait de la tempe à la mâchoire. Il releva ses cheveux et examina la masse informe qui avait été une oreille. Les chirurgiens avaient fait de leur mieux. Il leur avait fallu cinq ans pour lui redonner un visage. Pourtant, quel que soit l'éclairage il semblait toujours sorti tout droit d'un cauchemar d'enfant.

— Le moment de payer est venu, dit-il à haute voix.

A cet instant, il imagina la souffrance de Cassandra et s'en délecta.

— Je t'ai pris Monk, dit-il doucement, et maintenant je vais t'enlever le reste.

50

Personne n'accueillit Nicholas Lockwood quand il descendit du clipper de la Pan American à Port Washington cet après-midi de juin. Pour ses supérieurs, il ne devait arriver que le lendemain.

Il prit le train jusqu'à Penn Station et de là déambula dans la ville. L'activité de New York l'emplit d'un étrange sentiment de décalage. A son esprit étaient encore trop présents les visages effrayés des réfugiés passant la frontière espagnole, l'arrogance des fonctionnaires de Vichy, la précision brutale des gardes-frontière allemands...

Alors qu'il traversait Central Park d'un pas fatigué, il se sentit très seul. Il leva les yeux vers le Carlton Towers et sa petite valise lui parut soudain très lourde.

*

Elle était aussi belle que dans son souvenir, mais la tristesse avait fait pâlir son visage et agrandi ses yeux. Lorsqu'elle posa son regard sur lui, l'agent de l'OSS perçut toutes les questions qu'elle retenait, et, au-delà, les accusations qu'elle n'osait formuler.

— Entrez, je vous en prie.

Elle le conduisit sur la terrasse où, une éternité auparavant lui semblait-il, tous trois avaient pris le petit déjeuner.

— Quand l'avez-vous appris ? demanda Nicholas.

Cassandra contempla le parc où venaient de s'allumer les réverbères en ce début de soirée.

— Le jour où mon père est mort, Jimmy Pearce, son rédacteur en chef, est venu. Dès que je l'ai vu j'ai compris...

Elle se retourna vers lui.

— Il a souffert ?

Lockwood secoua la tête.

— Qui êtes-vous vraiment ? dit-elle avec une certaine brusquerie. Jamais il ne m'a parlé de vous.

— Je sais que ce n'est pas une consolation, éluda Nicholas, mais je peux vous dire qu'il a accompli ce qu'il était allé faire.

— Et qu'était-ce ?

Nicholas se rembrunit.

— Je ne peux vous dire qu'une chose : c'était très, très important.

Les yeux de Cassandra brillèrent de colère.

— C'est ce que tout le monde dit ! Jimmy a appelé Washington tous les jours, il a fait jouer ses contacts à la Maison-Blanche, mais personne ne semble rien savoir. Pour l'amour de Dieu ! Monk avait déjà eu sa guerre ! Pourquoi l'avez-vous lancé dans celle-ci ?

Elle savait ses paroles injustes mais elle n'en avait cure. Que pouvait comprendre Nicholas Lockwood, cet étranger, de ce qu'on avait arraché à sa vie ?

— J'ai le droit de savoir, dit-elle.

— C'est vrai, et je vous dirai tout dès que je le pourrai, je vous le promets... Avez-vous vu votre tante ?

– Rose ? Oui, elle est venue ici dès qu'elle a été au courant. Elle s'est montrée très gentille. Elle m'a demandé si je désirais quelque chose...

– Et vous désirez quelque chose ?

– Oui. Des réponses.

– J'étais avec lui lorsque c'est arrivé. J'ai essayé de le sauver mais j'ai échoué. (Il baissa la tête.) Peut-être aurais-je dû tenter autre chose...

Cassandra le vit lutter avec les mots. Il était déchiré entre l'envie de lui en dire assez pour l'apaiser, ce qui revenait à trahir ses ordres, et la peur de la laisser ainsi.

– Excusez-moi, dit-elle, mais il était tout ce que j'avais et personne ne veut me dire pourquoi il est mort.

Nicholas ouvrit sa valise et plaça sur la table l'étui à cigares en cuir de Monk, sa montre de gousset et quelques autres effets personnels.

– J'ai pensé que vous aimeriez les avoir. Le reste sera renvoyé ici avec sa dépouille.

Ses doigts effleurèrent le dossier à l'intérieur de la valise, et il lui fallut toute sa force de volonté pour ne pas le sortir.

– Je dois partir, à présent. Je vous appellerai de Washington. Quand je reviendrai, je...

– Non, coupa Cassandra, la gorge serrée. Pas tant que vous ne serez pas prêt à tout me dire.

– Je n'avais pas l'intention d'agir autrement, assura-t-il d'un ton paisible.

★

Trois semaines après la mort de Monk McQueen, Steven sonna à la porte de Talbot House.

– Bonsoir, Albany. Mère est là ?

Steven ricana devant l'expression horrifiée du serviteur. Il s'était maintenant habitué à cette réaction incontrôlable quand on découvrait son visage. D'abord la surprise, puis la peur et le dégoût.

– Mr. Steven ?

– Oui, c'est moi, Albany, fit-il en passant le seuil. Le nouveau Steven.

En domestique accompli, Albany se reprit très vite.

– Si Monsieur veut attendre ici, je vais aller prévenir Madame votre mère.

Steven inspira profondément et regarda autour de lui. Ces lieux étaient chargés de tant de souvenirs... Talbot House avait été la demeure de son père, et bientôt elle lui reviendrait.

– Steven !

– Bonsoir, Mère.

Rose eut un sursaut et ralentit inconsciemment son pas. Le visage de son fils ressemblait à un masque rose et brillant collé sur ses os.

Regarde-le normalement, se dit-elle. *Ne le fixe pas. Approche-toi et embrasse-le.*

— Vous ne paraissez pas très heureuse de me voir, observa Steven.

— Non, ce n'est pas cela, répondit Rose en riant nerveusement, je ne m'attendais pas à ce que tu surgisses ainsi à l'improviste et...

Elle se força à lever une main pour caresser la joue de Steven.

— Je vais bien, Mère. Je suis complètement guéri.

Il appuya son visage sur sa main, et Rose dut maîtriser un mouvement de recul. La texture de sa peau était élastique et morte, comme celle d'une poupée de plastique mou. Ce n'était pas un contact humain.

— Alors viens, dit-elle en feignant l'entrain. Tu dois avoir faim. Si j'avais su... Mais ce n'est pas grave, tu peux te joindre à nous. Albany ajoutera ton couvert.

Steven suivit sa mère dans la bibliothèque. Il ne put ignorer son port toujours souple et sa beauté que les ans ne fanaient pas. Il n'y avait rien d'étonnant à ce que la moitié des officiers de Washington la redoutent et l'autre soit à ses pieds.

Mais pourquoi est-elle aussi nerveuse ?

— Vous avez du monde à dîner, Mère ? fit-il avant qu'ils ne passent dans la salle à manger. Si ce sont vos amis du Capitole je devrais peut-être faire un brin de toilette...

Il passa la porte de communication et se figea. Assise au bout de la longue table en merisier se trouvait Cassandra McQueen.

*

C'était la troisième visite de Cassandra à Talbot House en un peu plus de deux semaines. Depuis la mort de Monk, Rose lui avait téléphoné chaque jour pour s'assurer qu'elle allait bien. Malgré la présence d'Abilene et les fréquentes visites de Jimmy Pearce et d'autres membres de *La Sentinelle*, la jeune femme était pleine de reconnaissance envers Rose pour son soutien. Elles avaient passé de longues heures ensemble, à égrener les souvenirs de cet homme qui avait tant compté pour elles. Par Rose, Cassandra découvrit une facette de Monk dont il n'avait jamais parlé — son amour adolescent pour Rose, l'aide qu'il lui avait apporté pendant son mariage avec Simon Talbot. Rose lui raconta également le refus qu'elle avait opposé à ses avances.

— Ne fais jamais cette erreur, avait-elle conclu. Ne passe pas à côté de l'amour en croyant qu'il reviendra ou que tu peux vivre sans lui.

Chaque fois qu'elle était venue à Talbot House, Cassandra avait pensé que Rose essayait de se racheter de son hostilité envers Michelle. Jusqu'au moment où Steven pénétra dans la salle à manger.

*

— Cassandra, quelle agréable surprise...

Steven sourit en voyant la peur emplir les yeux de la jeune femme. Son retour allait être encore plus plaisant qu'il ne l'avait rêvé.

— Steven...

Albany vint porter un whisky-soda à son maître. Steven brandit le verre de cristal dans la lumière du lustre.

— Dieu merci, certaines choses ne changent pas! Vous ne pouvez vous imaginer combien il est difficile de trouver un bon whisky, de nos jours... Cheers!

— Je crois que je ferais mieux de partir, murmura Cassandra en repoussant sa chaise.

Elle avait l'impression d'étouffer et elle s'était mise à trembler, comme si Steven apportait avec lui l'atmosphère sépulcrale des catacombes.

— Pas à cause de moi, j'espère? fit Steven d'un ton plaisant. Vous n'avez pas encore dîné, ma chère...

— Tu sais ce qui est arrivé à Monk, lui dit Rose.

Steven acquiesça.

— Oui. Tragique histoire...

— Ça a été très difficile pour Cassandra. Pour nous deux, en fait. Pourtant cela nous a rapprochées l'une de l'autre...

— Mais c'est magnifique! lança-t-il sans pouvoir dissimuler le sarcasme de sa voix.

— Steven.

Il s'appuya sur la table et ses doigts tambourinèrent sur le bois ciré.

— Mère, fit-il d'une voix devenue soudain coupante, que diriez-vous si je vous apprenais que Cassandra n'est pas de notre famille?

— Je dirais que tu es fatigué et que tu ne sais plus ce que tu racontes, rétorqua sèchement Rose.

— Et si je vous affirmais avoir la preuve qu'oncle Franklin ne peut pas avoir été son père?

La fourchette de Cassandra claqua sur la table et elle frappa le meuble du poing.

— Comment osez-vous proférer des telles insanités!

De la poche intérieure de sa veste, Steven sortit une feuille de papier et la tendit à sa mère. Son regard se riva à celui de Cassandra.

— C'est un des documents figurant dans le dossier médical de

Franklin. La liste de ses maladies infantiles... parmi lesquelles figurent les oreillons. Et savez-vous ce que les oreillons peuvent provoquer, Cassandra? La stérilité. Et Franklin Jefferson était stérile. Il n'est pas votre père parce qu'il ne pouvait être le père d'aucun enfant.

— C'est faux!

Rose posa une main sur le bras de la jeune femme.

— Où as-tu eu cela, Steven?

— En Europe, j'ai entendu des rumeurs insistantes sur la liaison de Michelle avec un autre homme. Apparemment ils se sont aimés un certain temps, même après qu'elle a épousé Franklin. Je savais qui était son amant, mais je ne pouvais le prouver. Avant de revenir ici je suis passé par Londres où j'ai persuadé Pritchard de me laisser consulter le dossier médical de Franklin. Quand j'ai vu qu'il avait eu les oreillons et que les propres tests de Pritchard révélaient son infertilité, j'ai compris que les rumeurs étaient fondées...

— Menteur! cracha Cassandra.

— Non! cria Steven en retour. C'est vous qui vivez dans le mensonge! Et qui nous avez fait vivre dans ce même mensonge! Vous n'appartenez pas plus à notre famille que votre catin de mère!

Cassandra se dégagea de la poigne de Rose et lança un lourd verre à eau vers Steven. Mais son geste était trop coléreux pour être précis. Le verre passa à droite de l'épaule de Steven et explosa sur le sol. Il eut un sourire venimeux et dit d'une voix suave:

— Cela ne change pas le fait que Monk McQueen était votre véritable père.

— Ça suffit! s'écria Rose en dardant un regard enflammé à son fils. J'ai à te parler en privé, Steven!

— Bien sûr, Mère.

Il la regarda passer un bras autour des épaules de Cassandra et la guider hors de la pièce. Quand elles furent parties, il caressa du bout des doigts la texture maintenant familière de sa peau. Cassandra avait payé.

*

Rose Jefferson dut fournir un effort considérable pour dominer sa fureur et brider le flot d'interrogations qui l'obsédaient. Elle fit prévenir le chauffeur et apaisa autant qu'elle le pouvait Cassandra. Quand la jeune fille monta dans la limousine, elle retourna dans la maison.

Franklin avait bien eu les oreillons, elle s'en souvenait. Et sa guérison avait pris un temps anormalement long. Était-il possible que Franklin n'ait jamais rien su de sa stérilité? Que personne n'en ait jamais rien su?

Mais pourquoi aurait-on soupçonné une telle chose ? se dit-elle. Il était tellement plein de vitalité...

Pour l'instant néanmoins, d'autres questions attendaient une réponse. Elle entra dans la salle à manger, mais Steven était passé dans la bibliothèque. Elle y pénétra à son tour et claqua la porte derrière elle.

— Pourquoi as-tu fait cela ?

Steven leva les yeux de l'alcool qu'il s'était servi.

— Vous me croyez, n'est-ce pas ?

Comme elle ne répondait pas, il ajouta :

— Oui, vous me croyez... Je suis désolé d'avoir anéanti vos illusions, d'autant plus que vous et Cassandra deveniez de bonnes amies...

— Tu n'as pas répondu à ma question, rappela Rose, impassible devant l'ironie de son fils.

— Je pensais que c'était l'évidence même. Les prétentions légales de Michelle concernant Global reposaient entièrement sur le fait qu'elle était la femme de Franklin. A sa mort elle a légué ses biens à quelqu'un que nous pensions être leur fille. Mais Cassandra ne peut pas être la fille de Franklin. Donc nous pouvons faire invalider l'héritage et récupérer les chèques de voyage qui retourneront à Global Europe.

— Et je suppose que tu as l'intention de continuer à diriger cette branche de la compagnie ?

La causticité de la question déstabilisa Steven.

— Bien sûr. Pourquoi ?

— Eh bien tu te trompes.

Les glaçons tintèrent dans le verre quand il le posa sur la table.

— Je vous demande pardon ? fit-il d'une voix rauque.

— Tu m'as bien entendue.

Avec un calme glacial, Rose énuméra tout ce qu'elle connaissait des liens secrets entre son fils et les nazis. Elle nomma les compagnies écrans, le nombre exact de leurs bateaux, leur fret et leurs fournisseurs. Elle cita Kurt Essenheimer comme étant le lien entre lui et le Reich et fit une estimation très juste de ce que lui avait rapporté sa félonie.

Steven était abasourdi par l'ampleur de ce qu'elle savait. L'esprit en déroute, il cherchait à comprendre comment elle avait pu obtenir toutes ces informations.

Zurich !

C'était la seule explication possible. Ainsi, malgré les dires des journalistes et de ses propres agents, l'incendie qui avait dévasté le Service international d'aide aux réfugiés n'avait pas tout détruit. Les documents destinés à appâter Monk avaient échappé au brasier, et Rose était au courant.

Il fut tenté de bluffer pour se dégager de cette situation, de tout nier en bloc. Mais un simple coup d'œil à sa mère le convainquit de l'échec certain de cette manœuvre.

— Non seulement tu as trahi ton pays et la compagnie, Steven, dit-elle, tu m'as trahie aussi. Sais-tu ce qui pourrait arriver à Global, étant donné ses contrats avec le gouvernement et ma participation aux commissions présidentielles, si l'on apprenait tes véritables activités ? Mon Dieu, quand je pense à tout ce que je t'ai révélé des décisions politiques prises à Washington... Tu as tout raconté à Essenheimer, n'est-ce pas ?

Le silence de Steven était éloquent.

Rose fut soudain au bord des larmes.

— Mais pourquoi ? Pour l'amour de Dieu, Steven, pourquoi as-tu fait cela ?

Il sentit la peau de son visage se tendre sur les os, comme chaque fois que la colère montait en lui.

— Regardez-vous, Mère, siffla-t-il. Je suis très exactement ce que vous avez fait de moi. J'ai bien retenu vos leçons. Seul le pouvoir compte. Eh bien, maintenant nous l'avons !

— Vraiment ?

— Bien sûr. Personne n'a à savoir ce que j'ai fait. Les nazis vont perdre la guerre, mais entre-temps nous pouvons gagner des millions de dollars ! Et l'empire invisible que j'ai bâti survivra à la défaite allemande. Après la guerre, nous serons plus puissants que jamais !

— Et Cassandra ? s'enquit Rose. Quelle place a-t-elle dans ton plan ?

— Aucune. Nos avocats se chargeront de l'écarter.

Rose posa ses deux mains à plat sur la table et se pencha légèrement vers son fils.

— Tu as dit ce que tu avais à dire. A mon tour. J'ai déjà décidé de ce que tu allais faire. Dieu me pardonne de ne jamais avoir vu ce que tu devenais. C'est un fardeau que je devrai porter le restant de ma vie. Mais tu en auras ta part. Tu as trahi ton pays, Steven, et c'est pourquoi à partir de maintenant tu le serviras. Je vais t'obtenir un poste de non-combattant aussi loin qu'il est possible de l'Allemagne, de Global et de Cassandra. Au Japon. Quant à ce que tu appelles ton « empire », je vais le démanteler pièce par pièce. Tu n'avais raison que sur un point : personne ne saura jamais ce que tu as fait. Mais il est hors de question que je t'autorise à poursuivre cette infamie.

Le visage de Steven vira au pourpre.

— Vous n'oseriez pas faire cela ! Vous ne le pouvez pas !

— Je le peux et je vais le faire, répondit-elle, imperturbable.

— Mais... Et s'il m'arrivait quelque chose ? Je suis votre seul descendant ! Votre chair et votre sang !

— La chair et le sang, oui. Mais pas l'âme. Quant à ma famille, Steven, elle compte aussi Cassandra. C'est vrai, il semble que Michelle ait caché la vérité sur le véritable père de sa fille. Mais elle a agi ainsi parce qu'elle s'en sentait le devoir. Elle avait peur que je réagisse exactement comme tu le voudrais : en la dépossédant de tout ce qu'elle avait créé. Je ne le ferai pas, Steven. Tout ce qui appartenait à Michelle reviendra à Cassandra.

Elle s'arrêta, avant d'ajouter, d'une voix parfaitement calme :

— Quant à toi, je vais te déshériter. Puisque je ne pourrai jamais plus avoir confiance en toi, tu peux oublier l'existence de Global : tu n'y auras plus aucun rôle.

*

Plusieurs heures plus tard, Rose se rendit dans la serre, s'assit dans un fauteuil et attendit. Tout le monde était couché, y compris Steven, ce qu'elle avait vérifié par prudence. Seule dans le silence de la nuit, elle entendait le sang qui battait à ses tempes.

La porte donnant sur le jardin s'ouvrit sans bruit et une silhouette se glissa à l'intérieur de la serre.

— Mr. Lockwood ? s'enquit Rose.

Nicholas avança dans la lumière.

— Lui avez-vous parlé ? dit-il.

— Oui.

— Et ?

— Je lui ai dit que je savais tout, que lui et Essenheimer étaient finis. J'ai ajouté que je veillerais à ce qu'il soit affecté dans le Pacifique et qu'il n'ait aucun rapport d'aucune sorte avec Global.

Lockwood resta silencieux.

— C'est ce que vous vouliez, n'est-ce pas ?

— Oui.

Tout d'abord Nicholas avait été incapable de saisir l'ampleur de la trahison perpétrée par Steven Talbot. Étant d'une loyauté scrupuleuse envers l'OSS, il avait été tenté de négliger la prière de Monk et de donner les documents à ses supérieurs. Steven Talbot aurait été jugé pour intelligence avec l'ennemi, et il aurait selon toute probabilité payé le prix ultime. Mais les dernières paroles de Monk l'avaient fait hésiter, et il avait réfléchi à un compromis acceptable pour sa conscience.

McQueen n'avait pas dit « donnez » mais « montrez ».

Nicholas avait très bien perçu la nuance. Pourquoi un homme à l'agonie utiliserait-il ses dernières forces pour faire ce genre de distinction ?

Parce que Monk ne faisait pas entièrement confiance à Rose Jefferson.

Rose devait être mise au courant de l'infamie de son fils, mais c'était à Nicholas, grâce aux documents qu'il garderait, que reviendrait la tâche de s'assurer que Rose mettait bien un terme aux activités de Steven.

— Êtes-vous satisfait de la façon dont j'ai rempli ma part de notre marché, Mr. Lockwood ?

– Oui.

– Et j'ai votre parole que vous honorerez la vôtre ?

– J'ai déjà dit à mes supérieurs que ce que Monk était allé chercher à Zurich avait été détruit dans l'incendie. Ils n'ont aucune raison de ne pas me croire. Je conserverai les documents en lieu sûr. Si quoi que ce soit devait m'arriver, je vous promets qu'ils seraient transmis à Washington.

– Je m'en doutais, dit Rose. Et je vous fais confiance. Vous n'êtes pas un adepte du chantage, je le sais.

– Il y a une chose que vous ne m'avez pas dite, fit Nicholas. Steven a-t-il admis qu'il était au courant pour la bombe de Zurich, a-t-il reconnu que l'assassinat de Monk faisait partie de ses plans ?

Rose détourna les yeux, peinée.

– Je n'ai pas pu me résoudre à le lui demander. Parce que je sais que, s'il est capable d'avoir pour amis des gens comme Kurt Essenheimer, il ne recule certainement pas devant le meurtre. Et c'est une constatation contre laquelle je suis désarmée, Mr. Lockwood. Une plaie vive... (Elle se tourna vers lui.) Voilà. Vous vouliez votre livre de chair, vous l'avez.

*

Après le départ de Lockwood, Rose monta dans ses appartements et s'enferma dans la pièce qui lui tenait lieu de bureau. Les coudes appuyés sur sa table de travail, la tête entre les mains, elle se laissa aller pendant un court instant à la douleur que les derniers événements avaient fait naître en elle. La douleur et les doutes.

Toute mon existence j'ai voulu protéger et développer ce qui m'avait été légué. Ai-je donc eu tort ? Y avait-il autre chose à faire de plus important ?

Mais elle chassa rapidement cette inhabituelle vague de sentimentalité. A cinquante-deux ans, elle ne pouvait pas plus changer le passé que revivre ces années écoulées. Elle devait régler le problème posé par son fils maintenant, et elle allait le faire.

Son instinct lui disait que Steven avait participé d'une façon ou d'une autre à la mort de Monk. Mais était-ce tout ? Dans quels autres « accidents » avait-il pu être impliqué ?

Elle repensa à l'enlèvement de Cassandra et à la mort – ou à l'assassinat ? – de Michelle. La détermination de son fils à contrôler Global Europe et à cacher ses alliances secrètes avait-elle pu le pousser à supprimer quelqu'un qui risquait de le démasquer ? Le visage contrefait de Steven s'imposa brutalement à son esprit, et elle frissonna.

J'ai peur... Je suis terrifiée par mon propre fils !

Mais aussitôt un sursaut de colère chassa ce sentiment.

Je dois apprendre s'il a un lien quelconque avec l'enlèvement de

*Cassandra et la mort de Michelle. Et si c'est le cas, alors je dois pro-
téger Cassandra... Et Harry? Ce pauvre Harry qu'on n'a jamais
retrouvé... Il est la clef de cette énigme, c'est lui que je dois rechercher. Il est le seul qui sache exactement ce qui s'est passé dans les
catacombes...*

Elle prit son stylo et baissa les yeux sur le testament posé devant
elle. Sa main fut saisie d'un tremblement incontrôlable quand elle
voulut rayer le nom de Steven. Posant le stylo, elle enfouit son
visage dans ses mains et pleura sans bruit.

51

La scène se répétait inlassablement dans son esprit, comme un
film projeté en boucle : l'apparition de Steven à Talbot House, son
visage cauchemardesque, ses affirmations qui s'étaient plantées
dans son cœur comme des dards empoisonnés.

Ce n'est pas vrai! se répétait-elle sans cesse comme un exor-
cisme. Allongée sur son lit, dans l'obscurité de sa chambre, elle ne
pouvait s'en convaincre pour une seule raison : Rose ne l'avait pas
appelée. Se pouvait-il qu'elle crût le venin distillé par son fils?

Et moi?

La question tourbillonnait dans l'esprit de Cassandra. Monk
était-il son vrai père? Et si oui, pourquoi Michelle lui avait-elle
caché la vérité?

*

Assise seule à la table qui pouvait accueillir vingt personnes,
Cassandra tourna et retourna un long moment l'enveloppe que lui
avait remise Charles Portman, l'avocat de Monk McQueen. Enfin
elle trouva le courage de la décacheter.

Elle en sortit la vingtaine de feuilles de papier très fin couvertes
de l'écriture serrée du journaliste. L'encre était un peu décolorée,
le papier vieux de vingt ans avait jauni, mais c'était indubitablement rédigé de la main de Monk.

« Ma fille chérie... »

Elle ne put retenir une exclamation de chagrin mais poursuivit
sa lecture :

« Tu ne peux imaginer combien il nous a été difficile, à ta mère
comme à moi, de ne pas te dire la vérité. Mais nous avions des raisons pour agir ainsi, et nous espérons de tout notre cœur que tu
feras de ton mieux pour les comprendre. Jamais nous n'avons
voulu te faire du mal, jamais... »

Monk ne dissimulait rien. Il parlait d'un temps durant lequel, dans les turbulences où se débattait Michelle, ils étaient devenus amants.

« Non pas parce qu'elle avait moins besoin de Franklin, mais parce qu'elle avait besoin de notre amour... »

Page après page, Monk lui expliquait les terribles batailles légales qui avaient suivi la présentation du codicille par Michelle, jusqu'à la décision judiciaire de lui accorder l'exclusivité des chèques de voyage.

« Elle s'est battue moins pour elle-même que pour toi... »

Les révélations de Monk répondaient à toutes les questions que Cassandra s'était posées tout au long des années : pourquoi sa mère parlait-elle si peu de Franklin, pourquoi existait-il si peu de photos d'eux ensemble, pourquoi gardait-elle si jalousement ses distances avec Rose. Un jour, Michelle avait été capable de tout expliquer à Monk.

Cassandra posa le dernier feuillet sur les autres. Elle comprenait tant de choses, à présent. Et que cet homme qu'elle avait tellement aimé soit son père véritable emplissait son cœur d'une fierté sans pareille. Tout l'amour du monde ne le ramènerait pas à la vie, mais maintenant au moins elle pourrait pleurer sa disparition comme elle le devait.

★

Lorsque le corps de Monk fut ramené de Zurich, Cassandra se rendit seule au port pour le réclamer. Ensuite elle s'occupa des funérailles avec l'aide de Jimmy Pearce, avant d'aller voir Rose à Talbot House.

— Je ne peux pas te dire la honte que je ressens après la façon dont Steven s'est comporté, lui dit Rose. Mais tu ne dois pas t'inquiéter : il partira très bientôt...

Cassandra perçut la peine qu'éprouvait Rose dans sa voix. Quelque chose de terrible avait dû arriver dans la maison, et elle hésita à faire ce qu'elle était venue faire. Enfin elle tendit à Rose la lettre de Monk.

Quand celle-ci eut terminé la lecture de cette confession en règle, elle releva les yeux vers la jeune femme.

— Pourquoi me l'as-tu montrée ?

— Pour que nous sachions la vérité toutes les deux. En dehors de la manière dont Steven voulait se servir de ce qu'il savait, il avait raison. Monk était mon père.

— Et tu ne crains pas que je porte l'affaire devant la justice pour récupérer l'affaire des chèques de voyage ?

— Même si vous n'aviez pas cru Steven, vous auriez enquêté pour effacer le doute, répondit Cassandra avec sérénité. Et vous auriez fini par être confrontée au même choix. Voulez-vous vraiment me déposséder de ce que ma mère m'a laissé ?

Rose eut un sourire chargé d'affection et de tristesse.

– Ta mère et moi avons eu nos batailles. Il n'est jamais bon de répéter les erreurs. Je ne compte pas le faire avec toi.

*

Sans le flot ininterrompu des nouvelles relatives au conflit mondial, la révélation de la véritable identité de Cassandra aurait sans doute fait la une des journaux. Néanmoins la jeune femme dut éviter quelques reporters avides de détails, envoyant à son avocat ceux qui osaient l'appeler chez elle.

Charles Portman lui avait lu le contenu du testament de Monk, qui était assez simple. Le disparu lui léguait tous ses avoirs, y compris l'appartement de Carlton Towers, à l'exception d'une belle somme pour la brave Abilene. La gestion quotidienne de *La Sentinelle* revenait à Jimmy Pearce, mais elle gardait la majorité du capital, le reste étant distribué au personnel du journal et agrémenté d'un système de participation aux bénéfices.

Portman avait fait un rapide calcul et déclaré :

– Ce qui signifie que votre héritage atteint une valeur d'environ deux millions de dollars. Vous avez une idée de ce que vous allez en faire ?

– Bien sûr : exactement ce que mon père aurait souhaité.

*

A *La Sentinelle*, tout le personnel l'accueillit et l'implora de prendre la suite de Monk McQueen. Réticente au départ, elle se laissa convaincre quand ils lui promirent de tout lui apprendre. Elle avait l'impression d'avoir été acceptée dans un cercle d'amis, et elle leur jura de tout faire pour se montrer digne de leur confiance.

Quand elle retourna à Carlton Towers, Abilene l'attendait.

– Vous avez une visite, dit-elle avec un énorme clin d'œil.

– Qui est-ce ?

– Pourquoi n'allez-vous pas le découvrir par vous-même ? fit la domestique, malicieuse.

Sa curiosité piquée, elle pénétra dans le bureau de Monk. Il était désert. Elle vit alors la silhouette sur le balcon.

– Mr. Lockwood !

Il se retourna vers elle et ses yeux verts brillèrent de plaisir.

– Bonjour, Cassandra. Je suis heureux de vous revoir.

Cassandra ne savait quelle attitude adopter. Après leur dernière rencontre, pour le moins tendue, elle pensait ne jamais le croiser de nouveau. Pourtant elle n'avait pu le chasser de son esprit. Cassandra se rémémora ses dernières paroles et frissonna.

– Pourquoi êtes-vous ici ?

– Pour vous présenter mes condoléances.

– Les funérailles ont eu lieu il y a quelques jours, Mr. Lockwood. Et je ne vous y ai pas vu.

– J'étais pourtant là, dit-il en déposant une mallette sur la table. J'ai beaucoup de choses à vous dire, si vous êtes toujours disposée à m'écouter.

Le cœur de Cassandra battait la chamade.

– Seulement la vérité, Mr. Lockwood.

Nicholas commença par expliquer les circonstances dans lesquelles il avait rencontré Monk McQueen à Washington.

– La seule chose que je savais de lui, c'est qu'il était directeur de *La Sentinelle*. Je ne pouvais m'imaginer pourquoi il intéressait autant le gouvernement. Jusqu'à ce que lui-même me montre ceci.

Nicholas posa sur la table les papiers détaillant la filière d'émigration que Warburg et Monk avaient entretenue, après la mort de Michelle.

– Mon père m'en avait parlé, annonça Cassandra avec retenue.

Nicholas en fut surpris.

– Alors je suppose que vous savez aussi que c'est grâce à l'argent de votre mère qu'ils ont sauvé des milliers de vies humaines. Après sa mort, votre père s'en est occupé avec l'aide de Rose Jefferson.

– Rose était au courant ?

Cette fois c'était au tour de la jeune femme d'être incrédule. Nicholas acquiesça.

– Et elle a pris la relève de votre père.

– Est-ce pour cette raison que les Allemands ont assassiné celui-ci à Zurich ? Pour l'empêcher de continuer ?

– C'est ce que Washington croit. Mais le gouvernement ne sait pas tout... parce que je ne leur ai pas tout dit.

Nicholas sortit alors de la mallette les documents prouvant la coopération de Steven Talbot avec les nazis.

– Pendant des années, Monk a soupçonné Steven d'être un des principaux fournisseurs du Reich en matières premières, mais il n'arrivait pas à obtenir les preuves. Quand l'occasion d'en acquérir s'est présentée à Zurich, il n'a pas hésité une minute. Tout ce qu'il a bien voulu dire à Washington, c'est qu'il allait avoir accès à des informations qui pouvaient changer le cours de la guerre. A cause de sa réputation, le gouvernement lui a fait confiance. Ils m'ont demandé de l'accompagner pour assurer sa sécurité...

Cassandra fut touchée par la sincère tristesse qui perçait dans sa voix. Nicholas Lockwood ne se pardonnait pas d'avoir été incapable de sauver Monk. La jeune femme eut soudain honte des paroles dures qu'elle avait eues pour lui lors de leur dernière rencontre.

Elle lut les documents qui prouvaient la collaboration de Steven Talbot avec les nazis, et une froideur terrible l'envahit.

402

— Steven est-il responsable de la mort de mon père ?
— Nous n'en avons aucune preuve.
— Mais vous le croyez, n'est-ce pas ?
— J'en ai la conviction.

Sa certitude l'impressionna. Si Steven avait fait assassiner son père, alors... Elle se rappela les catacombes et les instants tragiques où elle avait lutté pour sa vie. Elle avait presque tué un homme qui essayait de la sauver. Du moins est-ce la version que tout le monde acceptait. Mais Cassandra se demandait pourquoi personne n'avait posé la question qui soudain lui paraissait évidente : si Steven Talbot avait essayé de la sauver, qui était l'homme qui avait voulu la tuer ? Elle avait fracassé la lampe à pétrole sur le visage de son agresseur, et le pétrole en feu l'avait brûlé... avait brûlé Steven...

— Cassandra, ça va ?

Elle lui agrippa le bras.

— Rose sait-elle, pour Steven ?
— Elle sait tout, oui.
— Alors pourquoi n'a-t-il pas été arrêté ?

Il lui expliqua le marché passé avec Rose.

— Mais c'est un meurtrier ! s'écria-t-elle.
— Jusqu'ici, la police de Zurich n'a rien trouvé qui permette de penser qu'on voulait assassiner votre père, et il y a peu de chances pour qu'elle y parvienne. Les tueurs ont disparu en Allemagne depuis longtemps. Un jour, nous pourrons peut-être les retrouver et établir le lien avec Steven Talbot. Mais pas tant que la guerre fait rage.

Cassandra se laissa tomber sur une chaise, abasourdie. Elle ne savait plus que penser. Comment pourrait-elle encore regarder Rose en face, après tout ce qu'elle venait d'apprendre ?

Comme s'il lisait dans ses pensées, Nicholas s'approcha d'elle et lui dit :

— Je ne vous demande pas de pardonner Steven. Je ferai tout ce qui est en mon pouvoir pour retrouver ceux qui ont tué votre père et prouver qu'ils agissaient sur ordre de Steven. Mais vous ne devez pas blâmer Rose. Elle n'était pas au courant du double jeu de Steven.

— Si nous ne pouvons rien faire, pourquoi m'avoir révélé tout cela ?

— Parce que je veux continuer ce que votre père a commencé. Il aurait pu me demander de donner ces documents aux autorités, et Rose tout comme Steven auraient été ruinés. Mais Monk a compris qu'avec le pouvoir qu'elle a, Rose est la meilleure arme contre Steven. En fait, il a obligé une mère à se retourner contre son fils.

— Et vous pensez qu'elle le fera ?

Le regard de Lockwood devint dur.

– J'ai toujours les preuves en ma possession. J'espère ne jamais devoir m'en servir, mais s'il le fallait...

Au ton qu'il avait employé, Cassandra ne douta pas de sa résolution.

– Je ferais mieux de partir, maintenant, dit-il. Je suis vraiment désolé d'avoir dû vous apprendre ces choses, mais j'estime que je vous le devais... ainsi qu'à Monk.

– Nicholas, appela Cassandra alors qu'il s'apprêtait à quitter la pièce, je veux que vous restiez.

Il fit demi-tour, surpris.

– Pourquoi ?

– Parce que nous devons continuer ce que mon père et Abraham Warburg ont commencé.

– J'espérais que vous diriez cela.

52

En février 1943, la guerre avait tourné en faveur des Alliés. Les forces américaines et australiennes repoussaient les Japonais de la Nouvelle-Guinée, et Guadalcanal, dans les îles Salomon, était retombée aux mains des Marines.

A *La Sentinelle*, Cassandra était heureuse de voir que l'esprit du journal était le même que du temps de Monk. Elle avait repris son bureau, où elle traduisait les articles à destination de l'Europe, mais le cœur du journal se trouvait maintenant dans la grande salle occupé par Jimmy Pearce et son équipe.

En congé de Washington, Nicholas était prêt à l'aider, comme il l'avait proposé.

– Abraham est mort. Qui allons-nous contacter ? demanda-t-elle.

– Il faut commencer avec ceux qui ont survécu. Votre père et Warburg les avaient choisis eux-mêmes, nous savons donc qu'ils sont dignes de confiance. Ils nous aideront à rétablir les liens avec la Résistance en Europe occupée et en Allemagne. Et à la banque de Crédit suisse nous pourrons apprendre avec qui Warburg faisait affaire et comment il transférait les fonds en Allemagne. J'ai persuadé mes supérieurs de me laisser m'en occuper. Monk et Abraham Warburg nous fournissaient de précieux renseignements sur toute l'Europe occupée, et le gouvernement est tout prêt à des sacrifices pour rouvrir cette filière. Mais je ne pourrai rester que si nous obtenons des résultats.

– Nous en obtiendrons, promit Cassandra.

Il leur fallut trois mois pour rétablir le réseau. Ils travaillaient ensemble jusqu'à une heure avancée de la nuit, pour régler les problèmes complexes de transferts de fonds, de visas et de transports. Peu à peu, Cassandra se sentait irrésistiblement attirée par cet homme calme et intense qui était entré dans sa vie. Sa présence lui manquait quand il devait aller à Washington, et son cœur battait plus vite quand elle allait l'attendre à Grand Central Station. Nicholas possédait une solidité tranquille qui l'envoûtait. Alors que les détails horribles sur les camps de concentration et les massacres commençaient à leur parvenir, il devint son seul refuge dans un monde devenu fou.

Les premiers temps, Nicholas se montrait réticent à parler de lui. Si Cassandra comprenait que la plupart de ses actions pour l'OSS devaient être entourées d'un secret absolu, elle refusait d'accepter que le reste de son existence dût être soumis à la même réserve.

— Il n'est pas juste que vous en sachiez autant sur moi alors que je ne sais pratiquement rien de vous, lui dit-elle un jour.

— Je suis quelqu'un de très ordinaire, répondit-il en souriant.

— Pourquoi ne pas me laisser en juger par moi-même? le provoqua-t-elle.

— Parce que cela pourrait être dangereux.

— Comment cela?

— Je pourrais tomber amoureux de vous.

Cassandra rougit violemment. Pourtant elle sentait qu'il disait la vérité. Les semaines défilaient et ils passaient de plus en plus de temps ensemble en dehors de leur travail commun. Ils faisaient parfois une promenade en calèche à travers Central Park, ou flânaient dans Greenwich Village et regardaient les vieillards qui jouaient aux échecs dans Washington Square. Elle écoutait très attentivement les révélations qu'il faisait par bribes sur sa vie passée.

— Un jour, quand tout cela sera fini, je commencerai une nouvelle existence, lui confia-t-il alors qu'ils déambulaient sur la berge de l'Hudson, non loin des transports militaires qu'on chargeait de matériel et de troupes.

Cassandra lui prit le bras et le regarda à la dérobée.

Ferai-je partie de cette nouvelle existence? se demanda-t-elle.

*

En mars, Nicholas dut aller plus souvent à Washington. En son absence, Cassandra travaillait beaucoup afin qu'ils puissent profiter du temps où ils étaient ensemble. Un jour, en entendant la sonnerie de la porte d'entrée, elle courut ouvrir, certaine qu'il s'agissait de Nicholas. Mais c'était Rose.

— Tu as l'air de quelqu'un qui vient de voir un fantôme, dit celle-ci avec un sourire malicieux.

— Je... Je suis désolée. Je croyais que c'était quelqu'un d'autre.

— Un certain Mr. Lockwood?

En voyant Cassandra rougir, Rose ajouta précipitamment :

— Je ne voulais pas me moquer de toi, Cassandra. J'ai entendu dire que vous vous fréquentiez beaucoup. Est-ce pour cette raison que tu ne réponds plus à mes appels?

— Ce n'est pas la seule raison, dit la jeune femme après l'avoir fait entrer.

Rose releva le menton une fraction de seconde, dans une expression de défi qui lui était naturelle.

— Est-ce qu'il t'aurait aussi parlé de Steven?

— Oui. Et je ne vous reproche rien.

— Tu peux le penser, mais je sens bien qu'au fond de toi les choses sont différentes. Je sais le travail que tu fais avec Nicholas et je suis très fière de toi. Mais je ne voudrais pas que tu oublies Global. Tu en fais partie, Cassandra. J'aimerais que tu y sois.

— Je ne sais pas si je le peux.

— Je crois que tu le devrais, fit une voix derrière elle.

Elle fit volte-face et se jeta dans les bras de Nicholas.

— Pourquoi ne m'as-tu pas prévenue que tu revenais?

Nicholas lui sourit, puis se tourna vers Rose.

— Heureux de vous voir, Miss Jefferson.

— Bonjour, Nicholas. J'espère que vous viendrez tous deux dîner à la maison bientôt?

— Merci, mais je crains que cela soit impossible. Je vais devoir voyager beaucoup pendant quelque temps...

*

Il était très tard et ils étaient assis devant le feu dans la cheminée. L'odeur du bouleau consumé emplissait la pièce, et le vent avait couvert les fenêtres de givre.

— Washington m'envoie dans le Pacifique, annonça Nicholas, les yeux rivés aux flammes.

— Quand?

— Après-demain.

— Si vite! Tu ne peux pas changer ta date de départ? Nous avons tellement de travail...

— J'aimerais le pouvoir. Plus que tout au monde j'aimerais le pouvoir...

À son intonation, Cassandra sut qu'il pensait ce qu'il disait.

— Sais-tu où tu vas?

— Hawaii d'abord. Ensuite... (Il eut un haussement d'épaules fataliste, puis lui effleura la main.) Washington va fermer la filière de Zurich. L'OSS a trouvé d'autres façons de financer les mouvements de résistance. Mais tu as fourni une aide très importante, Cass. Monk aurait été fier de toi.

— Et en remerciement ils t'envoient au loin... Tu ne comprends donc pas que je t'aime, Nicholas?

Les mots lui avaient échappé, et ils flottèrent dans le silence qui suivit. Puis il caressa d'une main sa joue, enserra tendrement sa nuque et leurs lèvres se joignirent. Elle se serra contre lui et il couvrit de baisers son cou offert.

– Dès le premier jour, murmura-t-il. Ce matin-là... je suis amoureux de toi...

– Aime-moi, Nicholas...

Ils roulèrent doucement sur le sol, soudés l'un à l'autre. Les cheveux de Cassandra lui couvraient le visage et Nicholas explorait le corps de la jeune femme de ses mains fébriles, ôtant ses vêtements au fur et à mesure. Elle frissonna de plaisir quand sa langue descendit sur ses seins, puis plus bas encore en une lente et délicieuse exploration.

*

Le jour suivant le départ de Nicholas, Cassandra appela Rose et lui déclara qu'elle était prête à entrer à Global. Elle avait compris que la compagnie pesait d'un poids non négligeable dans la guerre, et elle voulait tout faire pour mettre un terme aussi rapide que possible à cette situation insupportable.

Ayant travaillé à *La Sentinelle,* Cassandra savait fort bien que la guerre était, pour certains, une source d'enrichissement inespérée. Pour Rose, par exemple, il semblait impossible de ne pas gagner d'argent, la demande engendrée par l'état de guerre créant un marché d'une ampleur jamais vue.

– Nous travaillons à notre maximum, lui expliqua-t-elle le premier jour, tandis qu'elle lui faisait visiter les différents services de la compagnie installés à Lower Broadway.

Rose lui présenta les principaux directeurs et leur annonça que désormais Cassandra serait son assistante personnelle.

– Je veux que tu aies une connaissance et une vue d'ensemble de l'entreprise, afin que tu comprennes exactement ce que nous faisons.

Cassandra était à la fois impressionnée et désorientée. Elle découvrait dans Lower Broadway un centre nerveux énorme contrôlant l'activité de dizaines de milliers de personnes dans tout le pays et dans la plupart des secteurs d'activités. Le fret était acheminé jour et nuit d'un point des États-Unis à l'autre, la plus grosse concentration arrivant naturellement sur la côte Est où était embarquée une grande partie du matériel de guerre, des uniformes aux chars. Les seuls secteurs à ne pas bénéficier de la conjoncture étaient les chèques de voyage et les mandats. Les premiers étaient quasiment au point mort à cause de la situation européenne, et les restrictions dues à la guerre avaient considérablement diminué la rentabilité des seconds.

Cassandra mit plusieurs semaines à s'habituer au rythme survolté qui régnait à Lower Broadway. Rose paraissait n'avoir besoin que d'un minimum de sommeil, et Cassandra devait se lever à cinq heures du matin pour être prête à six, quand Rose venait la prendre. Au début, la jeune femme se contenta d'écouter et de regarder. Aidée par Hugh O'Neill et Eric Gollant, avec qui elle sympathisa très vite, elle apprit à distinguer parmi les projets de la compagnie ceux qui étaient prioritaires, pourquoi, et comment on les mettait en chantier. Elle travailla également à la traduction de nombreux documents concernant les branches étrangères de Global, des manuels d'instruction aux directives confidentielles destinées aux filiales de Suisse ou d'Amérique du Sud. Bien qu'elle donnât l'impression de faire dix choses à la fois, Rose gardait un œil sur Cassandra et ne manquait jamais une occasion de l'aider, de la conseiller et de l'encourager.

En prenant de l'assurance, Cassandra commença à traiter directement avec les principaux conseillers de Rose, et ce fut eux qui lui firent découvrir une facette inattendue de Rose Jefferson. La directrice de la compagnie avait mis sur pied un système d'aide aux employées dont le mari servait sous les drapeaux ainsi qu'aux veuves de guerre, et elle faisait verser dans la discrétion la plus totale des sommes importantes à des dizaines d'organisations charitables.

Mais il existait chez Rose Jefferson des secrets que même ses intimes ignoraient. Elle avait promis à Nicholas Lockwood de détruire l'empire occulte bâti par Steven, et elle s'attela à cette tâche avec son acharnement coutumier. Elle invita les ambassadeurs des pays ayant conclu des contrats d'approvisionnement avec l'Allemagne et leur annonça que ces engagements étaient rompus. Certains diplomates furent courroucés par cette impertinente Américaine qui se croyait en mesure de dicter à des nations leur politique extérieure, mais Rose convainquit la plupart d'entre eux qu'elle avait le pouvoir d'obtenir ce qu'elle désirait, avec ou sans leur accord. Ceux qui acceptèrent de l'écouter et de négocier se virent proposer des contrats trois fois plus avantageux que ceux les liant à l'Allemagne. Quant aux récalcitrants, elle s'en servit pour montrer l'étendue de sa puissance. Rose savait quels bateaux transportaient les chargements pour le Troisième Reich et elle connaissait leurs itinéraires. Elle se contenta donc de communiquer ces renseignements aux services concernés à Washington. En peu de temps plusieurs dépôts et usines subirent des attentats destructeurs et anonymes, tandis que les sous-marins alliés envoyaient systématiquement par le fond certains cargos chargés de matières premières. Des avions convoyant diamants industriels et métaux précieux furent abattus par de mystérieux chasseurs.

Plusieurs hauts fonctionnaires à Washington et le président lui-même s'inquiétèrent de la provenance des informations que possédait Rose, mais elle éluda leurs questions. Ses indications étaient sûres et rien d'autre ne comptait. Washington n'apprécia que modérément l'argument, mais les résultats ne laissaient aucun doute sur son bien-fondé.

Rose tint également une autre promesse faite à Nicholas Lockwood. Le 5 février 1945, elle recevait une photo du général McArthur qui venait de reprendre Manille. Le cliché représentait le général entouré de ses proches collaborateurs, parmi lesquels figurait Steven. Il était le conseiller à la reconstruction industrielle et commerciale de McArthur.

*

Le 30 juillet 1945, à minuit deux, le croiseur lourd *Indianapolis* fut touché par trois torpilles lancées d'un sous-marin japonais et coula dans l'océan Indien en douze minutes. La marine censura immédiatement toute annonce de la tragédie.

Sept jours plus tard, à trente-deux mille pieds à la verticale d'Hiroshima, le capitaine Paul Tibbets Junior donnait l'ordre à son bombardier de larguer l'unique engin embarqué. En une seconde une ville entière fut réduite en cendres. Le monde venait de faire un pas terrifiant dans la course à la destruction massive.

Le 10 août de la même année, soit un jour après la seconde explosion atomique sur Nagasaki, un homme à l'allure paisible et à la voix douce entra dans les bureaux de Global et demanda à parler à Cassandra. Introduit dans le bureau personnel de la jeune femme, il lui présenta sa carte du FBI.

— Miss McQueen, connaissez-vous Mr. Nicholas Lockwood?
Cassandra pâlit et acquiesça.

— Alors peut-être devriez-vous vous asseoir, Miss...

Avec autant de tact qu'il était possible, l'agent fédéral lui annonça la disparition de l'*Indianapolis*. Mille six cent quatre-vingts marins avaient péri, certains noyés, d'autres dévorés par les requins. Les trois cent seize survivants avaient tous été identifiés, et Nicholas Lockwood, à bord de l'*Indianapolis* pour une mission gouvernementale, n'était pas parmi eux.

53

En cette matinée du 2 septembre 1945, un soleil d'or pur brillait dans le ciel bleu au-dessus de la baie de Tokyo. Une douzaine de navires de guerre à l'ancre pointaient toujours leurs canons vers la ville en ruine. Sur le cuirassé *Missouri*, des marins en tenue de cérémonie blanche déroulaient le tapis rouge sur le pont, arrangeaient tables et chaises et montraient aux photographes où disposer leur équipement. Dans le nid de pie, à côté des oriflammes qui claquaient sèchement au vent, les vigies armées de puissantes jumelles surveillaient le port à la recherche de la délégation nippone.

Steven Talbot ajusta sa casquette pour protéger son visage du soleil. Il portait l'uniforme de lieutenant, bien que le titre fût plus honorifique qu'officiel.

— Si vous devez travailler avec moi, lui avait dit McArthur en le recevant trois ans plus tôt, autant que vous ayez un grade. Lieutenant ne sonne pas trop mal.

Steven le pensait aussi et il s'était habitué à ce qu'on s'adresse à lui par son rang. Même s'il n'avait jamais vu le feu, il estimait l'avoir mérité.

Quand il était arrivé au QG de McArthur en 1942, il était encore sous le choc de ce que sa mère avait osé lui faire. Après leur confrontation elle avait cessé de lui parler. Steven n'avait donc eu aucun moyen de savoir comment elle avait obtenu tous les documents l'incriminant et, de peur d'aggraver encore sa situation, il n'avait pas osé contacter Kurt Essenheimer pour lui demander ce qui avait causé sa perte.

Une fois embarqué vers le Pacifique Sud, Steven avait beaucoup pensé aux propos tenus par sa mère. Il ne pouvait croire qu'elle le déshériterait, et encore moins qu'elle l'enverrait à la guerre. Pourtant... Les semaines puis les mois passèrent sans qu'il reçoive aucune nouvelle de New York, et il finit par comprendre que Rose avait l'intention de tenir parole. Et il ne pouvait rien y faire.

Habitué à donner des ordres, il eut à supporter des supérieurs bornés. Sa maigre solde ne lui permettait guère de réjouissances, et les folies du passé n'étaient plus qu'un souvenir. Il tint bon en se réfugiant dans un univers où rien ni personne ne pouvait l'atteindre. Par les bureaux de McArthur il avait accès à des informations que le monde civil ne connaîtrait jamais. Les nazis poursuivaient le combat mais il était clair que les Alliés confortaient chaque jour leur supériorité. L'issue ne faisait aucun doute. Le ravitaillement du Reich était dramatiquement frappé. Les cargos convoyant les matières premières indispensables à l'effort de guerre étaient coulés un à un, et Steven lisait dans la liste des bâtiments perdus corps et biens la détermination de Rose. Pierre par pierre, elle détruisait l'édifice qu'il avait construit dans l'ombre.

Quand les forces américaines commencèrent à repousser les Japonais, Steven suivit McArthur dans le Pacifique. En qualité de conseiller de McArthur à la reconstruction industrielle et commerciale, il découvrit de ses propres yeux les carnages perpétrés par les Japonais. A la différence pourtant de la plupart de ses

compatriotes, cela ne lui cacha pas leurs réalisations impressionnantes. Aux Philippines, en Indonésie et en Malaisie, ils avaient
transformé avec un indéniable brio diverses usines en complexes
industriels de guerre. Ils avaient exploité les ressources naturelles
négligées par les populations locales, créé un réseau ferré pour
l'acheminement de la production, et modernisé les installations
portuaires pour faciliter l'envoi de ces produits vers le Japon. Steven consacra de longues heures à l'étude de documents nippons
dévoilant le plan général d'exploitation des ressources naturelles
du Sud-Est asiatique. La complexité de l'organisation imposée par
les Japonais aux vaincus l'éblouit. Plus il engrangeait les renseignements et plus il pressentait dans cette nation condamnée à
la défaite un des géants de l'avenir. Là où d'autres ne voyaient que
destruction et barbarie, Steven découvrait la détermination de ce
peuple et un formidable esprit de conquête tourné vers le futur.

Steven aida à établir les plans de reconstruction de Manille,
Singapour et quelques autres grandes villes. Dans ce cadre il présenta au général des projets de restructuration d'industrie. McArthur fut assez frappé par son évident savoir-faire pour lui confier
l'étude de ce qui pourrait être fait pour le Japon après son inévitable reddition. Mais Steven ne l'avait pas attendu pour y réfléchir. Il avait déjà passé des nuits entières à étudier archives et
dépêches nippones, prenant des notes et mémorisant le nom des
plus grands industriels. Certains seraient morts avant la fin du
conflit, et d'autres disparaîtraient par peur d'être jugés pour
crimes de guerre. Mais quelques-uns survivaient, que Steven avait
déjà l'intention de localiser.

Dans le peu de temps libre qui lui restait, Steven apprit la
langue et les coutumes japonaises, trouvant parmi les prisonniers
de guerre des professeurs compétents, qui, de plus, parlaient
anglais.

La défaite de l'ennemi ne suffit pas aux Américains. Ce qui restait de l'infrastructure japonaise devait être démantelée, les chefs
d'industrie emprisonnés. Pour Washington, ces hommes qui
avaient dirigé les plus grands trusts japonais, ou *zaibatsu*, étaient
aussi coupables que les généraux. Les tribunaux militaires veille-
raient à ce qu'ils paient le prix de leurs actions.

Tout en écoutant le général McArthur lire les conditions imposées aux vaincus lors de la reddition et pendant que la délégation
signait les protocoles, Steven comprit soudain ce qu'il devait
faire : persuader McArthur de défier et de passer outre le décret
de Washington qui mettait le Japon à genoux.

*

L'encre des signatures sur l'acte de reddition n'était pas encore
sèche que Steven obtenait de McArthur la permission de créer un

411

service spécial. Cette équipe restreinte devrait prendre en charge les débris de l'industrie japonaise, déterminer la culpabilité de ses dirigeants, et définir un plan de reconstruction tenant compte à la fois des réparations à payer et du droit de regard des États-Unis. Pour l'occasion, McArthur le nomma directeur des secteurs industriels et économiques.

Steven installa son bureau dans le building Daï Ichi, deux étages sous le quartier général de McArthur. Il constitua son groupe avec un soin maniaque. Des trios, comportant un avocat, un expert et un enquêteur financiers, accompagnés d'interprètes japonais, sillonnèrent le pays pour évaluer le rôle des grands industriels nippons dans le déclenchement et la conduite de la guerre. Steven lui-même demeura à Tokyo et rendit visite personnellement aux chefs d'industrie de la ville. Il soumettait ses rapports détaillés directement à McArthur, en prenant soin de préciser que les entreprises nippones avaient agi de la même façon que leurs homologues allemands, américains ou anglais, dans leur soutien à l'effort de guerre national.

— Je le sais aussi bien que vous, lui dit McArthur, et la plupart des industriels américains partagent notre vision des choses. C'est une erreur grossière. Mais au pays, l'opinion publique et le gouvernement veulent leur comptant de sang, Talbot. Les chefs militaires ne leur suffiront pas. Ils veulent aussi la peau de l'empereur et de ses barons de l'industrie. Désolé, Talbot, mais il va vous falloir trouver quelques boucs émissaires.

Steven avait déjà pressenti la demande de Washington. Il la savait incontournable. Mais il avait un atout majeur, qu'il devait utiliser de la meilleure façon : la sélection des industriels qui seraient inculpés lui revenait.

Steven se plongea dans les rapports que ses équipes d'enquêteurs lui transmettaient des quatre coins du Japon. En dehors de la mission confiée par McArthur, il recherchait l'industriel encore vivant dont le prestige serait suffisant pour entraîner ses pairs à sa suite. Le travail était rebutant, mais il savait que d'autres services des armées pourchassaient les industriels rescapés. S'il ne découvrait pas le premier son homme clef, pour le blanchir au plus vite, son projet risquait d'être considérablement retardé, voire à jamais compromis.

Une nuit, alors qu'il allait arrêter ses recherches, il lut un nom qui éveilla en lui un vague écho : Hisahiko Kamaguchi. Steven était certain de l'avoir déjà entendu. Il parcourut rapidement le rapport.

Hisahiko Kamaguchi était le patriarche des industries lourdes Kamaguchi, un *zaibatsu* fondé en 1853 et qui comprenait aciéries, chantiers navals, usines aéronautique et manufactures de textile... La division électronique récemment créée produisait des postes de radio aussi bien que des radars, tandis que le département pharmaceutique travaillait sur les drogues de synthèse. Une telle importance faisait de Kamaguchi la cible évidente des enquêtes militaires. Pourtant, jusqu'alors, on n'avait découvert aucun lien direct entre l'industriel et l'armée.

Mais Steven savait que le Japonais représentait une cible trop évidente pour qu'on ne finisse pas par lui trouver des connexions avec le haut commandement nippon. Devait-il essayer de joindre Kamaguchi avant ? Était-il l'homme qu'il cherchait ? La réponse lui vint quand il lut sa situation familiale : Hisahiko Kamaguchi avait perdu son épouse lors d'un bombardement à Tokyo. Il restait seul avec une fille, Yukiko.

Steven relut le prénom plusieurs fois, et il se souvint de cette jeune femme japonaise qu'il avait vue lors d'une soirée au *Zig-Zag Club* de Berlin. Comme il l'avait dit à l'époque à Kurt Essenheimer, il n'avait pu l'oublier.

*

A la différence de la plupart des autres cadres militaires de la force d'occupation, Steven Talbot ne manquait pas une occasion de s'informer un peu plus sur Tokyo et ses habitants. La ville avait été transformée en une caricature de colonie américaine. Reconstruite à toute allure, elle était envahie de GI's, les MP's voisinaient avec les policiers japonais aux principaux carrefours.

Mais dès qu'on sortait de Tokyo on pouvait constater les ravages de la guerre. L'économie du pays était au point mort.

Retrouver Hisahiko Kamaguchi dans ce champ de ruines s'avéra beaucoup plus difficile que Steven ne l'avait pensé. L'adresse notée dans le rapport se trouvait dans un faubourg qui n'existait plus. Les bureaux de Kamaguchi n'étaient plus qu'un amas de poutres noircies, et ses usines de Yokohama avaient subi le même sort.

Les pairs de Kamaguchi ne se montrèrent guère plus utiles. Les industriels arrêtés les premiers et placés en détention n'avaient aucune idée du lieu où il pouvait se trouver. Steven enregistra les entretiens qu'il eut avec eux et les réécouta plusieurs fois, espérant déceler un détail qui permettrait de localiser l'industriel. Il allait abandonner quand il remarqua que deux de ses plus proches concurrents déclaraient la même chose à son propos : Kamaguchi était un shintoïste convaincu. Steven se lança dans une fouille exhaustive des archives nécrologiques du grand Tokyo. Si le chef du *zaibatsu* était encore vivant, il y avait un endroit où il se rendrait : sur la sépulture de sa femme.

*

Le temple shintoïste à l'extérieur de Tokyo était situé dans une vallée miniature plantée de cerisiers que l'hiver avait depuis longtemps dépouillé de tout feuillage. Une brise glacée soufflait autour de la grande cloche de cérémonie et emportait au loin le chant grave des prêtres. Sachant qu'il ne pourrait guetter Hisahiko Kamaguchi à l'intérieur du temple, Steven gara sa voiture non loin de l'entrée et s'installa aussi bien que possible pour une longue attente. Il revint tous les jours. Au dixième, il la vit.

Elle portait un épais blouson fourré, des pantalons trop larges et des bottes. Sa chevelure était cachée par une longue écharpe entortillée pour lui protéger également le nez et la bouche.

Néanmoins il reconnut Yukiko Kagamuchi dès qu'il l'aperçut.

— Bonjour.

Elle se retourna sans hâte, comme si le fait de rencontrer quelqu'un d'autre en ce lieu et à cette heure, un *gaijin* qui plus est, n'avait rien de surprenant. Un instant, elle le contempla de son regard calme avant d'ôter l'écharpe qui lui masquait le bas du visage.

— Vous êtes un homme patient, Mr. Talbot, déclara-t-elle en japonais.

Steven fut stupéfait d'être identifié, comme il le fut par l'absence de réaction de la jeune femme devant son visage brûlé. Dans ses prunelles noisette ne se lisaient ni pitié ni répugnance. Sans doute avait-elle été confrontée à des mutilations bien plus horribles.

— Et vous êtes une femme difficile à trouver, Miss Kagamuchi, répondit-il, en japonais lui aussi.

Elle était aussi parfaite que dans sa mémoire. Ni ses vêtements usés ni son extrême minceur n'avaient apaisé le feu étrangement distant qui brûlait dans ses prunelles de jade. Yukiko Kagamuchi était une survivante, comme lui-même, songea Steven.

— Vous n'avez pas attendu tout ce temps pour me voir, dit-elle.

— Mais c'est un plaisir inespéré, enchaîna-t-il.

Elle ignora le compliment.

— Non, vous n'êtes pas venu ici pour bavarder avec moi... Mon père a hésité à vous rencontrer. Il m'a demandé ce que vous vouliez, et il croit que c'est une chose importante. Après tout, vous l'avez retrouvé alors que même vos meilleurs enquêteurs en sont incapables.

— Ils ne savaient pas où regarder.

— Savez-vous où regarder, Mr. Talbot ?

— Dans l'avenir, répondit doucement Steven.

Sans un mot elle lui fit signe de la suivre à l'intérieur du temple.

*

La température était encore plus basse dans le temple qu'audehors. Steven suivit l'exemple de Yukiko et ôta ses bottes fourrées. Dans l'air flottaient des senteurs d'encens, et quelque part un carillon éolien ponctuait le chant d'un moine. Steven resta dans le sillage de la Japonaise et ils traversèrent le temple pour entrer dans une petite pièce où un brasero à charbon diffusait une maigre chaleur. Un halo jaunâtre révéla Hisahiko Kamaguchi, assis jambes croisées. Les photographies du dossier de Steven montraient un homme beaucoup plus corpulent. Les doigts et les poignets de Kamaguchi étaient d'une maigreur squelettique, et son visage émacié avait une teinte jaunâtre maladive. En dépit de son évidente malnutrition, les yeux de l'industriel brillaient d'un éclat vif. Yukiko indiqua à Steven une place en face de son père tandis qu'elle allait s'asseoir auprès de celui-ci.

— Je vous remercie de bien vouloir me recevoir.

— Vous êtes un homme opiniâtre, répliqua Kagamuchi d'une voix qui évoquait un froissement de feuilles sèches. Vous avez dû avoir très froid, assis dans votre voiture à attendre jour après jour.

— L'inconfort n'est rien comparé à la récompense.

L'industriel considéra pensivement Steven.

— Et quelle est votre récompense ? Votre général McArthur est-il si désireux de me parler qu'il a offert une récompense à celui qui m'amènera auprès de lui ?

— Le général McArthur est désireux de vous parler comme le sont beaucoup d'enquêteurs militaires... Mais ce n'est pas la raison de ma présence ici.

Kagamuchi tambourina sèchement de ses doigts sur son genou.

— Non, je ne le pensais pas non plus. Peut-être lui fallait-il les talents du fils de Rose Jefferson pour me retrouver, mais s'il voulait me capturer il vous aurait fait accompagner. Alors oui, peut-être êtes-vous venu pour des raisons différentes, Mr. Talbot. Dites-moi, comment va notre ami commun, Kurt Essenheimer ? A-t-il survécu à la chute de Berlin ?

Les yeux de Steven s'étrécirent. Il n'aurait jamais pensé que le Japonais fût au courant de son association avec Kurt.

— Je n'ai pas eu de nouvelles. Et je ne sais pas s'il a survécu.

— Je pense que oui, dit Kagamuchi avec une telle conviction que Steven le crut instantanément. Et vous, Mr. Talbot, vous avez trouvé votre chemin jusqu'au Japon. Vous avez été coupé des vôtres, mais comme dans toute famille ils vous ont procuré un abri. Vous conseillez l'homme le plus puissant du Japon, et pourtant vous recherchez le plus faible. Pourquoi, Mr. Talbot ?

Steven sentit la peau se tendre sur ses pommettes. Il était furieux des manières sineuses de Kamaguchi, de sa façon presque négligente d'exposer les secrets qu'il connaissait à propos de son visiteur, du soupçon d'arrogance et de sarcasme dans sa voix.

— Je crois que nous pouvons mutuellement nous offrir beaucoup.

— Mr. Talbot, vous avez été déshérité. Vous fûtes un homme

très puissant. Si le destin en avait décidé autrement, vous auriez pu devenir formidable. Mais qu'avez-vous maintenant à offrir?

— La sécurité, pour vous et votre fille. Et le secret que les autorités d'occupation ignorent... pour l'instant.

Hisahiko Kamaguchi fut pris d'une violente quinte de toux et il se plia en deux, les mains crispées sur son estomac. Aussitôt Yukiko lui mit un vieux mouchoir devant la bouche. Quand elle le glissa dans sa poche, Steven entraperçut une tache rouge sur sa main.

— Il vous faut des soins médicaux, dit-il. Je serais heureux de vous les faire donner.

Kagamuchi eut un geste négatif de la main.

— Vous avez parlé d'un secret. La guerre engendre beaucoup de secrets. Comment pouvez-vous être aussi sûr de la valeur de celui dont vous parlez?

Steven jeta un coup d'œil étonné en direction de Yukiko. Au Japon, la tradition interdisait aux femmes d'assister aux discussions d'affaires.

— Je vois que vous êtes averti de nos coutumes, observa Kamaguchi. Mais vous pouvez parler librement devant ma fille.

— Mes excuses pour m'être montré aussi présomptueux, dit Steven à la jeune femme, qui le remercia d'une légère inclinaison de buste. Les secrets, reprit-il, le Japon en est empli. Les forces d'occupation en ignorent la plupart. Mais quelques-uns, parce qu'ils ont un rapport direct avec des gens de votre stature, parce qu'ils sont liés à des actions que d'aucuns jugent immorales ou illégales, finissent par être percés... Mr. Kamaguchi, beaucoup de documents passent sur mon bureau. En dépit des bombardements et de vos propres efforts de dissimulation, nous avons retrouvé des quantités de dossiers. Ce qu'ils contiennent est souvent accablant, mais je ne suis pas intéressé par le rôle qu'ont joué les industriels avant et pendant la guerre. Les vainqueurs les voient toujours comme des opportunistes ou des dupes qu'il faut châtier d'une façon ou d'une autre... Non, ce qui me fascine, moi, c'est le plan Phenix.

Steven avait préparé son effet mais ces derniers mots parurent n'en avoir aucun sur le Japonais.

— Phenix se réfère à l'oiseau mythique qui renaît de ses cendres, récita l'industriel. C'est une légende pittoresque, mais sans signification pour les Japonais.

— Permettez-moi de développer mon propos, reprit Steven en contrôlant son impatience. La référence à ce plan la plus ancienne que j'ai trouvée remonte à 1943. Phenix devait être une solution de repli, si l'inconcevable se produisait. Vous et d'autres grands industriels avez créé un fonds commun converti en or et caché sur une des îles du Japon. Ce trésor n'a qu'un but : aider à la reconstruction de l'industrie nationale à la fin de la période d'occupation.

Le visage d'Hisahiko Kamaguchi conservait une impassibilité totale.

— Vraiment, Mr. Talbot, je ne sais de quoi vous parlez.

Steven continua comme s'il n'avait pas entendu :

— Il n'est fait allusion à ce plan dans aucun document officiel. Seul des journaux personnels ou des correspondances privées l'évoquent. Phenix n'apparaît ni dans les archives militaires ni dans celles du palais impérial. Je ne pense pas que plus de cinq ou six personnes connaissent son existence. Mais ces hommes ont choisi très soigneusement l'endroit où attend l'or. Il fallait que ce soit une cache que nul *gaijin* puisse soupçonner.

— Et je suppose, Mr. Talbot, que vous avez résolu cette énigme, si du moins elle existe ?

— Le 7 décembre 1941, les forces japonaises attaquaient Pearl Harbor. D'après les registres de votre compagnie, ce même jour elle remplissait une demande de dédommagement auprès de l'agence d'assurance maritime Nukazawa pour la perte d'un minéralier ayant sombré à l'entrée du port de Yokohama. Le *Hino Maru* reposait par trente mètres de fond. Puisque l'épave ne gênait pas la circulation maritime, qu'elle avait accompli trente ans de service et qu'elle n'avait enregistré aucun chargement, la compagnie d'assurance vous remboursa sa valeur, d'ailleurs modique, sans sourciller. L'affaire en resta là. Mais le *Hino Maru* n'était pas vide : ses cales abritaient des containers emplis de lingots d'or pour une valeur que j'estimerai par recoupements à environ cinq millions de dollars : le Phenix des Japonais.

Un courant d'air glacé balaya la petite pièce. D'une main tremblante, Hisahiko Kamaguchi ajouta un peu de charbon dans le brasero.

— Le *Hino Maru*, murmura-t-il d'un ton rêveur. Qu'est-il pour vous, Mr. Talbot ?

— Pour l'instant, rien. Mais il me serait très facile de faire en sorte qu'il soit déclaré dangereux pour la circulation maritime et de le remonter.

— Pourquoi feriez-vous cela ?

— Parce que je parie sur le fait qu'il est votre coffre-fort. Un acompte sur l'avenir qui ne sera jamais touché si je venais à le « découvrir ».

— Et vous feriez une telle chose, Mr. Talbot ? Êtes-vous désespéré à ce point ?

— J'ai besoin de ce que recèle le *Hino Maru* autant que vous. Seuls, ni vous ni moi ne pourrons le récupérer. Ensemble, si.

— Vous n'avez aucun droit sur le *Hino Maru*, entendit-il Yukiko déclarer.

Il se tourna vers elle et vit qu'elle pointait un petit automatique noir sur son cœur.

— Et vous n'en aurez jamais aucun, acheva-t-elle.

– Il existe d'autres...

– Non! coupa sèchement la jeune femme. Un homme tel que vous ne partage pas. Personne ne sait que vous êtes venu ici. Personne n'est au courant de votre découverte. Et personne ne le sera.

– Alors votre père comme moi perdrons beaucoup.

– Ce n'est pas tout à fait vrai, Mr. Talbot, dit doucement Hisahiko Kamaguchi.

– Vous ne pouvez récupérer le trésor sans moi et...

L'industriel leva une main pour l'interrompre.

– Cela ne me regarde plus. Voyez-vous, Mr. Talbot, le 6 août je me trouvais à Hiroshima. Je suppose que je peux considérer que j'ai eu de la chance d'avoir été loin du centre de la ville quand la bombe a explosé. Je n'ai pas péri, mais j'étais assez proche pour subir les radiations. Quelle que soit la destinée du *Hino Maru*, je ne la partagerai pas. Mais ma fille restera. Si vous voulez toujours réaliser votre plan, Mr. Talbot, c'est elle qu'il vous faut convaincre, pas moi.

*

Steven s'efforça de ne pas penser au froid et à la raideur de tout son corps tandis qu'il restait parfaitement immobile sur la natte, toute sa concentration dirigée sur Yukiko.

Il lui narra tout son parcours, sans rien omettre, depuis Berlin. La jeune femme écouta avec un intérêt soutenu. Malgré sa méfiance, elle fut impressionnée par cet Américain défiguré. Elle avait enquêté sur son compte, et ce qu'il lui racontait gommait les zones d'ombre de ce qu'elle savait déjà. Elle voyait bien qu'il ne mentait pas, et elle comprenait maintenant pourquoi son père avait décidé de l'entendre. Peut-être était-il celui qu'il leur fallait, après tout.

Il lui expliqua alors ce qu'il comptait faire dans un premier temps. L'occupation américaine durerait au minimum cinq ans, période pendant laquelle le Japon ne serait virtuellement qu'un état vassal. Le commerce, l'industrie, les finances seraient tenus sous haute surveillance. Grâce à ses contacts étendus, il pourrait récupérer l'or du *Hino Maru* par un quelconque stratagème. Ensuite certains banquiers suisses rachèteraient le trésor pour un prix raisonnable et le convertiraient en dollars, placés où ils le désiraient. Des avocats avec qui il avait déjà travaillé pourraient couvrir l'opération par la création de sociétés écrans.

– Et que feraient ces sociétés, Mr. Talbot?

– D'abord, elles investiraient au Japon, dans le commerce, l'industrie, la construction immobilière. Dans le même temps, nous transférons tous les projets industriels à l'étranger, avec tous les scientifiques et les techniciens qui y travaillaient et ont survécu. Les Américains ne laisseront pas le Japon reconstruire son industrie aussi vite. Mais plus tard, quand les États-Unis se tourneront vers d'autres problèmes, vous aurez plus de liberté. Alors il sera aisé de réinstaller chez vous ce qui a été développé ailleurs.

– Vous avez beaucoup réfléchi à la question, Mr. Talbot, dit Yukiko. Mais vous ne m'avez pas dit ce que vous espériez en retirer pour vous-même.

– Je veux cinquante pour cent de tout ce que nous faisons, à commencer par l'or du *Hino Maru*. Vous avez besoin de quelqu'un pour agir au grand jour, parce que vous ne pouvez en aucun cas courir le risque d'être associé à nos actions... Je ne connais pas grand-chose à l'électronique ou à la haute technologie, mais je suis spécialiste de la finance. Avec l'apport de base du *Hino Maru*, nous pouvons créer une machine commerciale qui un jour défiera Global Entreprises.

– Et où proposeriez-vous le premier investissement?

Steven eut un sourire qui étira étrangement ses lèvres trop rouges.

– Où tout a commencé : Hawaii.

*

Hisahiko Kamaguchi et sa fille se montrèrent très méfiants, mais Steven donnait une réponse convaincante à chacune de leurs questions. Ils finirent par être non seulement surpris mais aussi admiratifs devant l'audace et la finesse du plan qu'il proposait. Restait pourtant un obstacle.

– Le trésor du *Hino Maru* ne nous appartient pas, dit Yukiko. D'autres que nous ont un droit sur l'or, et ils ne vous connaissent pas comme nous vous connaissons maintenant. Ils n'ont aucune preuve de votre capacité à accomplir ce que vous proposez. Ils doivent être persuadés...

Mais Steven avait déjà réfléchi à ce problème.

– Dites-leur que je persuaderai le général McArthur de ne pas poursuivre l'empereur comme criminel de guerre.

Les yeux de Yukiko s'agrandirent un instant de surprise. Comme tout Japonais, elle était torturée à l'idée du châtiment que les Américains semblaient vouloir imposer à l'empereur. Beaucoup de responsables de l'armée et du gouvernement des États-Unis rêvaient de voir l'empereur exécuté avec ses généraux, ce n'était un secret pour personne. Hitler leur avait échappé en se suicidant, mais Hiro-Hito était leur prisonnier.

– Vous pourriez obtenir cela?

– McArthur me fait confiance. Si je peux le convaincre qu'il est dans nos intérêts de ne pas faire un exemple de l'empereur en le condamnant à mort, il pourra peut-être dissuader Washington. Ce sera difficile à obtenir, mais je suis prêt à essayer. Je ne peux vous offrir meilleure preuve de ma sincérité.

Yukiko garda le silence. Que des mortels puissent juger la divine personne de l'empereur était un sacrilège, qu'elle soit punie par eux une abomination. Le peuple japonais ne se remettrait jamais d'une telle humiliation. Leur esprit serait brisé et ils deviendraient une nation d'esclaves. Si cet Américain pouvait effectivement éviter une telle indignité, le prix qu'il demandait était risible.

— Je crois que vous êtes capable de faire cela, dit-elle enfin. (Son père lui adressa un signe d'acquiescement presque imperceptible.) Nous acceptons, Mr. Talbot. Si vous réussissez, nous vous garantirons la moitié de l'or du *Hiro Manu*, ainsi que la moitié de tout ce que nous bâtirons ensemble.

— Pourrez-vous décider les autres? s'enquit Steven.

— Mr. Talbot, répondit Yukiko d'une voix neutre, si vous parvenez à sauver la vie de l'empereur, aucun pouvoir au monde ne pourra briser notre engagement envers vous.

L'irrévocabilité qu'il sentait dans la voix de la jeune femme réconforta Steven. Elle portait avec elle la promesse de surmonter tous les obstacles. Et c'était exactement l'arme qu'il lui fallait pour défaire cette femme qui avait cru l'anéantir en quelques phrases et une rature sur un testament.

54

Le visage fermé, Cassandra sortit de la grande bâtisse et plissa les paupières sous le soleil éclatant d'Arlington. L'officier du Pentagone n'avait eu aucun écho du lieutenant Nicholas Lockwood, porté disparu depuis le naufrage de l'*Indianapolis*.

Elle monta dans la Packard noire qui l'attendait et le chauffeur la conduisit jusqu'à Washington. Au *Willard Hotel*, un groom la guida sur la terrasse du restaurant qui donnait sur les jardins du Capitole.

Rose Jefferson reposa le journal qu'elle parcourait d'un œil distrait.

— Alors?

Cassandra secoua la tête et s'assit. Rose commanda deux martinis et des salades de homard.

— Pour ma part j'ai discuté avec le directeur de la CIA, dit-elle en se référant à l'organisme qui avait remplacé l'OSS. Il m'a assuré qu'ils n'abandonnaient pas les recherches.

Cassandra lui sourit avec gratitude. Dès que Rose avait appris la disparition de Nicholas, elle avait remué ciel et terre, mettant en branle tous les contacts qu'elle avait à Washington. Nicholas Lockwood était ainsi devenu un des hommes les plus recherchés du moment. Mais pour l'instant tout le pouvoir de Rose n'avait pu amener la moindre précision sur son sort. Il semblait que la mer l'avait tout simplement avalé, ce que refusait de croire Cassandra.

Les deux femmes burent leur martini en silence. Quand arrivèrent les salades Cassandra repoussa la sienne. Elle n'avait aucun appétit.

— Tu n'abandonneras jamais l'espoir de le retrouver, n'est-ce pas? fit Rose affectueusement.

— Non, jamais.

— Mais tu ne peux pas continuer à vivre en recluse, Cassandra. La guerre est finie et le monde a changé. Tu es devenue quelqu'un d'important à Global. J'ai besoin de toi là-bas.

Ce n'était pas la première fois que Cassandra entendait cet appel. Elle savait qu'elle avait négligé ses responsabilités dans une période plus active que jamais. Non sans raison, Rose prédisait une expansion fulgurante des chèques de voyage. Le dollar était la monnaie reine, et les Américains allaient recommencer à visiter l'Europe, où les prix étaient ridiculement bas. L'œuvre de Michelle était une véritable mine d'or.

Rose, qui se disait déjà débordée de travail et ne pouvait assumer cette tâche supplémentaire, avait fait valoir que Cassandra était la plus qualifiée pour prendre la succession de sa mère. Cassandra n'en doutait pas. Rose avait revendu son réseau ferroviaire pour investir dans la construction aéronautique. La flotte marchande de Global était démantelée tandis que d'énormes pétroliers étaient en commande près des chantiers navals scandinaves. En revanche les mandats Global remportaient un succès presque hystérique. Après les restrictions dues à la guerre, les Américains se jetaient dans une frénésie de consommation qui remplissait les caisses de Global. Rose était donc très occupée par ces différentes réorientations de la compagnie.

Elle termina sa salade et posa ses couverts.

— Je voudrais vraiment que tu fasses partie de Global.

Cassandra remarqua l'ombre qui ternissait le sourire de Rose. A sa façon, elle aussi avait perdu un fils dans la tourmente du conflit, comme des milliers d'autres mères. Steven était toujours au Japon, aux côtés de la force d'occupation du général McArthur, et jamais il ne reviendrait auprès d'elle. Sans doute était-ce en partie la raison pour laquelle Rose tenait tant à la présence de Cassandra.

Rose changea de sujet, comme si elle devinait les pensées de la jeune femme. Quand elles partirent un peu plus tard, elles laissaient sur la table le quotidien acheté par Rose pour patienter. En page intérieure, un entrefilet qu'elle n'avait même pas remarqué annonçait le doublement prochain du trafic du port de Yokohama, grâce à l'enlèvement d'une épave de minéralier, le *Hino Maru*.

L'île n'était qu'un point infime dans l'immensité de l'océan. A marée haute, les vagues la réduisaient d'un bon quart. Un avion passant en altitude aurait eu du mal à distinguer le vert des eaux de celui de la végétation couvrant ce morceau de terre qui avait sauvé la vie de Nicholas Lockwood. En deux cent trente jours – d'après les encoches faites quotidiennement dans le tronc d'un palmier –, le naufragé n'en avait pas vu un seul dans le ciel. Crusoeville, comme il avait surnommé l'île, n'existait que pour lui.

Nicholas Lockwood dévissa l'extrémité du manche de son couteau de survie, le seul objet qu'il portait sur lui quand l'*Indianapolis* avait coulé. Dans la capsule d'acier était sertie une petite boussole. Il avait fait partie des quelques hommes à connaître la destination du bateau. Mais à quelle distance avait-il dérivé? Et pendant combien de temps? Cela, il ne pouvait le définir. Ses meilleures chances restaient de prendre la direction du nord. Les cyclones naissaient habituellement à l'est et se déplaçaient vers le sud-ouest. S'il parvenait à les éviter, il pourrait peut-être atteindre les Maldives ou Ceylan. De toute façon, rester ici signifiait la mort.

Il se leva et s'étira. C'était devenu un homme mince et bronzé, aux muscles plus secs encore qu'auparavant. Une barbe fournie mangeait son visage et ses cheveux tombaient sur ses épaules en une masse hirsute. Il avait survécu en pêchant. Les espèces étaient variées et peu farouches, mais il prenait toujours soin de ne pas s'éloigner de plus de quelques mètres de l'île. Les requins de l'océan Indien avaient la réputation d'être les plus dangereux du monde, et il avait vu de quoi ils étaient capables après le naufrage de l'*Indianapolis*. Il couvrit le feu de feuilles de bananier humides, pour faire cuire le dernier poisson. Il en avait déjà une douzaine de belle taille préparés en réserve, sans parler de ceux capturés vivants et qu'il avait placés dans une jarre confectionnée dans un morceau de tronc. Il les avait choisis pour leurs qualités nutritives ou leur chair gorgée de liquide. Avec sa réserve d'eau douce, il estimait pouvoir tenir une quinzaine de jours. Il contempla un moment le frêle esquif de branchages et de larges feuilles patiemment assemblés sur un bâti de troncs de jeunes palmiers. Les essais qu'il avait faits étaient satisfaisants. Le gouvernail de fortune était assez efficace et l'embarcation ne semblait pas prendre l'eau. Sur une course de quelques heures autour de l'île, du moins...

Il ajouta le dernier poisson cuit à sa provision et leva les yeux vers le ciel d'un bleu désespérant. Le moment était venu.

Sans jeter un regard sur l'abri construit de ses mains, la seule preuve de sa présence ici pendant plus de sept mois s'il sombrait,

Nicholas poussa son esquif dans les rouleaux pour l'amener au courant qui l'emporterait vers le nord. Crusoeville lui avait sauvé la vie, donné une seconde chance. Et il était bien décidé à la saisir.

*

Amener le *Hino Maru* au cimetière marin avait été la première partie de l'opération. Ce fut aussi la plus simple. Prétextant un dégagement appréciable de l'accès au port de Yokohama, Steven Talbot n'avait eu aucune difficulté à faire signer l'ordre d'enlèvement de l'épave par McArthur. La nuit où la carcasse du minéralier fut mise en cale sèche, les containers rouillés qui dormaient dans ses cales disparurent mystérieusement et sans que personne ne s'en aperçoive. L'or passa en Birmanie sans problème, grâce aux contacts de l'Américain et de Yukiko. Steven devait maintenant honorer son serment et intercéder auprès de McArthur pour sauver la vie de l'empereur et l'honneur du Japon. Il avait déjà réussi à le convaincre qu'imposer un procès à Hiro-Hito serait une humiliation que jamais les Japonais n'oublieraient.

— Mon général, je me permets de vous suggérer respectueusement de vous souvenir des conséquences désastreuses engendrées par les décisions prises après la Première Guerre mondiale, lui dit-il.

McArthur acquiesça. Jeune officier de la force d'occupation après la capitulation allemande, il avait constaté lui-même combien il était difficile de contrôler un peuple vaincu dont le chef emblématique a été détrôné et qui n'a plus aucune référence politique. Mais les mois passèrent et l'insistance de Washington à faire condamner l'empereur perdurait.

— Il n'y a qu'une solution pour empêcher cela, dit un jour Steven à Kamaguchi. Vous et vos amis devez convaincre l'empereur de faire le premier pas.

— Qu'il se rende lui-même ?

Kamaguchi, dont la condition physique s'était gravement détériorée, regarda Steven avec une incrédulité méfiante. Le *gaijin* avait certes toujours respecté ses engagements, et il avait donné maintes preuves de sa loyauté envers le pacte qui les liait. Yukiko elle-même avait fini par développer une certaine forme d'admiration pour son intelligence et sa détermination. Mais voilà que l'Américain dévoilait une méconnaissance criante des usages japonais, et cela dans les pires conditions possibles.

— Mr. Talbot, vous m'avez promis que vous trouveriez un moyen de sauvegarder la dignité de l'empereur, dit enfin Kamaguchi. Sa reddition à l'ennemi ne correspond pas à cette nécessité !

— Et si ce n'était pas une reddition du tout ? suggéra Steven. Les Occidentaux n'attachent pas la même valeur à l'honneur que vous. Que se passerait-il s'il apparaissait que l'empereur a en fait forcé McArthur à se rendre à ses conditions ?

Hisahiko Kamaguchi fut secoué par une longue quinte de toux.

— Une telle chose est-elle possible ? demanda-t-il d'une voix étranglée par la douleur.

— Je le crois.

*

Quelques jours plus tard, le Grand Chambellan de la Maison impériale contactait Steven pour lui notifier que Son Altesse Impériale désirait rencontrer le commandant suprême des forces américaines d'occupation. Steven obtint que l'entrevue ait lieu au quartier général de McArthur, ce qui pour Washington était un symbole tout à fait satisfaisant. Steven eut l'insigne privilège de servir d'interprète dans cette entrevue.

Trente minutes après s'être fermées, les portes du bureau de McArthur se rouvrirent, et le général sortit avec Hiro-Hito, suivi à deux pas par Steven. Les deux hommes avaient parlé sans interruption pendant cette demi-heure. Le cent vingt-quatrième empereur d'une dynastie vieille de deux mille six cent quarante-huit ans avait offert sa vie pour que son peuple soit épargné. Et McArthur n'avait pas refusé. Il n'avait en fait pas donné de réponse.

Steven regarda le petit homme qui représentait l'honneur du Japon remonter dans sa Rolls-Royce. Une main lourde s'abattit sur son épaule, et il se retourna pour voir le général McArthur qui lui aussi observait la scène.

— J'ai écouté, dit-il. Je n'ai peut-être pas dit grand-chose, mais j'ai écouté. Et vous savez quoi, Talbot ? Je suis né démocrate et j'ai grandi républicain, mais voir un homme naguère si puissant forcé à un geste aussi humiliant me serre le cœur.

*

Comme toujours ils se rencontrèrent dans le temple, à l'abri des yeux et des oreilles indiscrets. Le printemps était encore froid, et ils se serrèrent près du brasero.

— Vous avez réussi une grande chose, Mr. Talbot, dit Hisahiko Kamaguchi. Et c'est grande pitié que l'histoire ne le sache jamais.

L'industriel se plia en deux, torturé par une toux horrible qui se finit sur un crachat sanglant. Steven éprouvait une admiration sans borne pour cet homme qui s'accrochait à la vie dans le seul but d'accomplir la dernière partie du plan qu'ils avaient tous deux élaboré.

— Je vous promets que votre rêve vivra et prospérera, dit l'Américain. Yukiko se trouve déjà à Hawaii et bientôt...

Kamaguchi l'interrompit d'un geste.

— Je ne veux pas entendre parler de l'avenir. Rêver à ce que je ne verrai jamais m'est la chose la plus pénible.

L'industriel fixa sur lui ses yeux rougis.

– J'ai placé sur vous la plus grande des responsabilités, Mr. Talbot. Je vous ai accordé une profonde confiance. Vous devez mener à bien la tâche qui vous attend. Êtes-vous prêt ?

– Je le suis.

– Alors, faites ce que vous devez faire.

Hisahiko Kamaguchi tendit les bras, et Steven lui passa les menottes aux poignets. Puis il l'aida à se relever et les deux hommes sortirent du temple.

Alors qu'ils se dirigeaient vers la Jeep dans le froid piquant du matin, Steven se sentit submergé par le courage de son prisonnier. Pendant des mois Steven avait distillé à McArthur et à son équipe d'enquêteurs des documents falsifiés pour prouver qu'Hisahiko Kamaguchi était un militariste exalté qui avait utilisé sa puissance industrielle pour armer le Japon, puis son influence pour le jeter dans la guerre. Il n'avait pas fallu longtemps aux enquêteurs militaires pour faire de Kamaguchi le criminel de guerre le plus recherché de tout le Japon. Et Steven s'était simultanément servi de la notoriété de Kamaguchi pour convaincre McArthur que l'empereur était innocent et qu'il avait été débordé par des hommes tels que l'industriel. Et McArthur l'avait cru.

A présent, il ne restait plus à Hisahiko Kamaguchi qu'à payer le prix qu'il avait accepté.

55

Grand et anguleux, le garçon avait douze ans. Son visage large avait la couleur de la mélasse séchée. Un turban d'un pourpre défraîchi cachait ses cheveux sombres, et son pagne était du même tissu. Après une journée de pêche, son *dohey* était chargé de mahi-mahis, de barracudas et même de deux petits requins. Il était maintenant l'heure de retourner à Malé, la capitale de l'archipel des Maldives.

Il serra la voile pour rejoindre les autres *doheys* plus au nord-est. Il surveillait les effets de la manœuvre quand il crut apercevoir une forme curieuse au loin, apparaissant et disparaissant selon la houle légère. Quelque chose flottait bien là-bas, car plusieurs goélands s'élevèrent à la verticale pour redescendre aussitôt.

Le garçon était intrigué. Il infléchit la course de son *dohey*.

*

La sonnerie du téléphone la tira du sommeil. Elle alluma la veilleuse et décrocha.

— Miss McQueen?

— Oui...

La voix de Cassandra était enrouée, et elle plissait les yeux contre la lumière.

— Miss Cassandra McQueen? insista-t-on.

— Qui est-ce?

— Désolé de vous déranger en pleine nuit, Miss. Ici l'officier de garde du Centre des opérations navales de San Francisco. Le commandement en chef a pensé que vous seriez heureuse d'apprendre que nous avons retrouvé le lieutenant Nicholas Lockwood.

— Vous... Quoi?

— Oui, Miss. Il a abordé aux îles Maldives il y a environ trois semaines...

— Trois semaines! Pourquoi avez-vous attendu...

— Miss, s'il vous plaît. Il était dans un état physique grave et nous avons dû le rapatrier d'urgence sur Sidney. Mais les docteurs l'ont remis d'aplomb. En fait il est déjà sur un vol pour San Francisco. Il devrait arriver après-demain.

— Ne le laissez pas bouger avant que j'arrive!

L'officier de service eut une exclamation amusée.

— Le lieutenant Lockwood pensait que vous diriez quelque chose dans ce genre. Il voudrait savoir où il peut vous retrouver.

— La suite nuptiale, au *Stanford Court Hotel* de Nob Hill, répondit aussitôt Cassandra.

Il y eut un silence interloqué à l'autre bout de la ligne.

— Euh... Je vous ai bien entendue, Miss? La suite nuptiale?

— Il n'y en a qu'une à l'hôtel. Il ne peut pas se tromper.

Pendant les quelques secondes après avoir raccroché, Cassandra resta immobile dans le lit, figée par la nouvelle.

Il est vivant! Dieu du ciel, il est vivant!

Une minute plus tard Abilene passait la tête par la porte entrebâillée pour voir quelle était la raison du soudain remue-ménage qui l'avait réveillée. Des valises étaient ouvertes sur le lit, et Cassandra arrachait ses vêtements des cintres de la penderie pour les y jeter.

— Ça ne vous dérange pas de me dire ce qui se passe? dit Abilene en entrant dans la chambre.

Cassandra se rua vers elle et l'embrassa fougueusement. Sans un mot elle désigna la photographie de Nicholas sur la table de chevet. Alors Abilene se joignit à elle avec enthousiasme.

*

La suite nuptiale du *Stanford Court* était toute de rose et de bleu, accentués de laque noire et de motifs orientaux. Dans la salle à manger la table avait été dressée pour deux personnes, une bouteille de champagne attendait dans un seau à glace et un repas froid raffiné au réfrigérateur. Dans la chambre un lit trônait sur une estrade, couvert d'une magnifique étoffe bleu et argent. Par la lumière tamisée, les fils d'argent ressemblaient à des éclats de lune en cascade.

Cassandra vérifia tout pour la centième fois, déplaçant une fleur dans un bouquet ou un cendrier sur une table. Dès qu'elle était arrivée ce matin, elle avait appelé l'infirmerie du Presidio, mais on lui avait appris que le lieutenant Lockwood avait déjà quitté les lieux. Depuis elle l'attendait, et les heures lui paraissaient interminables.

Elle retourna dans le salon et pour la dixième fois s'observa d'un œil critique dans le miroir.

– Ne t'inquiète pas. On ne peut pas être plus belle que toi en ce moment.

Cassandra poussa un petit cri et fit volte-face. Il se tenait immobile devant la double porte, dans un costume visiblement neuf, un bouquet de roses à la main. Sa peau avait pris la couleur du teck ancien et ses yeux étaient profondément cernés, mais la même flamme y brillait. Il avança d'un pas hésitant vers elle, comme un homme qui n'est pas sûr de son équilibre. Cassandra se précipita vers lui et le prit dans ses bras en riant et en pleurant. Leur étreinte écrasa les roses, et la senteur délicate les enivra un peu plus.

*

De retour à New York, ils s'installèrent à Carlton Towers avec autant de naturel que s'ils agissaient ainsi depuis des années. Abilene accueillit Nicholas avec un rire joyeux et un baiser sonore sur chaque joue, puis elle alla s'enfermer dans la cuisine pour lui préparer « de quoi se remplumer », comme elle le dit en s'esclaffant.

Lorsque Rose téléphona, Cassandra était d'une telle bonne humeur qu'elle accepta immédiatement son invitation à déjeuner.

– Je suis tellement contente que vous soyez de retour, Nicholas! dit Rose. Vous ne pouvez imaginer combien nous étions tous inquiets pour vous.

– Cassandra m'a raconté tout ce que vous avez fait, répondit-il. Ça représente beaucoup pour moi, et je tiens à vous en remercier.

Il jeta un coup d'œil circulaire sur les gens impeccablement habillés qui déjeunaient autour d'eux au *Peacock Alley* du *Waldorf*. L'image de son bateau à demi disloqué et ballotté par la houle lui traversa l'esprit, et il pensa au poisson en décomposition qu'il s'était forcé à mastiquer longuement pour en extraire chaque parcelle d'énergie. Tout cela paraissait remonter à une éternité. Ou à hier...

– Vous avez des projets, vous et Cassandra? demanda Rose.

– Aucun, répondit joyeusement la jeune femme.

— J'ai cru comprendre que vous ne désiriez plus travailler pour le gouvernement, Nicholas?

— Non, j'en ai fini avec les services spéciaux. Et je ne recommencerais pas pour tout l'or du monde.

— Pourtant un homme de votre trempe ne peut rester oisif très longtemps...

Cassandra lui jeta un regard aigu. Rose avait quelque chose en tête, c'était clair.

— Et pourquoi pas? répliqua Nicholas, amusé.

— Parce que ce n'est pas dans votre nature. Vous n'êtes pas du genre à gâcher votre temps.

Cette fois il eut un rire franc.

— Allons, Miss Jefferson, pourquoi ne pas jouer cartes sur table?

Rose ne cilla pas.

— J'aimerais que vous preniez le poste de directeur de la sécurité chez Global.

Cassandra était éberluée. C'était bien la dernière chose qu'elle s'attendait à l'entendre dire. Mais Rose Jefferson était une spécialiste de la surprise.

— L'offre a l'air intéressante, répondit Nicholas d'un ton neutre. En quoi consisterait le travail?

— Nicholas!

Lockwood serra la main de Cassandra dans la sienne.

— Écouter une proposition n'engage à rien, n'est-ce pas?

Cassandra était trop désorientée pour répondre. Elle ne comprenait pas pourquoi Nicholas n'était pas aussi parfaitement heureux qu'elle. Ils avaient tout ce qu'ils pouvaient désirer, à commencer par leur couple, et ils n'avaient aucun besoin financier.

— C'est très simple, Nicholas, expliquait Rose. Je réorganise Global. Avec la guerre enfin terminée, nous allons revenir à nos bases, le mandat et le chèque de voyage. La conjoncture fait que notre expansion a toutes les chances d'être colossale, ce qui entraînera j'en ai peur une multiplication des problèmes : faux, contrefaçons, escroqueries diverses, pour ne citer que ceux-là. Or l'expérience que vous avez acquise dans les services secrets nous serait d'un grand secours. De plus vous avez vos entrées à Washington, vous êtes intelligent et plein de ressources.

Rose enroba son offre d'un sourire qu'elle espérait candide.

— C'est à considérer, dit Nicholas avant de jeter un coup d'œil à Cassandra. Qu'en penses-tu, mon amour?

Cassandra le fusilla du regard, prit un toast au crabe dans le plat et le mordit sauvagement.

Elle avait projeté de sortir faire un peu de shopping après le repas. A présent elle ne voulait rien d'autre que s'isoler avec lui pour le ramener à la raison.

— Nous en reparlerons plus tard, dit-il fermement. Il vaut mieux que tu te calmes un peu.

*

— Quelle agréable surprise! s'exclama Rose en contournant son bureau pour accueillir Nicholas. Ne me dites pas que vous avez déjà discuté de mon offre avec Cassandra?

Lockwood préféra ne pas lui dire que la jeune femme était partie seule et furieuse pour faire son shopping.

— Que voulez-vous vraiment, Miss Jefferson? dit-il sans préambule.

Un peu rebutée par sa froideur, Rose marqua un temps. Jamais personne n'osait lui parler ainsi. A la réflexion pourtant, elle trouva cette marque de caractère intéressante.

— Je m'inquiète pour les biens de Cassandra, Nicholas. Et vous devriez vous en inquiéter, vous aussi.

— Comment cela?

— Je pense que vous savez que j'ai tenu mes promesses en ce qui concerne Steven.

Lockwood acquiesça. Avant le naufrage de l'*Indianapolis*, il avait gardé un œil sur les activités de Talbot dans l'état-major de MacArthur.

— Je n'ai pas parlé ou écrit à mon fils depuis qu'il est parti pour Hawaii, il y a de cela des années. Et je ne m'attends pas à recevoir de nouvelles de sa part non plus. Quand vous aurez un enfant, Nicholas, vous comprendrez ce que cela peut représenter... Je n'ai personne au monde à qui laisser ce que j'ai construit, si ce n'est Cassandra. Steven est mon seul enfant, j'ai cinquante-cinq ans et je ne compte pas me remarier... (La voix de Rose se fit soudain plus douce.) Cassandra a beaucoup changé. Elle a travaillé très dur et a fait bien des choses dont vous pouvez être fier. Il est temps pour elle de reprendre ce que Michelle lui a légué. Mais elle a besoin d'aide, d'encouragement.

— Est-ce pour cette seule raison que vous m'offrez cette place?

— La vérité est que vous êtes qualifié pour ce travail, Nicholas. Et ce que vous ne savez pas, vous l'apprendrez aisément. Mais le plus important est que je sais pouvoir vous faire confiance. Vous auriez pu me ruiner à cause de Steven, mais vous ne l'avez pas fait. Pour moi cela suffit.

— Il y a autre chose, insista Nicholas.

Rose inspira profondément et acquiesça.

— C'est vrai. Et d'une certaine façon vous êtes un peu responsable. Vous avez soulevé l'hypothèse de l'implication de Steven dans l'assassinat de Monk et peut-être dans celui de Michelle. A présent je veux savoir la vérité, et vous êtes la seule personne qui puisse la découvrir pour moi. Si mon fils a eu quoi que ce soit à voir avec la mort de Michelle, cela signifie qu'il avait décidé depuis déjà très longtemps d'éliminer tous ceux qui pourraient menacer son héritage. Si c'est exact et si Monk l'avait découvert, alors Steven avait toutes les raisons du monde pour le réduire au silence lui aussi. Mais il n'y a qu'un moyen d'en avoir le cœur net : il faut que vous retrouviez Harry Taylor.

— Tout le monde le croit mort, dit Lockwood avec calme. Pas vous.

— Et vous ? Pouvez-vous vous permettre de le croire ? Si Steven a tué dans le passé, Nicholas, il peut recommencer.

Cette idée glaça le sang de Lockwood.

— Ainsi la proposition que vous me faites...

— ... est authentique. Mais personne ne doit connaître votre activité parallèle, pas même Cassandra. En tant que directeur de la sécurité de Global vous pouvez voyager où bon vous semble sans éveiller de soupçons. Vous disposerez de ressources qu'aucune police ne possède. Si Harry Taylor est encore en vie, vous le retrouverez. Sinon, sa sépulture. Et vous avez le meilleur des motifs, Nicholas : vous aimez Cassandra.

Il ne put que reconnaître combien ces paroles étaient vraies.

— Une question : pourquoi ne rien dire de tout cela à Cassandra ? Je pense qu'elle pourrait comprendre...

Rose secoua la tête avec tristesse.

— Il lui a fallu si longtemps pour se remettre de ce qu'elle a subi dans les catacombes... Lui dire ce que je soupçonne pourrait la replonger dans ce cauchemar. Je fais cela pour elle, Nicholas, mais je pense aussi à moi. J'ai dû accepter certaines révélations à propos de mon fils. Pour celles-là, il a déjà payé. Mais s'il est également un meurtrier, je veux le savoir.

*

Quand Nicholas pénétra dans l'appartement de Cassandra, il la trouva assise dans le salon au milieu de sacs et de cartons portant les noms des grandes boutiques de la Cinquième Avenue. Son visage ne reflétait pas le moindre plaisir ou la moindre satisfaction.

— J'étais folle, dit-elle, maussade. Mais je rendrai tout demain, ne t'en fais pas.

— Et pourquoi donc ? Ça fait sans doute un bon bout de temps que tu ne t'étais pas accordé ce genre de faveur. Tu le mérites.

Cassandra l'observa un moment.

— Tu as accepté l'offre de Rose, n'est-ce pas ?

Nicholas acquiesça et décida de ne lui dire que la moitié de la vérité.

— J'ai besoin de travailler, Cass. Je ne suis pas fait pour rester assis derrière un bureau. J'aime les défis et les expériences nouvelles. Mais plus que tout, j'aime l'idée que nous serons ensemble. Tu m'as attendu longtemps, et tu as remis à plus tard beaucoup de choses que tu aurais pu faire. Il est temps de t'en occuper.

— Et je vois que Rose a réussi à te convaincre que je devais reprendre l'affaire des chèques de voyage, lâcha-t-elle amèrement.

— Tu n'es forcée à rien si cela te déplaît. Je serais tout aussi heureux si tu décidais de rester à la maison. Mais le voudrais-tu ? *Peut-être, si j'étais ta femme.*

Mais dès que cette pensée lui traversa l'esprit elle se rendit compte que cela ne lui suffirait pas. Rose avait raison : une partie de Global lui appartenait. Et c'était l'héritage de sa mère.

Cassandra secoua ses longs cheveux blonds et poussa un soupir théâtral.

— Savez-vous que parfois vous pouvez être vraiment casse-pieds, Nicholas Lockwood ? Le savez-vous ? (Elle changea de ton pour ajouter :) Et moi je peux être très égoïste, aussi... Alors pourquoi ne viens-tu pas tout près de moi pour me dire que tu m'aimes à la folie et que tu ne fais tout ça que pour moi ?

*

Après le départ en retraite de Mr. Pecorella, Nicholas fut nommé directeur général des services de sécurité de Global. Il hérita d'un fichier de cinq mille dossiers de faussaires et escrocs divers, comportant des indications sur leurs liens avec les banques et les hommes de loi corrompus. Il disposait également de soixante enquêteurs formés par son prédécesseur, et de moyens illimités. Nicholas il fit de fréquents voyages à Washington pour échanger des renseignements avec le FBI et les services secrets.

De son côté, Cassandra travaillait d'arrache-pied avec Rose au plan de relancement des chèques de voyage en Europe, mais elle trouvait tout de même le temps d'accompagner Nicholas.

Elle était heureuse que Nicholas n'ait hérité aucune affaire délicate de Mr. Pecorella. Certes il passait de longues heures à Lower Broadway, mais ils n'avaient que très rarement à annuler un dîner ou une soirée. Dès qu'un appartement se libéra dans Carlton Towers il l'acheta. Avec Abilene, Cassandra s'occupa de le redécorer. Ils pouvaient ainsi être ensemble très souvent tout en conservant leur autonomie. Les moindres moments qu'ils partageaient, un dîner, une sortie ou une soirée tranquille, remplissaient Cassandra de joie. La vie lui avait appris la valeur de ces simples instants de bonheur, et elle en chérissait chaque minute.

*

Au printemps 1947, alors que Nicholas était à Global depuis un peu moins d'un an, Rose Jefferson se déclara satisfaite du plan de relance des chèques de voyage en Europe ainsi que des capacités de Cassandra à l'assumer.

— Comme vous le savez tous deux, leur dit-elle lors d'un dîner, Global a réussi à remettre sur pied ses branches transport et communication en Europe. Restent les chèques de voyage. La clef de l'opération, c'est à mon avis l'armée. Plusieurs dizaines de milliers de soldats américains sont cantonnés dans tous ces pays, et ils vont y rester longtemps. Ils seront notre cible privilégiée pour amorcer le mouvement... Cela offrira une excellente occasion à Nicholas de voir les divers systèmes de sécurité en vigueur dans les pays d'Europe pour contrer les faussaires.

Lockwood lança un bref regard de connivence à Rose. Il savait exactement ce qu'elle avait en tête en prononçant cette demi-vérité, et il appréciait la finesse du propos.

*

Ils arrivèrent à Londres au début du mois de juin. Les V2 nazis avaient fait des ravages terribles, mais les Londoniens s'étaient mis courageusement au travail.

Cassandra était maintenant habituée au rythme de travail infernal de Rose, et elle ne fut pas étonnée de leur emploi du temps surchargé ni de la succession de réunions avec les chefs militaires américains – des milliers de GI's se trouvaient encore dans le pays – et les banquiers, destinées à mettre au point le dispositif des chèques de voyage. Pendant ce temps, Nicholas rendait visite aux experts en contrefaçon de Scotland Yard. Mais il avait également d'autres entrevues, beaucoup plus discrètes, qui se tenaient en dehors des locaux policiers et où il soulevait le problème de la disparition de Harry Taylor.

— Nous avons sur les bras une situation chaotique, lui expliqua Rawlins, l'inspecteur qui avait répondu à son appel. Des milliers de nos compatriotes sont portés disparus, sans parler des bateaux emplis de réfugiés qui arrivent tous les jours dans nos ports. Et il est question d'un homme supposé mort depuis une dizaine d'années...

— Je sais tout cela, inspecteur. Même ainsi, j'apprécierai tout renseignement que vous pourrez me donner. C'est une affaire... personnelle.

Rawlins considéra le jeune homme un long moment avant de se décider.

— J'aimais bien McQueen. Nous avions essayé ensemble de percer ce Taylor à jour. Très bien, Mr. Lockwood, vous aurez son dossier demain à la première heure, et je demanderai à mes hommes de ne pas oublier ce nom. Où puis-je vous joindre si j'avais du nouveau ?

Nicholas lui donna une copie de son itinéraire en Europe.

— Appelez-moi à n'importe quelle heure du jour ou de la nuit si vous avez quelque chose.

Rawlins vit le nom de Cassandra et eut un petit haussement de sourcils étonné.

— Vous croyez que Taylor serait encore après elle ?

— Pas lui, inspecteur, mais le salopard qui lui a fait jouer le rôle de dupe.

— Je vous appellerai, promit Rawlins.

*

La veille de leur départ pour Paris, Cassandra eut une crise d'angoisse, la première depuis la mort de sa mère. Cette nuit-là, les souvenirs la hantèrent.

— Ne t'en fais pas, lui murmura Nicholas en la serrant contre lui. Je serai à côté de toi. Il ne t'arrivera rien, je te le promets.

Cassandra aurait aimé pouvoir le croire, mais le matin suivant elle frissonna en voyant apparaître la ligne des côtes françaises à l'horizon.

L'après-midi de leur arrivée, Cassandra se rendit au cimetière du Père-Lachaise pour se recueillir un long moment. Quand elle ressortit du cimetière, elle sut que Paris et elle étaient enfin réconciliés. Michelle avait aimé cette ville, et elle avait su transmettre cet amour à sa fille. Bientôt, l'angoisse de Cassandra disparut. Elle trouva Rose en compagnie de deux visiteurs, Émile Rothschild et Pierre Lazard.

— Nous avons appris votre arrivée par des amis de Londres, et nous avons pensé que nous devions être les premiers à vous accueillir à Paris.

Cassandra fut charmée par la courtoisie des deux vieux amis de sa mère, et les anecdotes affectueuses qu'ils racontèrent sur elle l'enchantèrent.

Bien entendu ils abordèrent le sujet des chèques de voyage et se dirent tout disposés à aider à la reprise de leur développement. Les ex-employés accouraient en masse pour retrouver leur poste, assurèrent-ils. Michelle avait su s'attacher son personnel au-delà des simples rapports hiérarchiques.

Ils conclurent cet agréable entretien par un succulent repas à *La Tour d'Argent*. Prétextant un dernier rendez-vous pour les questions de sécurité, Nicholas s'excusa très tôt dans la soirée.

Il n'eut pas loin à aller. Il traversa la Seine et entra dans l'imposant bâtiment de l'île de la Cité. Le policier de garde vérifia ses papiers et téléphona pour prévenir le commissaire Armand Savin, qui descendit l'accueillir.

De lui, et en dehors de ce qui regardait l'enlèvement de Cassandra, Nicholas savait qu'il avait été un héros de la Résistance surnommé par les Allemands eux-même le Renard blanc.

— Bonsoir, Mr. Lockwood, fit Savin avec cordialité.

— Je vous remercie de me recevoir, commissaire.

— Tout ce qui concerne Michelle McQueen m'intéresse au plus haut point.

Savin le précéda dans les étages jusqu'à son bureau. Lockwood remarqua aussitôt la pile de dossiers sur le coin d'une table.

— L'enlèvement ?

Salvin acquiesça.

— Tout ce que nous avons sur l'affaire. A présent, peut-être pourriez-vous m'expliquer les motifs de votre intérêt ?

La coopération du Français lui étant cruciale, Nicholas ne lui cacha rien. Il lui exposa dans le détail la mission que lui avait confiée Rose Jefferson et la façon dont il comptait la mener à bien.

— Une tâche pour le moins ardue, commenta Savin. Beaucoup d'années ont passé, et le monde a été bouleversé par la guerre. Vous croyez vraiment que Harry Taylor aurait pu survivre ?

— Rose Jefferson le croit. Et mon intuition me dit la même chose.

— L'intuition est une arme à double tranchant, mon ami. Elle peut tout aussi bien égarer que guider dans la bonne direction.

— Exact. Mais Rose a mentionné quelques détails précis qui devraient apparaître dans vos rapports. Si je puis me permettre...

— Faites donc.

Le français de Nicholas n'était pas parfait, mais suffisant pour repérer ce qu'il cherchait.

— Nous savons que Taylor a ordonné à Michelle de venir dans les catacombes avec une rançon d'un million de francs, dit-il en s'arrêtant sur une déposition. Voilà : le directeur de la banque a témoigné avoir fait lui-même le retrait. (Il passa plusieurs feuillets.) Mais plus tard, quand vous et vos hommes êtes arrivés sur les lieux, l'argent avait disparu... ainsi que Harry Taylor.

Nicholas leva les yeux vers le commissaire.

— Si Taylor a réussi à sortir des catacombes avec l'argent, alors il avait de quoi disparaître rapidement. Prenons l'hypothèse qu'il a survécu. Où un homme blessé et en fuite va-t-il en premier ?

— Chez un médecin, dit Savin d'une voix douce. Un médecin qui, pour une belle somme, le soignera sans poser de question... C'est à envisager, certes, mais vous rendez-vous compte que retrouver ce médecin, s'il est encore en vie, ne sera pas chose facile ?

— Pas facile, mais pas impossible.

Le Français eut un haussement d'épaules.

— Si les dieux nous sont favorables...

*

Comme tout le monde, Cassandra avait vu des photographies. Des reportages avaient montré cent fois les raids nocturnes au-dessus de l'Allemagne et les actes héroïques des pilotes alliés. Le résultat, en plein jour, était un cauchemar qui dépassait l'imagination.

Par un curieux miracle, le légendaire hôtel *Kempinski* de Berlin était toujours debout. Il avait échappé au plus gros des bombardements et son directeur assura Rose, Cassandra et Nicholas, que l'eau y était rétablie et potable, un luxe étonnant dans cette ville ravagée.

Nicholas se rendit aussitôt auprès des services de renseignements des armées d'occupation, tandis que Rose et Cassandra prenaient contact avec les financiers qui s'attelaient à la reconstruction du pays. Pour cela elles sillonnèrent la ville en ruine, et ce qu'elles virent leur glaça le cœur. Des enfants, pour la plupart sans doute orphelins, vivaient dans les décombres qu'ils fouillaient à la recherche de quelque chose à manger. Dans les coins sombres et les caves, de vieilles personnes mouraient de maladie et de malnutrition. Des fillettes de douze ans tout au plus proposaient leur corps aux GI's contre des cigarettes ou des rations de survie.

Et Steven avait aidé à créer cette situation, songeait Rose. Pouvait-il savoir quel genre de personnes il avait aidé ?

La réponse lui vint, douloureuse dans son évidence : oui, il le savait. Parce qu'il était l'une d'elles.

*

Ils prenaient tous trois leur dernier repas au *Kempinski*. Cassandra mangeait peu et parlait moins encore. Elle avait discuté avec Rose, et les deux femmes s'étaient mises d'accord : Cassandra retournerait à Paris pour rouvrir le quartier général des chèques de voyage rue de Berri. Si elle était reconnaissante à Rose de cette confiance, la jeune femme restait morose. Émile Rothschild et Pierre Lazard seraient là pour l'aider, mais Nicholas n'avait pas dit qu'il l'accompagnerait.

Rose remarqua l'expression de Cassandra et réprima un sourire espiègle. Elle attendit le dessert pour annoncer, d'un ton détaché :

— Et maintenant, j'ai une petite surprise pour vous. Nicholas a travaillé très dur, mais il n'a pas encore fini. Donc, et si personne n'y voit d'objection bien sûr, Nicholas restera en Europe.

Cassandra faillit s'étrangler avec son vin.

— Quand avez-vous décidé cela, tous les deux ?

— Il y a quelques jours.

— Quelques jours ?

— Eh, se défendit Nicholas en souriant, Rose voulait te faire une surprise !

Cassandra déposa un baiser sur la joue de sa voisine.

— Merci ! murmura-t-elle avec émotion.

– Je ne fais que te le prêter, plaisanta Rose.

– Tu pourrais bien ne jamais le récupérer!

Quand Cassandra s'excusa quelques minutes plus tard, Nicholas la suivit des yeux d'un regard triste. Il détestait cette dissimulation forcée.

– Je m'en veux de lui mentir, dit-il brusquement.

– Vous la protégez, corrigea aussitôt Rose. Et souvenez-vous, nous avons reconnu qu'il valait mieux la laisser dans l'ignorance pour tout ce qui concerne Harry Taylor. De plus Cassandra a besoin de vous. Tous les deux, vous vous faites du bien.

– Tellement de bien que nous vivons dans la dissimulation.

– Plus pour longtemps, Nicholas. Vous trouverez bientôt, je le sens. Allez à Vienne. Vienne vous rapprochera du but.

*

La capitale autrichienne était une cité bouleversée par les bombardements et qui grouillait d'informateurs, d'espions, de trafiquants et d'agents doubles aux mobiles plus ou moins flous. Un endroit idéal pour partir à la pêche aux renseignements, songea Lockwood. Et Simon Wiesenthal l'avait bien compris.

Nicholas gravit l'escalier étroit menant au Centre de Documentation de Vienne, présenta ses papiers à un jeune homme au regard dur et aux gestes précis, et fut après vérification introduit dans les bureaux de Simon Wiesenthal. Sachant qu'il était un survivant des camps de concentration, Lockwood s'était attendu à trouver un fantôme humain. Il découvrit un individu puissamment charpenté, à la poignée de main énergique et aux yeux pleins de feu de celui qui se dévoue à une grande cause.

– Je ne sais pas si je peux vous être vraiment utile, lui dit Wiesenthal après l'avoir écouté. Après tout, ce Harry Taylor n'est pas un criminel de guerre, et nous n'avons aucun dossier sur lui. Nos ressources sont limitées et nous les utilisons avec soin – pour rechercher une certaine catégorie de personnes, si vous voyez ce que je veux dire...

– Bien sûr, approuva Lockwood. Et je peux vous garantir que des fonds largement excédentaires à vos besoins seront mis à votre disposition afin que vous puissiez poursuivre vos enquêtes principales.

– C'est une offre généreuse, admit Wiesenthal. Mais, vous le savez, mes collaborateurs sont motivés par d'autres raisons que l'argent.

– Le nom de Michelle Lecroix vous dit-il quelque chose? Ou peut-être la connaissez-vous mieux sous celui de Michelle McQueen?

– La femme qui travaillait avec Abraham Warburg?

Lockwood acquiesça.

– Des centaines de Juifs en Palestine et ailleurs la vénèrent, Mr. Lockwood.

– Harry Taylor est en partie responsable de son assassinat. Si Michelle avait survécu, elle aurait fait beaucoup plus. Harry Taylor sait qui l'a tuée, et il est le seul qui puisse faire condamner le meurtrier. Quoi que vous puissiez faire, Mr. Wiesenthal, ce sera pour elle. Pas pour moi ou pour l'argent.

Simon Wiesenthal regarda fixement par la fenêtre pendant plus d'une minute.

– Dites-moi tout de cette affaire, s'il vous plaît, fit-il enfin en se retournant.

56

Steven Talbot émergea de la piscine totalement nu. Trois années dans les îles avaient bruni sa peau et la natation, l'équitation et la pratique de la voile entretenaient son corps. Son visage en ruine avait guéri autant qu'il était possible, bien qu'il prît toujours soin de ne jamais exposer la peau rose et trop lisse au soleil. Son large chapeau de rancher était connu dans tout Oahu.

Steven se dirigea vers le belvédère entouré de fleurs exotiques. Il se sécha rapidement puis enfila le peignoir de bain que lui tendait le vieux serviteur.

– Que donnent les comptes? demanda-t-il en s'asseyant à la table en face de Yukiko.

– Le résultat est meilleur qu'il y a dix mois. Bien meilleur.

Steven lut les totaux. Les bénéfices étaient énormes, surtout si l'on pensait qu'il n'avait débarqué ici avec Yukiko que trois ans auparavant. Et ce n'était que le début.

*

L'or du *Hino Maru* une fois parvenu en Birmanie, ce qui n'avait pas présenté de difficulté majeure, Steven avait renoué contact avec certaines personnes influentes rencontrées durant son bref séjour à Honolulu avant de suivre le général McArthur. La renommée de ce qu'il avait fait avec le général l'avait précédé. Il fut accueilli sans aucun problème dans la petite colonie des vieilles familles de propriétaires terriens et fit l'acquisition d'une exploitation qui avait périclité. Cobbler's Point lui convenait parfaitement, car l'endroit lui assurait tranquillité et discrétion. La présence de Yukiko en étonna certes quelques-uns, de même que l'arrivée d'employés japonais, mais les choses rentrèrent peu à peu dans l'ordre par la force de l'habitude. Avec les Japonais, Yukiko eut quelques difficultés, la tradition n'acceptant pas qu'un homme obéisse à une femme. Mais la mort de son père la nimba d'une autorité que tous reconnurent tacitement.

Une partie des ouvriers japonais se mit à cultiver certaines parcelles de Cobbler's Point. Dans un coin beaucoup plus inaccessible de la propriété, d'autres construisaient une petite fonderie où les lingots du *Hino Maru* prirent la forme de barres standard. Peu après, des experts de la banque de Crédit suisse vinrent de Zurich pour les examiner. Ils les déclarèrent pures à 99,9 pour cent et apposèrent leur cachet sur chacune d'elles. Le transport fut assuré par une compagnie appartenant à un Japonais mais enregistrée au Panama. En mars 1947, une compagnie suisse, la Pyramid Holdings, fut créditée de cinq millions de dollars.

– A présent, nous pouvons commencer, dit Yukiko.

Si elle avait respecté la tradition japonaise, Yukiko ne se serait jamais intéressée aux affaires. Mais elle était la fille unique d'un homme progressiste qui avait reconnu et développé ses talents. Elle avait appris tout ce qu'il était possible d'apprendre du *zaibatsu* de son père et était devenue une spécialiste des montages financiers et des stratégies industrielles à un âge où les jeunes Japonaises s'entraînaient aux arts indispensables pour faire une bonne épouse. Elle avait maîtrisé la patience et la ruse qui décident du succès de toute négociation, et elle savait se montrer implacable et sans remords. A présent elle mettait ses talents en œuvre pour appliquer le plan élaboré par Steven.

En six mois, la Pyramid Holdings avait pris le contrôle d'une banque de Hong-Kong et d'une ligne maritime philippine; elle supervisait l'exploitation d'une forêt de cinq mille hectares en Malaisie et investissait dans une usine pétrochimique en Indonésie. Steven et Yukiko discutaient avec les agents de change de Singapour, négociaient avec les fournisseurs les plus retors de Thaïlande, obtenaient les meilleurs taux pour l'achat d'or à Macao et rachetaient les avions américains des surplus de guerre au quart de leur valeur.

Pour affermir sa réputation d'homme d'affaires, Steven fit l'achat de cinq mille hectares sur l'île de Lanai... La plantation avait de plus l'avantage de lui procurer une façade respectable et lui offrait le moyen de réinvestir, par l'achat de terrains à Hawaii, les profits occultes réalisés dans le Sud-Est asiatique.

En parallèle il fit des dons substantiels à des associations charitables et acquit vite la réputation d'un homme riche, généreux mais discret. Il établissait également des contacts avec tous les officiels des forces d'occupation américaines qui passaient à Hawaï et qui se montraient heureux de discuter avec un compatriote de la future implantation des États-Unis au Japon.

– Nous avons besoin d'administrateurs expérimentés pour

reprendre les grandes firmes industrielles que nous avons démembrées, lui avoua un jour un de ses interlocuteurs. Le problème, c'est que pas un Américain n'est prêt à investir un dollar au Japon.

— Peut-être devriez-vous vous adresser à des investisseurs japonais, suggéra Steven.

L'officiel eut une exclamation désabusée.

— J'aimerais que ce soit possible. Mais les Japs n'ont plus un yen.

Après cette intéressante conversation, Steven dit à Yukiko :

— Appelle les amis de ton père. Le moment est venu.

*

Yukiko avait connu d'autres hommes qui poursuivaient leur but avec un acharnement semblable. Son père en avait été un, et ceux qui bientôt arriveraient à Cobbler's Point faisaient partie de cette catégorie d'individus. Mais Steven était différent. Une seule chose motivait tous ses efforts : la haine.

Elle s'en était ouverte un jour à son père. Steven Talbot promettait d'accomplir beaucoup de grandes choses, mais comment pouvait-elle être certaine qu'il tiendrait parole ?

— Pense à l'homme qu'il est, lui avait répondu Hisahiko. La rupture entre la mère et le fils est irrévocable. Il n'a pas d'autre repère que la promesse qu'il nous a faite. Il est lié à nous par son exil.

Yukiko avait compris ce qu'impliquaient ces paroles et elle s'était préparée au jour où Steven voudrait partager sa couche. Mais il ne fit jamais une telle demande. Il restait courtois sans jamais faire la moindre allusion. Leurs chambres étaient séparées, mais pour autant qu'elle le sût il ne recevait aucune femme, pas plus qu'il ne fréquentait les prostituées d'Honolulu sur China Strip. Et une rapide enquête lui prouva qu'il n'avait pas non plus de maîtresse occidentale.

Yukiko se mit alors à étudier Steven Talbot avec encore plus de soin. Elle chercha longtemps à découvrir la faiblesse qu'elle pourrait exploiter, mais elle dut se rendre à l'évidence : il paraissait n'avoir nul besoin de ce qu'un autre être humain pouvait lui offrir. Et c'était la seule chose en lui qui poussa Yukiko à la prudence. Elle en vint à la conclusion qu'il serait sage pour elle de se méfier de Steven Talbot.

*

Le soleil était haut dans le ciel et pas un souffle de vent n'agitait la verdure entourant le belvédère. Devant une telle chaleur, Steven réintégra la fraîcheur de la maison. Son majordome apparut et lui tendit sur un plateau une enveloppe bleue envoyée par avion. Elle portait le cachet de l'US Army et l'adresse de son expéditeur était la prison de Nuremberg.

Steven la lut puis fixa l'horizon d'un regard pensif. Quand Yukiko le rejoignit, il lui tendit le courrier et dit simplement :

— Nous risquons d'avoir un petit problème.

*

Steven passa les différents contrôles et pénétra dans la prison de Nuremberg. Il avait longtemps réfléchi à ce voyage. Avec Yukiko il avait essayé d'en définir toutes les conséquences possibles.

— C'est un risque, avait-il conclu, mais si je ne le prends pas nous ne saurons jamais pourquoi Kurt nous a ainsi contactés.

— Il n'aurait jamais dû le faire, avait répondu Yukiko sans cacher son mécontentement. A présent les autorités alliées ont la preuve d'un lien entre lui et toi.

Steven avait eu une moue nonchalante.

— Beaucoup de gens nous avaient vus ensemble à Berlin avant la guerre. Si j'avais dû être inquiété pour nos relations, cela serait arrivé depuis longtemps.

Un courant d'air froid balayait les couloirs sonores de la prison. De l'eau suintait des plafonds de pierre sur les murs et le sol fraîchement cimentés. Le MP introduisit Steven dans une pièce meublée d'une table et de deux chaises. Là il attendit quelques minutes, se préparant mentalement à la confrontation.

C'est un fantôme de Kurt Essenheimer qui entra. Son visage était décharné, ses doigts osseux et ses ongles d'un jaune maladif. Il traversa la pièce d'un pas traînant de vieillard et sa main trembla quand il la posa sur le dossier de la chaise pour y prendre appui.

— Kurt...

— Merci d'être venu, fit l'Allemand en s'asseyant péniblement. Ça fait longtemps...

— C'est bon de vous revoir, Kurt. Vous traite-t-on correctement ?

Essenheimer haussa les épaules.

— Je ne peux pas vraiment vous le dire. La monotonie de la vie ici éteint les sens. L'ennui, voilà le véritable ennemi... (Il eut un sourire évanescent.) Plus mortel que le cancer, presque.

Steven pâlit légèrement.

— Je ne savais pas, Kurt, je suis désolé. Je serais venu plus tôt...

— Vous ne pouviez pas savoir, le rassura Essenheimer. Vous accomplissez de grandes choses, mon ami, même si je n'ai pas souvent de vos nouvelles, je sais cela.

Steven se tendit. Depuis qu'il s'était établi à Honolulu, il avait pris grand soin que son nom n'apparaisse ni dans les journaux financiers ni dans les pages mondaines.

440

— Il y a quelque chose que vous devez savoir, reprit l'Allemand d'un ton grave. Le Juif Wiesenthal, celui qui s'est auto-proclamé « chasseur de nazis »... Il a posé des questions...

Un frisson désagréable passa sur la nuque de Steven.

— Pas sur vous. A propos de Harry Taylor. Il le recherche. D'après ce que j'ai cru comprendre, c'est votre mère qui le paie pour le retrouver.

L'esprit de Steven fonctionnait à une allure folle pour essayer de faire le lien.

— Savez-vous autre chose ?

— Hélas non.

Steven se força à écarter les questions qui se bousculaient sur ses lèvres. Il ne restait que quelques minutes d'entretien.

— Combien de temps, Kurt ?

— Quelques mois...

Les deux hommes s'entre-regardèrent et chacun revit leurs heures de gloire passées, quand ils partageaient les mêmes rêves et les mêmes triomphes.

Une clef grinça dans la serrure. Kurt Essenheimer se leva avec effort.

— Merci d'être venu, Steven.

— Adieu, Kurt.

*

— Tu le crois ? demanda Yukiko.

Elle marchait avec Steven sur la plage, et l'écume caressait leurs pieds nus. Il était revenu d'Allemagne depuis une semaine.

— Oui, je le crois, dit-il après un moment. Et il n'y a qu'une raison qui puisse pousser Rose à rechercher Harry Taylor. Elle pense que j'ai tué Michelle et elle veut le témoignage de Harry.

— A-t-elle la preuve que Harry est encore en vie ?

— Pas pour l'instant. Mais elle a les moyens, et des contacts dans le monde entier. S'il a survécu aux catacombes et qu'elle a décidé de le retrouver, elle peut y parvenir. Et tu sais ce que cela signifierait pour nous...

Yukiko n'avait pas besoin d'explications. Dans quelques semaines les amis de son père, les anciens directeurs de *zaibatsu*, arriveraient à Hawaii. Grâce aux efforts incessants de Steven, les complexes industriels allaient pouvoir renaître de leurs cendres, alimentés par des fonds colossaux. L'aube d'un nouvel essor économique était proche pour le Japon. Quand elle y pensait, Yukiko voyait toujours le visage aimé de son défunt père.

— Il faut éliminer Rose.

Steven avait prononcé ces mots, mais ils semblaient avoir été murmurés par le vent.

— Je sais, dit Yukiko.

441

57

Assise derrière son bureau à Lower Broadway, Rose Jefferson contemplait la pièce d'un regard vague. Tant de souvenirs dormaient ici, des luttes et des triomphes passés.

J'ai cinquante-six ans, songea-t-elle. *Beaucoup de gens et d'événements ont marqué cette pièce, et moi je suis toujours là...*

Ses yeux s'arrêtèrent sur les photographies encadrées de Cassandra et Nicholas posées sur la vitrine basse. Pour elle ces clichés étaient sans prix, car ils représentaient l'avenir.

Les lettres envoyées d'Europe par Cassandra étaient emplies d'un enthousiasme qui ravissait Rose. La jeune femme s'investissait pleinement dans la reconstruction du réseau de distribution des chèques de voyage, et, d'après les missives plus mesurées de Rothschild et Lazard, elle faisait preuve d'une efficacité qui n'était pas sans rappeler celle de Michelle.

— On rêve éveillée?

— Entrez, Hugh. Ne faites pas attention à une vieille femme en pleine crise de sénilité.

Hugh O'Neill sourit. Rose Jefferson était tout sauf une vieille femme. Sa beauté était toujours aussi resplendissante, et ses yeux pouvaient encore pétiller de rire comme ils le faisaient vingt ans plus tôt.

— Parlez-moi de la banque Ho-Ping, lui dit Rose, puisqu'il était venu dans ce but.

— Petit établissement, capital d'environ dix millions, surtout dans le foncier. Quelques prêts à des compagnies maritimes, sous fortes garanties. La direction est solide, quoique sans grande imagination.

Rose fronça les sourcils.

— Pourquoi proposer cette banque, alors?

— Ce n'est pas tout, en fait. Ho-Ping appartient à la Pyramid Holdings de Zurich. Les dirigeants en sont anonymes, mais la banque de Crédit suisse, qui tient leurs comptes, m'a averti que Pyramid avait donné pour instruction de vendre Ho-Ping. Bien entendu les Suisses ne se sont pas préoccupés de savoir la raison de cette vente.

Rose restait pensive.

— Les Suisses sont des gens intelligents, murmura-t-elle. Votre impression, Hugh?

— Vous cherchez un établissement pour servir de base à l'implantation des chèques de voyage en Extrême-Orient. Ho-Ping convient parfaitement. L'arrivée de Global derrière cette banque ne froissera pas les *taipans*, et par l'intermédiaire de Ho-Ping nous pourrons acheter d'autres affaires dans le Sud-Est asiatique. Nous formerons leurs cadres à New York avant de les renvoyer là-bas pour qu'ils servent d'instructeurs. En cinq ans, j'estime que Global devrait avoir établi les chèques de voyage en Extrême-Orient et contrôler une partie du tourisme.

— Combien veut la Pyramid Holdings?

— L'équivalent du capital. Inutile de leur donner un cent de plus.

Rose sourit.

— Très bien. Préparez le rachat, Hugh.

— Il y a une chose qu'a réclamé Zurich, sur l'instance de la Pyramid Holdings : le directeur actuel de Ho-Ping est un Japonais. Il a pleins pouvoirs pour conclure la vente, et il voudrait vous rencontrer.

— Impossible. J'ai trop à faire ici.

— Je sais que vous travaillez beaucoup en ce moment, glissa Hugh d'un ton plein de sous-entendus. En revanche je ne sais pas sur quoi vous travaillez...

— Vous le saurez en temps utile, Hugh, ne vous inquiétez pas.

— Écoutez, Rose. Cela fait une éternité que vous n'avez pas quitté le pays. La ville, même. Pourquoi ne pas profiter de cette occasion pour vous offrir un peu de détente? Ho-Ping vous offre le voyage en avion. Vous ne serez absente que deux semaines tout au plus.

Rose sentit sa résolution vaciller. Elle éprouvait effectivement le besoin de voir de nouveaux paysages, de goûter à l'inédit, de se ressourcer au contact de l'inconnu.

— Alors, puis-je annoncer à Ho-Ping que vous viendrez?

— D'accord. Au fait, qui verrai-je là-bas?

— Un certain Wataru Fukushima... Allons, Rose, vous allez vous amuser. Vous pourriez même arriver à lui faire baisser son prix.

Plus tard, Hugh O'Neill ne pourrait empêcher ces quelques mots frivoles de venir le tourmenter, contrepoint d'une lugubre ironie à une carrière toute de loyauté.

*

Quand Wataru Fukushima reçut le câble de Global, il traversa précipitamment sa petite usine et s'enferma dans son bureau.

Sa famille était associée au *zaibatsu* Kamaguchi depuis trois générations. Le grand-père de Wataru avait commencé en créant une petite fabrique de tôle, et il avait eu la chance de conclure un contrat de sous-traitance avec les Industries lourdes Kamaguchi. Après sa mort le contrat était passé à son père, qui avait développé l'entreprise et l'avait lui-même léguée à Wataru. Sans le *zaibatsu*, jamais la petite firme Fukushima n'aurait pu subsister, et encore moins grandir.

Wataru avait été sincèrement peiné quand Hisahiko Kamaguchi avait été, selon sa propre vision des choses, assassiné. Mais sa fin tragique n'avait fait que renforcer la responsabilité que ressentait Fukushima envers le *zaibatsu*. Il avait attendu l'occasion de payer sa dette, et elle était arrivée quand Yukiko Kamaguchi l'avait appelé de Honolulu.

Il allait devenir directeur d'une banque, lui avait expliqué la fille du vénérable Hisahiko, avec pleins pouvoirs pour la diriger. Bien entendu, on ne lui demanderait pas d'endosser vraiment cette charge. Néanmoins, il devrait se rendre à Hong-Kong deux fois par mois, faire une apparition à ses bureaux, signer quelques papiers et dire à ses employés qu'il repartait pour traiter de nouvelles affaires. En fait, il reviendrait à sa petite usine de tôles.

– Un jour, lui avait précisé Yukiko Kamaguchi, vous recevrez un message vous annonçant la venue d'une femme qui veut discuter de la vente de la banque. Vous me contacterez immédiatement, puis vous vous préparerez à la recevoir.

Dans son petit bureau encombré, Wataru Fukushima composa l'indicatif international et demanda la liaison avec Honolulu. Lorsque Yukiko décrocha, il se mit à parler d'une voix qui tremblait non de peur mais de l'exaltation de la vengeance.

✱

Il était cinq heures à New York quand Rose cessa de travailler. Elle devait partir tôt le lendemain matin et préférait économiser ses forces en prévision du voyage, qui serait long. Elle se servit un martini et en but une bonne gorgée avant d'ouvrir sa mallette. Parmi différents papiers se trouvait un mince portefolio de cuir marron. A la différence des autres documents, il ne portait aucun titre. A l'intérieur, le texte était dactylographié de façon assez malhabile, et beaucoup de lettres étaient rayées de X. Chaque page avait été rédigée par Rose elle-même, sur sa vieille Remington. Il n'en existait aucune copie ni aucun double.

Rose n'avait parlé à personne de ce projet. Elle avait en fait accepté le voyage à Hong-Kong pour avoir le temps et le dépaysement nécessaires à une réflexion approfondie sur ce sujet. Elle était convaincue d'avoir en main ce qui révolutionnerait le monde financier et enverrait les billets et les pièces au musée.

Ce projet la passionnait plus que tout autre. A une époque, cet enthousiasme lui aurait suffi, mais à présent elle se rendait compte qu'elle voulait partager, avoir le réconfort de penser que son idée était appréciée par quelqu'un d'autre. Tout posséder et n'avoir personne à qui en offrir la jouissance était la pire solitude au monde, l'existence le lui avait appris.

Je veux le montrer à Cassandra. Qu'elle sente combien il est exaltant de créer quelque chose de toutes pièces. Et je veux qu'elle comprenne combien j'ai besoin d'elle.

Mais même par courrier spécial gardé, envoyer le projet à Paris était hors de questions. Ce qu'il représentait était beaucoup trop important pour courir ce risque.

Peut-être à mon retour de Hong-Kong, quand je serai un peu plus avancée. Lors d'une visite de Cassandra...

Mais Rose voulait que la jeune femme l'ait dès à présent, ne serait-ce que symboliquement. Elle trouva très vite la solution. Avant de rentrer à Talbot House elle passa à Carlton Towers. Elle bavarda quelques minutes avec Abilene puis alla s'enfermer dans le bureau de Cassandra. Là elle composa la combinaison du coffre-fort installé par Nicholas. Elle y glissa le portefolio et referma l'épaisse porte de métal. Le projet y serait autant en sûreté que n'importe où au monde.

*

Après avoir rejoint San Francisco par train privé, elle fut accueillie par le président de la Pan American qui l'escorta jusqu'à l'avion rapide devant la mener à Honolulu. Après une escale qu'elle voulut la plus courte possible, le voyage reprit. Tahiti puis Tonga furent les étapes suivantes. L'immensité du Pacifique surprit et enchanta Rose. Les îles verdoyantes flottaient entre le bleu de l'eau et l'azur du ciel, avec leurs barrières de corail et leur sable fin ; elles présenteraient un jour un attrait certain pour les touristes. Avec l'avion, les distances seraient effacées. Il suffirait de construire des structures d'accueil, et naturellement d'installer des agences de chèques de voyage pour que les arrivants n'aient aucune difficulté durant leur séjour... Rose réfléchissait à cet autre projet grandiose quand l'avion atterrit à Guam. Wataru Fukushima la reçut avec toute la déférence et le cérémonial qui lui avaient été recommandés. Il l'accompagna jusqu'à l'avion privé de la banque et s'assura qu'elle était bien installée. Rose fut favorablement impressionnée par les stewards en uniforme et l'attention qu'ils lui portaient. Elle ne pouvait savoir qu'ils avaient fait l'objet d'une sélection rigoureuse par Wataru Fukushima.

Le crépuscule tombait sur le Pacifique quand le pilote fit rouler l'avion sur le tarmac de la piste d'envol.

— Dans combien de temps arriverons-nous à Hong-Kong, Mr. Fukushima ? demanda Rose une fois qu'ils eurent décollé.

Elle commençait à ressentir la fatigue du voyage et avait hâte d'être arrivée.

— Quelques heures, Miss Jefferson.

— Dans ce cas, si vous n'y voyez pas d'inconvénient, je vais dormir un peu.

Fukushima s'affaira sans bruit autour de sa passagère jusqu'à ce qu'il soit persuadé de son sommeil. Alors il s'isola dans la cabine avant pour méditer. Plus tard, alors que Hong-Kong n'était plus qu'à une heure de vol, il but une tasse de saké avec ses hommes. Ensuite il passa dans le cockpit et partagea l'alcool avec les membres de l'équipage.

Au loin apparut bientôt la ligne sombre de Hong-Kong. Peu à peu les montagnes parurent s'élever de la mer tandis que l'avion approchait de sa destination et perdait de l'altitude. Wataru Fukushima retourna s'asseoir et se mit à prier.

Quelques minutes plus tard, alors que l'avion décrivait de larges cercles d'approche au-dessus de l'aéroport, ses moteurs se turent. Les contrôleurs de la tour de l'aéroport virent les ailes trembler follement, et ils lancèrent des appels radios au pilote, lui demandant ce qui se passait. L'avion glissa lentement dans un arc de cercle paresseux, comme si le pilote cherchait à reprendre de l'altitude.

Soudain il plongea vers le sol, explosa sur la piste dans une déflagration d'apocalypse, et une boule de feu illumina la nuit.

58

La nouvelle de la catastrophe aérienne de Hong-Kong tomba sur les télétypes à trois heures, le 8 octobre, heure de Paris. La nouvelle fut aussitôt transmise au ministère des Transports. Le responsable vit le nom de Rose Jefferson sur la liste des victimes et alerta la police. L'officier de permanence du commissariat central attendit d'avoir une copie du télétype avant d'envoyer deux hommes à la résidence de Cassandra McQueen, sur l'île Saint-Louis.

– Qu'est-ce que c'est ? marmonna Cassandra quand Nicholas sortit du lit pour aller répondre.

– Je reviens tout de suite, promit-il.

Un coup d'œil à l'expression grave des deux policiers lui apprit que la raison de leur visite n'avait rien de plaisant. Quand il lut le télétype sa vision se brouilla.

Pas Rose! C'était impossible, Rose était indestructible!

Il lui fallut une pleine minute pour maîtriser son émotion. Il appela le commissariat et demanda à ce que les deux hommes restent en faction devant la porte.

– Quand les journaux apprendront la nouvelle, ils vont nous assiéger.

L'officier de permanence accepta sans aucune difficulté. Tandis que les deux policiers se plaçaient devant la porte d'entrée, Nicholas téléphona à une compagnie aérienne française. Un avion serait près dans l'heure pour les emmener à Londres. Là un vol serait arrangé jusqu'à New York via Terre-Neuve.

— Nicholas, que se passe-t-il?

Pieds nus et vêtue de sa seule chemise de nuit, Cassandra le rejoignit en se frottant les yeux. Il lui prit les poignets et les serra.

— Il y a eu un accident. Rose... Il est très probable qu'elle...

*

Les soixante-douze heures qui suivirent furent pour Cassandra une sorte de mauvais rêve embrumé. Le sommeil se refusa à elle pendant presque tout le voyage transatlantique. Vers la fin pourtant, elle réussit à se reposer un peu contre l'épaule de Nicholas.

Le véritable cauchemar commença dès leur arrivée à l'aéroport d'Idlewild. Des hordes de journalistes bloquaient la sortie. Heureusement, Jimmy Pearce et plusieurs employés de *La Sentinelle* les aidèrent à se frayer un chemin dans la foule surexcitée.

A l'appartement de Carlton Towers, la lassitude et la tristesse étaient aussi palpables que la fumée de cigarettes. Hugh O'Neill, Eric Gollant et quelques cadres supérieurs de Global les attendaient. Pendant que Cassandra s'éclipsait dans la salle de bains, O'Neill tendit un télex à Nicholas.

— Il vient d'arriver de la police de Hong-Kong. Ils ont formellement identifié Rose. Cela a pris du temps à cause de... à cause de la carbonisation des corps.

— Inutile que Cassandra apprenne ces détails, dit Nicholas d'un ton sec.

Lorsque la jeune femme revint, elle s'assit avec eux. Elle avait le visage pâle et crispé, mais elle était visiblement décidée à affronter la vérité.

— Je veux savoir ce qui s'est passé.

Eric Gollant parla le premier. La nouvelle de la mort de Rose avait profondément choqué les milieux financiers. Mais derrière les déclarations de sympathie, les spéculations commençaient déjà quant à la succession. Néanmoins aucune action hostile n'avait été entreprise contre les divers intérêts de Global. Personne n'osait être le premier à considérer qu'une blessure mortelle avait été infligée à la compagnie.

— Légalement, le conseil d'administration est habilité à régler les affaires courantes de la compagnie, ajouta Hugh O'Neill. C'est ce que nous faisons. Naturellement, toutes les négociations d'importance ont été ajournées. Nous ne pouvons bouger tant que le testament de Rose ne sera pas rendu public.

Quand son tour arriva, Nicholas étonna tout le monde en déclarant qu'il partirait pour Hong-Kong dès le lendemain.

— Mais pourquoi? demanda Cassandra. Tu n'arrêtes pas de répéter que la police de Hong-Kong fait de son mieux pour comprendre ce qui s'est passé.

— Je suis chargé de la sécurité de Global. Je me dois d'aller là-bas.

— Tu n'es pas responsable, insista Cassandra en lui prenant la main. Un moteur est tombé en panne, ou quelque chose a pris feu. Nicholas, tu ne peux pas te le reprocher.

— Je veux aller vérifier cela moi-même.

— Alors, laisse-moi au moins t'accompagner, implora-t-elle.

— Ce n'est pas une très bonne idée, intervint aussitôt Hugh O'Neill. Vous êtes l'héritière désignée de Rose, Cassandra. Vous devez rester ici. Pour le public, vous êtes Global, à présent. Dire cela me répugne, croyez-le bien, mais à l'heure actuelle il faut sauver les apparences.

Cassandra fut tentée de l'ignorer. La peine de Nicholas la déchirait autant que la sienne. Elle voulait rester auprès de lui.

— Combien de temps seras-tu absent? réussit-elle enfin à demander.

— Dix jours, au maximum deux semaines.

Cassandra ferma les yeux.

— J'ai besoin de toi ici, Nicholas.

Son silence avait valeur de réponse.

*

Dès la fin de cette réunion, Nicholas prit Hugh O'Neill à part.

— Je veux tous les documents relatifs à l'affaire de la banque Ho-Ping, dit-il. Le moindre bout de papier griffonné, vous m'entendez? Et j'aurai également besoin de vos notes.

— Nick, vous ne pensez pas que la catastrophe ait un rapport avec cette affaire?

— Pour l'instant je ne sais que penser! Mais la banque Ho-Ping était le dernier projet sur lequel travaillait Rose. Je commencerai donc par là.

*

A son arrivée à Hong-Kong, Nicholas fut accueilli par le responsable de l'enquête qui l'emmena directement au hangar où l'on avait rassemblé les débris de l'appareil. Chaque pièce était soumise à un examen minutieux.

— Des résultats, inspecteur?

Le policier eut un geste nerveux de sa badine.

— Mes hommes ont tout passé au peigne fin. Et ils ont trouvé deux ou trois choses qui vous intéresseront certainement.

De sa badine, il désigna une plaque d'aluminium noircie et tordue.

— Un morceau de l'aile droite, proche du conduit hydraulique. Remarquez comme il est calciné.

— Vous en déduisez?

— Que le pilote a peut-être évacué du combustible juste avant l'impact.

448

– Pourquoi aurait-il agi ainsi ?

Les yeux bleus de l'inspecteur accrochèrent ceux de Nicholas.

– Nous espérions que vous pourriez nous éclairer sur cette hypothèse.

Il montra d'autres débris dans le même état. Nicholas sentait un nœud désagréable serrer son estomac.

– Et l'avion lui-même ?

L'inspecteur sortit de sa poche un épais carnet.

– Il était en parfait état de vol. Les services de l'Aviation Civile nous ont indiqué qu'il avait moins de deux mille heures de vol. Il avait subi les vérifications de routine récemment. Et ces tests ont été effectués par nos équipes, c'est-à-dire des Anglais, et non des équipes locales.

– Et l'équipage ?

– Leurs papiers étaient en ordre. Le pilote comptait presque trois mille heures de vol à son actif, son copilote à peine moins. Les stewards avaient tous travaillé pour d'autres compagnies. Aucun n'était fiché.

– Et ils étaient tous japonais, lut Nicholas.

– Oui, vous l'avez remarqué, vous aussi ? murmura l'inspecteur. Nous sommes allés à la banque Ho-Ping. Ils se sont montrés très coopératifs, comme on pouvait s'y attendre puisque leur directeur était à bord de l'avion. Mais aucune loi n'interdit à une banque de Hong-Kong d'employer des équipages japonais. Nous en avons d'ailleurs quelques-uns ici depuis la fin de la guerre. Fukushima avait préféré employer des compatriotes. C'est compréhensible.

– Tout semble très compréhensible, dit Nicholas d'une voix tendue, à l'exception de ces petites anomalies que vous avez relevées. Que voulez-vous me dire, inspecteur ?

– Vous comprenez bien que par elles-mêmes ces anomalies, comme vous les appelez, ne constituent pas une preuve. De maquillage d'attentat ou de quoi que ce soit d'autre.

– Mais ?

– Mais elles indiquent la possibilité que le pilote ait volontairement écrasé son appareil.

– Pourquoi ? fit Nicholas, incrédule.

– Je ne suis pas en mesure de répondre à cette question. Pas plus que vous. Mais laissez-moi vous en poser une autre, Mr. Lockwood. Vos marins dans le Pacifique ont eu quelques expériences malheureuses avec les pilotes-suicides japonais. Les kamikazes jetaient leur avion sur vos navires, ou essayaient de le faire, parce qu'ils étaient investis d'une mission divine. Peut-être pourriez-vous me dire si le pilote de cet appareil avait un but similaire à l'esprit, un but si important qu'il ait accepté de se sacrifier avec son équipage et son employeur ?

– A moins qu'on ne lui ait ordonné d'écraser son avion, enchaîna Nicholas.

*

Nicholas Lockwood passa la semaine suivante à décortiquer tout ce qui concernait la banque Ho-Ping, mais il ne trouva rien d'irrégulier. Les comptes étaient justes, les employés modèles, et le passé de Wataru Fukushima sans tache. Il ne découvrit aucun mobile pour que le disparu ait voulu la mort de Rose Jefferson.

Derrière Ho-Ping se profilait une autre énigme qui augmenta la rage impuissante de Nicholas. Les représentants de la Pyramid Holdings débarquèrent de Zurich pour exprimer leurs condoléances et, avec une efficacité toute suisse, s'employèrent à remettre en ordre les affaires de Fukushima. Mais ils ne voulurent rien dire à Nicholas au sujet de la Pyramid Holdings.

— A moins que vous n'ayez des preuves accablantes qui intéresseraient une cour de justice suisse, lui dirent-ils placidement, vous devez accepter le fait que ce n'était qu'un tragique accident.

Aucun argument ne les fit changer d'avis, et cet obstacle supplémentaire redoubla la détermination de Lockwood. Il avait maintenant la conviction que Rose Jefferson avait été assassinée. Or une seule personne pouvait souhaiter sa disparition : Steven Talbot.

Pourtant cette hypothèse ne résistait pas à la première analyse logique. Steven Talbot avait été expulsé de Global des années auparavant. Que gagnerait-il à la mort de sa mère... hormis l'assouvissement de sa vengeance. Alors ? Alors Nicholas savait que la vengeance prend parfois des chemins tortueux dans l'esprit de l'homme qu'elle possède.

*

Comme il l'avait promis, Nicholas ramena le corps de Rose aux États-Unis. Il rapportait aussi la nouvelle que tous attendaient.

— C'est un accident, dit-il à Cassandra, Hugh O'Neill et ceux qui étaient rassemblés dans le bureau d'O'Neill à Lower Broadway. La police de Hong-Kong et les services de l'Aviation Civile ont conclu à une défaillance du système hydraulique.

Un lourd silence suivit sa déclaration, et tous les yeux se tournèrent vers Cassandra.

— Et maintenant ? demanda-t-elle. Que va-t-il se passer ?

— Nous avons une copie des conclusions officielles de l'enquête, intervint Hugh O'Neill d'une voix douce, et Nicholas nous les confirme. Tout a été arrangé pour les funérailles. Cassandra, si vous vouliez bien rester, il serait temps de prendre connaissance du testament de Rose.

L'avocat fit un signe à Nicholas.

— Mr. Lockwood, vous devriez être présent.

Tous les autres sortirent puis, Hugh O'Neill alla ouvrir le coffre mural et revint s'asseoir au bureau avec une chemise entourée d'un ruban rouge, qu'il ouvrit.

– Connaissant Rose, tout sera résumé à la dernière page, dit-il en ajustant ses lunettes sur son nez.

Il tourna les pages avec précaution, après les avoir parcourues en hochant la tête comme quelqu'un qui y trouve exactement ce qu'il attendait. Arrivé à la dernière, il s'apprêtait à lire à haute voix la conclusion de Rose quand il abattit brusquement le poing sur la table. Les yeux agrandis par l'incrédulité, il balbutia :

– Ce n'est pas possible! Elle ne voulait pas cela!... Il y a des taches d'encre partout çà et là, elle... elle allait le modifier...

*

Steven Talbot était assis au bord de la piscine, des journaux et des magazines ouverts tout autour de lui. Trois semaines s'étaient écoulées depuis la mort tragique de Rose Jefferson à Hong-Kong, mais son nom continuait de faire les gros titres de la presse financière. Steven reprit les ciseaux et découpa avec soin un autre article. Il y inscrivit la date et le nom du journal et le mit avec les autres dans le carton.

– Ils vont bientôt arriver.

Yukiko s'approcha de lui. Elle l'avait observé très longtemps et l'avait vu sombrer peu à peu dans son obsession. Quand sa mère était vivante, Steven n'avait jamais parlé d'elle. Mais la mort paraissait enchaîner l'un à l'autre la mère et le fils d'une étrange manière.

– Il faut me pardonner mes petites excentricités, ricana-t-il en saisissant un autre journal.

Il n'a jamais voulu que cela : supprimer sa mère, songea-t-elle soudain.

Steven n'avait pas fait la moindre allusion aux hommes qui s'étaient sacrifiés afin d'accomplir son dessein. Pour lui, ils n'avaient été que des instruments. Mais Yukiko avait bien connu chacun d'eux. Elle avait passé des heures à leur expliquer ce qui devait être fait et pourquoi. Et elle savait que, de chacune de ses paroles, résulteraient des veuves, des orphelins, des parents éplorés.

Ces hommes avaient donné leur vie pour témoigner d'un ultime respect à la mémoire de Hisahiko Kamaguchi. Ils étaient partis à la mort avec beaucoup d'honneur. A présent c'était à Steven de prouver sa valeur. Les secrets de son passé ne seraient jamais dévoilés, et Global était passé aux mains d'une jeune femme inexpérimentée, qui serait une proie facile. Les hommes venus du Japon étaient arrivés à Hawaii. Le moment était venu pour Steven de rendre ce qu'il avait créé, tout ce qu'avaient rapporté les investissements judicieux de Pyramid Holdings à ces représentants des anciens *zaibatsu*. Alors, le Japon pourrait retrouver sa grandeur.

Steven se leva au son des carillons éoliens. Il effleura la joue de Yukiko.

— Tout se passera bien, dit-il d'une voix suave. Fais-moi confiance.

Yukiko frissonna. Quelque chose de terrible se préparait, elle le sentait. Jamais encore il ne l'avait touchée.

*

Il se souvenait d'avoir vu leurs visages, dans les fichiers de l'armée d'occupation. Ils étaient alors soupçonnés de coopération active à l'effort de guerre nippon. Si les enquêtes avaient été convenablement menées, tous auraient été pendus. Mais Steven s'était arrangé pour que Hisahiko Kamaguchi paie à leur place.

Vêtus de costumes gris bien coupés, les cinq Japonais acceptèrent l'hospitalité de Yukiko dans les formes rituelles. Selon la coutume, aucune discussion d'affaires ne pouvait avoir lieu avant le thé. Ils le burent donc, en silence.

Enfin Steven se leva et marcha lentement jusqu'à la baie vitrée qui dominait le Pacifique.

— Messieurs, dit-il, les derniers comptes montrent que l'or du *Hino Maru* a fructifié jusqu'à atteindre la somme de trente millions de dollars. Nous contrôlons maintenant des institutions financières, des compagnies maritimes, des entrepôts, des mines dans tout l'Extrême-Orient, et nous possédons un capital appréciable en terrains non bâtis. D'après notre accord, le moment est venu de transférer ces profits à vos *zaibatsu*.

Il marqua une pause et sourit.

— Mais il y a eu un changement dans les plans...

Sans prêter attention aux murmures qui s'élevaient du groupe d'hommes, il leur tendit à chacun une feuille de papier, ainsi qu'à Yukiko.

— Ce n'est pas possible, dit la Japonaise à mi-voix.

— Est-ce vrai, Mr. Talbot ? demanda un des industriels.

Steven rejeta la tête en arrière en éclatant d'un rire perçant.

— Oui ! Oui, la vieille catin n'a jamais changé son testament. Et Global Entreprises m'appartient !

*

A la différence de la plupart des Occidentaux, Steven pouvait discerner les émotions sous le masque oriental le plus neutre. A cet instant, il se régalait. Il aurait juré que leur cœur s'était mis à battre plus vite.

– Steven... c'est incroyable, dit Yukiko.

– C'est un triomphe! s'exclama un des industriels. A présent la Pyramid Holdings pourra utiliser les ressources de Global pour s'étendre et croître!

– A moins que ce ne soit le contraire... lâcha Steven.

Tous le regardèrent sans comprendre, puis il vit les sourires disparaître et la suspicion crisper les visages.

– Que voulez-vous dire?

– Que Global va absorber la Pyramid Holdings. Et que vous vous retrouvez nus comme au premier jour.

Ces simples paroles l'emplirent d'un sentiment de puissance délicieux. Yukiko le regardait fixement, et elle se souvenait de la folie qui dansait dans ses yeux quand il découpait les articles de journaux.

A-t-il toujours su qu'il hériterait un jour de Global? Son obsession n'était-elle qu'un jeu? Comment ai-je pu être aussi aveugle?

Les questions qui déferlaient dans son esprit lui donnaient la nausée.

– Steven, tu ne peux pas faire cela...

– Vraiment? Vous aviez besoin de moi parce qu'aucun d'entre vous ne pouvait apposer sa signature sur les contrats et les chèques où que ce soit. Cela aurait soulevé trop de questions embarrassantes et dangereuses. La Pyramid Holdings est mon œuvre, et elle n'existe que par mon ingéniosité... Et ma signature est la seule reconnue à Zurich.

Steven remarqua la colère qui commençait à remplacer l'ébahissement chez ses interlocuteurs.

– Au cas où vous songeriez à m'arrêter, laissez-moi vous rappeler que je connais tous les détails sur la manière dont vous avez assassiné ma mère. Et même si les preuves manquent, j'ai assez d'éléments pour déclencher une enquête. Je pense que le gouvernement américain coopérerait entièrement avec Global Entreprises pour déterminer les causes et les coupables de l'assassinat d'une de ses citoyennes les plus prestigieuses.

A cet instant, Steven sut qu'il les avait vaincus. Quand il était officier dans la force d'occupation, il avait vu cette même expression de résignation et de défaite sur des milliers de visages.

*

Les industriels japonais se retirèrent dans la villa que Yukiko avait louée pour eux.

– Vous pouvez nous donner une explication? demanda leur porte-parole. Le *gaijin* est-il sérieux dans ses menaces?

Yukiko n'arrivait pas encore à absorber les dernières phrases de Steven. Et sa honte grandissait de minute en minute.

– Il est sérieux, n'en doutez pas. Je n'ai aucune explication à vous offrir. Quand il a appris la mort de sa mère, il était fou de joie, mais on pouvait s'y attendre. C'était ce qu'il voulait. Ce que nous voulions tous. Mais il n'a reçu aucun câble, aucun message téléphonique, il n'a pas été contacté... Il n'a pas quitté l'île autrement que pour ses habituels déplacements à Honolulu... Il est possible que Global ait utilisé un cabinet d'avocats de Honolulu pour entrer en contact avec lui dans la plus grande discrétion, c'est la seule solution que je vois. Croyez-moi, personne, et moi la dernière, ne s'attendait à cela.

— Nous vous avons crue, répliqua le porte-parole d'un ton acide. Et si nous ne nous attendions pas à cela, vous, vous auriez dû le prévoir.

Yukiko fut blessée par l'accusation mais elle n'essaya pas de se disculper. Elle avait trahi ces hommes aussi sûrement que Steven s'était joué d'elle. Et il y aurait un prix à payer.

— Nous avons placé notre confiance et notre avenir entre les mains de Steven Talbot, déclara l'industriel, et en quelques phrases il nous en a dépossédés. Son raisonnement est exact : nous ne pourrons jamais récupérer ce qui nous revient de droit, et nous n'avons aucun moyen de nous opposer à lui.

— Il doit exister un moyen! siffla Yukiko.

— Il n'y en a pas. Et nous ne vous permettrons pas plus longtemps de menacer nos positions. Il est un temps pour avancer et un temps pour faire retraite. Notre choix est évident.

— Alors nous repartons du début, dit Yukiko avec amertume. Dans la poussière et les cendres...

— Avec une différence : vous ne faites plus partie de notre association.

Les yeux de Yukiko brillèrent de colère.

— Vous n'oseriez pas m'abandonner! Mon père...

— Nous avons tous le plus grand respect pour la mémoire de Hisahiko Kamaguchi. Ce n'est pas nous mais vous qui l'avez déshonoré. A vous d'expier, pas à nous.

— Vous oubliez que ce qui reste des Industries lourdes Kamaguchi m'appartient toujours, rétorqua-t-elle.

— Non. Les Américains ne permettront pas à la fille d'un criminel de guerre qu'ils ont pendu de participer à un futur *zaibatsu*. Nous aiderons les Américains à démanteler les Industries lourdes Kamaguchi. Nous finirons par en recueillir les morceaux. De cette façon nous sauvegarderons la mémoire de votre père.

— Et que vais-je devenir? murmura Yukiko.

Le porte-parole resta impassible.

— Nous n'avons rien à vous offrir, et il n'y a plus de place pour vous parmi nous. Vous ne pouvez retourner auprès du *gaijin*, ni rentrer au Japon. Si la paix existe pour vous dans ce monde, nous ne pouvons vous dire où la trouver. Telle est la route incertaine de votre châtiment.

Quand elle arriva à Cobbler's Point, la maison était brillamment éclairée, comme d'habitude, mais dès qu'elle y entra elle sentit le vide qui y planait. Elle trouva le valet de pied de Steven et lui demanda où était son maître.

— Dans le jardin, répondit le domestique avec une gêne visible. J'ai déjà amené les bagages à l'aéroport.

Yukiko traversa la pelouse et le vit immobile devant elle, qui contemplait l'océan. Il se retourna vers elle.

— Le son et l'odeur de la mer la nuit me manqueront, dit-il. Croyais-tu que je serais parti sans te dire adieu ?

— Ç'aurait pu être plus prudent. Je pourrais être revenue pour te tuer.

— Tu ne gagnerais rien à le faire. Et tu ne fais rien si tu n'y gagnes pas quelque chose en retour.

— Pourquoi, Steven ?

Au clair de lune son visage ravagé avait l'aspect sinistre d'un masque mortuaire.

— Laisse-moi répondre par une question : si tu avais eu l'occasion de faire ce que tu voulais sans moi, ne l'aurais-tu pas saisie ?

Yukiko hésita une seconde, et elle sut qu'elle venait de confirmer l'opinion de Steven.

— Oui, bien sûr, tu l'aurais saisie, reprit-il. Parce que nous sommes semblables. Un de nous deux devait un jour essayer de détruire l'autre. Ma chance est simplement venue avant la tienne. Et tu as perdu.

— Tu ne te rends pas compte de ce que tu m'as fait, dit Yukiko.

— Bien sûr que si. Et il y a une raison à cela. Je n'ai pas peur des hommes que j'ai trahis. Ils seront bien trop occupés à rassembler les morceaux de leur empire pendant très, très longtemps. Toi, c'était différent. Je devais m'assurer que jamais tu ne pourrais m'atteindre. C'est pourquoi je les ai laissés faire ce que je ne pouvais faire moi-même : te rejeter, te bannir. Tu survivras, Yukiko, mais jamais tu ne seras en mesure d'être un danger pour moi.

Steven se baissa et ouvrit un coffret d'acajou ouvragé posé à ses pieds. Sur leurs supports, deux sabres rituels pour le *seppuku* brillèrent sous la lune.

— Ton père me les avait offerts peu avant sa mort, dit Steven. Il m'avait dit que pour celui qui est adroit la douleur ne dure qu'un instant, même si la mort n'est pas immédiate. Mais j'ai oublié de lui demander si les femmes pouvaient également les employer pour regagner leur honneur.

Sans un mot de plus, il passa à côté d'elle comme si elle n'existait pas et s'éloigna.

59

Cassandra regarda autour d'elle. Le bureau de Rose, avec ses dossiers soigneusement empilés dans un coin, était tel que la disparue l'avait laissé lors de son départ pour l'Orient. Derrière, le fauteuil hérité de son grand-père paraissait attendre son occupante familière.

La sensation de vide qu'éprouvait Cassandra depuis la mort de Rose aurait été insupportable sans Nicholas. Elle avait épanché sa peine dans ses bras, s'était serrée contre lui la nuit, pour lutter contre le froid glacé des souvenirs. Ce n'est que lorsqu'elle avait enfin réussi à surmonter le choc qu'elle s'était souciée de l'avenir.

— Peut-être Rose n'a-t-elle jamais eu l'intention de me léguer quoi que ce soit, dit-elle.

— Ridicule, affirma Hugh O'Neill avec emphase.

Il avait fouillé Dunescrag et Talbot House dans l'espoir de découvrir un testament plus récent ou un codicille, mais sans succès.

— Et Steven?

O'Neill inspira lentement, les mâchoires crispées.

— J'ai contacté son avocat à Honolulu, comme l'exige la loi, mais je n'ai pas reçu de réponse.

— Ne sait-il pas où joindre Steven?

— Il ne le sait pas, ou il ne veut pas le dire.

Cassandra observa la rue par la fenêtre.

— Je dois l'enterrer, Hugh. Il est honteux de retarder encore les funérailles. Rose mérite mieux que cela. (Elle se retourna vers l'homme de loi.) Je sais que c'est de la responsabilité de Steven, mais s'il ne peut ou ne veut pas s'en occuper, alors je dois le faire.

*

Le service funèbre se déroula dans la petite église de Prestwick, le village proche de Dunescrag. Des centaines de hauts personnages représentant tout ce que la nation comptait d'important dans les mondes de la finance et de la politique étaient venus rendre un dernier hommage à celle qu'ils avaient aidée ou combattue mais toujours respectée. Steven Talbot resta invisible.

Rose fut enterrée aux côtés de son grand-père et de son frère, dans le petit cimetière familial de Dunescrag.

La cérémonie terminée, la foule s'égailla vers les limousines qui attendaient à l'entrée de Dunescrag. Un cordon de policiers contenait les journalistes, avides de savoir ce que disait le testament de la disparue et où se trouvait son fils. Son absence signifiait-elle qu'il avait été déshérité au profit de Cassandra McQueen, comme le bruit en avait couru ?

Alors qu'elle se dirigeait vers sa voiture avec Hugh O'Neill et Nicholas, Cassandra fut abordée par un jeune homme bien vêtu.

— Je m'appelle Joseph Thompson, de Stewart & Delamont, dit-il brièvement. Nous représentons les intérêts de Mr. Steven Talbot.

Une pâleur soudaine marqua le visage de Cassandra.

— Où est-il ?

L'avocat lui fit un sourire mécanique mais se tourna vers Hugh O'Neill pour répondre.

— Mr. Talbot aimerait vous voir immédiatement.

— Vous n'avez pas répondu à la question de Miss McQueen, répliqua O'Neill. Où est Steven ?

— Mais là où est sa place. Dans son bureau, au siège de Global Entreprises.

*

Steven Talbot était assis derrière le bureau de sa mère, et il savourait pleinement ce moment. Toute sa vie il avait rêvé d'être le maître ici, maintenant il l'était.

Il émit un rire bas en se rappelant l'effarement des employés quand il était apparu ce matin. Il avait délibérément attendu l'heure des funérailles pour faire son entrée. La plupart des cadres supérieurs se trouvant à Dunescrag, il avait pu tout à loisir parcourir les étages de sa compagnie et se repaître du plaisir d'en être à présent propriétaire. Puis il avait envoyé son avocat chercher Hugh O'Neill et avait donné des instructions pour ne pas être dérangé.

— Mr. O'Neill est ici, monsieur.

Même par l'interphone, Steven détectait un tremblement dans la voix de la secrétaire.

— Faites-le entrer.

Quand O'Neill pénétra dans la pièce, Steven vit un homme vieillissant, abattu et las.

— Bonjour, Hugh.

— Steven. Vous n'étiez pas aux funérailles de Rose. Vos avocats ne vous avaient pas prévenu ?

— Si, bien sûr, répliqua-t-il froidement. J'aimerais voir une copie du testament, je vous prie.

Steven remarqua l'éclair de colère dans le regard d'O'Neill. Il lut le document avec grand soin, en imaginant ce qu'avait dû ressentir O'Neill en le lisant à Cassandra.

— Parfait. Je veux réunir le conseil d'administration aussi vite que possible. Disons... demain après-midi ?

— Steven, il y a beaucoup de détails que vous ne connaissez pas. Les chèques de voyage, par exemple...

— Je suis au courant du travail de Cassandra, coupa Steven. A ce propos, laissez-moi vous montrer comment j'ai l'intention de traiter ce sujet.

Il demanda à la secrétaire de lui envoyer l'un des responsables de la sécurité. Quand celui-ci arriva, il lui ordonna de faire emballer tous les effets appartenant à Cassandra et de changer la serrure de son bureau.

— Immédiatement, ajouta-t-il.

L'officier de la sécurité hésita et coula un regard interrogateur à Hugh O'Neill.

— C'est moi qui donne les ordres, pas lui! aboya Steven. Faites ce que je vous ai dit dans la demi-heure ou vous êtes licencié.

L'homme sortit sans un mot.

Steven s'absorba un moment dans la lecture des projets de Global. Puis il leva les yeux vers O'Neill.

— Ce sera tout, Hugh.

Cassandra reçut l'appel de Steven une heure plus tard. Hugh O'Neill l'avait déjà prévenue que Steven Talbot lui avait à jamais interdit l'accès aux locaux de Lower Broadway. Furieuse, elle avait eut la tentation d'aller affronter Steven sur-le-champ, mais O'Neill lui avait conseillé la prudence.

— Attendez de savoir ce qu'il veut.

*

Elle arriva à Global à treize heures précises. Elle fut escortée à travers les bureaux qu'elle connaissait si bien et remarqua que les employés évitaient de la regarder. Elle entra dans le bureau de Rose sans prendre la peine de frapper à la porte.

Steven abandonna la lecture d'un dossier pour la contempler. Sans ciller, Cassandra soutint la vision du visage contrefait.

— Toujours impressionnée par votre œuvre?

— Vous avez essayé de me tuer. Vous avez tué ma mère et vous vouliez m'assassiner aussi.

— Sans Harry, vous seriez morte, reconnut-il simplement. Mais c'est aussi bien que vous ayez survécu. J'ai ainsi le plaisir de vous annoncer ceci : vous êtes finie, Cassandra. A partir de maintenant vous n'avez plus rien à voir avec Global.

— Il me reste les chèques de voyage, répliqua-t-elle. Le bureau de Paris est redevenu opérationnel, j'ai reconstruit toute l'organisation. Je pourrai bientôt ouvrir toutes les agences européennes.

— Tiens donc? Avez-vous l'autorisation pour cela?

— Non, mais...

— Exactement. Et que distribuerez-vous si vous n'avez pas non plus les chèques?

– Que voulez-vous dire?

Steven eut un sourire venimeux.

– J'ai fait annuler ce matin même votre ordre d'émission au Bureau des Impressions.

– Vous n'aviez pas le droit de faire ça!

– Vraiment? Les chèques de voyage appartiennent à Global. Et à la minute où ma chère mère est morte, je suis devenu Global.

– Ma mère avait un contrat avec Rose. L'opération des chèques de voyage était à elle et elle me l'a léguée!

Steven tourna quelques pages de son dossier.

– Laissez-moi vous rafraîchir la mémoire, dit-il avec bonhomie. Voilà. Il est dit dans ce document que Rose accepte d'abandonner les poursuites concernant les chèques de voyage puisqu'elle est parvenue à un accord avec Michelle. Mais Rose précise que cette décision découle du fait que Michelle porte un enfant présumé être de Franklin. Ce qui, nous le savons bien, était faux. En cachant à Rose la véritable identité du père, Michelle a donc commis une fraude. En conséquence, ce contrat n'a aucune valeur, Cassandra.

Cassandra lui arracha le papier des mains.

– C'est faux! siffla-t-elle, cédant à la colère. Ma mère est responsable de l'expansion des chèques de voyage en Europe et vous le savez. Rose l'avait elle-même reconnu, et quand elle a repris la direction de l'opération c'était temporaire, en attendant que je sois apte à la remplacer.

– C'est votre opinion, rétorqua Steven, mais je doute que la justice vous suive sur ce terrain.

– Ne me menacez pas de porter cette affaire devant les tribunaux, Steven! Je sais tout de vos rapports avec Kurt Essenheimer et les nazis! J'ai les noms, les dates et les lieux!

Steven eut un rire méprisant.

– Grand bien vous fasse. Et vous espérez qu'on vous croira?

– Ils seront bien obligés de me croire! Je parlerai à Hugh O'Neill et il...

– Vous oubliez une chose, Cassandra, coupa mielleusement Steven, en contenant sa joie. Hugh O'Neill travaille pour moi, à présent.

*

Avec ses couleurs sobres et sa décoration classique, le salon de l'appartement de Hugh O'Neill à Sutton Place constituait un cadre adéquat pour la morosité des gens qui s'y étaient assemblés.

Nicholas, Hugh O'Neill et Cassandra avaient passé et repassé en revue les chances qu'avait la jeune femme de gagner un procès contre Steven pour récupérer Global. Malgré le rejet évident de son fils par Rose, aucun document ne l'attestait. De plus elle n'avait pas modifié son testament, ce qui à la réflexion était compréhensible : le chagrin que lui causait une telle action l'avait fait reculer, et elle avait remis à plus tard ce geste terrible pour une mère. Hélas, la mort l'avait prise avant qu'elle ait pu déshériter Steven, et le testament n'était pas contestable. Quant aux relations entretenues par Steven et les nazis, Rose avait détruit toutes les preuves en démantelant en secret son système d'approvisionnement du Reich.

Cassandra posa une main amicale sur celle de Hugh O'Neill. En sortant du bureau de Steven, elle était allée lui dire ce que son nouveau patron envisageait. Aussitôt l'avocat avait rédigé une lettre de démission. Il avait quitté Lower Broadway avec elle.

Cassandra s'inquiétait pour lui. A un an de la retraite, Hugh O'Neill avait quelques soucis de santé et elle savait combien il avait attendu le moment de se consacrer à ses petits-enfants et à ses passe-temps favoris. En sortant de Lower Broadway, il lui avait pourtant déclaré :

— Je ne laisserai pas ce salopard voler ce qui vous appartient. La bataille sera rude, mais je serai à vos côtés.

Cassandra s'était demandé si elle avait le droit d'accepter une telle offre.

— Je ne céderai pas, dit-elle aux deux hommes. Mais je ne veux pas que vous alliez au combat seul, Hugh. Engagez autant d'aides que vous le jugerez nécessaire.

O'Neill eut un pâle sourire et acquiesça.

Nicholas était effrayé par le manque de conviction de l'avocat. Il fallait le motiver, lui donner des raisons de s'investir à fond dans la dernière bataille de sa carrière. Or il n'avait qu'un atout à jouer pour parvenir à ce résultat. La vérité, ou plutôt le peu qu'il pourrait en révéler, serait sans doute un choc pour Cassandra, mais Nicholas estimait ne plus avoir le choix.

— Ce que je vais vous dire ne doit pas sortir de cette pièce, annonça-t-il brusquement.

Surpris, Cassandra et Hugh O'Neill mirent une seconde avant d'approuver d'un même hochement de tête.

— Il est possible que Rose ait été assassinée... (Il leva une main pour couper court aux réactions.) Mais avant que vous posiez des questions, laissez-moi m'expliquer. Je connais les conclusions de la police de Hong-Kong, et je sais que je les ai confirmées moi-même. Mais je ne l'ai fait que parce qu'il n'existait pas de preuve, du moins pas de preuve suffisante pour désigner quelqu'un. J'ai besoin de temps pour enquêter plus profondément, pour obtenir des réponses à certaines questions.

Cassandra fut la première à surmonter le choc de sa déclaration.

— Tu soupçonnes quelqu'un, Nicholas ? Tu ne nous dirais pas une chose pareille si tu n'avais pas déjà une idée.

460

— J'en ai une, oui. Je pense que la piste mène tout droit à Steven Talbot.

— Vous n'êtes pas sérieux! s'exclama O'Neill, horrifié. D'ailleurs Steven se trouvait à Honululu quand l'avion de Rose s'est écrasé!

— Et où se trouvait-il auparavant? Quels sont ses liens avec la Pyramid Holdings? Avec Fukushima et la banque Ho-Ping?

— Mais vous ne savez même pas si ces liens existent!

— Je n'ai pas pu le découvrir. J'ai besoin de plus de temps.

— Es-tu sûr de ce que tu avances, Nicholas? demanda Cassandra plus calmement.

— Assez sûr pour te dire que tu dois assigner Steven en justice. Je sais que ça n'aura rien de plaisant, mais nous avons pas mal d'atouts. Je vais essayer d'en découvrir d'autres, suffisamment pour enterrer Steven une fois pour toutes.

— Si vous pensez que Steven a organisé la mort de Rose, je ferai tout ce que je peux pour battre ce salopard! lança O'Neill, les yeux brillants de rage.

— Ça me semble toujours difficile à croire, murmura Cassandra. Steven organisant l'assassinat de sa propre mère...

Puis elle se rappela les catacombes. Si, elle pouvait le croire.

*

Leur pessimisme se révéla fondé. Dès que Cassandra intenta une action en justice pour contester les droits de Steven, la presse la harcela pour connaître la raison de cette vendetta contre Mr. Talbot.

Le premier jour, Hugh O'Neill attaqua par les compromissions de Talbot avec les nazis. Steven choisit de répondre par le mépris à ces accusations, arguant que les documents présentés étaient des faux et menaçant de poursuivre Cassandra en diffamation. En réponse il produisit le rapport de police français prouvant qu'il s'était porté au secours d'une certaine jeune fille nommée Cassandra McQueen dans les catacombes. Pour tout paiement de son héroïsme, sous-entendit son avocat, il avait été défiguré et maintenant il était traîné dans la boue par celle qu'il avait voulu sauver.

Cette ligne de défense eut un effet très positif sur l'opinion publique. Des journalistes allèrent interviewer McArthur, et les éloges du général sur l'intégrité de son ancien lieutenant renforcèrent le courant de sympathie qui se dessinait déjà en faveur de Steven. Le vent tournait et Cassandra n'y pouvait rien changer.

Carlton Towers devint sa forteresse. Les journalistes la guettaient et toute sortie se transformait en jeu de piste destiné à semer les reporters. Hugh O'Neill lui obtint une protection policière après qu'elle eut reçu des lettres de menace et des appels téléphoniques anonymes. Cassandra fut certes rassurée, mais elle continuait de mener une vie de recluse.

Mais elle s'inquiétait plus pour Hugh O'Neill que pour elle-même. Il travaillait sans arrêt tout en supervisant les trois jeunes avocats qu'il avait embauchés. Chaque jour il lui était conseillé d'abandonner l'affaire, de cesser de se dresser contre Steven Talbot, car celui-ci avait le pouvoir de ruiner sa carrière. Cassandra l'aidait dans la mesure de ses moyens, mais c'était O'Neill qui portait tout le poids de la bataille juridique sur ses épaules. Et cette pression continuelle minait peu à peu sa santé déjà chancelante.

Février 1949 arriva, et les nouvelles empirèrent. Le juge avait finalement rejeté les preuves apportées sur la collusion de Steven avec les nazis, les déclarant non recevables.

– Vous n'avez aucun témoin pour étayer ces documents, avait-il expliqué à l'avocat. Si vous avez des éléments plus convaincants, il serait temps de les verser au dossier.

– Nicholas est notre dernière chance, dit Hugh à Cassandra quand il lui rapporta ces propos. Vous devriez l'appeler et lui signaler que nous avons grand besoin qu'il sorte un lapin de son chapeau au plus tôt.

D'après ce qu'ils savaient, Nicholas se trouvait à Zurich où il essayait de pénétrer le secret qui entourait la Pyramid Holdings. La vérité était bien différente.

*

Saint-Julian est un petit village de pêcheurs dominant une jolie baie à l'extrémité ouest de l'île de Malte. Après la guerre la vie y était restée peu chère, et l'argent que Harry Taylor avait apporté dura longtemps. Il habitait une agréable maison sur l'une des rues principales de Saint-Julian, dont le balcon donnait sur la mer. Il aimait s'y asseoir à l'aube et contempler les bateaux verts, rouges et jaunes qui rentraient au port, chargés de leur pêche. Plus tard il marchait jusqu'aux quais et s'offrait des filets grillés de poisson frais.

Mais ce jour-là Harry Taylor ne profitait pas de la douceur du matin. Il se tenait sur le pont du ferry qui devait l'emmener à Tripoli, en Libye, à plus d'une centaine de kilomètres au sud. Il n'emportait qu'un sac de marin, sa ceinture où était glissé l'argent et les vêtements qu'il avait sur lui.

Ceux qui avaient connu Harry à New York ne l'auraient sans doute pas reconnu. Ses cheveux avaient pris la blancheur de la neige et une barbe hirsute lui mangeait le bas du visage. Le soleil avait bruni sa peau et strié son visage de fines rides. La transformation était certes impressionnante, mais il venait d'avoir la preuve qu'elle ne suffirait pas.

Quelques soirs plus tôt, dans le bar-restaurant où il prenait souvent ses repas, il avait remarqué un nouvel arrivant, européen ou américain, au visage dur et déterminé. Un chasseur. Quand l'inconnu était parti, Harry avait discuté avec le propriétaire des lieux. Celui-ci lui avait appris que l'homme avait posé des questions sur un Américain vivant dans la région. Méfiant par nature comme la plupart de ses compatriotes, le patron n'avait rien dit à l'étranger.

Ce n'était qu'un piètre réconfort pour Harry. Depuis le drame des catacombes sa vie était devenue une fuite perpétuelle entrecoupée de brèves périodes de calme relatif – la dernière étant sur le point de se terminer.

Quand il s'était enfui des catacombes, il avait eu la chance de trouver très rapidement une sortie. Avec sa blessure il ne pouvait aller très loin. Le médecin qui le recueillit et le soigna – contre des honoraires princiers – fut très surpris qu'il refuse toute anesthésie. Harry souffrit l'enfer durant l'opération, mais c'était le seul moyen pour lui d'être sûr que le médecin ne le dépouillerait pas ou ne le dénoncerait pas. Trente heures après sa fuite des catacombes il se trouvait à Charenton. Là, il disparut.

Une péniche le descendit dans le sud de la France, puis il rejoignit Marseille. Les activités parallèles du grand port étaient dirigées par des Corses, mais toutes les nationalités s'y côtoyaient. Anonyme dans ce milieu cosmopolite, Harry offrit ses services d'expert financier à la pègre de la ville. Harry n'était pas un tueur, mais il connaissait tout ce qui touchait à l'argent, et son expérience fut rapidement appréciée du Milieu.

Alors que la guerre couvait, il se fit une place de choix dans un réseau d'escroqueries mineures. Il vendait des champs aurifères fictifs, des actions de chemins de fer sud-africains illusoires ou de compagnies maritimes imaginaires à toutes les victimes consentantes qu'il recrutait chez les médecins, les avocats et d'autres personnes assez riches, intéressées et crédules pour mordre à l'appât de profits rapides.

A cette époque, Harry était déjà connu sous trois identités différentes. Il avait créé plusieurs sociétés écrans et possédait une demi-douzaine de passeports cachés dans plusieurs endroits de la ville. Sa réputation lui fit fréquenter une autre sorte de malfaiteurs : les experts en contrefaçon. Auprès d'eux il apprit tout de l'art du faux. Il aida à fabriquer des actions, des certificats de propriétés et une multitude de papiers « officiels » qui permettaient les escroqueries les plus variées.

Mais, en dépit de son succès, Harry ne se sentait pas totalement en sécurité. Lorsqu'il apprit que Steven avait été défiguré dans les catacombes, il y vit une forme de châtiment ironique. A présent pourtant, il savait que deux personnes chercheraient à retrouver sa trace : Rose, parce qu'elle était persuadée qu'il était l'instigateur de l'enlèvement et Steven, qui chercherait sans doute à réduire au silence le seul homme sachant ce qui s'était réellement passé dans les catacombes. Il était bien sûr possible que tous deux le croient mort mais ç'aurait été parier sur la chance, et Harry Taylor avait appris à ne pas faire confiance à sa chance.

C'est pourquoi il se méfiait de tout étranger. Il écoutait également avec intérêt tous les bruits qui couraient dans le Milieu sur les inconnus qui posaient trop de questions ou qui offraient de grosses sommes d'argent pour des renseignements. Dans ses rares moments de détente il pensait à Rose et au bonheur qu'il aurait pu vivre avec elle si le destin n'en avait décidé autrement. Mais ces états d'âme ne duraient jamais très longtemps car ils le ramenaient toujours à cette nuit terrible dans les catacombes où Michelle avait perdu la vie. Et Harry savait au plus profond de lui-même qu'un jour il lui faudrait réparer le mal qu'il avait aidé à faire.

Le premier qui lui parla de l'étranger fut un faux-monnayeur. Un inconnu était arrivé à Marseille, quelqu'un de plus rusé et de plus dur qu'un simple policier, quelqu'un qui se déplaçait avec aisance parmi la pègre et qui ne paraissait pas facile à effrayer. Quelqu'un qui cherchait un certain Harry Taylor.

Harry n'attendit pas. Il s'arrangea pour voir l'homme afin de fixer ses traits dans sa mémoire, se munit du strict nécessaire, de son argent et de ses différents passeports, et quitta Marseille. Quelques heures avant que la France et l'Angleterre ne déclarent la guerre à l'Allemagne, il passait la frontière suisse.

Mais ce n'était qu'une étape. La Suisse n'était pas un pays facile pour le genre d'activités dans lesquelles il avait appris à exceller. Et il revit l'inconnu à Lausanne. Il passa alors en Italie, et après la guerre s'installa quelque temps à Rome. L'homme apparut de nouveau. Il partit alors pour l'île de Capri avant de sillonner la Méditerranée d'une côte à l'autre dans l'espoir de semer son poursuivant. Après dix-huit mois à Malte, il avait cru y parvenir. Il s'était trompé.

Harry s'appuya des deux coudes sur le bastingage et regarda les tuiles rouges couvrant le toit de sa maison qui étincelaient sous le soleil matinal. Si l'inconnu y était en ce moment, il n'y découvrirait aucun indice. Quelques vêtements fatigués, des meubles simples, une vaisselle sommaire.

— Maudit sois-tu! grommela-t-il, les yeux fixés sur la maison qu'il quittait à jamais.

Il était las de fuir. Il ressentait de plus en plus le besoin d'un foyer, d'un endroit où il n'aurait pas à regarder continuellement par-dessus son épaule. En dépit de sa diversité, l'Europe s'était révélée trop petite. La Méditerranée n'avait pas non plus déjoué son poursuivant... Harry se jura d'aller beaucoup plus loin, dans quelque pays exotique où il pourrait disparaître. Harry savait que, s'il n'y parvenait pas, le chasseur finirait par rejoindre sa proie.

*

Nicholas Lockwood se pencha sur la balustrade du petit balcon de sa chambre d'hôtel et suivit des yeux le ferry du matin qui sortait lentement du port. Le câble froissé dans sa main témoignait de sa frustration. Les renseignements de Simon Wiesenthal n'étaient pas erronés : Harry Taylor n'était pas loin, son sixième sens le lui disait. Mais il ne pouvait qu'abandonner pour cette fois. Les nouvelles reçues de New York l'y obligeaient.

Nicholas rentra dans sa chambre et fit son sac. Il lui répugnait de rentrer sans aucun résultat. Malgré ce qu'il avait dit à Cassandra et O'Neill, il ne s'était jamais fait beaucoup d'illusions sur la possibilité de percer le lien secret entre la Pyramid Holdings et Steven Talbot. Il ne doutait pas de son existence, pas plus qu'il ne doutait des artifices légaux pénétrables qui le cachaient. Mais rien de tout cela n'aurait d'importance s'il parvenait à retrouver Harry Taylor. Son témoignage serait plus que suffisant pour envoyer Steven Talbot devant la justice ou, puisqu'il serait jugé en France, à la guillotine. Malheureusement Nicholas avait épuisé une des rares choses que l'argent ne pouvait lui procurer : le temps.

*

Steven Talbot s'arrêta en haut des marches du palais de justice de Lower Manhattan et leva les mains pour réclamer le silence. Les journalistes attroupés se turent peu à peu.

— Messieurs, j'ai une brève déclaration à faire. Un procès long et inutile vient de se terminer. Miss Cassandra McQueen s'y est présentée comme une voleuse et en sort condamnée comme telle, comme le prouve le verdict. J'aurais aimé qu'elle ait la décence de respecter les dernières volontés de ma mère. En les mettant en doute, elle s'est simplement déshonorée.

— Demanderez-vous des dommages et intérêts ? lança un journaliste.

— Il n'y a rien que possède Miss McQueen que je puisse désirer, répondit Steven. En ce qui me concerne, cette affaire est close.

— Et qu'allez-vous faire des chèques de voyage, maintenant qu'ils sont définitivement à vous ?

Steven eut un sourire rapide.

— Cela, messieurs, l'avenir vous l'apprendra.

*

A l'autre bout de Manhattan, dans un lit du Roosevelt Hospital, Hugh O'Neill se mourait. Il était à peine conscient et ses yeux à demi clos ne discernaient que des ombres futigives. Ses doigts serrèrent faiblement la main de Cassandra.

465

— Je suis là, Hugh.

Elle était à son chevet depuis trois jours, depuis l'attaque cardiaque qui l'avait frappé à son bureau. Ses assistants l'avaient remplacé au procès et venaient d'apporter le verdict. Pour Hugh O'Neill, ç'avait été comme un coup de grâce. L'obscurité envahissait rapidement son esprit, mais il devait encore dire une chose à Cassandra. Il rassembla ses forces défaillantes pour murmurer :

— Rose... travaillait sur un projet... très spécial... M'a pas dit. Avant Hong-Kong... Trouvez-le... C'est important...

— Oui, Hugh, je le trouverai, je vous le promets, dit Cassandra, dont le visage était inondé de larmes. Et nous y travaillerons ensemble, d'accord ?

Un léger sourire passa sur les lèvres de Hugh O'Neill. Ses doigts pressèrent un peu la main de la jeune femme. Pendant un temps infini Cassandra resta immobile à contempler son visage figé. Enfin une infirmière entra dans la chambre et ferma les yeux du mort.

*

Les fenêtres illuminées de la grande demeure attiraient les regards envieux des passants de la Cinquième Avenue. Ils imaginaient la réception fastueuse qui devait s'y dérouler encore, malgré l'heure tardive. En fait, Steven était seul à Talbot House. Depuis son retour, il avait ordonné aux domestiques de laisser toutes les lampes allumées en permanence, même lorsqu'ils se retiraient.

Steven adorait parcourir la grande maison en plein milieu de la nuit. A chacune de ces trente pièces étaient attachés des souvenirs bien particuliers. Il aimait les tableaux, les sculptures, les porcelaines orientales et les tapis persans achetés par Rose au fil des ans. Mais il était surtout ravi à l'idée que tout cela était maintenant à lui et le resterait à jamais.

En entrant dans son bureau, il pensa non pas à Rose mais à son père. Cette demeure avait été son cadeau de mariage à son épouse, une femme qui l'avait trahi, abandonné et qui avait fini par le détruire.

Vous avez essayé de me faire la même chose, Mère. Mais vous avez échoué.

Il aurait voulu qu'elle soit là pour assister à son triomphe.

Il s'assit derrière le bureau et prit le premier dossier de la pile. Il travaillait mieux la nuit, et cette tâche était un véritable plaisir : il allait purger la compagnie de tous les amis et partisans de Rose. Il n'avait pas eu la joie de renvoyer O'Neill mais il en restait encore beaucoup, Eric Gollant le premier.

Steven ouvrit le dossier de Nicholas Lockwood.

Le directeur des services de sécurité de Global bénéficiait

d'excellentes références du Département d'État. Il y avait des lettres de félicitations émanant du FBI ainsi que des services de police de divers États et pays étrangers, louant l'action de Lockwood contre les faussaires. A l'évidence, il faisait bien son travail.

D'autres documents le rendaient encore plus intéressant aux yeux de Steven. Son rapport sur l'accident d'avion de Hong-Kong, très précis, arrivait aux mêmes conclusions que la police locale, ce qui fermait définitivement cette affaire.

Mais deux notes manuscrites de Rose pesaient lourdement contre lui. Ses relations avec Cassandra déroutaient Steven. Lockwood était un homme séduisant qui voyageait beaucoup et vivait bien. Les occasions de conquêtes faciles ne manquaient donc pas. Et même s'il vivait dans un appartement séparé de celui de Cassandra à Carlton Towers, il avait avec elle une liaison établie.

Ça ne cadre pas. Il n'a pas le profil à rester avec une seule femme. A moins qu'il n'ait une très bonne raison...

Il se servit un alcool et réfléchit un moment. Une seule solution lui vint à l'esprit : tout le monde s'était attendu à ce que Cassandra hérite de Global à la mort de Rose. Mais Cassandra était une jeune femme inexpérimentée qui n'avait aucune idée des connaissances indispensables pour diriger un tel empire financier. Or, ces connaissances, Lockwood les avait, car son poste l'avait forcé à se renseigner sur tous les domaines d'activité où s'était investi Global. Il s'était donc positionné de façon que Cassandra se tourne vers lui dès qu'elle serait débordée. Un individu aussi fin que Lockwood aurait vite fait de la transformer en une simple marionnette à ses ordres sans même qu'elle s'en rende compte.

Eh bien, il y a un test qui pourrait prouver cette petite théorie...

D'instinct il aimait le style de Lockwood; un homme d'expérience, habitué à la rouerie et sachant faire preuve de dureté, pourrait se révéler très utile dans l'avenir. Mais il devait être absolument certain de lui auparavant, et savoir à qui il était loyal. Il n'y avait qu'à l'interroger sur Cassandra. Et, à toutes fins utiles, Steven décida de jeter un autre nom dans la conversation.

*

De l'autre côté de Central Park, les lumières brûlaient aussi dans un appartement de Carlton Towers. Depuis la mort de Hugh O'Neill, Cassandra souffrait d'insomnies. Elle refusait de prendre le moindre tranquillisant pour l'aider à dormir. Elle avait trop besoin de réfléchir.

Elle passa devant la porte ouverte de la chambre et vit Nicholas endormi dans le lit, un bras étendu vers la place où elle aurait dû se trouver. Il aurait été si agréable de venir se coucher près de lui et de se laisser envelopper par sa chaleur... Mais non, elle ne pouvait se le permettre tant qu'elle n'aurait pas résolu l'énigme murmurée par Hugh O'Neill dans un dernier souffle.

Elle alla s'asseoir sur le canapé du salon et regarda sans les voir les cendres dans la cheminée.

Rose travaillait sur un projet très important, dont elle n'avait rien dit, même à lui...

Qu'était-ce donc pour que Rose s'interdise de le confier à son avocat et ami de plus de trente ans?

— Cass, pourquoi n'essayez-vous pas de vous reposer un peu?

Cassandra se tourna vers Abilene. Dans son épaisse chemise de nuit qui lui tombait sur les pieds, la Noire lui sourit. Elle tenait à la main une tasse de chocolat fumant.

— Buvez ça. Ça va vous faire du bien.

Cassandra la remercia et avala deux gorgées du liquide brûlant.

— Vous pensez à Miss Rose, n'est-ce pas? dit Abilene.

— Oui. J'aurais tant aimé la revoir avant... avant l'accident. Pourquoi se souvient-on toujours de ce que l'on voulait dire quand il est trop tard?

— Je comprends ce que vous ressentez, murmura Abilene. Elle aussi, elle avait quelque chose à vous dire.

Cassandra la regarda avec étonnement.

— Je veux dire, Miss Rose est passée ici la veille de son départ. Elle avait quelque chose avec elle mais elle ne m'a pas dit ce que c'était. Elle est allée dans votre bureau et puis elle est repartie.

Cassandra se leva d'un bond et se précipita dans son bureau, plantant là Abilene, sidérée par cette réaction.

Elle fit jouer le ressort commandant l'ouverture du panneau mural et observa un moment la surface froide du coffre-fort. Rose connaissait la combinaison, elle s'en souvenait. Retenant son souffle, elle fit jouer la molette crantée, écoutant les déclics successifs. Elle ouvrit l'épaisse porte d'acier et vida le coffre. Le porte folio retint aussitôt son attention. Il ne lui appartenait pas et ne portait aucune inscription. Elle alla s'installer à son bureau et l'ouvrit, le cœur battant.

A l'aube elle avait lu le projet trois fois, et elle aurait pu en réciter certains passages. Il y avait bien un secret. Personne n'en connaissait l'existence parce que Rose n'avait fait aucune copie et n'en avait soufflé mot à quiconque, pas même à son confident Hugh O'Neill. Cassandra poussa un soupir émerveillé. Steven ne lui avait donc pas tout pris. Et il ne le savait pas.

Cassandra rouvrit le dossier à la première page et prit un crayon neuf pour coucher des notes sur un bloc. Elle avait besoin d'une arme pour défier Steven, et Rose lui en avait laissé une. Il lui faudrait des années pour réaliser ce que Rose avait imaginé, et si Steven avait vent de ce qu'elle faisait avant qu'elle soit prête il n'hésiterait pas un instant à l'écraser par tous les moyens possibles.

Cassandra pouvait sans peine deviner la réaction de Nicholas quand elle lui exposerait le plan qui venait de germer dans son esprit. Il serait furieux, et non sans raison. Après tout, elle allait lui demander de la trahir.

Nicholas avait lu le projet et écouté Cassandra exposer son stratagème. Après avoir tempêté contre ce qu'elle exigeait de lui, il avait fini par se rendre à ses raisons. Le plan était risqué mais solide, et c'était le seul applicable dans la situation présente. Mais il insista pour qu'ils conviennent d'un lieu discret où ils pourraient se rencontrer régulièrement. Ils optèrent pour un bungalow qu'elle possédait près d'un lac, dans un coin perdu du Connecticut.

Il ne restait plus à Nicholas qu'à pester contre le sort qui lui enlevait ce qu'il avait de plus précieux au monde. Puis il attendit.

Quand la nouvelle secrétaire l'annonça dans l'interphone, Nicholas se prépara à l'épreuve. Il entra dans le bureau d'un pas décidé.

— Merci d'avoir répondu à mon invitation, Lockwood, dit Talbot sans lever le nez des papiers qu'il lisait. Asseyez-vous. Je suis à vous dans une minute.

Nicholas obtempéra, reconnaissant le vieux truc. Steven trônait derrière son bureau et démontrait tout son pouvoir en soulignant ainsi que l'avenir d'un employé pouvait attendre son bon vouloir. Mais Nicholas était trop intelligent pour tomber dans un piège aussi grossier. Il croisa les jambes et laissa son esprit s'échapper vers d'autres sujets, pour éviter toute tension.

— Vous avez un dossier impressionnant, dit enfin Talbot. Vous aimez votre travail ?

Nicholas sortit aussitôt de sa rêverie.

— Oui, monsieur.

— Parlez-moi de Harry Taylor.

La question prit Nicholas au dépourvu, mais il n'en montra rien. Steven l'observait avec intensité.

— Il y a très peu à dire, monsieur. Je n'ai pas réussi à le retrouver.

— Exact. Mais je veux savoir pourquoi vous le recherchiez avec autant d'acharnement.

— Miss Jefferson m'en avait donné l'ordre.

— Vous a-t-elle dit pourquoi elle voulait que vous le retrouviez ?

— Non, monsieur. J'ai supposé qu'il s'agissait d'une affaire personnelle. Mr. Taylor a disparu il y a très longtemps. Miss Jefferson m'a demandé d'utiliser mes contacts en Europe pour voir si je pouvais découvrir une piste. Elle a bien précisé que cette enquête ne devait en aucun cas interférer avec mes autres tâches. C'était une sorte d'enquête parallèle.

Steven prit un coupe-papier en or et en caressa la lame du pouce.

— Et jusqu'où est allée cette enquête parallèle?

— Pas très loin, je dois le reconnaître. Des connaissances à moi en Angleterre et en France ont fouillé dans les dossiers qu'ils avaient sur Taylor. On l'a signalé à Lausanne, puis à Rome. Ensuite la piste s'est plutôt refroidie... (L'air convenablement maussade, Nicholas marqua un temps.) Ensuite, Miss Jefferson est morte, et j'ai abandonné les recherches.

— Je vois. Vous êtes sans doute conscient que beaucoup de choses changent à Global, en ce moment. Voulez-vous faire partie de ce changement, Lockwood?

— Si vous me demandez si je veux garder ma place, la réponse est oui.

— Vous êtes très efficace dans votre partie. J'aimerais que vous y restiez, en effet.

— Merci, monsieur.

Les yeux de Steven s'étrécirent très légèrement.

— Mais j'ai un petit problème. Vous et Cassandra McQueen êtes très... proches. Cette touchante réunion à San Francisco après votre sauvetage, le fait – très pratique – que vos deux logements soient dans le même building... Tout cela fait penser à une histoire d'amour.

— Je la saute, c'est vrai, dit Nicholas d'un ton froid. Où est le problème?

Steven ne put cacher sa surprise.

— Vous avez vu ce qu'a tenté Cassandra contre moi au procès. Je considérerais toute poursuite de vos relations avec elle comme un acte déloyal... Cela vous pose-t-il un problème, Lockwood?

Nicholas ne marqua aucune émotion.

— Aucun problème, monsieur.

— Aussi facilement? Allons, Lockwood, vous vivez pratiquement avec elle!

— Vous m'avez demandé de faire un choix, et je comprends que vous vouliez être sûr du camp que je choisis. Très bien. Je vous réponds que j'aime mon travail et que je tiens à le garder. C'est l'explication de ma position. Elle me semble assez évidente...

Steven sourit, content de ne pas s'être trompé sur la sorte d'intérêt que Lockwood portait à Cassandra McQueen.

— Vous êtes plus sensé que je ne le croyais, dit-il. Parfait, Lockwood, je vous garde.

Nicholas se leva, salua d'un signe de tête et se dirigea vers la porte. Il allait l'atteindre quand Steven l'apostropha:

— Au fait, je veux que vous poursuiviez vos recherches concernant Harry Taylor. Mais très discrètement, compris? Et vous me communiquez immédiatement ce que vous trouvez. A moi seul.

470

60

En recevant sa lettre de licenciement, Eric Gollant éprouva un grand soulagement. Il n'imaginait pas travailler pour Steven Talbot. Alors qu'il descendait d'un pas mesuré Lexington Avenue en direction de l'Empire State Building, il se demanda pourquoi Cassandra voulait le voir. Après la défection de Nicholas, elle s'était mise à vivre en recluse. Elle avait perdu les deux hommes sur qui elle s'appuyait le plus : Hugh O'Neill et Nicholas Lockwood. Eric appréciait ce dernier, et son passage soudain dans les rangs de Talbot lui avait paru inconcevable. Et pourtant... Il ne pouvait maintenant penser à lui sans éprouver un mélange de colère et de dégoût devant pareille trahison.

Dans la foule qui se hâtait en cette agréable journée printanière de 1950, Gollant eut l'impression de croiser beaucoup de Lockwood, des hommes jeunes aux visages fermés, vieillis avant l'âge par la soumission à de fausses idoles.

*

Jimmy Pearce ajusta sa casquette pied-de-poule sur sa tignasse rousse et louvoya entre les bureaux et les gens qui encombraient la salle de rédaction. Dès qu'il atteignit la rue il accéléra le pas : Cassandra l'attendait.

L'appel téléphonique de la jeune femme l'avait surpris. Après sa déroute face à Steven Talbot et le chagrin causé par le retournement de Nicholas Lockwood, elle n'avait pas donné de nouvelles. Il l'avait jointe plusieurs fois pour s'assurer qu'elle allait bien, et lui avait même suggéré de venir à *La Sentinelle* où elle pourrait s'occuper l'esprit plutôt que de tourner en rond. Mais Cassandra avait poliment refusé, sans lui donner la moindre indication sur ce qu'elle comptait faire.

*

Les cinq pièces se trouvaient à l'angle sud-ouest du building. Ce qui restait du linoléum était crasseux et abîmé, les fenêtres étaient opaques à force de saleté, et les murs humides des multiples suintements de la tuyauterie. Pour tout ameublement, la plus grande pièce comportait une vieille table pliante et trois chaises de camping.

— C'est merveilleux de vous revoir, mes amis, dit Cassandra en les embrassant à leur arrivée.

Ils jetèrent un regard effaré autour d'eux, et elle réprima un sourire amusé.

— Messieurs, vous êtes dans mes nouveaux bureaux, annonça-t-elle. Ou plutôt nos nouveaux bureaux.

Ils la considérèrent un moment. Elle semblait tout à fait sérieuse. Elle avait pris un peu de poids, ce qui lui allait très bien, ses joues étaient roses et ses yeux brillaient d'une flamme enthousiaste.

— Très bien, fit Eric Gollant d'un ton neutre. Vous avez toute notre attention.

— Tous deux, vous savez ce qu'est une carte de crédit, n'est-ce pas ? Elles existent depuis déjà un certain temps, 1914 pour être précis. Les premières — en métal — furent fabriquées par des grands magasins. En 1920, des compagnies pétrolières distribuèrent à leurs clients des cartes en carton : elles étaient honorées sur tout le réseau de stations-service. Mais toutes ces cartes, qui n'étaient qu'une variante pratique du système de la vente à crédit, fonctionnaient selon le même principe : elles n'étaient valable que pour les produits proposés par les compagnies qui les émettaient, comme une facilité interne offerte à la clientèle, et un moyen de fidélisation... Imaginez maintenant une carte qui serait valable dans toutes sortes de commerces...

Cassandra surveillait la réaction de ses amis. Ils soupesaient son idée, et elle espérait que celle-ci n'apparaissait pas trop simpliste.

— Où voulez-vous en venir ? demanda enfin Eric en essuyant avec soin les verres de ses lunettes à l'aide d'un petit chiffon.

Cassandra reconnut ce geste pour l'avoir souvent vu faire. Eric Gollant était prêt à s'attaquer au problème.

— Steven a repris l'intégralité de Global, dit-elle, du moins c'est ce que lui et tout le monde croient. Mais Rose travaillait sur un projet qu'elle n'avait révélé à personne. Sa première étude est succincte, mais elle décrit une opération qui d'après Rose pourrait changer complètement notre système financier. J'ai lu ses notes, et je pense qu'elle avait raison.

Elle marqua une pause pour leur laisser le temps d'évaluer ses propos.

— Avant de poursuivre, je veux préciser que vous n'avez aucune obligation envers moi. Si vous ne jugez pas l'idée valable, je vous promets de ne pas vous en reparler. Mais si elle vous intéresse, alors je vous demanderai de m'aider. Contre une compensation, bien entendu. De toute façon, je vais mettre ce projet en application.

Eric s'éclaircit la voix.

— Je pense que nous apprécions tous deux votre honnêteté, Cassandra, mais vous le savez déjà. Qu'avez-vous à l'esprit ?

— United States Express, dit-elle doucement. USE.

Elle posa deux paquets de feuillets sur la table et invita les deux hommes à s'asseoir.

472

– Celui de gauche est l'original de Rose. A droite, ce que j'ai ajouté. Je vous laisse les étudier.

Sans un mot de plus, Cassandra sortit. Elle alla s'installer dans un petit café miteux au coin de la rue. L'attente lui parut interminable mais elle voulait laisser le temps à Eric Gollant et Jimmy Pearce d'étudier sa proposition, d'en discuter et de prendre leur décision. Une demi-heure devrait suffire.

Ce délai écoulé, Cassandra revint au bureau avec trois gobelets de café. Sa nervosité était à son comble. S'ils refusaient, elle n'avait personne d'autre vers qui se tourner.

Ils étaient assis exactement comme elle les avait laissés. Elle leur tendit leurs cafés, et puis elle souleva le couvercle en plastique du sien. Son geste était trop nerveux et un peu de liquide brûlant tomba sur le sol.

– Bah, vu l'état du lino personne ne verra la différence, marmonna-t-elle.

– On la verra dès que les bureaux seront en état.

Cassandra posa un regard soupçonneux sur le sourire narquois de Jimmy Pearce.

– Jimmy ?

– Votre idée est tout simplement fabuleuse ! s'exclama-t-il.

Elle se tourna vers Gollant. Il avait l'air sérieux mais une lueur qui ne trompait pas faisait pétiller son regard.

– Je signe en qualité d'avocat du diable, fit-il. Je tiens aussi à dire tout de suite que ce projet va réclamer un sacré travail pour simplement prendre corps. Les problèmes pratiques seront légion.

Il contempla Cassandra d'un air pensif.

– Êtes-vous bien certaine d'être prête ?

– Jamais je n'ai été aussi sûre de quelque chose de toute ma vie.

Eric soupira.

– Et moi qui allais prendre une retraite paisible !

*

Le lendemain, la société et la marque « United States Express » étaient enregistrées selon les lois en vigueur dans l'État de New York. Le nom comme les initiales, USE, étaient maintenant protégés.

– Il vous faut un logo, fit remarquer Jimmy.

– J'avais pensé à cela.

Elle lui montra l'interprétation stylisée d'un buste de chevalier médiéval en armure, le bouclier et l'épée brandis.

Les premiers pas légaux accomplis, le trio revint aux locaux de l'Empire State Building pour définir leur ligne d'action.

– Il convient tout d'abord de définir quelle sorte de carte sera la carte USE, dit Gollant.

Jimmy haussa les épaules.

– Une carte de crédit, non?

Eric leva aussitôt un index.

– Pas si vite, Jimmy. Une carte de crédit implique que USE accepterait le cas échéant de faire crédit. Je ne pense pas que ce soit là l'optique de Cassandra.

– Pas du tout, approuva celle-ci. Le problème rencontré par les cartes de crédit dans le passé est justement la dette contractée par le possesseur. S'il ne rembourse pas les échéances dans les temps ou s'il disparaît, la compagnie émettrice de la carte de crédit doit quand même payer ses créanciers. Avec notre carte, ce sera paiement selon disponibilités du porteur. Chaque mois l'ardoise est remise à zéro.

– Ce qui signifie que nous devons choisir avec soin à qui nous voulons présenter cette carte, réfléchit le journaliste. Les types qui achètent des machines à laver ou des frigos veulent payer à crédit. Mais les voyageurs de commerce, les hommes d'affaires non. Surtout s'ils ont des notes de frais...

– Excellent, Jimmy, approuva Eric Gollant. Et cela nous donnerait la sécurité supplémentaire de récupérer notre argent auprès d'entreprises au lieu d'individus.

– Ce sera donc une carte de paiement direct, conclut Cassandra en souriant. (Elle leva trois doigts et ajouta :) Pour l'homme d'affaires qui voyage, dort à l'hôtel et mange au restaurant.

Ils s'entre-regardèrent.

– Nous savons déjà à qui proposer la carte, fit Jimmy. Il ne nous reste plus qu'à prospecter!

*

Le journaliste se trompait. Ils devaient avant tout résoudre l'écueil des fonds nécessaires pour le lancement de l'United States Express. Si Cassandra hypothéquait son appartement de Carlton Towers, elle n'en tirerait pas plus de soixante-dix mille dollars d'après les estimations de Gollant. Ses parts de *La Sentinelle*, représentaient cinq fois cette somme. Même ainsi, Cassandra serait sur la corde raide. Le comptable ne voyait aucun bénéfice avant la troisième année, dans le meilleur des cas. De plus, la revente de ses parts n'était pas sans risques : celui qui rachèterait sa majorité au journal – et *Times, Newsweek*, les Hearst, Katherine Graham seraient certainement très intéressés – pourrait lui dicter sa politique éditoriale, licencier ou engager qui bon lui semblait. Ce qui mettait en danger la vie professionnelle de gens que Cassandra avait appris à aimer. La solution leur vint quand Cassandra proposa de revendre ses parts au personnel de *La Sentinelle*. Jimmy Pearce fut aussitôt enthousiasmé par l'idée et promit d'en parler à ses collègues dès son retour au journal.

L'opération prit des mois car beaucoup d'employés n'avaient

pas les moyens d'acheter la part fixe allouée à chacun afin que tous soient sur un pied d'égalité. Pendant ce délai forcé, Cassandra hypothéqua son appartement, mit en état les locaux de l'Empire State Building, acheta le mobilier et tout le nécessaire. Puis elle s'occupa du problème des employés. Elle les sélectionna avec un soin extrême.

USE était prêt. Mais la société n'avait pas de clientèle.

Les restaurateurs contactés en manière de test demandèrent une liste de sociétés clientes de USE : l'acceptation de la carte USE s'accompagnait d'un pourcentage de dix pour cent qu'ils devaient reverser à USE, et les hôteliers voulaient être assurés d'une clientèle supplémentaire.

— Avec mes contacts, je peux vous rassembler quelques centaines de restaurateurs et d'hôteliers pour vous écouter, dit Jimmy Pearce. Mais ils voudront voir une liste de clients potentiels...

— Alors trouvons d'abord les clients, conseilla Eric Gollant. Si nous ne pouvons pas les convaincre, nous ne convaincrons personne.

Ils s'attelèrent à la tâche dès le lendemain matin. Les employés allèrent porter les premières des cinq mille enveloppes adressées aux directeurs de société dont Eric Gollant avait relevé les noms dans ses fichiers commerciaux.

Ensuite vint la relance par téléphone. Tous ceux qui montraient le moindre intérêt pour USE étaient invités à un petit déjeuner de travail où Cassandra expliquerait en détail sa proposition.

— Ça reviendra à cinq dollars par tête, calcula Gollant. Mais le coût de cette opération passera dans les frais généraux de USE.

Soixante jours passèrent ainsi, avant qu'ils ne soient prêts. Trois cent dix entreprises avaient accepté le principe de la carte bancaire.

— Seulement ? s'écria Cassandra. Après tous ces efforts ?

— C'est un bon début, lui assura Gollant.

— Mais les restaurateurs se contenteront-ils d'une telle liste ?

Le petit déjeuner avait lieu dans une semaine, et Cassandra s'angoissait chaque jour un peu plus.

— A vous de le leur faire croire. Rappelez-leur que ce n'est qu'un commencement.

— Vous avez raison, Gollant.

Mais elle aurait aimé se glisser dans un bain moussant chaud et disparaître dans les bulles.

*

Jimmy Pearce avait tenu parole : la salle de conférence du *Roosevelt Hotel* était occupée par plus de mille invités attablés. De la liste des invités, Cassandra ne reconnut dans les présents qu'une douzaine de noms.

475

— Les directeurs du *Waldorf*, du *Plaza* et de ce genre d'endroits sélects ont bien reçu une invitation, mais il ne fallait pas s'attendre à ce qu'ils se déplacent, lui glissa Jimmy à l'oreille. Ils sont trop snobs pour prendre ce genre de risque. Pour l'instant, nous n'avons pas besoin d'eux. Et plus tard, ils viendront d'eux-mêmes.

Cassandra voyait la logique de l'explication. Les entreprises ne permettraient jamais à leurs représentants de s'arrêter dans les hôtels de classe supérieure, pas plus qu'elles ne rembourseraient des notes de frais provenant des restaurants les plus chics de New York. D'après la liste, elle avait affaire à des établissements d'hôtellerie courante.

Après que les plateaux de petits déjeuners eurent été ôtés, Cassandra monta à la petite tribune et se campa derrière le pupitre. Les invités discutaient entre eux, fumaient ou étudiaient les documents qu'ils avaient apportés. Il était temps de leur rappeler la raison de leur présence ici, décida-t-elle, sans remarquer la silhouette de Nicholas Lockwood dans un coin d'ombre près de la porte.

Elle repoussa ses notes et tapota le microphone assez fort pour que toutes les têtes se tournent vers elle. Satisfaite d'avoir capté l'attention générale, elle se lança dans son discours.

Il dura un peu plus d'une heure. Elle expliqua la simplification de la comptabilité qu'entraînerait l'acceptation de la carte USE, précisa que le paiement était garanti par sa société dès l'enregistrement du reçu. Puis elle annonça fièrement le nombre de directeurs d'entreprise qui avaient déjà accepté de munir leurs employés en déplacement d'une carte USE. Enfin elle présenta Eric Gollant comme son vice-président, puis le directeur d'une des plus grandes banques de New York qui avait accepté d'assurer la carte USE. Mais elle omit de préciser que la banque n'assurerait les remboursements qu'en fonction des avoirs de USE déposés dans ses coffres. De plus, USE poursuivrait tout fraudeur, et en cas de perte prendrait tous les frais de duplication à sa charge. En conclusion, elle insista sur le fait que la commission de dix pour cent prélevée par USE serait plus que couverte par l'augmentation de la clientèle.

Après cette présentation chaque invité reçut une carte USE à son nom ainsi qu'un formulaire d'inscription à remplir. Des boîtes rouges et bleues circulèrent ensuite parmi eux. S'ils acceptaient le système USE ils devaient mettre le formulaire dans la première, s'ils refusaient dans la seconde.

*

Dès le dernier invité parti, ils décomptèrent les réponses. La boîte rouge en contenait deux cent vingt. Cassandra s'assit sur le podium, un goût amer de défaite à la bouche.

Eric Gollant et Jimmy Pearce eurent beau lui répéter que c'était un début somme toute honorable qui ferait boule de neige et l'assurer qu'elle avait très bien présenté le projet, la jeune femme n'en était pas persuadée. Mais son abattement ne dura pas. Elle leur déclara qu'elle partait se reposer le week-end dans son bungalow du Connecticut, pour se changer les idées. Quand elle reviendrait, promit-elle, son moral serait au beau fixe et elle serait prête à poursuivre la lutte.

Eric Gollant approuva chaleureusement. Il était heureux qu'elle s'accorde quelques heures de répit dans cette retraite du Connecticut dont il ne savait rien, sinon qu'elle se trouvait près d'un lac. En cas de besoin elle lui avait simplement laissé un numéro de téléphone et il n'avait pas voulu poser de questions indiscrètes. Mais il espérait que ce court séjour lui permettrait de reconstituer ses forces. Dans les mois à venir, elle aurait besoin de toute son énergie.

61

En apparence, Global était resté la même compagnie que celle reprise par Steven Talbot un an auparavant. Ses produits financiers, le mandat Global et le chèque de voyage dominaient toujours les marchés domestique et international. Ses centaines de camions et de navires continuaient à acheminer partout le fret. Global était une compagnie en excellente santé.

Mais à l'intérieur un vaste remaniement avait eu lieu. A Lower Broadway, tous les cadres installés par Rose ou restés fidèles à sa mémoire avaient été licenciés, à l'exception de deux vices-présidents d'un âge certain que Steven Talbot convoqua dans son bureau.

— Je veux que vous repreniez les mandats et les chèques de voyage, leur annonça-t-il. Je suis satisfait de leurs résultats et de leur gestion. Je ne veux donc aucun changement. Est-ce clair ?

Les deux hommes acceptèrent avec empressement, trop heureux de ne pas subir le sort de leurs collègues. Ils venaient du secteur ferroviaire et ne connaissaient rien aux chèques de voyage ou aux mandats, mais Steven Talbot désirait visiblement que ces secteurs ne subissent aucune modification et, cela, ils étaient capables de l'assurer.

En étudiant les rapports, Steven s'était en effet rendu compte que ces deux opérations ne nécessitaient aucune innovation. Il fallait des gestionnaires pour une clientèle stable et non des innovateurs. Les deux cadres supérieurs habitués à leur routine feraient parfaitement l'affaire.

Grâce à la réputation de la compagnie, Steven put choisir parmi les plus brillants jeunes diplômés des écoles d'économie et de commerce les éléments de sa nouvelle équipe, qu'il voulait très spéciale. Tous avaient en commun certains traits de caractère : ils étaient énergiques, désiraient prouver leur valeur et manquaient totalement de scrupules. A chacun il réclama une obéissance et une discrétion absolues, en échange d'émoluments que nul autre ne leur aurait offerts. Après quelques mois de formation aux subtilités de la guerre économique, il assigna une destination précise à chacun : Tokyo, Hong-Kong, Djakarta, Manille et Singapour. Là, alimentés par des fonds venant de sociétés panaméennes ou de corporations anonymes suisses, ils investirent dans certaines banques, en rachetèrent d'autres et créèrent des sociétés de courtage. Bientôt dans tout l'Orient courut le bruit que de nouvelles sources de capital étaient prêtes à aider les industries souvent en difficulté de la région.

Steven Talbot avait amorcé son piège avec beaucoup de soin. Il savait les proies toutes proches et ne doutait pas qu'elles se laisseraient prendre : il connaissait très bien les hommes des *zaibatsu*.

*

Steven se préparait pour une réception où il escorterait une jeune beauté de dix-neuf ans. La Belle et la Bête, se dit-il avec satisfaction, mais il savait que son visage singulier ne faisait plus reculer les jeunes femmes. Sa réussite le rendait même très attirant. Un garçon vint lui apporter un courrier alors qu'il ajustait sa cravate devant la glace. Une fois l'homme parti, Steven ouvrit l'enveloppe et lut le rapport de Nicholas Lockwood sur la réunion organisée par Cassandra au *Roosevelt Hotel*. Les conclusions du chef de la sécurité étaient réjouissantes : Lockwood estimait l'opération USE condamnée à l'échec dans les douze mois à venir. Ensuite, songea Steven, Cassandra McQueen disparaîtrait définitivement du monde de la finance. Il sourit et rangea le rapport dans un tiroir de la commode, à côté d'un autre donnant des conclusions identiques. Par précaution, Steven avait fait doubler Lockwood par un enquêteur anonyme perdu dans la foule des invités, afin de vérifier sa loyauté. Elle ne faisait plus de doute.

*

Tokyo ne serait plus jamais la cité qu'avait connue Yukiko Kamaguchi. Les Américains avaient dépensé des millions de dollars pour la reconstruire, mais en même temps ils l'avaient marquée de leur empreinte. Devenus avides de tout ce qui était américain, les Japonais n'avaient pas remarqué cette mutation.

Pourtant les vainqueurs de la guerre avaient apporté de très bonnes choses dans certains domaines. Selon les termes de l'occupation, les États-Unis avaient établi l'égalité des droits pour les deux sexes, mettant ainsi fin à une discrimination vieille de plus d'un millénaire. Mais l'ironie de la situation n'échappait pas à Yukiko : parce qu'elle devait se cacher, elle ne pouvait profiter de cette nouvelle loi.

Elle avait quitté Honolulu le jour suivant sa confrontation avec les hommes des *zaibatsu*. Elle savait que ceux qu'elle avait déçus feraient tout pour l'empêcher de revenir au Japon. Aussi avait-elle décidé de les prendre de vitesse, avant qu'ils aient eu le temps d'ériger une barrière infranchissable pour elle.

Pendant son séjour à Hawaii, Yukiko n'avait géré qu'un compte courant pour les dépenses domestiques et la paie du personnel de maison. Tout le reste était sous la responsabilité de Steven. Mais à son insu elle avait amassé son propre pécule. Certaines dépenses fictives, ses économies et parfois une ou deux grosses coupures soustraites aux liasses qui traînaient toujours dans les poches de l'Américain s'étaient additionnées pour former un trésor de plusieurs milliers de dollars, ce qui, dans le Japon de 1950, représentait une petite fortune.

Dès son retour au Japon, Yukiko se fondit dans un quartier populaire à la périphérie de Tokyo. Là, parmi les ouvriers et les petits commerçants, elle se savait à l'abri de tout œil soupçonneux.

Elle passa des journées entières à déambuler dans Tokyo pour comprendre ce qui se passait autour d'elle. Tout le monde parlait de reconstruction, et il était vrai que la ville ressurgissait de ses décombres. Toute idée d'investissement dans le domaine industriel, pourtant en pleine expansion, lui était interdite : qu'elle se découvre ainsi et les hommes de *zaibatsu* s'arrangeraient pour l'écraser définitivement.

Mais la reconstruction ne s'arrêtait pas là. Entre autres prétextes, la plupart idéologiques, le Japon s'était lancé dans la guerre pour un motif fort simple : il manquait d'espace. Or, dans les villes, beaucoup de terrains couverts de ruines étaient encore à l'abandon. Bientôt, ces espaces négligés prendraient de la valeur, mais pour l'instant ils étaient au plus bas prix. Yukiko décida d'en profiter.

Elle alla au registre central de Tokyo et nota tous les lopins en vente. La plupart se trouvaient dans des zones peu ou pas construites avant la guerre. Mais un jour, elles le seraient, c'était une évidence mathématique.

Pourtant Yukiko devait encore franchir un obstacle : si elle signait un acte de propriété, un courrier partirait en informer les hommes des *zaibatsu*. Elle contourna la difficulté à l'automne 1950 en envoyant un télégramme à Cobbler's Point pour appeler Jiro Tokuyama.

Le gardien de la demeure de Steven Talbot était resté à Cobbler's Point non seulement pour veiller sur la demeure mais aussi pour être les yeux et les oreilles de Yukiko en cas de retour de l'Américain. Mais il n'avait jamais eu la moindre nouvelle de Steven. Dès réception du message de Yokiko, Jiro Tokuyama fit ses bagages et quitta Cobbler's Point en laissant la maison ouverte. Une vengeance de petite portée mais qu'il trouva satisfaisante.

A Tokyo, il emménagea dans un petit appartement situé à quelques rues de celui de la jeune femme. Suivant ses instructions, il ouvrit un compte en banque sur lequel il déposa six cents dollars US, « économisés sur le salaire que lui donnait un *gaijin* à Hawaii », expliqua-t-il au directeur. Ensuite il se rendit chez un homme de loi pour remplir les documents nécessaires à la création d'une société.

– Quel nom désirez-vous donner à votre entreprise ?

Jiro Tokuyama eut un sourire poli.

– Un numéro suffira.

La société fut inscrite sur le registre du commerce sous le numéro 4780.

Trois jours plus tard, la société 4780 achetait quarante mille mètres carrés de terrain couverts en majeure partie de gravats, de tôles tordues et de débris divers, pour quelques centaines de dollars.

Yukiko se rendit alors au temple shintoïste où son père s'était caché. Là elle alluma de l'encens et murmura à l'esprit du défunt qu'elle était sur le point de lui rembourser sa dette.

*

Avec ses listes d'entreprises et d'hôteliers, Cassandra était prête à passer à l'étape suivante. Elle voulait lancer la carte USE juste avant le week-end de Thanksgiving qui marquait le début de la meilleure période commerciale. Les hôtels et les restaurants faisaient leur meilleur chiffre entre la fin novembre et le Nouvel An, et Cassandra voulait que USE en profite au maximum.

Avec l'aide de Jimmy Pearce, elle trouva l'endroit parfait pour installer les ateliers d'impression des cartes : un immeuble au coin de la Neuvième Avenue et de la 23ᵉ Rue, ancien siège d'une banque. Elle demanda à Jimmy Pearce de faire garder les lieux jusqu'à son retour de Washington et d'y faire installer le système d'alarme le plus sophistiqué du marché.

A Washington elle se rendit au Bureau des Impressions. Là on lui montra les matrices de la carte USE. Elle examina la plaque de métal gravée au microscope. La bordure de la carte serait ornée d'écailles entrelacées. Dans la partie supérieures, en lettrage simple et élégant, figurerait UNITED STATES EXPRESS. Le centre serait occupé par un camée reproduisant le buste du chevalier médiéval choisi comme logo. Le nom du détenteur de la carte apparaîtrait en relief sous le camée, avec les dates de délivrance et d'expiration. Une fois la carte imprimée, le filigrane en serait noir, le nom de la firme se détachant en blanc sur un fond bleu de spirales complexes. L'heureux possesseur de la carte signerait au dos de celle-ci, sur un espace réservé.

– C'est magnifique ! murmura Cassandra.

– Merci, Miss McQueen, répondit le chef-graveur. Les matrices vous seront envoyées au plus tôt par la Wells Fargo.

De retour à New York, Cassandra donna le feu vert à Jimmy Pearce pour lancer la campagne de publicité. Elle visait autant la presse grand public que les bulletins d'information internes des entreprises. Un certain nombre de panneaux publicitaires avaient également été loués dans l'État de New York, dans le New Jersey, le Massachusetts et la Pennsylvanie. Et Jimmy Pearce avait acheté le passage répété d'un spot sur les radios les plus écoutées. Il lui en lut le texte et lui donna le temps total d'antenne que cela représentait. Cassandra était émerveillée par son travail, mais elle déchanta en voyant les factures.

– C'est cher, admit-il, mais ça vaut le coup. Vous devez rassurer vos clients et aussi pousser le public à parler de USE. Et pour cela, un seul moyen : les avertir que USE existe.

Cassandra signa les ordres de paiement un à un.

– Je sais, Jimmy, dit-elle. C'est simplement que tout cela représente une telle somme...

– Allons, réjouissez-vous. *La Sentinelle* a une petite surprise pour vous !

Lui prenant le coude, il la guida jusqu'à son bureau.

– Comment est-elle ? demanda-t-il.

Le photographe qui attendait derrière son appareil eut un large sourire.

– Éblouissante, comme d'habitude.

– Jimmy, que signifie... ?

– Que diriez-vous d'une petite interview ? La couverture et trois pages pour le numéro de Thanksgiving !

Cassandra était abasourdie, autant par la surprise que par la gratitude.

– Jimmy... Je ne sais pas quoi dire...

Pearce eut un geste négligent de la main.

– Tout le monde ici le voulait, Cass. C'est notre façon à nous de vous dire merci... et bonne chance !

62

En février 1951, United States Express était débordé par son succès. La chambre de compensation installée sur la Neuvième Avenue croulait sous les reçus, les téléphones étaient assiégés par les restaurateurs demandant qu'on leur envoie des cartons de formulaires et par les entreprises exigeant d'obtenir au plus vite des cartes pour leurs représentants ou leurs cadres.

Cassandra se mit à travailler dix-huit à vingt heures par jour.

Elle doubla le salaire des employés pour qu'ils restent plus tard et viennent le week-end afin de résorber le retard déjà accumulé. Cassandra savait qu'elle ne pouvait se permettre de mécontenter de nouveaux clients sous peine d'inverser l'expansion de USE.

Un autre problème apparut très vite : le manque de place. Les dossiers de chaque candidat à l'obtention d'une carte s'empilaient à côté des caisses de reçus. Chaque centimètre carré de l'atelier d'impression était utilisé, et il en était de même pour les bureaux de l'Empire State Building. Fin février, elle décida le déménagement de l'atelier dans de nouveaux locaux tout au sud de Manhattan.

Malgré l'énorme volume d'argent que rapportaient les dix pour cent prélevés sur chaque paiement par carte, les dépenses excédaient encore de beaucoup les recettes. La location des nouveaux locaux, le déménagement du matériel d'imprimerie, l'embauche de personnel supplémentaire avaient coûté une petite fortune. Cassandra elle-même voyait avec inquiétude ses réserves personnelles diminuer. C'est à ce stade qu'Eric Gollant vint lui rappeler qu'elle n'avait pas honoré sa parole. Elle avait en effet promis à plusieurs restaurateurs et hôteliers d'aller leur expliquer l'intérêt de la carte USE pour accroître leur chiffre d'affaires, mais le temps lui manquait pour tout déplacement.

— Engagez des vendeurs pour ce travail, lui dit-il avec enthousiasme. Ou vous perdrez des clients importants.

Cassandra n'avait jamais vu Eric Gollant dans un tel état d'excitation. La fougue de l'expert-comptable était communicative et elle sentit le courage lui revenir.

— Très bien, Eric. Nous allons engager une équipe de vendeurs.

— Vous croyez vendre un produit, Cassandra, surenchérit-il, mais le public perçoit la carte USE comme un privilège, une part de rêve. Celui qui paie dans un restaurant avec votre carte est admiré, parce que tout paraît plus facile pour lui. Il se sent important, et les autres l'envient. Vous vendez du rêve!

Après le départ de Gollant, Cassandra referma la porte de son bureau et ignora le téléphone. Perdue dans ses pensées, elle tournait et retournait dans son esprit les paroles de son vieil ami. Quand elle prit sa décision, elle n'était toujours pas certaine de faire le bon choix. Mais il fallait agir.

Elle téléphona à Jimmy Pearce et lui dit qu'elle voulait une réunion avec les artistes responsables de la première campagne d'affichage pour en lancer une seconde.

— Qu'est-ce qui n'allait pas dans la première ? s'étonna le journaliste.

— Rien. Elle était parfaite pour un morceau de plastique. Mais je veux vendre du rêve, maintenant.

Le problème des locaux temporairement résolu, Cassandra se concentra sur celui des rentrées d'argent. Elle se rendit rapidement compte que les hôteliers acceptant la carte USE étaient trop rares, ce qui freinait l'expansion nécessaire à l'équilibre des comptes. Elle rassembla l'équipe de vendeurs fraîchement embauchés et les exhorta dans ce sens.

— Nous faisons le maximum, dirent-ils avec une sincérité qu'elle ne pouvait mettre en doute. Il leur manque une motivation extérieure.

Cassandra n'hésita qu'une seconde.

— Alors annoncez-leur sous forme de confidence qu'en juin tous les établissements Hilton accepteront notre carte. Laissez-les réfléchir à la clientèle qu'ils perdront s'ils ne suivent pas le mouvement. Plutôt que d'aller là où il faut payer cash, les gens préféreront les endroits où une simple carte vous permet d'être considéré... et de dépasser les dépenses prévues!

Devant leur expression stupéfaite, elle sourit.

— Vous m'avez demandé un argument de vente, vous l'avez. A présent, à vous de jouer.

*

— Mon Dieu, Cassandra, vous auriez dû me prévenir pour Hilton!

Elle jeta un regard coupable à Eric Gollant.

— Il n'y a rien à en dire. Pour l'instant.

— Comment? Mais vous venez d'annoncer aux vendeurs que...

— Eric, il fallait que je trouve quelque chose pour les motiver! Ce sont des professionnels très efficaces, ils l'ont déjà prouvé, mais il leur faut quelque chose à vendre!

— Même s'il s'agit d'un mensonge?

— Je vous en prie, Eric, n'aggravez pas mon cas. C'était le seul argument que je pouvais leur offrir. Et j'avais vraiment l'intention d'aller voir Mr. Hilton.

— Et s'il refuse de vous recevoir?

Un silence pesant s'établit entre eux.

— Je comprends bien que vous êtes sur la corde raide, reprit enfin Gollant, mais cette fois vous jouez un jeu dangereux...

— Alors il faudra que ma promesse se réalise.

— Et comment y parviendrez-vous?

Cassandra haussa les épaules, puis sourit malicieusement.

— Eh bien, je vais aller parler à Kendall!

Il la regarda sans comprendre.

Eric Gollant était à peine sorti de son bureau que Cassandra décrochait le téléphone et appelait Lionel Kendall à Philadelphie.

Kendall était un des noms les plus anciens et les plus respectés de l'industrie hôtelière américaine, mais il avait pour devise de n'accepter de paiement qu'en liquide. Malgré sa cordialité, Kendall persista dans son refus. Après une demi-heure épuisante de palabres, Cassandra réussit pourtant à obtenir une entrevue. C'était là son seul but.

— J'espère que vous avez fait bon voyage, dit aimablement Kendall le lendemain, à l'arrivée de Cassandra à Philadelphie. Mais il est toujours aussi improbable que nous fassions affaire ensemble, je me dois de vous le rappeler.

Lionel Kendall était un homme trapu aux cheveux blancs et à la moustache impressionnante. Ses manières agréables et chaleureuses étaient tempérées par un regard incisif où se lisait un caractère obstiné.

Documentation et chiffres à l'appui, elle lui exposa toutes les raisons d'accepter la carte USE mais il resta inébranlable, sans jamais perdre sa bonhomie.

— Écoutez, dit-il en faisant le tour de son bureau, malgré tout je pense que vous avez là un très bon filon. Simplement, il n'est pas pour moi. Vous ne m'en voulez pas?

— Non, bien sûr, Mr. Kendall, répondit-elle en souriant. Et je vous remercie de m'avoir écoutée... (Elle rangea son dossier avant d'ajouter, d'un ton léger :) Maintenant, si vous voulez bien m'excuser, je vais aller me rafraîchir avant le dîner.

Un sourire intéressé joua sur les lèvres de Kendall.

— Si vous êtes libre, je serai très honoré de vous inviter.

— C'est très aimable de votre part, et je serai très flattée de partager votre table.

De retour dans sa chambre, Cassandra décrocha le téléphone et appela Jimmy Pearce à *La Sentinelle*. En moins de cinq minutes elle lui raconta l'essentiel de leur conversation, en omettant de préciser que Kendall avait refusé son offre.

— Et je dîne avec lui ce soir, conclut-elle.

— C'est une nouvelle, Cass! Croyez-vous qu'on ait une chance de vous prendre en photo tous les deux?

— Ça dépend de vous. Peut-être pourriez-vous contacter quelqu'un de l'*Enquirer* de Philadelphie...

Le repas fut exquis et Lionel Kendall se révéla un compagnon de table spirituel et très agréable. Il était visiblement aimé dans sa ville natale, comme le prouvèrent le traitement de faveur qu'ils reçurent dans le meilleur restaurant de la cité et le défilé de gens qui vinrent le saluer. Kendall sourit largement et embrassa Cassandra sur la joue lorsqu'un photographe du journal local vint faire quelques clichés avec leur permission.

— Vous êtes bien sûr que je ne peux pas vous faire changer d'avis? dit encore Cassandra comme il la raccompagnait jusqu'à la porte de son hôtel.

— Pas cette fois. Mais j'ai été enchanté de cette soirée, Cassandra. J'espère que vous ne quitterez pas notre ville trop déçue?

— Lionel, je ne suis pas déçue du tout.

*

La semaine suivante, *La Sentinelle* rapportait les « discussions d'affaires » de Cassandra McQueen et Lionel Kendall. L'article restait vague quant aux sujets abordés, mais la photo de Kendall à côté de Cassandra, le visage irradiant la bonne humeur, en disait long sur leur entente du moment.

Quelques jours plus tard, Cassandra McQueen recevait un appel téléphonique de Conrad Hilton lui proposant un rendez-vous d'affaires au *Waldorf* dans l'après-midi. Il voulait étudier avec elle la possibilité d'accepter le paiement par carte USE dans l'ensemble de ses établissements. Le lendemain, l'accord était signé.

— Comment avez-vous fait? lui dit Eric Gollant quand il apprit la nouvelle. Comment pouviez-vous être sûre que votre entrevue avec Kendall déciderait Hilton?

— Je n'en étais pas sûre du tout, fit-elle en souriant. Mais je savais que Kendall avait quelques problèmes et que Hilton l'avait approché récemment dans l'espoir d'un rachat. Kendall étant un homme d'affaires averti, je ne doute pas qu'il ait fait traîner les discussions. Le coup de poker était de faire croire à Hilton que son concurrent risquait de redresser la barre grâce à la carte USE, et donc de réviser ses intentions de vente. L'article dans *La Sentinelle* l'a décidé à prendre les devants.

— Personne ne croira que vous ayez osé prendre un tel pari, murmura Gollant, sincèrement admiratif.

Les yeux de Cassandra brillèrent.

— Personne ne le saura jamais, Eric, et cela vaut sans doute mieux!

Elle eut un petit sourire et ajouta :

— Je crois que je vais m'accorder quelques heures de répit dans le Connecticut.

— Autant que vous le voudrez, approuva Eric avant de dire, avec un clin d'œil : Mais soyez de retour aux bureaux lundi matin, c'est important.

*

A huit heures ce lundi 21 avril, Cassandra poussa la porte des locaux de USE pour une nouvelle journée de travail. Elle s'attendait à être accueillie par l'activité bourdonnante habituelle mais, à sa grande surprise, les lieux étaient déserts. Pas un cliquetis de machine à écrire ne troublait le silence. Elle s'arrêta net au milieu de la pièce, déroutée au point de se demander pendant un instant si elle ne s'était pas trompée d'adresse ou d'heure.

— Surprise!

De derrière les portes donnant sur les autres bureaux jaillirent tous les employés. Une pluie de confettis et de serpentins emplit l'air tandis qu'ils s'assemblaient autour d'elle. Jimmy Pearce apparut, un sourire ravi sur son visage malicieux, et donna le signal d'un « Joyeux Anniversaire » général.

Cassandra était si touchée qu'elle ne put s'empêcher de pleurer un peu. Quand on apporta le gâteau, elle dut s'y reprendre à plusieurs fois avant de pouvoir souffler les bougies. Puis Eric Gollant lui remit au nom de tous son cadeau d'anniversaire : une réplique en or massif d'une carte USE à son nom.

— Je ne peux pas trouver les mots pour vous exprimer ma gratitude, dit-elle quand enfin elle réussit à parler. Vous êtes tous formidables et...

Les mots lui manquèrent.

— Votre second cadeau pour vos trente ans est un jour de congé, annonça Eric en riant. Vous l'avez bien mérité! Nous ne voulons pas vous voir ici avant demain. Allez faire du lèche-vitrines!

La petite fête se termina aussi vite qu'elle avait commencée, et Cassandra se retrouva au-dehors, encore sous l'effet de la surprise.

Eh bien je vais aller faire du lèche-vitrines, oui!

Cela faisait une éternité qu'elle n'avait pas déambulé dans la Cinquième Avenue en promeneuse. Tout en marchant elle remarqua les collections de printemps dans les vitrines de Sacks et de Bergdorf Goodman. Deux des deux maisons les plus prestigieuses de Paris, Dior et Balenciaga, avaient introduit des motifs à l'orientale dans leurs collections d'été, et quelques couturiers américains tels Hattie Carnegie et Norman Norell les avaient imités.

Cassandra se laissa porter par le flot humain qui assiégeait Farraday's. La folie des achats de printemps avait frappé Manhattan, et malgré l'heure matinale le magasin était déjà envahi. Les clientes faisaient la queue aux caisses, et Cassandra les regarda un instant payer leurs achats, un sourire satisfait aux lèvres.

L'idée l'éblouit par son évidence.

Les hôtels, les restaurants... et pourquoi pas les boutiques ? Les bijouteries ? Les femmes n'achetaient que pour la somme qu'elles avaient sur elles, et chacune connaissait la frustration de ne pouvoir s'offrir cette robe découverte par hasard, ou ces ravissantes boucles d'oreilles...

Elle entra dans le magasin et alla jusqu'au comptoir d'accueil.

– Je voudrais le numéro personnel de Mr. Farraday à Los Angeles.

*

Le voyage à Los Angeles ne fut qu'une formalité. Farraday se laissa convaincre d'autant plus aisément qu'il avait une épouse dépensière et qu'il vit très bien l'intérêt de ne pas limiter le montant des achats de ses clientes par la contingence de l'argent liquide. Il rappela pourtant à Cassandra le risque de tabler sur un tel comportement. Les possesseurs de la USE pouvaient fort bien accumuler les dettes et menacer la société émettrice. Mais Cassandra balaya la mise en garde avec un rire joyeux. Elle devait de toute façon accroître l'utilisation de la carte, même au risque d'un découvert monstrueux. Le contrat fut signé encore plus rapidement que pour la chaîne Hilton.

Elle s'attaqua ensuite aux salons de beauté, aux bijouteries et aux fleuristes pour très vite s'apercevoir d'un écueil inattendu : la majorité de ces magasins étaient tenus par des femmes, et pour les convaincre sur un terrain aussi particulier ses vendeurs se montraient trop ignorants de la psychologie féminine. La parade était simple, mais elle eut du mal à l'appliquer. Trouver des vendeuses s'avéra une tâche presque impossible, jusqu'à ce qu'elle propose à certaines employées de rayons féminins de rejoindre ses équipes. Le salaire et l'intéressement aux ventes leur parut si mirifique que Cassandra put effectuer une sélection rigoureuse parmi les postulantes. En une semaine elle avait constitué sa nouvelle force de vente.

S'il ne cachait pas son admiration devant les avancées de Cassandra, Eric Gollant restait plus sceptique sur les résultats à court terme. Comme Farraday, il craignait une pluie d'impayés de la part des détentrices de la carte USE, impayés qu'il leur faudrait assumer sur leurs propres réserves.

Or Cassandra venait justement d'écorner sérieusement les deux cent mille dollars de bénéfices enfin réalisés pour louer deux niveaux de l'Empire State Building et engager de nouveaux vendeurs. Et Eric Gollant ne savait comment lui annoncer qu'ils frôlaient encore le déficit.

Pourtant, au début du mois de novembre, cinq cents nouveaux restaurants, trente hôtels et près de quatre cents boutiques étaient venus grossir les rangs déjà nourris des commerces acceptant la carte USE.

Le soir du premier anniversaire de la création de United States Express, Cassandra organisa un souper pour Eric Gollant, Jimmy Pearce et tous ceux sans qui jamais elle n'aurait pu concrétiser le projet de Rose. La grande table rutilait de candélabres et d'argenterie, et le champagne pétillait dans les coupes. Tout était presque parfait, songea-t-elle. Presque.

Elle regarda par-delà les réverbères de Central Park en direction de Carlton Towers et se demanda où se trouvait Nicholas en cet instant. Ses lettres arrivaient sporadiquement du Japon ou de Singapour, d'Australie ou de Hong-Kong. A Wall Street courait une rumeur selon laquelle il aurait démantelé un réseau de faussaires en Europe; après ce coup d'éclat, les chefs de la Cosa Nostra l'auraient convié à une de leurs réunions, pour lui assurer qu'ils n'avaient pas l'intention de contrefaire les chèques de voyage de son employeur. Nicholas était partout, tel le bouclier et l'épée de l'empire de Steven Talbot. Mais il était toujours et surtout dans le cœur de Cassandra.

63

Bien que 1952 ne fût que la deuxième année où se tenait la soirée, celle-ci était déjà devenue l'un des événements sociaux d'Hawaii. Des femmes en toilettes somptueuses escortées par des hommes aux allures prospères marchaient à pas lents dans les allées rejoignant la piscine et la grande terrasse. Là était dressé un buffet qui ravissait l'œil et le palais par sa délicatesse et son raffinement.

Un peu en retrait, vêtu d'un magnifique costume de soie blanche, Steven Talbot couvait ses invités d'un œil de propriétaire. Tous ceux qui comptaient dans les îles étaient réunis ici, avec en prime plusieurs industriels, un sénateur et même le gouverneur de Californie. Tous avaient été soigneusement sélectionnés pour ne pas froisser la sensibilité des Hawaiiens. Ici on jugeait autant les gens sur leur fortune que sur la façon dont ils la dépensaient.

Avec une patience tranquille, Steven s'était construit une image de générosité et de discrétion. Il avait acheté de vastes terrains sur Oahu pour y construire le quartier général de ses opérations du Pacifique Sud. Il avait procuré du travail aux entrepreneurs locaux, enseigné les méthodes commerciales modernes à plusieurs dizaines d'Hawaiiens qu'il employait à des salaires plus que convenables. Si l'un d'eux avait un problème pour acheter une maison ou envoyer son enfant au collège, il était toujours là pour arranger les choses. A la différence des autres Blancs installés ici, Steven Talbot était aimé et respecté par la population locale qui lui vouait une profonde reconnaissance.

Un sourire vissé à ses lèvres trop rouges, Steven se mêla à ses invités. Sans que personne ne le remarque il avait peu à peu transformé Hawaii en un refuge où nul n'aurait osé demander ce qu'il faisait dans le reste du monde. Et Steven savait que personne ne s'en soucierait, aussi longtemps qu'il ferait couler à flots l'argent sur les îles.

Hawaii lui procurait exactement le havre et l'image publique dont il avait besoin, loin des banques et des maisons de courtage établies par ses lieutenants pour appâter ses proies. Et un à un les hommes des *zaibatsu* venaient frapper à la porte de ces établissements si riches qui avaient injecté des sommes colossales en Extrême-Orient, au Japon en particulier. Et ils prenaient avidement tout ce que la main cachée de Steven voulait bien leur donner à des taux usuraires non négociables.

Quels imbéciles! songea Steven. *Jamais ils ne devineront que l'argent qu'ils quémandent vient de celui qui les a trahis. Et mes hommes prennent des milliers d'actions de leurs sociétés en garantie... Un jour, tout m'appartiendra.*

Contrairement à nombre d'Américains, d'Anglais et d'Australiens qui méprisaient les Japonais, Steven avait la conviction qu'un jour l'industrie nippone construirait tout, des pétroliers géants aux masques de carnaval. Leurs usines tourneraient vingt-quatre heures sur vingt-quatre pour produire à des prix très inférieurs à ceux des Occidentaux. Et Steven avait pour projet de contrôler en sous-main le plus grand nombre de ces industries. Pour cela, il avait besoin d'un apport financier ininterrompu.

Tant que les chèques de voyage engrangeaient des profits record, les banques américaines à qui Talbot avait lourdement emprunté les deux années passées continueraient à lui prêter les fonds nécessaires. Pas un contrôleur financier ne soupçonnait que les énormes profits indiqués dans la comptabilité avaient disparu dans les coffres d'une douzaine de banques pour acheter *de facto* les compagnies convoitées par Steven. Malgré sa grandeur apparente, la compagnie Global Entreprises n'était plus qu'une magnifique coquille vide, et ses profits passaient par elle sans la nourrir. Une seule erreur, et tout l'empire Global pouvait s'écrouler irrémédiablement.

Steven repoussa cette éventualité. Tant qu'il serait le seul à connaître la vérité et tant qu'il ne ferait confiance à personne, tout irait bien. A chaque fois que l'ombre d'un doute l'effleurait, il invoquait l'image de son père, les canons du fusil dans la bouche.

Simon Talbot avait été conduit au suicide à cause d'un instant de faiblesse dont sa femme avait tiré avantage.

Il aurait dû tirer ces deux balles dans la tête de Rose et non dans la sienne.

Cette pensée transforma son sourire convenu en un rictus étrange.

— Qu'est-ce qui vous fait donc sourire ainsi? s'enquit le directeur de la Bank Of North America.

— Je me demandais comment se portaient les affaires de Cassandra McQueen, répondit-il avec légèreté.

— D'après ce que j'ai entendu dire, elle est à ça de la catastrophe, fit le banquier en délimitant un mince espace entre son pouce et son index.

— Vraiment?

Mais il savait fort bien à quoi s'en tenir. Nicholas Lockwood lui avait donné son rapport mensuel sur Cassandra et USE quand il était passé à Honolulu la semaine précédente. Et tout tendait à prouver que la société United States Express avait peu de chances de voir la nouvelle année.

*

A quelque neuf mille kilomètres de là, Singapour somnolait sous la chappe de plomb de la chaleur de l'après-midi. Dans Bugis Street, des travestis hélaient d'une voix léthargique les rares passants, tandis que les coolies chinois se reposaient contre leur rickshaw. L'air était alourdi par l'encens des temples hindous tout proches et les relents d'opium qui s'échappaient par les soupiraux des fumeries clandestines.

La canicule ne paraissait pas gêner l'Occidental assis à une table d'une petite maison de thé. Immobile près de la fenêtre, il semblait assoupi lui aussi, mais le bord de son chapeau de paille cachait ses yeux. En fait, Nicholas Lockwood surveillait l'échoppe délabrée de l'autre côté de la rue depuis trois heures.

Le silence fut rompu par un grondement lointain qui allait crescendo. Nicholas se leva et alla déposer quelques pièces dans le bol d'étain sur le comptoir près du boulier. Quand le garçon de dix ans vint compter son pourboire, son client était déjà à la porte et le fourgon de la police arrivait en trombe. Sa calandre renforcée pulvérisa la porte de la vieille échoppe.

Aussitôt un véritable pandémonium éclata. Tandis que les prostituées et les habitants des immeubles voisins sortaient en hurlant dans la rue, les policiers investirent le petit commerce en un éclair.

— Couvrez l'arrière! leur cria Lockwood en traversant la rue au pas de course.

— Personne, maugréa le capitaine de police quand il le rejoignit à l'intérieur. Les rats ont quitté le navire.

Nicholas souffla un juron. La pièce donnant sur la rue était encombrée de rouleaux de coton, de soieries bariolées et de madras, comme n'importe quel commerce de ce type. L'arrière-salle offrait néanmoins un aménagement beaucoup plus original. Les trois presses étaient alignées contre le mur, noires et luisantes d'huile.

– Cherchez partout, ordonna Lockwood aux policiers. Ils ont peut-être oublié un indice.

Mais sa voix manquait de conviction. Les faussaires qui avaient opéré ici n'étaient sans doute pas différents de tous ceux dont il avait brisé – momentanément – l'activité, de Hong-Kong à Bangkok. Ils abandonnaient sans regret leurs presses, aisément remplaçables, mais on ne retrouvait jamais de papier, de plaques ou de billets imprimés, indice beaucoup trop révélateur du degré de perfection de leur travail. Depuis des mois Lockwood avait l'impression de chasser des ombres.

Les chèques de voyage Global avaient attiré la convoitise des faussaires et les premières imitations avaient commencé à circuler, mais elles étaient de si piètre qualité que l'employé de banque le plus obtus pouvait détecter la supercherie. Néanmoins, Nicholas le savait, ce n'était qu'une question de temps. Un jour les faussaires parviendraient à fabriquer des chèques assez réussis pour freiner l'expansion de Global dans la région.

Il s'approcha d'une des presses et passa machinalement ses doigts à la jonction des rouleaux. Quand il sentit une coupure, les battements de son cœur s'accélérèrent brutalement. Il fit tourner les rouleaux et un rectangle imprimé apparut, qu'il glissa aussitôt dans une de ses poches. Les policiers continuaient leur fouille autour de lui, mais aucun n'avait vu son geste.

Revenu à sa chambre du *Raffles*, Nicholas Lockwood verrouilla sa porte, s'assit sur son lit et sortit le billet de sa poche. Avec un solvant léger et du coton il ôta l'huile qui le maculait, puis il l'examina longuement. Un chèque de voyage Global de cent dollars, presque parfaitement imité... L'encre avait la nuance exacte des originaux, tous les détails étaient identiques, jusqu'à la tête de lion ajoutée par Rose en filigrane dans le G par mesure de sécurité supplémentaire. Frottant le billet entre le pouce et l'index, Lockwood décela la seule faiblesse du faux : le papier n'était pas tout à fait aussi fibreux que celui du vrai. Mais combien de gens parviendraient à faire la différence ?

Lockwood resta immobile plusieurs minutes encore, à réfléchir. Quelque part dans cette cité qui abritait des milliers de voleurs et d'escrocs, un faussaire de génie préparait tranquillement un assaut d'envergure contre Global Entreprises. Nicholas était certain qu'il n'était pas encore prêt à agir. Ce travail d'artiste supposait un besoin de perfection, et l'homme savait que son papier n'avait pas la qualité requise. Alors il attendrait de l'avoir trouvé pour inonder le marché de ses faux indécelables. D'ici là, Lockwood devait le débusquer.

Et lorsque ce serait fait Nicholas n'avait nullement l'intention d'en parler aux autorités ou à quiconque. Il venait de comprendre qu'il tenait là le moyen par lequel Cassandra pourrait porter un coup fatal à Steven Talbot.

★

A moins d'un kilomètre de là, dans la plus ancienne partie de Chinatown, où des maisons basses bordent la rivière de Singapour, un homme debout sur un toit en terrasse abritait ses yeux de l'éclat du soleil couchant. C'était un Occidental mince, aux cheveux blancs et à la barbe broussailleuse.

— Il a dû le trouver, maintenant, lui dit le vieux Chinois à son côté.

— Je sais, Ram, répondit Harry Taylor sans cesser de scruter l'horizon. Mais il ne découvrira aucun indice. Et il peut garder les presses.

Le Chinois sortit un chèque de voyage Global et le frotta entre son pouce et son index dans un geste machinal. Harry Taylor l'avait vu faire des centaines de fois. Ram voulait habituer son toucher à l'exacte sensation d'un vrai chèque, pour savoir quand sa contrefaçon serait parfaite.

— C'est le même homme qui est ton ombre depuis des années ?

— Oui.

— Il est venu pour toi ?

— Je ne pense pas. La situation a changé.

D'une part Harry était maintenant proche de la soixantaine, et son passeport l'identifiait comme un Canadien dirigeant une petite firme d'import-export, couverture idéale pour Singapour. Et il savait que l'homme qui le pistait s'appelait Nicholas Lockwood, qu'il était employé par Steven Talbot et qu'il excellait dans son domaine. Il savait également que Lockwood n'était pas ici pour le traquer. Dans sa poursuite à travers l'Asie le chasseur avait perdu la trace de sa proie, et pour l'instant l'anonymat de Taylor était assuré dans cette cité cosmopolite.

— Non, dit-il doucement. S'il me cherchait, il m'aurait déjà trouvé. (Il se tourna vers Ram.) Mais nous n'avons jamais douté qu'un jour il s'intéresserait à nous, à cause de ce que nous faisons. Pour aujourd'hui, Lockwood n'a trouvé que des presses semblables à toutes celles qu'il a déjà saisies. De petits faux-monnayeurs comme les autres, voilà ce qu'il doit penser en ce moment. Demain ou dans quelques jours il repartira.

— Je prie pour que tu sois dans le vrai, répondit le vieux Chinois.

— Moi aussi, Ram. Parce que le jour où je t'ai rencontré, j'ai cessé de fuir Steven Talbot.

Pour inverser les rôles. De gibier je suis devenu chasseur...

Harry Taylor était arrivé à Singapour avec beaucoup d'argent mais peu de projets. Et il se rendit très vite compte que ses options étaient des plus limitées. Le cercle restreint des planteurs blancs lui était interdit, car on lui aurait posé trop de questions. Et il ne parlait ni le mandarin ni aucun des dialectes asiatiques employés par les commerçants dans leurs transactions. L'usage de l'anglais était certes largement répandu, mais Harry savait qu'il courrait de grands risques à vouloir reproduire les escroqueries qui avaient si bien fonctionné à Marseille.

Malgré ses déplacements multiples au cours des ans, Harry avait toujours acheté régulièrement des journaux en langue anglaise. La nouvelle de la mort de Rose avait été pour lui un réel choc. Cette femme indomptable qu'il avait jadis aimée avait tant influencé sa vie qu'il n'avait jamais pu l'oublier, malgré la blessure qu'elle lui avait infligée. Il se demanda si, maintenant que Rose était morte, Steven arrêterait de le rechercher. Mais quand il vit la façon dont étaient repris en main les chèques de voyage arrachés à Cassandra, il cessa d'espérer. Steven Talbot était le genre d'homme que rien n'arrêtait quand il désirait quelque chose, et il voulait sa mort.

Taylor redoubla donc de circonspection. Il loua un petit appartement et s'assura que son argent était caché dans divers endroits où il pouvait l'atteindre aisément. Cela fait, il lui restait encore à trouver ce qu'il allait bien pouvoir faire.

La réponse vint par le plus grand des hasards dans les jardins de la cathédrale anglicane St. Andrew, quand il bouscula par inadvertance Ram. Le Chinois lâcha son paquet qui se déchira en tombant. De longues feuilles de papier très doux s'en échappèrent. A l'instant où il toucha ce papier, Harry comprit qu'il n'était pas destiné à la correspondance d'une dame raffinée. Et quand Ram le regarda dans les yeux, il vit que l'Occidental savait.

Pour s'excuser, Harry invita le Chinois à prendre le thé. Les deux hommes discutèrent de choses et d'autres avant que l'Américain n'avoue qu'il cherchait du travail. Ram, qui s'était déclaré imprimeur, lui proposa une place de coursier.

— Il y a des centaines de gamins qui sont prêts à prendre ce travail, remarqua l'Occidental.

— Certes, Mr. Taylor. Mais j'ai besoin d'un individu honnête, en qui je puisse avoir confiance...

Harry était intrigué. Il écouta ce sixième sens qui si souvent dans le passé lui avait permis de rester en vie, et accepta la place.

Pendant les mois qui suivirent, Harry sillonna la ville et en vint à la connaître aussi bien qu'un natif. Il livrait des colis – toujours de la même taille et toujours scellés à la cire – dans les endroits les plus divers, des hôtels de luxe aux bouges les moins fréquentables des bas quartiers. Les clients de Ram étaient identiques : des Occidentaux silencieux qui pouvaient être millionnaires, marins ou voleurs – ou les trois à la fois. Ces hommes étaient moins soucieux de ce qu'ils confiaient à Taylor en échange du paquet de Ram, et souvent il vit les liasses de billets à travers le papier qui les emballait. Jamais il n'en subtilisa un seul.

Malgré une amitié qui se consolida au fil du temps, Ram restait muet sur la nature exacte de son commerce. Puis un jour Harry revint à la boutique du Chinois avec un bras cassé et le visage contusionné.

– Le fumier n'avait pas l'argent, murmura-t-il, mais il voulait quand même le passeport...

Et il s'évanouit. Quand il revint à lui, il se trouvait dans une infirmerie tenue par un médecin chinois très discret. Ram était assis près de son lit.

– Je te dois des excuses, dit l'Asiatique. Rien de tel n'était encore arrivé.

Harry réussit à sourire.

– Il faut un début à tout.

Peu à peu Ram lui révéla tout de son trafic. Derrière le mur du fond de la boutique se trouvait un petit local parfaitement équipé où il fabriquait des faux, allant du passeport au permis de séjour en passant par les certificats de naissance.

– Tu as été très patient et honnête avec moi, dit-il. En plus d'une occasion tu aurais pu me voler de l'argent, beaucoup d'argent, mais tu as résisté à la tentation. Réfléchis et dis-moi comment je peux te prouver ma reconnaissance, je te prie.

Dès qu'il fut sorti de l'infirmerie, Harry retourna à son appartement et y prit une partie de son pécule. Puis il revint voir Ram.

– Je serais honoré de devenir ton associé en affaires, dit-il.

– Mais tu n'es pas un copiste, protesta Ram.

Le Chinois n'utilisait jamais les termes « faussaire » ou « contrefacteur », qu'il jugeait dégradants. Il estimait être un artiste dont le talent résidait dans la reproduction et non dans la création.

– C'est vrai, reconnut Taylor, mais ensemble nous pourrions faire beaucoup d'argent... en produisant le nôtre.

– Harry, la seule monnaie qui vaut d'être copiée est le dollar. Et ici il est presque impossible de trouver les encres et le papier adéquats.

– Je ne pensais pas au dollar, répondit Harry.

Il sortit de sa poche un chèque de voyage Global.

*

Harry Taylor expliqua au Chinois la dette que lui aussi avait à rembourser. Il lui raconta les épisodes les plus pénibles de sa vie, et la honte qu'il ressentait toujours pour avoir indirectement provoqué la mort de Michelle McQueen.

Ram examina longuement le chèque de voyage et déclara que c'était une œuvre d'art. Avec le temps, pourtant, il pensait pouvoir en égaler la finition.

Pendant les années qui suivirent, Harry divisa son temps entre Singapour et des endroits dont il n'avait encore jamais entendu parler. Ram avait fait de lui son élève et il lui enseigna toutes les subtilités de la contrefaçon. Pendant ce temps le Chinois travaillait toujours sur le chèque Global. Et un jour il ne resta plus que le problème du papier dont la formule exclusive détenue par Global représentait un défi à la mesure du talent de Ram.

Après bien des recherches, c'est dans un petit village de Thaïlande proche de la frontière cambodgienne que Harry trouva la récompense à leur ténacité commune.

*

Leur rire était comme le tintement des carillons dans le vent. La femme qui apparut à leurs côtés sur la terrasse avait la moitié de l'âge de Harry. Grande pour une Chinoise, Mary avait un corps fin et souple et un visage à l'ovale gracieux d'une parfaite harmonie. Elle repoussa sa longue chevelure noire en arrière d'une main et se courba pour prendre dans ses bras leur fille de deux ans. L'enfant était pour Harry le miracle de son existence.

— Bonjour, Harry, dit-elle d'une voix douce.

— Mary, mon amour...

Il embrassa sa femme, puis leur enfant, et la fillette rit comme la barbe la chatouillait.

— Es-tu prêt pour le dîner?

— Dans quelques minutes, mon amour. Le coucher de soleil est si beau ce soir...

Mary lui sourit avec indulgence.

— Tu es un piètre menteur, mon mari. Je vous laisse terminer votre conversation. Mais pas plus de cinq minutes.

L'idée qu'après toutes ces années il puisse rencontrer une compagne pour finir sa vie ne lui avait jamais traversé l'esprit. Pourtant, le jour où il était revenu de Thaïlande avec le papier, Ram lui avait dévoilé le plus précieux de ses secrets : sa fille. A l'instant où il lui avait été présenté, l'Américain était tombé amoureux de Mary. Le miracle était qu'elle avait répondu à cet amour.

— Maintenant tu aimerais ne jamais m'avoir montré ce chèque de voyage, n'est-ce pas? dit Ram quand sa fille se fut éloignée.

Harry se tourna pour le regarder, et le soleil couchant baigna son visage d'un rouge sanguin.

— Je donnerais tout pour cela, Ram, oui.

– Peut-être le peux-tu encore, mon ami.

Harry secoua tristement la tête.

– Non. Lockwood ne renoncera pas. Steven Talbot ne le lui permettra pas. Et un jour il me retrouvera. Or je ne peux m'offrir ce luxe, n'est-ce pas ?

64

La seconde année de United States Express avait été aussi dure que la première, et pour rétablir la balance financière de l'entreprise Cassandra avait dû se séparer des tableaux hérités de Michelle, derniers souvenirs de l'appartement de l'île Saint-Louis.

Ils se rendirent compte qu'une bonne partie de leurs déboires venaient des fraudeurs. Les cartes volées étaient utilisées sans espoir de remboursement, et Cassandra prit la mesure du risque : USE était en danger de mort face à la multiplication des escroqueries de ce genre. Elle fit appel à des experts et renforça la sécurité à tous les échelons de la société. Les dossiers de la clientèle prenant une place et un temps de plus en plus considérables, Cassandra décida qu'il était temps de faire appel aux dernières techniques. USE était la carte de l'avenir, elle serait protégée par les méthodes de l'avenir.

*

Thomas J. Watson travaillait sur un projet de calculatrice depuis 1924, date à laquelle il avait refondu la National Cash Register Company pour en faire International Business Machines. Vingt ans plus tard, IBM, en collaboration avec la Harvard Engineering School, produisait le « Mark I Automatic Sequence Controlled Calculator ». A présent la compagnie était sur le point de lancer sa deuxième génération d'ordinateurs.

– Ce que je vais vous montrer, Miss McQueen, est le prototype du nouvel IBM 702, notre premier ordinateur à vocation commerciale, dit fièrement un chef des ventes. Il fera tout ce dont vous avez besoin : il gardera en mémoire les renseignements relatifs à chaque détenteur de carte, tiendra à jour les dépenses de chacun, vous signalera les dépassements ou les paiements frauduleux. En fait, nous pouvons le programmer pour à peu près toutes les tâches que vous désirez lui confier. Il les effectuera mieux, plus vite et avec plus de fiabilité que le meilleur de vos employés. Il pourra vous avertir des irrégularités dans un compte. Si une carte est volée, son possesseur vous prévient et vous l'indiquez à la machine. Tout commerçant acceptant votre carte peut vous téléphoner pour vérification. Vous entrez le numéro de la carte et l'ordinateur vous prévient si elle a été volée. De cette façon vous pourrez limiter les fraudes, peut-être même arrêter certains voleurs.

Armstrong, un ancien policier choisi par Cassandra pour diriger la sécurité de USE, hocha la tête en regardant l'énorme masse d'acier poli avec un respect nouveau.

— Vous pouvez m'en dire un peu plus?

Le vendeur d'IBM ne demandait pas mieux. Pendant l'heure suivante il leur expliqua en détail les fonctions qui les intéressaient.

— S'il remplit ses promesses, cet engin est mieux qu'une escouade d'inspecteurs du FBI! fit Armstrong en conclusion.

— Alors l'affaire est conclue, décida Cassandra. J'attends vos techniciens et le matériel lundi matin.

— Croyez-moi, Miss McQueen, vous ne le regretterez pas.

*

Les efforts et l'audace de USE, une gestion intelligente et un succès grandissant dans le public portèrent bientôt leurs fruits.

— Cette année, lui annonça un jour Eric Gollant avec une nonchalance de façade, vous allez dépasser le million de dollars de bénéfices nets...

Un million de dollars, songea Cassandra, éblouie. Cela semblait un pactole inépuisable. Mais ça ne l'était pas, elle le savait. Ce n'était qu'un début.

— Une nouvelle digne d'être fêtée, dit-elle joyeusement. Pourquoi ne pas m'inviter à dîner, Eric?

— Vous êtes assez jeune pour être ma fille, répondit en riant Gollant. Qu'allez-vous faire avec un vieux cheval comme moi? Vous devriez vous trouver un beau jeune homme, Cass. En toute honnêteté, je n'aimerais pas vous voir vivre la même solitude qui a rongé Rose.

Elle fut très émue par ces paroles, en même temps qu'un peu honteuse. Eric Gollant l'aimait comme sa propre fille, et pourtant elle lui avait caché son plus grand secret, le laissant s'inquiéter inutilement.

— J'ai déjà quelqu'un, dit-elle. Depuis toujours.

Eric eut un sourire ravi.

— Et vous me cachiez ça? Qui est l'heureux élu?

Cassandra hésita.

— Nicholas.

Il ne pouvait en croire ses oreilles.

— Vous voulez dire... Après tout ce qu'il vous a fait, vous abandonner ainsi...

— Jamais il ne m'a abandonnée, Eric. Mais c'est ce que nous voulions que tout le monde croie, et surtout Steven.

Aussi gentiment qu'elle le pouvait, elle lui expliqua le stratagème qu'ils avaient élaboré ensemble pour tromper Talbot.

— Ainsi donc, tout cela n'avait pour but que de garder Nicholas chez Global, murmura Eric. Il est votre espion auprès de Steven, en quelque sorte...

— J'avais besoin de savoir si Steven préparait quelque chose contre moi. Nicholas a très bien réussi à le convaincre que je ne représentais aucune menace pour lui. Mais jamais il n'y serait parvenu s'il avait ouvertement poursuivi sa liaison avec moi. Steven aurait douté de son allégeance à Global.

— Et vos absences dans le Connecticut...

— Les seuls moments où nous pouvions nous retrouver. Sans quoi je ne crois pas que nous aurions pu tenir.

— Je ne sais pas comment vous avez réussi à ne pas craquer. La souffrance que vous vous êtes délibérément imposée...

Eric repensa à Rose et à la façon dont Global était devenu sa vie. Elle avait fait tant de sacrifices en son nom, elle aussi...

Mais il y a une différence, se dit-il. Rose n'a jamais pu faire totalement confiance à quelqu'un pour l'aider. Quand elle a compris son erreur, il était déjà trop tard...

— Je suis désolée de ne pas vous l'avoir dit plus tôt, conclut Cassandra. Après tout ce que vous avez fait, j'aurais dû vous mettre au courant.

Eric haussa les épaules en souriant.

— Si je l'avais su, j'aurais peut-être agi d'une autre façon. Une fois qu'on vous confie un secret, il est très difficile de se comporter comme lorsqu'on l'ignorait... Eh bien, nous verrons maintenant si j'ai des talents de comédien!

Cassandra était soulagée de sa réaction, plus qu'elle n'aurait su le lui exprimer.

— Cela signifie-t-il que vous m'invitez à dîner?

Il lui décocha un clin d'œil.

— Et comment!

*

Quand il était question de chiffres et d'estimations, Eric Gollant se trompait rarement. Mais le million de dollars de bénéfices nets qu'il avait prédit pour la troisième année de USE fut une de ces rares erreurs: USE dégagea trois millions de dollars cette année-là.

La montée en puissance de la société se poursuivit durant toute l'année 1954. Plus de vingt-cinq mille établissements commerciaux sur tout le territoire acceptaient maintenant la carte USE, pour le plus grand plaisir de ses deux cent mille détenteurs. Et tous les jours arrivaient de nouvelles demandes.

La croissance de USE obligea Cassandra à agrandir ses locaux.

L'atelier de fabrication des cartes avait déjà été transféré sur Long Island, et elle louait maintenant cinq niveaux de l'Empire State Building.

— Ces loyers nous coûtent une fortune! tempêta Eric Gollant. Il faut remédier à ce gaspillage!

Il parcourut tout Wall Street à la recherche d'un immeuble disponible. Au début du mois de septembre 1954, il présentait quatre sites possibles à Cassandra.

— Pourquoi le cinquième est-il barré? s'enquit-elle en lisant la feuille qu'il lui avait donnée.

— Regardez l'adresse...

Un sourire naquit sur les lèvres de la jeune femme.

— C'est celui-là que je veux.

— Vous n'êtes pas sérieuse?

— Je le suis, Eric. Veuillez préparer tous les papiers pour mon retour du Connecticut.

Intérieurement, Gollant se traita d'imbécile. Il aurait dû se douter que Cassandra ne résisterait pas à la tentation et qu'elle choisirait le cinquième immeuble, celui qui se trouvait juste en face du siège social de Global, à Lower Broadway.

65

L'érosion avait été graduelle et pendant deux ans personne à Global n'avait suspecté ce qui se passait. Le premier indice ne vint pas de Lower Broadway mais des lieutenants de Steven en Extrême-Orient, rentrés aux États-Unis pour une réunion avec leur patron.

— Nous ne captons pas assez de fonds, Mr. Talbot, dit leur porte-parole. Tout est là. Les profits réalisés par les chèques de voyage ne comblent plus nos dépenses. Inutile de vous préciser que nous nous trouvons dans une situation très précaire. Nous avons tant investi dans l'industrie japonaise que nos caisses sont pratiquement vides. Que le bruit s'en répande et nos banques seront prises d'assaut. Je vous laisse imaginer la suite.

Revenu récemment de Hawaii, Steven tombait des nues. Les derniers chiffres indiquaient que jamais les ventes de chèques de voyage n'avaient atteint un tel niveau.

— J'aurai le fin mot de tout ceci.

A Lower Broadway il ordonna qu'on lui apporte les rapports financiers concernant les chèques de voyage. Il ne lui fallut pas longtemps pour comprendre : si les bénéfices avaient effectivement augmenté de manière constante, les dépenses annexes avaient pris une ampleur délirante. Le prix de la moindre campagne publicitaire était devenu astronomique, bien qu'il n'y ait eu aucune nouveauté dans les annonces radio et les encarts de presse depuis des années. Dans les agences des chèques de voyage, on signalait une augmentation inquiétante des vols. Les inventaires pointaient l'achat de nouveaux équipements mais personne ne s'était occupé de revendre les anciens. Plus alarmant que tout, la simple lecture des rapports démontrait que le public commençait à se désintéresser des chèques de voyage à cause d'une gestion sans dynamisme.

— Faites venir ces deux vieux abrutis qui s'occupent des chèques de voyage! aboya Steven à sa secrétaire.

Il s'était attendu à ce qu'ils rampent servilement devant lui en bafouillant des excuses, mais ils entrèrent dans son bureau avec une assurance sereine.

— Qu'est ce que vous avez fait? Ou plutôt, pourquoi ne faites-vous rien? éructa Steven en frappant son bureau avec les rapports.

— Nous avons suivi vos instructions, Mr. Talbot, répondit l'un avec dignité. Vous aviez dit que vous ne vouliez rien changer à la gestion des chèques. Nous n'avons rien changé, mais nous vous avons envoyé régulièrement des notes sur les problèmes de notre secteur. En voici d'ailleurs des copies datées. Nous ne pouvons être tenus pour responsables si elles ne vous ont jamais atteint.

Steven balaya les documents de son bureau d'un geste rageur.

— Vous êtes tous les deux...

— Licenciés, Mr. Talbot? Trop tard. Nous venons de démissionner.

A tour de rôle ils déposèrent leur lettre sur son bureau puis tournèrent les talons. Tétanisé par la rage, Steven les suivit des yeux. Avant de sortir, le dernier se retourna.

— Quant à trouver une explication à la baisse du succès des chèques de voyage, elle se trouve peut-être là, fit-il en désignant la fenêtre.

Steven regarda dans la direction indiquée. De l'autre côté de la rue, le chevalier de USE brandissait son épée de néon comme un défi.

*

— Pourquoi diable ne m'avez-vous pas dit ce que faisait cette traînée? «USE est condamné, USE ne passera pas l'année!» C'est ce que vous disiez! Regardez ce qu'il en est de vos foutues prédictions, maintenant!

Steven Talbot était livide. Nicholas voyait les veines battre sous les cicatrices blanchâtres.

— Tout Wall Street disait la même chose, lui rappela-t-il posément. Je suis chargé de la sécurité, pas de surveiller le marché financier. Mon boulot consiste à éviter toute fraude de vos produits, et je le fais. S'il y a un problème avec moi, dites-le.

Steven hésita. Il ne pouvait s'offrir le luxe de s'aliéner un élément aussi précieux que Lockwood.

— Que savez-vous de USE? demanda-t-il plus calmement.

— Cassandra a tout misé sur sa carte et il semble qu'elle ait gagné. Elle n'a pas fait faillite comme tout le monde le prédisait. A présent sa société est en plein essor. Le public semble adopter de plus en plus le système de paiement par carte.

— Elle me concurrence sur mon terrain, cracha Steven. Cette carte me vole des clients. Il faut faire quelque chose.

— Légalement, je ne vois pas de solution. USE n'a enfreint aucune loi, ni usurpé aucun des droits de Global... Mais j'ai entendu parler de quelque chose qui pourrait vous intéresser.

Steven plissa les yeux, soudain très attentif.

— Quoi?

— La carte USE est sujette à contrefaçon, tout comme les chèques de voyage. Jusqu'ici Cassandra a eu de la chance, mais elle connaît le risque. Le bruit court qu'elle testerait un nouveau modèle de carte, infalsifiable celle-là.

— Des détails?

— Ses ingénieurs en électronique ont développé une nouvelle technologie : une bande magnétique qui sera collée au dos de la carte. La bande sera codée et portera toutes les informations relatives au client. Une sorte d'empreinte électronique, en fait. Pour les commerçants, un système de contrôle de la taille d'une boîte à chaussure leur permettra de savoir si le client est solvable ou si la carte est volée. Il leur suffira de glisser la carte dans l'appareil. La bande magnétique sera lue, les informations transmises par ligne téléphonique au central et la réponse renvoyée de la même façon. S'ils mettent ce système au point, il rendra l'achat par carte encore plus facile et plus sûr qu'il ne l'est déjà... (Nicholas laissa à Talbot le temps de pleinement comprendre la portée de ses paroles avant de poursuivre :) USE nous a déjà fait beaucoup de mal parce que le public n'a plus à transporter d'argent liquide pour voyager. Si Cassandra rend son nouveau système pleinement opérationnel, les chèques de voyage seront dans une très mauvaise position.

Steven fit pivoter son fauteuil et posa un regard haineux sur l'enseigne de USE qui le narguait par la fenêtre.

— Trouvez tout ce que vous pouvez sur cette nouvelle carte, dit-il à voix basse. Je veux un rapport pour la semaine prochaine.

*

Harry revint chez lui comme chaque jour, juste avant le coucher du soleil. Aujourd'hui il était particulièrement content. Les premiers chèques de voyage de vingt dollars avaient été imprimés, et Ram s'était déclaré satisfait de la contrefaçon. Le Chinois avait palpé chaque coupure pour un dernier test, et il avait souri. Ils étaient prêts. A la fin de la semaine, ils disposeraient de dix millions de dollars en faux chèques Global, prêts à être expédiés aux contacts que Ram entretenait dans tout l'Extrême-Orient. Et ce n'était qu'un début.

Harry entendit le rire de sa fille tandis qu'il gravissait l'escalier menant à la terrasse.

— Rachel! Mary!

Son sourire de bonheur se figea quand il sortit sur le toit. Sa fillette riait de plaisir sur les genoux d'un homme qu'il reconnut aussitôt : Nicholas Lockwood. Debout à côté de lui, une jeune femme très belle le regardait calmement.

— Bonsoir, Harry, dit Cassandra. N'ayez aucune inquiétude, nous ne vous voulons aucun mal. Nous sommes ici pour faire affaire avec vous...

*

Depuis sa naissance, avec l'investissement initial de deux mille dollars, la compagnie 4780 avait atteint un poids se chiffrant en millions. Son président et fondateur, l'honorable Jiro Tokuyama, demeurait une énigme vivante. Bien qu'il possédât des immeubles entiers de bureaux et d'habitation, il vivait en reclus dans un magnifique appartement de son plus luxueux complexe immobilier. Entre lui et le public était érigée une barrière infranchissable d'avocats, de conseillers privés et de délégués. Il ne donnait jamais d'interview aux journaux et restait dans l'ombre. Ceux qui avaient essayé de forcer son intimité avaient été poursuivis impitoyablement en justice. Dans une société comme le Japon, cette discrétion était respectée comme une preuve d'humilité.

Régulièrement Jiro Tokuyama se glissait hors de son bureau et rejoignait par un itinéraire détourné et complexe un quartier populaire au nord de Tokyo. Là, dans une modeste maison, il rencontrait Yukiko Kamaguchi et prenait ses directives.

Tokuyama était un homme loyal et prudent. Mais pour un professionnel de la filature, ses ruses de parcours n'étaient qu'amusement.

— Comment allez-vous, Mr. Tokuyama?

Le magnat du bâtiment sursauta et fit volte-face. Un *gaijin* et une jeune femme blonde sortirent de l'ombre.

— Que voulez-vous? lança-t-il.

— Nous nous rendons chez la même personne, répondit Nicholas dans un japonais parfait. Chez Yukiko Kamaguchi.

Éberlué, Tokuyama cligna plusieurs fois des yeux, très vite, et la peur lui noua le ventre à la mention de sa maîtresse.

— Je ne connais personne de ce nom, fit-il avec raideur. Veuillez cesser de me suivre.

— Nous n'avons pas besoin de vous suivre.

Avant que le Japonais ait pu le retenir, Nicholas marcha jusqu'à la porte voisine et y tambourina selon le signal convenu.

— Bonjour, Miss Kamaguchi, dit-il quand elle lui ouvrit.

*

— Vous n'êtes pas ici pour de vaines raisons, dit Yukiko Kamaguchi. Jiro Tokuyama a toujours été très prudent durant toutes ces années, pourtant vous avez percé son secret à jour...

Ils étaient assis tous quatre sur des tatamis, dans une pièce coupée par une cloison coulissante de papier de riz. La Japonaise avait été déroutée de voir Nicholas Lockwood. Des photos du chef de la sécurité de Global figuraient dans les dossiers qu'elle avait constitués sur les membres importants de la compagnie, et elle le connaissait de réputation. Elle pensa tout d'abord qu'il avait été envoyé par Steven Talbot, mais la présence de Cassandra mua son inquiétude en curiosité.

— Mr. Tokuyama s'est montré très prudent, affirma Nicholas. Mais je suis un professionnel.

— Que voulez-vous ?

— Vous êtes la personne qui dirige réellement la société 4780, exposa Nicholas d'un ton neutre. Nul ne le sait parce qu'après avoir été trahie par Steven Talbot, vous avez été interdite de séjour au Japon par les dirigeants des *zaibatsu*.

— Êtes-vous venu pour exercer un chantage sur moi, Mr. Lockwood ? Cela contredirait votre réputation.

— Nous sommes ici pour vous communiquer des informations, Miss Kamaguchi. En échange nous vous demanderons quelque chose.

Yukiko savait qu'elle n'avait pas d'autre choix que d'écouter ce qu'il avait à lui dire.

— Continuez, je vous prie.

— Les hommes qui dirigent les *zaibatsu* ont réussi à restaurer leur empire industriel. Savez-vous de quelle façon ?

La Japonaise haussa les épaules.

— Ils ont emprunté d'énormes sommes d'argent à l'étranger. Je n'en sais pas plus.

— Les noms des banques qui ont consenti ces prêts vous sont-ils familiers ? demanda Lockwood avant d'énumérer une douzaine d'établissements.

— Tout le monde a entendu parler d'eux. Oui, je sais qu'ils sont les principaux créanciers des *zaibatsu*.

— Mais savez-vous qui possède ces banques, en réalité ?

— Non. Mais peut-être accepterez-vous de me le dire, Mr. Lockwood ?

— Steven Talbot.

— C'est impossible !

— Non seulement c'est possible, c'est aussi vrai... (Il lui tendit une liasse de documents.) Voyez vous-même.

Yukiko s'absorba un long moment dans la lecture des papiers.

— Steven Talbot a financé en sous-main le redéveloppement d'à peu près toutes les industries japonaises majeures, expliqua l'Américain. Les *zaibatsu* croient avoir affaire à des banques asiatiques. Ils se trompent : ils empruntent en fait à l'homme qui les a trahis et volés. Ils pensent parvenir à rembourser leurs emprunts, mais là aussi ils font erreur : les prêts ont été consentis à des conditions qu'ils n'auront pas les moyens d'honorer. Et Steven Talbot prendra la direction des *zaibatsu*.

Malgré sa surprise, Yukiko jubilait. Comme il était doux d'apprendre que les hommes qui avaient voulu l'exiler étaient eux-mêmes des victimes! Mais elle comprit aussitôt que Steven Talbot devenait du même coup une menace très sérieuse pour elle.

Nicholas Lockwood se doutait du cheminement de ses pensées, car il déclara :

— Il n'a pas à être une menace pour vous.

— Et comment?

— Dans un avenir très proche, Steven Talbot va connaître de graves déboires financiers. Ses liquidités, qui sont déjà réduites, se tariront complètement. Il aura besoin de beaucoup d'argent, et la seule façon qu'il aura de se le procurer sera de vendre ses intérêts secrets dans les *zaibatsu*. Je suggère donc que la société 4780 rachète ces parts. Ainsi vous contrôlerez les hommes qui vous ont dépossédée. En le leur faisant savoir ou non, selon votre convenance.

Les yeux de Yukiko étincelèrent à cette perspective, mais elle se souvint des paroles de l'Américain.

— Vous avez dit que vous attendriez quelque chose en retour.

— Votre promesse de ne rien tenter contre Global ou Steven Talbot pour vous venger, intervint Cassandra. Global me revient, et j'entends le récupérer. Quant à Steven, j'ai un compte personnel à régler avec lui.

Yukiko la considéra d'un regard pensif. Elle avait beaucoup entendu parler de cette jeune femme qui avait comme elle créé un empire sur des cendres. Elle comprenait maintenant que ce qu'on disait était vrai.

— D'accord, fit-elle enfin. Vous m'offrez beaucoup. Je dois beaucoup donner en échange.

En prononçant ces mots, Yukiko Kamaguchi était sincère. Elle renonçait à sa propre vengeance. Mais elle devait respecter la parole donnée à l'âme de son père. Elle vengerait donc Hisahiko Kamaguchi.

66

La nouvelle vint d'Australie. Un faux chèque de voyage Global avait été détecté à Sydney, à la Barclays Bank. Le faux n'avait pu être décelé que grâce à son numéro de série, identique à celui d'un chèque déjà enregistré.

Steven Talbot envoya aussitôt un câble demandant vérification par des experts et confirmation. Celle-ci ne se fit pas attendre.

Dans les dix-huit heures qui suivirent Lower Broadway fut averti de la présence de contrefaçons quasi impossibles à reconnaître à Londres, Athènes et Los Angeles. Toutes, visiblement, avaient la même provenance.

A l'aube, Steven reçut dans son bureau son expert financier. Les pertes engendrées par ces faux s'élevaient déjà pour Global à un million de dollars qu'il faudrait rembourser aux hôtels, banques, bureaux de postes, compagnies aériennes et autres ayant honoré le paiement par chèque de voyage.

— Comment pouvons-nous être sûrs que ces foutus chèques sont faux ? rugit Steven à la cellule de crise qu'il avait convoquée. Nous n'en avons pas vu un seul ici !

— C'est vrai, monsieur, répondit l'expert financier. Mais cela pourrait très bien faire partie de la stratégie des faux-monnayeurs. Plus nous mettrons de temps à avoir en notre possession un faux, et plus eux en auront pour inonder le marché. Ce qu'ils font déjà, d'après ce que nous savons. Or, comme la règle d'or de Global est d'honorer ses...

— Je connais la règle d'or de Global ! hurla Steven, tremblant de rage. Je veux voir un faux !

— Je ne crois pas que les gens responsables de cette contrefaçon soient assez stupides pour en écouler à Manhattan, balbutia l'expert financier. En fait je doute qu'on en découvre d'ici à la Côte Ouest. Nous n'en récupérerons pas avant quarante-huit heures...

— Quarante-huit heures ? Et ceux de Los Angeles ?

— La banque nous a dit qu'elle nous les avait envoyés par la poste... avoua l'expert d'une voix misérable.

D'incrédulité, Steven Talbot resta muet pendant deux secondes avant de laisser exploser sa fureur.

Il passa l'heure suivante au téléphone, à essayer de contacter Nicholas Lockwood. Aucun de ses chefs de secteur ne l'avait vu depuis une semaine, nul ne savait où il était. L'esprit de Steven chavirait. Global était au bord d'une crise potentiellement fatale et l'homme sur lequel reposaient ses espoirs restait introuvable.

Steven appelait ses bureaux d'outre-mer quans sa secrétaire fit irruption dans la pièce.

— Mr. Lockwood sur la ligne trois, monsieur! haleta-t-elle.

Steven écrasa le bouton correspondant et grimaça quand les craquements de la communication longue distance crépitèrent dans le récepteur.

— Lockwood, où êtes-vous passé, bon Dieu?

— Singapour...

La voix était faible et Steven craignit que la ligne ne soit coupée.

— Vous êtes au courant pour les faux?

— ... travaille dessus. J'ai quelques...

Steven bouillait de colère.

— Laissez tomber Singapour et revenez ici immédiatement! Vous entendez, Lockwood?

— ... prendrai le proch...

Un craquement plus fort et la communication fut interrompue.

*

Nicholas raccrocha en souriant, puis se tourna vers Cassandra et Harry qui l'observaient à l'autre bout du salon de Taylor.

— Il est affolé. Nous l'avons durement touché.

Il vint auprès d'eux et saisit Cassandra par les épaules.

— Tu es sûre de savoir ce que tu as à faire?

Elle acquiesça.

— Harry?

— Nous quitterons la ville dès que nous aurons réglé le problème des matrices et du papier.

— Ne restez pas ici une minute de plus que nécessaire, lui conseilla Nicholas.

Il déposa un baiser sur la bouche de Cassandra.

— Sois prudente, murmura-t-il.

— Toi aussi, répondit-elle. C'est toi qui vas retourner là-bas. Si Steven soupçonne quoi que ce soit...

Il barra ses lèvres de l'index.

— Il ne se doute de rien. En ce qui le concerne, je suis son dernier espoir. Et c'est exactement ce que nous voulions.

Il prit son sac de voyage.

— À bientôt.

Il sortit de la maison de Harry Taylor et plongea dans la foule du quartier chinois pour héler le premier taxi qui passait. Il ne remarqua pas le Malais de grande taille qui l'avait observé du trottoir opposé.

*

Un vent de panique soufflait sur Lower Broadway. Le FBI et la CIA étaient sur l'affaire, ainsi que tous les inspecteurs de Global, mais sans résultat. Les banques suspendirent les ventes de chèques de voyage et les commerçants les imitèrent. Les journaux et les radios annonçaient une perte de l'ordre d'un million de dollars par jour pour Global Entreprises. La compagnie ne fit aucun commentaire. Elle savait qu'ils étaient en dessous de la réalité.

Barricadé dans son bureau, Steven laissait le soin à ses lieutenants de rassurer autant qu'ils le pouvaient les plus gros clients. Lui tentait de composer avec les banquiers qui lui avaient si aimablement fourni les fonds injectés en Extrême-Orient.

Il minimisa la déroute qu'il subissait en leur affirmant que les faux-monnayeurs étaient sur le point d'être arrêtés. L'essentiel, répétait-il, était de rester calme. Que le public s'affole n'avait rien d'étonnant, mais les banquiers étaient faits d'un métal autrement plus dur. Dans quelques jours tout redeviendrait normal, il le promettait.

— C'est facile à dire, Steven, lui dit un de ses plus gros créanciers, le directeur de la Bank of North America. Mais vous ne savez pas combien de chèques ces salopards ont imprimés...

Talbot avait réussi à rire de la remarque, mais après avoir raccroché il n'avait cessé d'y penser.

Pour combien ont-ils imprimé? Dix millions? Vingt? Cinquante? Assez pour me couler?

*

L'homme venu de Singapour avait insisté pour le voir, et seul le paquet de faux chèques de voyage transmis par la secrétaire avait décidé Steven.

— Merci de me consacrer un peu de votre temps, dit le Malais en entrant dans son bureau.

Steven remarqua le costume froissé du commissaire. Il donnait l'impression d'avoir dormi dedans pendant son vol de Singapour à New York, ce qui était sans doute le cas.

— Je viens vous parler de l'homme qui a réalisé ces contrefaçons.

Le Malais vit avec satisfaction qu'il avait toute l'attention de Steven.

— Que voulez-vous dire?

— Je peux vous donner le nom et l'adresse du faux-monnayeur.

Steven appuya ses paumes sur le bureau et se força au calme. Que pouvait savoir ce flic aux yeux bridés?

— Mon directeur de la sécurité est en route en ce moment

507

même, dit-il posément. Il a également des informations à me communiquer sur cette affaire.

Le Malais eut un sourire poli. Il s'était assuré que Nicholas Lockwood n'obtiendrait de place sur aucun vol en partance de l'aéroport de Changi vers les États-Unis. Il avait donc vingt-quatre heures d'avance sur l'Américain.

— Vous pouvez bien sûr attendre Mr. Lockwood, dit-il. Ou vous pouvez m'autoriser à appréhender cet homme...

Il posa sur le bureau une photographie. Le cliché avait visiblement été pris de loin, mais l'agrandissement était assez net pour faire sursauter Steven.

Harry Taylor.

— Avec tout le respect que je professe pour les capacités professionnelles de Mr. Lockwood, reprit le Malais d'une voix doucereuse, je précise que j'ai plusieurs avantages sur lui. Par exemple, mes hommes surveillent Mr. Taylor à cet instant précis. Il serait vraiment dommage qu'il leur échappe, pour une raison ou une autre...

Steven tressaillit devant le sous-entendu. Ce salopard voulait le faire chanter! Mais avait-il d'autre solution qu'accepter?

Il ne pouvait savoir que le commissaire ne lui avait révélé que la moitié de ce qu'il savait. Il avait vu Lockwood et Taylor ensemble en plusieurs occasions, ce qui signifiait qu'ils étaient associés dans l'affaire des faux chèques. Et il était certain que l'un comme l'autre accepteraient de payer de fortes sommes pour que leur relation reste secrète.

Steven arriva très vite à la seule solution satisfaisante.

— Vous avez dit que vous aviez l'autorité légale pour arrêter cet homme?

— C'est exact. Néanmoins, l'obtention de preuves suffisantes pourrait se révéler très onéreuse...

— Je comprends. Combien?

— Cent mille dollars.

— C'est une somme exhorbitante, fit Steven d'un ton presque amusé, et il vit un éclair de surprise dans les yeux du Malais. Si je la verse, j'attends plus qu'une simple arrestation... Je pense qu'il serait dans l'intérêt de tout le monde que cet homme soit mis hors d'état de nuire une fois pour toutes... Vous me comprenez?

Le commissaire hocha à peine la tête. Steven alla jusqu'au coffre et en tira plusieurs liasses de billets.

— La moitié maintenant, la moitié quand je lirai le compte rendu de l'accident tragique survenu à Harry Taylor. Avec des photos qui ne me laissent aucun doute.

La Malais avait les yeux rivés sur les liasses de grosses coupures.

— Le quartier chinois de Singapour peut être un endroit très dangereux, murmura-t-il.

Nicholas Lockwood mit trente-neuf heures pour atteindre New York. Il était à peine entré dans son bureau de Lower Broadway que sa secrétaire y pénétrait elle aussi, en proie à une grande exaltation.

— Ils l'ont identifié! La police de Singapour a trouvé le faussaire!

Elle lui tendit le cliché de Harry Taylor.

— Mr. Talbot veut vous voir tout de suite.

La gorge de Nicholas se serra. Ce revirement inattendu pouvait avoir des conséquences dramatiques. Il devait appeler Harry au plus tôt et le prévenir.

— Lockwood! fit Talbot en arrivant dans son bureau. Content de vous voir enfin!

Il lui prit le cliché des mains et le brandit comme un trophée.

— Nous avons ce fils de pute! Vous vous doutiez que c'était lui?

— Je le soupçonnais, mais sans certitude, répondit Lockwood en lui tendant une feuille de papier. C'est l'adresse de laquelle il mène l'opération de contrefaçon. Je parierais que Harry Taylor y habite.

Steven lut les coordonnées et eut un bref sourire.

— Il y habitait, corrigea-t-il. Mais vous étiez sur la bonne piste, Lockwood.

Dès que Talbot fut ressorti, Nicholas demanda le numéro de Harry Taylor au service téléphonique international. L'attente lui parut interminable.

— Désolé, monsieur, fit l'opératrice quand elle reprit sa ligne. Ce numéro n'est plus en service.

*

Assis dans un petit restaurant en face de sa maison, Harry Taylor mangeait sans appétit un saté de crabe. Assise à côté de lui, Cassandra faisait de même. Ils attendaient que Mary finisse de prendre quelques bagages et les rejoigne avec Rachel...

— M'avez-vous jamais pardonné pour ce que je vous ai fait? murmura soudain Harry sans oser la regarder.

Cassandra garda les yeux braqués sur la maison.

— C'était il y a longtemps, Harry. Vous m'avez dit que vous ne saviez pas que Steven voulait nous assassiner, ma mère et moi. Et je vous crois. Si vous ne l'aviez pas aidé, il aurait trouvé une autre façon de réaliser son plan. Oubliez le passé... Mary et Rachel sont merveilleuses pour vous comme vous l'êtes pour elles. Cela seul doit compter à présent.

L'explosion les projeta au sol. De l'autre côté de la rue, la maison de Harry Taylor disparut dans une lueur orange vif et les débris se mirent à pleuvoir.

Étourdie par le choc, Cassandra se remit péniblement debout.

— Ils voulaient vous tuer, Harry, balbutia-t-elle avant de réaliser pleinement ce qui venait de se passer.

Elle crut l'entendre pousser un cri, deux prénoms hurlés dans une souffrance déchirante, mais la déflagration l'avait assourdie et elle n'aurait pu en jurer. Quand elle regarda autour d'elle, Harry Taylor avait disparu.

67

Trente-trois jours après qu'on eut décelé le premier faux chèque de voyage Global en Australie, deux semaines après que les journaux eurent rapporté la nouvelle d'une explosion due au gaz dans le quartier chinois de Singapour et ayant fait trois victimes — une jeune femme, sa fille et son père —, les présidents des quatre plus grandes banques des États-Unis rencontrèrent Steven Talbot chez lui, à Talbot House, pour une réunion très discrète.

Steven leur avait emprunté quelque cent millions de dollars, et les pertes infligées par les faux chèques de voyage s'élevaient à quatre-vingt-un millions, si l'on comptait le manque à gagner représenté par les vrais chèques invendus durant la panique générale, la campagne de publicité nécessaire pour regagner la confiance du public et les rentrées inférieures à la moyenne pendant un certain temps. Heureusement pour lui, la source des faux chèques s'était très rapidement tarie.

Steven dut leur avouer que les caisses de Global étaient vides. Devant leur stupeur puis leur fureur, il resta de marbre avant de leur annoncer qu'il avait une solution.

Son prestige était encore assez grand pour que les banquiers l'écoutent. Ce qu'ils firent avec des visages fermés.

— Chacun de votre côté, vous travaillez tous depuis plusieurs semaines à copier la formule qui a fait le succès de United States Express, commença-t-il d'un ton sans réplique. (Il vit chaque banquier éviter de regarder ses confrères et réprima un sourire.) C'est-à-dire que vous voulez lancer votre propre carte de paiement, dans l'espoir de prendre une part du pactole que USE s'adjuge seul pour l'instant. Mais vous commettez une erreur, messieurs : vous imitez au lieu d'innover. Plutôt que de penser à une carte de paiement, imaginez donc une carte de crédit améliorée, l'équivalent de la USE mais avec un atout de plus : vous offrez des délais de paiement. Disons que vous retenez d'office dix pour cent de la valeur dépensée, et appliquez un intérêt de cinq ou sept pour cent sur le crédit... Voilà, messieurs, ce que j'appelle un moyen de faire du profit solide...

La colère et la résignation firent place à la réflexion comme les banquiers considéraient ce projet. Steven savait qu'il les avait presque convaincus. Patiemment il attendit l'objection évidente. Elle ne tarda pas.

– C'est une idée très intéressante, Steven, déclara le directeur de la Bank of North America. Mais cela ne nous empêchera pas de partir en guerre contre USE avec un gros handicap.

– Pas si nous avons un atout supplémentaire...

Il décrocha le téléphone intérieur et dit simplement :

– Demandez à Mr. Lockwood de nous rejoindre.

*

Nicholas Lockwood parla durant une demi-heure, sans aucune note et avec clarté.

– Voilà, messieurs, conclut-il. La nouvelle carte de USE est tellement sophistiquée que si vous l'intégrez dès à présent, vous pourrez concurrencer Cassandra McQueen sur le marché.

Lockwood se tut et attendit les questions. Après avoir éclairci quelques détails mineurs, il dut répondre à la principale interrogation :

– USE a-t-il déposé légalement ce système d'identification magnétique ?

– Oui. Mais USE travaille exclusivement sur IBM. En utilisant l'UNIVAC de Remington Rand, vous pourriez définir un code magnétique assez différent de celui employé par USE pour éviter toute réclamation ou procès pour piratage.

Les banquiers acquiescèrent, les sourcils froncés par la concentration.

– Ce qui nous amène au dernier point de notre conversation, intervint alors Steven. Une fois ce matériel en votre possession, je suggère que nous établissions un échéancier de remboursement des prêts assez étendu pour permettre à Global de remettre de l'ordre dans ses affaires. Disons dix ans... (Il regarda les banquiers qui approuvèrent à contrecœur un à un.) Et j'espère ensuite ne plus entendre parler de ce sujet.

Talbot et Lockwood sortirent de la pièce pour laisser les banquiers délibérer. Dix minutes plus tard, Mr. McTavish, le directeur de la Bank Of North America, ouvrait la porte.

– D'accord, Talbot, déclara McTavish. Affaire conclue. Mais si vous ne nous livrez pas la bande et le programme dans les délais, nous vous attaquons. Le coup sera rude pour nous, mais vous, vous ne vous en remettrez pas.

Ni la clôture surmontée de barbelés, ni le système d'alarme perfectionné, ni les chiens de garde et les patrouilles n'avaient pu empêcher le vol.

Les inconnus qui avaient subtilisé le programme de la bande magnétique et les échantillons déjà au point avaient utilisé une lance thermique pour pénétrer dans la chambre forte de Long Island où était rangé le secret de United States Express. Armstrong, le chef de la sécurité de la compagnie, était désespéré. Il se tordait les mains devant sa patronne.

Arrivée sur les lieux dès que la nouvelle lui avait été transmise, Cassandra était désolée d'avoir ainsi blessé l'amour-propre de l'ancien policier, mais l'enjeu était trop important.

— Et voilà la presse! gémit Armstrong en voyant les premiers journalistes arriver.

Cassandra se composa le visage crispé de circonstance.

*

Trois heures après le vol aux ateliers de USE, Nicholas Lockwood amenait les bandes, le programme et la documentation ultra-secrète du projet de carte magnétique à Talbot House.

— Félicitations, lui dit Steven. Vos exploits sont déjà diffusés par toutes les radios.

— Aurez-vous encore besoin de moi?

— Non, rentrez chez vous, Lockwood. Vous avez largement gagné votre salaire pour la journée.

Steven retourna en hâte dans un des salons où l'attendaient les techniciens qui avaient accompagné les banquiers. La pièce était occupée par une profusion de matériels électroniques divers destinés à tester le butin de Lockwood.

Steven le leur remit et invita les banquiers à boire quelque chose en attendant les premiers résultats. Il passèrent dans un salon adjacent.

Ils en étaient à peine à leur deuxième whisky quand l'ingénieur fit irruption dans la pièce.

Il jeta la documentation sur la table avec une moue dégoûtée.

— Ça ne vaut même pas le papier sur lequel c'est imprimé. C'est le plan des circuits de l'IBM 702 de Watson!

— Impossible! gronda Steven.

— Taisez-vous, Steven, coupa McTavish. Poursuivez, Dr Knight.

Le technicien déroula trente centimètres d'une large film noir.

— Quant à la bande magnétique, elle est vierge. Pas de code, pas d'information, rien!

Steven lança son verre contre le mur dans un accès de fureur.

– Inutile! fit le directeur de la Bank Of North America d'une voix cinglante. Je ne veux aucune explication, Steven! Nous vous avons donné une chance. Vous l'avez gâchée. Dix heures, demain matin, à mon bureau. Si vous ne vous présentez pas, je ferai délivrer un mandat d'amener contre vous.

*

Personne ne prêta attention à Harry Taylor quand il débarqua du vol de la Pan Am à Honolulu. Son visage tiré et son regard hanté passèrent inaperçus parmi les passagers qui avaient supporté comme lui les fatigues d'un voyage interminable. Et personne ne remarqua qu'il n'avait aucun bagage.

Il sortit de l'aéroport et prit un taxi.

– Un hôtel propre et pas cher, dit-il au chauffeur.

Tandis que la voiture démarrait, il ferma les yeux et dans le brouillard de douleur qui obscurcissait son esprit il crut entendre les voix de Ram, Mary et Rachel qui l'appelaient doucement.

*

Avant même que les techniciens aient remballé leur équipement à Talbot House, Steven avait appelé Lockwood à son appartement et à Lower Broadway. Mais personne ne l'avait vu. Il ordonna de mettre tous les inspecteurs de Global sur la trace de leur patron.

– J'avais rendez-vous avec lui et il n'est pas venu, expliqua-t-il. J'ai peur qu'il lui soit arrivé quelque chose. Mais vos recherches doivent rester confidentielles.

*

A dix heures précises le lendemain matin, Steven Talbot sortit de l'ascenseur privé de la Bank Of North America qui l'avait déposé au quarante-sixième étage du Rockefeller Center. Un secrétaire le conduisit jusqu'au bureau du président McTavish.

– Bonjour, Steven. Asseyez-vous.

Du regard, Talbot fit rapidement le tour de la pièce.

– Nous sommes seuls, lui dit McTavish. J'ai été autorisé à parler au nom des autres.

Steven garda le silence.

– Nous avons étudié votre situation de très près. Vous ne nous aviez pas totalement menti : les investissements faits en Extrême-Orient sont sûrs. Mais, pour vous introduire sur le marché japonais, vous auriez eu besoin de temps. Or vous n'en avez plus.

Steven ne bougea pas d'un pouce, mais il savait que son regard avait trahi sa surprise.

— Personne n'était censé savoir que vous achetiez l'industrie japonaise en sous-main, n'est-ce pas ? Vous vouliez vous garder ce domaine pour vous seul... Et vous vous demandez sans doute comment nous avons appris cette opération ? Il vous suffit de chercher parmi les jeunes loups qui travaillaient pour vous.

— Vous ne récupérerez jamais les investissements japonais, dit enfin Steven d'une voix rauque. Ils ne vous rendront pas votre argent.

McTavish eut un sourire glacial.

— Vous vous trompez. En fait, nous avons un acheteur prêt à verser les quelque cent millions que vous nous devez. Bien sûr, cela ne vous remettra pas totalement sur pied, mais c'est un autre problème qui ne nous concerne pas. Le contrat de cession est déjà prêt. Je l'ai ici. Et vous allez le signer, Steven, ou les deux inspecteurs qui attendent à l'extérieur vous emmèneront directement en prison. Il serait mauvais pour ce qui reste de vos affaires qu'on vous voie avec eux et menottes aux poignets, vous ne croyez pas ? Une fois l'accord enregistré, vous pourrez oublier l'adresse de toutes les banques à New York. Et soyez assuré qu'aucune institution financière de ce pays ne vous prêtera un dollar.

Le banquier présenta un document de plusieurs feuillets à Talbot.

— Signez à la dernière page.

Steven contempla le contrat de cession un long moment.

— Vous bluffez, grinça-t-il. Vous n'avez pas d'acheteur.

— Comme vous voudrez. (Appuyant sur l'interphone, il dit à sa secrétaire de faire entrer son visiteur, et la porte s'ouvrit presque aussitôt.) Mr. Talbot, je vous présente Mr. Jiro Tokuyama qui vient de racheter toutes vos possessions au Japon.

Steven resta interdit. Le nom lui était familier, et le visage connu... Soudain il se souvint.

— Mais c'est le gardien de ma maison ! Un jardinier !

Alors même qu'il crachait hargneusement ces mots, il comprit la vérité.

Yukiko !

Jiro Tokuyama s'approcha de Talbot d'un pas raide et, sans le moindre signe indiquant qu'il l'avait reconnu, brandit devant lui la dernière édition du *New York Times*. Le gros titre de la section financière sauta au visage de Steven.

RAID DE UNITED STATES EXPRESS SUR GLOBAL ENTREPRISES

— Je crois que vous avez assez de soucis en dehors de ceux que nous pourrions vous créer, lâcha McTavish. Alors signez le contrat et disparaissez, Steven.

*

Sur le chemin de Lower Broadway, Steven Talbot ne pouvait détacher son esprit de Yukiko Kamaguchi. Il l'avait laissée sans

514

ressources. Il avait appris plus tard que les hommes des *zaibatsu* l'avaient à tout jamais bannie de son pays natal. Comment avait-elle pu survivre ? Comment se pouvait-il qu'elle ait réussi à amasser une somme assez colossale pour lui reprendre tous ses investissements au Japon ?

Comment pouvait-elle être au courant de son plan ?

— Un certain Harry Taylor vous réclame au téléphone, monsieur, dit sa secrétaire dès qu'il arriva. Il a appelé toute la matinée et il insiste pour vous parler. Il dit que c'est à propos de Singapour...

— Je le prends !

Steven claqua la porte de son bureau derrière lui et se précipita sur le téléphone.

— Je vous attends, Steven, fit la voix lointaine de Taylor. Je sais ce que vous avez fait et je vous attends à Cobbler's Point.

La ligne fut coupée. Steven lança le téléphone contre le mur de toutes ses forces. Tout ce qu'il avait subi s'effaçait maintenant devant la menace de Taylor : c'était la seule personne au monde à pouvoir le faire juger pour un meurtre commis bien des années auparavant.

Mais, pour témoigner contre lui, Taylor devrait reconnaître son rôle dans l'affaire faux chèques de voyage...

Peu lui importe d'être arrêté maintenant et d'aller en prison pour des années. Je lui ai enlevé sa femme et son enfant, il n'a plus rien à perdre.

Harry Taylor devait donc mourir.

68

Le raid de USE sur Global annoncé par Cassandra avait rudement secoué le monde de la finance. Les rumeurs les plus folles couraient Wall Street. Bien entendu, les porte-parole de Global dénoncèrent cette manœuvre.

— As-tu vu cela ? demanda Cassandra en montrant le *Wall Street Journal* à Nicholas comme il entrait dans son bureau. Il ne peut pas rester cloîtré chez lui éternellement ! Tôt ou tard il faudra bien qu'il agisse.

— Il est déjà parti, fit Nicholas d'un air sombre. Il y a deux heures, Steven Talbot s'est envolé de Idlewild Airport. Pour Honolulu.

— *Honolulu !* s'exclama la jeune femme. Mais pourquoi aller à Honolulu alors que... (Elle regarda fixement Nicholas.) Harry ?

— Je ne vois que cette raison. Steven ne quitterait pas New York maintenant si ce n'était une question de vie ou de mort. Et c'est exactement ça.

Ce n'est qu'à l'escale de Los Angeles que Steven Talbot rendit sa destination publique. Le calcul était parfait. A son arrivée à Honolulu, la presse l'attendait.

— Je suis venu ici parce que c'est ici que sont mon foyer et mes amis. Les problèmes que Global a récemment rencontrés ont été résolus. Il n'y a aucun motif d'inquiétude. Nos chèques de voyage sont une valeur aussi sûre aujourd'hui que le jour où ma mère les a inventés. Je tiens à assurer le public que les chèques Global sont toujours garantis par les ressources que possède Global à travers le monde. Et si Cassandra McQueen n'abandonne pas son ridicule projet, elle apprendra à ses dépens qu'elle a sous-évalué notre puissance.

La presse avala ses propos avec délectation. Alors qu'il se dirigeait vers la sortie de l'aéroport, Steven ignora les questions que les journalistes lui criaient. Il pensait déjà aux manchettes du lendemain.

Je suis arrivé, Harry. Je suis prêt.

*

Sur la terrasse de l'aéroport, dans la petite foule venue attendre des amis ou de la famille, une jeune femme de type oriental flanquée de deux gardes du corps suivait Talbot des yeux. Yukiko Kamaguchi ne pouvait s'empêcher d'admirer la façon dont il avait utilisé la presse.

— Bienvenue, Steven, murmura-t-elle.

*

La réception de Cassandra à Honolulu fut très différente de celle de Steven. Les journalistes étaient tout aussi nombreux, mais beaucoup moins accueillants. Hawaii était le fief de Talbot, et la présence de Nicholas Lockwood fut l'occasion de questions pleines de sous-entendus.

Arrivés à l'hôtel, Cassandra cessa enfin de trembler. Les insinuations des journalistes avaient mis ses nerfs à rude épreuve. Elle alla sur le balcon et contempla longuement la magnifique plage de Waikiki et le Pacifique. Nicholas la rejoignit.

— Tout va finir ici, dit-elle. D'une façon ou d'une autre...

— Tu n'as pas à affronter Steven, dit aussitôt Nicholas. Il est dangereux. Laisse-moi le temps de retrouver Harry, Cassandra. S'il te plaît...

— Et si Steven le trouve le premier ? J'essaie de t'aider, mon chéri. En se concentrant sur moi, Steven oubliera un peu

Harry. Cela te donnera plus de temps pour le localiser... (Elle le regarda avec tendresse.) Je t'en prie, mon amour, c'est le seul moyen.

— D'accord, dit Nicholas à contrecœur. Je dois joindre quelques personnes. Promets-moi de ne rien faire tant que je ne t'aurai pas téléphoné.

— Promis.

Longtemps après le départ de Nicholas, Cassandra fut assiégée par les souvenirs. Elle pensa à son père, à sa mère, à Rose... N'y tenant plus, elle décrocha le téléphone.

— Pardonne-moi, mon amour, murmura-t-elle.

Elle demanda au standard de l'hôtel de la mettre en communication avec Cobbler's Point.

*

Peut-être Harry avait-il fait preuve de négligence, à moins qu'il n'ait pas bien mesuré la petitesse de Hawaii. Nicholas n'eut que quelques anciens informateurs à contacter pour retrouver sa trace. A l'hôtel où il était descendu, quelques billets de banque lui permirent d'apprendre que Taylor avait réglé sa note le matin même, sans bien sûr donner sa destination. Mais Lockwood la devinait sans mal. Ce qui ne signifiait pas nécessairement que Harry était allé à Cobbler's Point de son plein gré. Nicholas souhaitait que la chance n'ait pas abandonné Harry. Si Steven avait vent de sa présence à Hawaii...

Il repoussa cette perspective et téléphona à Cassandra.

— Désolé, monsieur, lui dit le standardiste de l'hôtel. Miss McQueen est sortie il y a une demi-heure.

Avec un juron Nicholas raccrocha et se précipita dans la rue.

*

Cobbler's Point se détachait sur la nuit comme un îlot de lumière. Les réverbères des allées et la piscine étaient allumés, ainsi que tout l'éclairage de la maison. Sur la terrasse surplombant l'océan, Steven attendait, les yeux perdus dans l'immensité sombre. Il avait congédié les domestiques et s'était préparé à la venue de Harry. Le coup de téléphone de Cassandra l'avait troublé, mais il s'était aussitôt repris et avait accepté de la voir. Seul. Il avait appris qu'elle était accompagnée par Nicholas Lockwood et il savait qu'il ne résisterait pas à l'envie de le tuer. Or il voulait régler le cas Lockwood à son heure.

Du coin de l'œil, il vit une ombre qui passait le long de la piscine. Une main sur le revolver dans sa poche, Steven s'approcha de l'eau d'un pas lent, sans quitter des yeux les buissons de l'autre côté. Quelqu'un s'y dissimulait, il en était certain.

517

Il atteignait le coin de la piscine quand la sonnette d'entrée perça le silence. Steven fit volte-face, arme au poing.

Soudain quelque chose de très froid et de très aigu pénétra ses chairs. Pendant un instant il ne ressentit rien, puis la douleur explosa dans son corps et il s'écroula.

*

— Steven?

Cassandra avança lentement dans l'allée menant à la piscine. N'ayant pas reçu de réponse à son coup de sonnette elle était entrée en hésitant, le cœur battant la chamade. La perspective d'affronter Steven la terrorisait mais elle refusait de céder à la panique.

Au premier regard, la terrasse lui parut déserte, puis elle repéra la forme sombre au bord de la piscine, près des buissons. Elle s'approcha et reconnut Steven. Deux épées courtes au manche ouvragé lui traversaient le torse de part en part.

Harry! Qu'avez-vous fait?

Tremblant comme une feuille, elle s'agenouilla auprès de lui. Il y avait du sang partout. Elle était incapable de détacher son regard des deux lames qui jaillissaient du corps de Steven. Dans un geste inconscient elle toucha un des manches.

— Ai-dez... moi...

Cassandra poussa un cri quand il essaya de relever la tête. Sa main poissée de sang trembla un instant. Maîtrisant à grand-peine sa peur, Cassandra se pencha vers lui...

— Steven, qui a fait cela?

Des bulles sanglantes s'échappèrent de sa bouche comme il tentait de répondre. Mais les mots étaient incompréhensibles.

Cassandra se sentait complètement désarmée devant la situation. Elle n'osait pas ôter les épées de peur de provoquer une hémorragie. Elle se redressa brusquement et courut jusqu'à la maison. Elle décrocha le premier téléphone qu'elle trouva. La ligne était coupée.

Il faut que je trouve du secours!

Elle revint à la porte. L'idée d'abandonner Steven dans un tel état l'horrifiait, mais c'était le seul moyen de l'aider.

Soudain elle pensa à son agresseur. Et s'il l'avait vue et l'attendait pour la supprimer? Elle lança des regards affolés autour d'elle. Il pouvait se trouver n'importe où...

Rassemblant tout son courage, elle se rua au-dehors, vers la grille d'entrée et sa voiture.

518

69

L'hélicoptère-ambulance redécolla avec à son bord Steven Talbot. Au bord de la piscine, Nicholas le suivit des yeux un instant.
— Je peux presque vous entendre prier.
Lockwood se retourna vers l'inspecteur Charlie Kaneohe. L'Hawaiien allumait posément une cigarette.
— Qu'ont dit les médecins ? demanda Nicholas.
Kaneohe haussa les épaules.
— Il faut d'abord qu'ils ôtent ces épées...
— Et Cassandra ? Où est-elle en ce moment ?
Il savait déjà que la police l'avait interceptée sur Platinum Mile alors qu'elle revenait de Cobbler's Point. Kaneohe jeta un coup d'œil à sa montre.
— A l'heure qu'il est, on doit lui prendre ses empreintes avant de la mettre en cellule.
— Quel motif ?
— Tentative de meurtre.
— Vous la croyez donc coupable ? murmura Nicholas avec incrédulité.
Il l'imaginait, seule, apeurée, essayant de comprendre ce qui lui arrivait.
— Je peux la voir ?
— Vous êtes son avocat ?
— Non, mais...
— Allons, vous connaissez la loi, Mr. Lockwood. Elle a droit à un coup de téléphone, qu'elle a déjà dû passer d'ailleurs.
A une chambre vide.
Nicholas sentit son cœur se serrer.
— Il faut que je parte, dit-il.
— Pas trop loin, Mr. Lockwood, lui lança Kaneohe alors qu'il lui tournait déjà le dos. Nous allons avoir beaucoup de choses à discuter, tous les deux...

*

La Thunderbird de location s'arrêta dans un crissement de pneus devant l'immeuble des services gouvernementaux. Un de ceux-ci était le Service de l'Immigration et de la Naturalisation. Nicholas s'y rendit directement, après avoir passé le barrage du garde en montrant son badge de sécurité de Global.
— Qui vous a laissé monter ? s'étonna l'employé de garde au troisième étage.

— On a tenté d'assassiner Mr. Talbot, rétorqua froidement Nicholas en montrant son badge. Je veux voir tous les formulaires d'entrée sur le territoire de la semaine.

— Mr. Talbot! bégaya l'employé. Je... Il faudrait prévenir la police...

— Pour l'instant Mr. Talbot est aux urgences de l'hôpital. Il sera reconnaissant à tous ceux qui auront aidé à l'arrestation de son agresseur. Si vous préférez appeler la police, allez-y. Mais nous avons déjà le nom d'un suspect, et s'il nous glisse entre les doigts à cause de vous...

— Euh... Oui, bien sûr, fit l'employé, soudain plus coopératif. Suivez-moi, je vous prie.

Parmi les quelque mille cartes d'entrée sur le territoire remplies dans la semaine et rangées par ordre alphabétique, Lockwood n'eut aucune difficulté à trouver celle qu'il cherchait.

*

L'hôtel *Halekulani* avait été bâti au bord de la plage au début du siècle. Avec son décor à la sophistication un peu surannée, l'endroit lui parut bien correspondre au confort que devait apprécier Yukiko Kamaguchi.

Le réceptionniste lui confirma la location d'une chambre par Miss Kamaguchi, mais son téléphone ne répondit pas. Le restaurant et le bar étaient fermés. Nicholas se rendit sur la terrasse, où d'après le réceptionniste les clients venaient souvent siroter un dernier verre.

Il la repéra aussitôt. Elle était seule, assise à une table près d'un énorme *kiawe*, à boire une liqueur hawaiienne.

Comme il s'avançait vers elle, deux Japonais aux visages sévères lui barrèrent le passage. Yukiko leva les yeux et leur fit un signe. Ils s'écartèrent.

— Mr. Lockwood... Quelle surprise...

— Je répugne à venir gâcher votre soirée, Miss Kamaguchi, dit Nicholas en passant entre les deux cerbères, mais je crains que vous n'ayez mal fait votre petit travail sur Steven Talbot. Il est toujours vivant.

La seule marque de surprise qu'elle montra fut un bref frémissement de narines, à peine perceptible.

— Je ne sais pas de quoi vous parlez, Mr. Lockwood. Steven a été blessé?

— Steven a été blessé par deux épées utilisées par les Japonais pour le *seppuku*. Je ne suis pas expert, mais je suis prêt à parier que si l'on recherchait leur provenance on découvrirait qu'elles ont appartenu à Hisahiko Kamaguchi. Je me demande comment vous expliqueriez cela à la police de Honolulu...

— Très simplement, Mr. Lockwood. Ces épées ont été perdues

pendant la guerre. C'est la première fois que j'entends reparler d'elles. Si elles font effectivement partie de l'héritage de mon père je ferai une demande pour les récupérer.

Nicholas comprit qu'il était inutile de poursuivre dans cette voie. Elle était protégée de toute menace et le savait.

– Pourquoi l'avez-vous fait ? Vous avez tout ce que vous désiriez. La société 4780 a repris toutes les parts de Steven Talbot en Extrême-Orient. Vous êtes maintenant en position de force dans tous les *zaibatsu*. Pourtant, vous avez trahi votre promesse.

– Vous ne comprenez pas, Mr. Lockwood. Reprendre à Steven ce qu'il m'avait volé m'a satisfaite, c'est vrai. Mais il n'a pas trahi que moi. Il s'est servi de mon père, il l'a fait se sacrifier en lui promettant la grâce des hommes des *zaibatsu*, en lui jurant qu'ainsi je rebâtirais la puissance des Industries Kamaguchi. Et cette trahison devait être punie.

– Mais pourquoi laisser Cassandra se faire accuser ? Elle n'a rien à voir avec tout cela. Elle vous a aidée, bon sang !

– Je regrette que Miss McQueen soit arrivée au mauvais moment. Peut-être était-ce là sa destinée. Elle aussi voulait punir Steven Talbot et venger les siens...

– Pas par le meurtre ! Cassandra est innocente et vous le savez. Votre code de l'honneur vous permet donc de la laisser souffrir ? Est-ce ainsi que vous respectez la mémoire de votre père ?

– Peut-être paie-t-elle pour ce qu'elle voulait tant qu'il lui arrive... Non, Mr. Lockwood, je ne ferai rien pour aider Cassandra McQueen. Et rien ne pourra m'y forcer.

Yukiko marqua un temps et soutint calmement son regard étincelant de colère.

– Quoi qu'il arrive maintenant à Steven Talbot, cela m'indiffère. Et souvenez-vous : me tuer ne résoudrait rien.

– Croyez-moi, j'y ai déjà pensé et je suis arrivé à la même conclusion...

Six messages attendaient Nicholas à son hôtel : l'un de Cassandra, les autres d'Eric Gollant. La matinée étant déjà bien entamée sur la Côte Est, Nicholas l'appela à son bureau de USE.

– Nick ! s'exclama aussitôt l'expert-comptable, dont le flegme habituel avait disparu. Que diantre se passe-t-il ? Toutes les radios annoncent que Cassandra a essayé de tuer Steven !

Nicholas lui rapporta brièvement les derniers événements.

– Il est évident que ce n'est pas elle qui a tenté d'assassiner Steven, conclut-il. Mais elle s'est trouvée sur les lieux et la police a des mobiles suffisants. Elle a besoin de la meilleure défense possible.

– J'ai déjà contacté quelqu'un, répondit Eric en lui donnant le nom d'un avocat. A l'heure qu'il est, il doit être auprès de Cassandra... Et vous, Nick, qu'allez-vous faire ?

– L'agresseur de Steven court toujours. La police ne le recherche plus. Moi si.

— Miss McQueen...

Cassandra sursauta quand la main toucha son épaule et elle ouvrit les yeux. Le visage lunaire d'un Hawaiien était penché sur elle sans qu'elle l'ait entendu entrer dans la cellule.

— Qui êtes-vous? demanda-t-elle en s'asseyant.

— Inspecteur Kaneohe. Il est temps que nous ayons une petite discussion tous les deux.

Cassandra suivit le policier à l'étage, dans une pièce meublée d'une table et de plusieurs chaises. Son estomac se révolta à l'odeur du café dans les deux tasses.

— Café, Miss McQueen?

— Non, merci. Comment va Steven?

— Sorti de la salle d'opération, répondit Kaneohe d'un ton neutre. Trop tôt encore pour dire s'il en réchappera.

— Et vous croyez vraiment que je suis coupable?

Kaneohe soupira.

— Reprenons les choses dans l'ordre, Miss McQueen. Pour quelle raison êtes-vous venue à Hawaii?

— J'ai le droit d'être assistée d'un avocat, inspecteur.

Et Nicholas! Où est-il?

— Bien sûr, Miss McQueen. Mais laissez-moi vous dire ce que nous avons. Des empreintes digitales sur le manche d'une des épées. Je parierais un mois de paie qu'elles sont identiques aux vôtres. Le réceptionniste de votre hôtel nous a dit que vous aviez appelé Cobbler's Point peu avant votre départ. Nous savons également – mais ce n'est un secret pour personne à Honolulu – que vous et Mr. Talbot n'étiez pas dans les meilleurs termes. Vous avez essayé de le ruiner une fois déjà, et vous tentez à nouveau de lui reprendre sa compagnie. Peut-être n'avez-vous pas accepté son refus, et peut-être avez-vous pensé que, une fois Mr. Talbot écarté, il vous serait facile de...

— Cela suffit, inspecteur!

L'homme qui venait d'apparaître sur le seuil de la salle d'interrogatoire emplissait la pièce de sa présence.

— Je m'appelle Hartley Nathan, dit-il d'une voix bien timbrée. J'ai été chargé de vous représenter, Miss McQueen.

Cassandra reconnut immédiatement le nom. Natif de San Francisco, Hartley Nathan avait été un des avocats les plus prestigieux de sa génération.

— Je croyais que vous aviez pris votre retraite, maître, remarqua Kaneohe.

Nathan étouffa un bâillement.

— Je garde la main, Charlie. A présent, si vous voulez bien nous accorder quelques instants pour que je parle avec ma cliente...

Le détective haussa les épaules.

— Vous avez choisi un curieux moment pour effectuer votre retour, commenta-t-il avant de s'éclipser.

— Qui vous a envoyé? s'enquit Cassandra dès qu'ils furent seuls.

— Eric Gollant. C'est un ami très persuasif, même à une heure du matin...

Cassandra poussa un soupir de soulagement.

— Il faut que vous me racontiez tout ce qui s'est passé, dit Nathan. Prenez votre temps, mais surtout n'omettez rien. D'accord?

Il écouta très attentivement le récit de la jeune femme, ne l'interrompant que pour demander quelques précisions. Il relisait ses notes quand Charlie Kaneohe revint dans la pièce et posa une feuille de papier devant lui.

— Les empreintes relevées sur la poignée de l'épée correspondent à celles de votre cliente, maître. Je vous apporterai de meilleures nouvelles dès que j'en aurai.

— Ils me traitent comme si j'étais coupable, dit amèrement Cassandra.

— Allons, allons, fit l'avocat d'un ton apaisant. Steven Talbot est un homme très puissant et respecté ici. Il a fait beaucoup pour Hawaii et tout le monde l'aime. Mais ce sera un excellent prétexte pour exiger que le procès soit tenu ailleurs.

— Le procès?

Nathan se pencha en avant.

— Miss McQueen, les charges de tentative d'homicide qui pèsent sur vous sont fondées sur plusieurs éléments de poids : vous vous trouviez à Cobbler's Point la nuit dernière, et la police vous a arrêtée alors que vous veniez des lieux du crime. Vos empreintes figurent sur l'une des armes. Nous réfuterons l'accusation, bien sûr. Mais le procès est inévitable.

— Mais je n'ai rien fait! s'écria Cassandra. Pourquoi la police ne cherche-t-elle pas le vrai coupable?

— Je vais en parler à Kaneohe, promit l'avocat. Et je vais également retrouver Nicholas Lockwood pour lui...

Il se tut à l'entrée de Kaneohe dans la pièce. Le policier resta près de la porte et lui fit signe de le rejoindre. Cassandra regarda les deux hommes parler à voix basse, et elle entendit Nathan qui disait :

— Dites-lui, inspecteur.

Kaneohe marqua un temps d'hésitation.

— Miss McQueen... Il y a eu un... un incident. Les locaux de l'United States Express à Honolulu ont été détruits par une bombe.

Nicholas Lockwood connaissait trop bien son métier pour en négliger le b-a ba. En toute logique, Harry Taylor ne prendrait pas le risque de revenir près de son hôtel ou du restaurant où il avait dîné, mais Nicholas y passa pour s'en assurer. Puis il se rendit au Good Samaritan Hospital. Il arriva au moment où les chirurgiens communiquaient à la presse le dernier bulletin de santé de Steven.

Le détective resta à l'écart et surveilla la scène. Harry était venu à Hawaii pour venger la mort de sa famille et de Ram. Il ne pouvait deviner que Yukiko Kamaguchi tenterait de lui voler cette satisfaction, mais il était certain qu'il ne repartirait pas sans avoir achevé ce qu'elle avait commencé. Or Nicholas n'avait pas l'intention de l'en empêcher, mais bien d'influer sur les événements pour innocenter Cassandra.

Il le repéra presque par hasard, chez le fleuriste. Harry payait un bouquet de lis blancs et inscrivait quelques mots sur la carte d'accompagnement.

Quelle délicatesse, Harry!

Il l'intercepta à la sortie de la boutique, discrètement.

70

Deux jours après l'agression qui avait failli coûter la vie à Steven Talbot, à cinq heures et demie du matin, l'inspecteur Charlie Kaneohe abandonna son quartier résidentiel assoupi au volant de sa voiture et rejoignit le centre administratif de Honolulu. Il avait toujours jugé étonnant que la plupart des touristes négligent l'église de Kawaiahao, bâtie entièrement en blocs de corail, ou le palais Iolani d'Amérique. Pour Kaneohe, dans cette partie de la ville, épargnée par le clinquant de Waikiki, vivait encore l'ancien esprit de Hawaii.

Derrière le palais Iolani se trouvait le palais de justice. Le policier se gara sur le parking désert. Un instant, il resta à contempler la façade blanche ornée de statues monumentales représentant Moïse, Salomon ou la Justice aveugle. Si elles avaient pu s'exprimer, sans doute ces créatures de pierre auraient-elles montré plus de compassion envers Cassandra McQueen qu'elle n'en avait reçu jusqu'alors. La presse quotidienne l'avait honteusement salie, et des manifestants avaient même assiégé le palais de justice avec des pancartes réclamant la peine capitale. Dans tout le pays, des attentats avaient été perpétrés contre les locaux de USE. Après celui de

Honolulu, Kaneohe avait placé les bureaux, les agences et les employés de USE sous protection. Les menaces de mort avaient commencé à affluer presque aussitôt.

Le silence de l'aube fut brisé par le grondement des camions entrant sur le parking et Kaneohe regarda ses hommes décharger les barrières métalliques orange marquées POLICE DE HONOLULU en noir. Un autre camion arriva et l'inspecteur alla vérifier les laissez-passer qui seraient délivrés aux journalistes et au public. Des centaines de personnes étaient attendues, et il ne voulait courir aucun risque. Il avait fait son devoir en menant l'enquête contre Cassandra McQueen, il entendait bien à présent la protéger des fous et autres illuminés.

A sept heures, soit trois heures avant la lecture de l'acte d'accusation, plusieurs véhicules appartenant à une unité spéciale de la police se rangèrent sur le parking. Kaneohe plaça ses hommes un à un autour du bâtiment, dans le hall et le couloir, et il installa un poste de filtrage devant les grandes portes d'acajou. La salle elle-même fut fouillée de fond en comble, par crainte d'une bombe. Par les fenêtres hautes, il vit les tireurs d'élite surveillant la rue de l'immeuble voisin.

Quelques minutes avant neuf heures, tout était prêt. Pourtant il n'était pas satisfait. Sa conscience le taraudait, bien qu'il n'y ait aucune raison à ce malaise. L'affaire paraissait évidente. Le mobile, la concordance de temps et de lieu, les empreintes sur l'arme, tout incriminait Cassandra McQueen. Aucun témoignage contradictoire n'infirmait les soupçons pesant sur la jeune femme, malgré les recherches diligentes qu'il avait fait mener.

Mais, après vingt ans de carrière, Kaneohe faisait confiance à son sixième sens.

Il appela une nouvelle fois le Good Samaritan Hospital. Le chirurgien de service n'avait rien de nouveau à lui communiquer. Steven Talbot était toujours inconscient, entre la vie et la mort. L'inspecteur placé devant la porte de sa chambre confirma que Talbot n'avait pas murmuré le moindre mot. Le magnétophone placé sur la table de chevet n'avait donc pas servi.

Il raccrocha. Ce n'était que la phase d'exposition du procès, se dit-il pour se rassurer. Si Talbot survivait, s'il parvenait à murmurer quelques mots, Kaneohe était certain qu'il dissiperait ses doutes.

Il consulta sa montre. Il était temps d'aller chercher la prévenue.

*

— Vous êtes très jolie.

Cassandra réussit à sourire à Hartley Nathan. C'est lui qui avait amené de son hôtel l'ensemble bleu qu'elle portait, mais aussi et surtout un bref message écrit de Nicholas : « Courage. Je suis là. Tout se passera bien. »

C'était tout. Aucune mention de Harry, rien sur le véritable agresseur de Steven. Mais, raisonna-t-elle, il n'aurait jamais commis l'imprudence de coucher ces renseignements par écrit.

— Il sera là ? avait-elle demandé.

L'avocat avait eu une moue d'ignorance. Il avait rencontré Lockwood et avait parlé avec lui, il comprenait pourquoi cet homme était si important pour sa cliente. Ce que Nicholas ne lui avait pas dit, et ce que Nathan ne voulait surtout pas savoir, c'était comment il comptait innocenter définitivement la jeune femme.

La porte de la petite salle s'ouvrit et ils se levèrent tous deux. Nathan prit la main de Cassandra.

— Le moment est venu. Souvenez-vous, il ne vous faut attendre aucune sympathie du juge. Pukui est un des rares Hawaiiens à s'être hissé dans un système judiciaire dominé par les Blancs. Il guigne le poste de gouverneur dès que Hawaii sera devenu un État. Quant au procureur, Kawena, il vise l'échelon supérieur. Cette affaire est un tremplin politique pour leur carrière.

— Merci de me prévenir, murmura Cassandra.

— Désolé, mais il vaut mieux que vous sachiez ce que vous allez affronter. Mais nous obtiendrons une mise en liberté sous caution : Eric Gollant a fait transférer bien plus qu'il ne sera nécessaire. (Il la prit par les épaules.) Vous ne passerez pas un jour de trop ici. En attendant, rappelez-vous que tous vos amis sont derrière vous.

Ils suivirent l'inspecteur Kaneohe à l'étage, jusqu'à la salle du tribunal. Dès qu'ils entrèrent, les conversations cessèrent. Cassandra s'efforça de ne pas regarder la foule hostile et se concentra sur de petits détails : les taches d'humidité au plafond, le bois fendillé du gros blason accroché au mur derrière le juge. En approchant de la table de la défense, elle entendit le crissement discret du fusain sur le papier. Les dessinateurs de la presse étaient déjà au travail. Enfin, elle osa regarder l'assistance. Tous les regards étaient rivés sur elle, et elle n'y percevait aucune compassion.

— Levez-vous. La séance est ouverte. L'honorable juge Samuel Pukui la préside.

— L'accusation est-elle prête ? demanda Pukui.

— Oui, Votre Honneur, répondit Daniel Kawena, vêtu d'un costume sombre.

— La défense ?

— La défense est prête, Votre Honneur, dit Hartley Nathan d'une voix calme.

— Miss McQueen, vous comparaissez sous l'inculpation de

tentative d'homicide sur la personne de Steven Talbot. Plaiderez-vous coupable ou non coupable ?

Rassemblant tout son courage, la jeune femme regarda Pukui droit dans les yeux.

— Non coupable, Votre Honneur.

*

Assise sur la terrasse de son hôtel, Yukiko Kamaguchi écoutait le murmure des vagues sur la plage. A côté d'elle, Nicholas Lockwood jeta un coup d'œil à sa montre.

— Appelez, dit-il.

La Japonaise ne bougea pas. Il prit le téléphone et le plaça sur la table devant elle.

— Appelez, répéta-t-il à mi-voix. Ensuite il sera temps de partir.

*

Le Good Samaritan Hospital était l'établissement le plus moderne de tout le territoire, en bonne partie grâce aux dons généreux de Steven Talbot. La direction de l'hôpital n'avait pas oublié ce fait.

Après l'intervention chirurgicale, Steven Talbot avait été installé dans une chambre au rez-de-chaussée, côté jardin. Trois infirmières étaient dévolues à ses soins, dont une qui restait auprès du lit, en cas d'urgence. Un policier était en faction dans le couloir en permanence, prêt à entrer et à enregistrer le moindre balbutiement du blessé s'il reprenait conscience.

Harry Taylor savait tout cela. Sans la certitude d'avoir la coupable sous les verrous, on aurait sans aucun doute beaucoup mieux assuré la sécurité du blessé, comme Nicholas Lockwood le lui avait expliqué.

Vêtu d'une tenue de garçon de salle, Harry Taylor se tenait immobile sur le chemin de galets serpentant dans le jardin, à quelques mètres de la fenêtre de la chambre qui l'intéressait. Les volets étaient entrouverts et il percevait le cliquetis des aiguilles de l'infirmière qui tricotait. Il consulta sa montre pour la centième fois. A n'importe quel moment maintenant...

La porte de la chambre s'ouvrit et Harry Taylor entendit le policier annoncer à l'infirmière qu'elle avait une communication téléphonique urgente. Après avoir vérifié la position de son patient, elle sortit et le policier referma la porte derrière eux, restant comme prévu à son poste dans le couloir. Il savait probablement que Steven Talbot n'émergerait pas de son coma avant de nombreuses heures, si cela arrivait.

Harry se mit aussitôt au travail. Finir de dévisser la fermeture du volet ne prit que quelques instants. Il avait fait le plus gros pendant la nuit. Il se glissa par la fenêtre et approcha sans bruit de l'homme immobile dans le lit.

★

L'infirmière commençait à s'impatienter. L'opératrice lui avait dit que c'était un appel longue distance mais qu'il avait été coupé. A présent elle essayait de la reconnecter mais les lignes étaient encombrées.

L'infirmière jeta un coup d'œil à la pendule murale. Elle était déjà absente de son poste depuis trop longtemps. Si l'un des chirurgiens passait et la voyait...

A l'autre bout de la ligne, Yukiko Kamaguchi surveillait également le temps écoulé à sa montre. Quand la trotteuse passa pour la troisième fois sur le 12, elle raccrocha.

★

Avec une grande douceur, Harry Taylor prit un oreiller sous la tête de Steven Talbot. Sans un mot, sans une prière, il en recouvrit le visage du blessé et appuya de toutes ses forces. Il compta jusqu'à cinquante avant de replacer l'oreiller sous la tête du mort.

★

Mécontente, l'infirmière retourna à son poste.
— Tout va bien ? interrogea le policier de faction.
— Je ne sais pas. La communication a été coupée.
Elle pénétra dans la chambre et reprit son tricot. Elle sentit presque aussitôt le courant d'air. Elle vit le volet ouvert, la fenêtre entrebâillée. Par réflexe professionnel elle se retourna aussitôt vers son patient. Elle se mit à hurler en découvrant les yeux exorbités de Steven Talbot.

★

Les porteurs avaient amené les bagages jusqu'à la limousine qui attendait devant l'hôtel. Nicholas accompagna Yukiko Kamaguchi jusqu'au véhicule et lui ouvrit la portière.
— Allez directement à l'aéroport et montez dans votre avion. N'attendez rien ni personne. Il va y avoir une pagaïe monstre dans peu de temps.
— Mais si...
— Il sera là, affirma Lockwood d'un ton sans réplique. Vous n'avez qu'à l'emmener jusqu'à Singapour. Ensuite il se débrouillera seul. Et il doit me contacter à une date précise.

– N'ayez crainte, il le fera, répondit la Japonaise.

Pendant que la limousine s'éloignait, Lockwood regagna sa propre voiture et prit la direction du palais de justice.

*

La déclaration de Cassandra électrisa un peu plus l'ambiance de la salle. Du public s'éleva une exclamation étonnée, voire outrée, et quelques personnes lancèrent même des « Quelle honte! » rageurs.

– Silence! tonna Pukui en frappant de son maillet sur le bureau. La défense plaide donc non coupable. Quant à la question d'une mise en liberté sous caution...

Il se tourna vers Daniel Kawena pour lui demander son opinion.

– Le ministère public insiste pour que cette possibilité soit refusée, dit celui-ci avec feu. Miss McQueen est accusée d'un crime majeur, qui deviendra capital si Mr. Talbot succombe à ses blessures. L'accusée n'a aucun lien avec cette communauté, et sa fortune personnelle lui permettrait non seulement de payer n'importe quelle caution mais aussi d'échapper à la juridiction de cette cour. C'est pourquoi je demande qu'elle soit maintenue en détention jusqu'au verdict.

– Mr. Nathan?

– Votre Honneur, il est exact que ma cliente dispose de ressources conséquentes et qu'elle n'a pas de liens spécifiques avec Hawaii. Néanmoins, elle est la présidente de United States Express et par là même une personnalité très connue. Ses devoirs professionnels réclament sa présence sur le continent américain. Il serait ridicule de penser un seul instant qu'une femme aussi en vue puisse fuir ou seulement l'envisager. C'est pourquoi je demande la mise en liberté sous caution de Miss McQueen et sa totale liberté de mouvements.

Un brouhaha de protestations s'éleva du public à cette déclaration et les huissiers du tribunal durent s'interposer pour empêcher les plus turbulents d'approcher la table de la défense.

Quand le juge Pukui eut enfin rétabli le silence, c'est à Nathan qu'il s'adressa :

– La défense pense-t-elle sérieusement que la cour pourrait accorder la liberté sous caution à l'accusée?

– Si cette cour est juste, sans nul doute, Votre Honneur.

Le visage de Pukui s'empourpra de colère.

– Demande de liberté sous caution rejetée! éructa-t-il. L'accusée restera sous la responsabilité de la police de Honolulu jusqu'à ce que...

Avant que le juge puisse finir, un huissier apparut et lui apporta précipitamment un message. Pukui le décacheta et le lut. D'un coup, son teint perdit beaucoup de sa couleur.

– L'audience est ajournée! annonça-t-il d'une voix un peu tremblante. L'accusée reste sous la garde des huissiers. Maîtres Kawena et Nathan, veuillez me rejoindre dans mon bureau!

Les murmures de l'assemblée allèrent crescendo tandis que le juge s'éclipsait par une porte latérale, suivi des deux avocats. Des journalistes et des spectateurs voulurent approcher Cassandra, et les huissiers eurent fort à faire pour les repousser. Ignorant les questions qui pleuvaient, la jeune femme essayait de deviner ce qui avait bien pu arriver. D'après son expression, Hartley Nathan avait été aussi surpris que le reste de la cour. Elle vit alors Nicholas qui se frayait un chemin vers elle dans la foule. Leurs regards se croisèrent, et elle comprit aussitôt, au calme qu'elle décela dans le sien. Puis la foule les déroba l'un à l'autre.

*

– Comment cela, il est mort? s'exclama le procureur Daniel Kawena. Où était la police?

Le juge Pukui le toisa avec froideur.

– Souvenez-vous de l'endroit où vous vous trouvez, maître. En ce qui concerne la police, je vous rappelle que vous étiez responsable de la protection de Steven Talbot. A l'évidence vos directives étaient insuffisantes.

Kawena encaissa le choc mais ne s'avoua pas vaincu.

– Je saurai la vérité sur tout cela, affirma-t-il. Mais la mort de Mr. Talbot ne change rien... (Il se tourna vers Nathan.) A l'exception de l'accusation, qui devient celle de meurtre.

Nathan ne cacha pas son étonnement.

– Vraiment, maître? Mr. Talbot a été assassiné il y a moins de trente minutes. A ce moment, ma cliente était déjà ici.

– Elle avait sans doute des complices, rétorqua Kawina.

– Vous n'avez aucune preuve pour étayer cette supposition, dit Nathan d'une voix paisible. Rien ne vous permet d'affirmer que Cassandra McQueen ait ourdi un complot pour supprimer Steven Talbot. Pour l'instant, il s'agit d'un meurtre perpétré par un ou des assassins non identifiés. A priori, le ou les mêmes qui avaient déjà agressé Mr. Talbot il y a trois nuits... (Nathan se tourna vers le juge.) Votre Honneur, avec tout le respect qui vous est dû, je vous signale que les poursuites contre ma cliente doivent être abandonnées. Il est patent qu'elle ne peut être suspectée.

– Si, certainement! gronda Kawena. Ses empreintes sur une des armes du crime...

– Ce que je peux très aisément expliquer, vous le savez.

A cet instant, l'inspecteur Kaneohe fit irruption dans la pièce.

– Excusez-moi, Votre Honneur, mais ceci nous est arrivé par coursier il y a quelques minutes. C'est pour vous.

Les trois hommes contemplèrent le paquet, de la taille d'une boîte de chocolats, maladroitement emballé dans du papier brun.

— Le service de sécurité a dû l'ouvrir, Votre Honneur, s'excusa Kaneohe. Par précaution. Si vous n'y voyez pas d'inconvénient, j'aimerais être tenu au courant de ce développement...

Pukui l'y autorisa d'un hochement de tête. Le policier plaça le contenu du paquet sur le bureau : une cassette magnétique, un petit magnétophone portable et un verre soigneusement enveloppé dans un sac en plastique.

— Quelqu'un nous a envoyé un message, aucun doute, murmura Pukui. Maîtres ?

Les deux avocats acquiescèrent en même temps.

— Alors, écoutons ce message.

Le juge enclencha la cassette dans le magnétophone et le mit en marche. Après un court chuintement, une voix masculine sereine s'éleva du haut-parleur incorporé :

— « Messieurs, je me nomme Harry Taylor. Moi et moi seul ai essayé d'assassiner Steven Talbot. N'y étant pas parvenu une première fois, j'ai recommencé. A l'instant où vous m'entendez, vous devez être au courant des résultats de cette seconde tentative. A présent je vais vous expliquer pourquoi... »

Harry, qui ne connaissait pas plus son auditoire qu'eux ne le connaissaient, ne cacha rien de son passé et de ses motivations. Il raconta en détail l'enlèvement de Cassandra, la trahison de Steven dans les catacombes, comment celui-ci avait assassiné Michelle McQueen, et sa fuite jusqu'à Singapour. Il ajouta qu'il était responsable du flot de faux chèques de voyage Global qui avait inondé le marché, dans le but de ruiner Talbot. Il expliqua également comment, lorsqu'il l'avait retrouvé, Steven Talbot avait fait tuer sa famille. Enfin il exposa la façon dont il avait planifié le meurtre de Talbot.

— « Et si vous doutez de la véracité de cette confession, conclut la voix posée de Harry, il vous suffira de comparer les empreintes sur le verre ci-joint à celles que vous trouverez sur l'appui de la fenêtre, la table de chevet et d'autres endroits dans la chambre d'hôpital où j'ai tué Steven Talbot. »

La bande se déroula encore quelques secondes puis le dictaphone s'arrêta de lui-même. Aucun des quatre hommes ne parla. Pukui regarda alternativement le procureur et le policier. Kaneohe savait désormais ce que son instinct avait essayé de lui dire.

★

Après une pleine heure d'attente, une irritation perceptible montait dans la salle du tribunal. Cassandra se sentait déroutée.

Hartley Nathan n'avait pas réapparu et Nicholas semblait s'être volatilisé. Personne ne pouvait se douter que le drame se dénouait à quelques dizaines de mètres de là.

Kaneohe avait repéré Nicholas Lockwood dans la foule et l'avait fait amener dans le bureau du juge avant qu'il atteigne la jeune femme. Il lui demanda aussitôt s'il connaissait un certain Harry Taylor et, devant sa réponse affirmative, lui fit écouter l'enregistrement.

— Avez-vous la moindre idée de l'endroit où il pourrait se trouver ? s'enquit le policier.

Nicholas leur expliqua qu'il était à sa recherche depuis qu'il avait posé le pied sur l'île.

— Et je n'ai pas arrêté, en particulier après ce qui est arrivé à Steven Talbot, ajouta-t-il.

— Pourquoi ne pas nous avoir parlé de ce Harry Taylor ? voulut savoir Kanewa.

— Parce que vous étiez si totalement convaincus de la culpabilité de Cassandra McQueen, répondit Nicholas d'un ton glacial, que vous ne vouliez même pas envisager l'hypothèse d'un autre suspect. De plus, je n'avais aucune preuve que Harry Taylor ait fait quoi que ce soit.

— Je vais vous demander une description détaillée, dit Charlie Kaneohe. Nous allons boucler l'aéroport et les ports pour l'empêcher de filer.

A son ton résigné, Nicholas sut que le policier ne faisait qu'appliquer les procédures de routine, sans grand espoir. C'était un professionnel. D'après ce que Lockwood avait dit, Taylor faisait partie de ces hommes qui ne laissent rien au hasard, surtout pas l'itinéraire de leur fuite.

Ce qui, se dit Nicholas, était une attitude sensée. De dehors lui parvint le ronronnement distant d'un avion qui s'éloignait. Peut-être celui qui transportait Harry Taylor vers Singapour et les fantômes qu'il devrait affronter.

*

Le brouhaha des conversations cessa dès l'entrée du juge et de la cour dans la salle d'audience. Cassandra lança un regard anxieux à Hartley Nathan, et celui-ci répondit d'un sourire discret. Pukui s'adressa à la salle :

— Je viens d'être informé de l'assassinat de Mr. Talbot.

Une exclamation unanime traduisit le choc produit par ces mots.

— En conséquence, dit Pukui, et puisque aucune preuve ne permet d'affirmer que l'accusée a eu connaissance de ce crime ni qu'elle a pu y participer directement, il est de mon devoir de la décharger de toutes les accusations qui pèsent contre elle. Miss McQueen, vous êtes libre.

532

Les genoux de Cassandra se dérobèrent sous elle et elle se sentit tomber, mais deux bras robustes la soutinrent.

– Nicholas!

Elle se jeta dans ses bras.

– Je t'avais dit que tout irait bien, lui murmura-t-il à l'oreille. Maintenant, nous pouvons rentrer chez nous.

ÉPILOGUE

La première semaine de septembre fut marquée par un froid soudain qui changea la couleur des arbres de Central Park en une nuit. Les feuilles craquaient sous leurs pas tandis que Cassandra et Nicholas se dirigeaient vers l'entrée sur la 58ᵉ Rue. Selon leur rituel matinal ils firent halte devant la carriole du marchand de café et burent le leur sur un banc.

– Ils n'ont pas encore retrouvé Harry, n'est-ce pas?

Cassandra avait si souvent posé cette question qu'elle en était devenue rhétorique.

– Non.

Nicholas ne pouvait rien lui dire de plus. Après leur retour à New York, Kevin Armstrong, le directeur des services de sécurité de USE, s'était envolé pour Honolulu afin de poursuivre l'enquête. Armstrong s'était montré très méticuleux, mais il n'avait pas obtenu grand-chose. La police de Honolulu n'avait pas plus d'espoir de retrouver Harry Taylor que deux semaines plus tôt. Pour Nicholas, qui avait reçu comme convenu un certain appel de Singapour, toutes ces recherches n'étaient qu'une sinistre farce. Harry avait disparu à jamais.

– Il va falloir que tu cesses d'y penser, Cass, dit-il.

La jeune femme ramena une mèche de cheveux blonds derrière son oreille.

– Je le sais. Mais je n'y arrive pas.

Hartley Nathan avait insisté pour qu'elle entende la cassette enregistrée par Harry. Pendant qu'elle l'écoutait, toute l'horreur de l'explosion de Singapour lui était revenue à l'esprit. Elle ne ressentait rien devant la mort de Steven, mais elle aurait aimé revoir une dernière fois Harry. La tristesse et la solitude dans sa voix l'avaient presque fait pleurer.

Afin d'innocenter complètement la jeune femme, des extraits de l'enregistrement avaient été fournis aux médias. Certain que la presse la harcèlerait, Nicholas avait quitté Honolulu avec elle par le premier vol.

A New York, entourée de ses amis et de son équipe de travail, Cassandra s'était remise de ses épreuves. Chacun compatissait pour ce qu'elle avait enduré. Mais les journaux exploitèrent à fond le personnage de l'infâme Harry Taylor et son rôle dans le drame qui avait failli coûter la vie à Cassandra. Les articles se multiplièrent quand, trois semaines après leur retour, Cassandra reçut une invitation du conseil d'administration de Global Entreprises. Selon les statuts de la compagnie et la loi, ses membres avaient pleins pouvoirs pour restructurer au mieux Global si Steven Talbot venait à disparaître. Ils optèrent pour une revente intégrale, seule solution pour sauver l'entreprise. Global perdait des centaines de milliers de dollars chaque jour, et seule une personne connaissant bien les produits de Global Entreprises et disposant de fonds colossaux pouvait espérer sauver le navire. Ils s'adressèrent donc à Cassandra McQueen.

Elle réfléchit longuement à la proposition. Une partie d'elle-même voulait refuser, car elle savait que beaucoup de gens l'accuseraient de capitaliser sur la mort de Steven.

— Vous ne devriez pas voir la situation en ces termes, lui dit Eric Gollant sans ambages. C'est une simple opération financière. Les banques aimeraient acheter Global, mais elles en savent encore moins sur ses produits et son fonctionnement que les incapables du conseil d'administration. Croyez-vous qu'on les accuserait d'avoir le cœur sec ? Non, on dirait qu'ils font un investissement raisonnable, rien de plus. Décidez-vous, Cassandra, avant que le conseil ne change d'avis.

Lorsqu'elle aborda le sujet avec Nicholas, il se contenta d'une réponse laconique :

— Global a toujours été à toi.

Le jour suivant, Cassandra présentait son offre de rachat, laquelle fut acceptée sur-le-champ. Lors de la conférence de presse qui suivit, elle conclut par ces mots :

— De nombreuses personnes ont contribué au succès de Global Entreprises. Je leur dois beaucoup, et j'ai l'intention de payer mes dettes.

Elle avait ensuite refusé de répondre aux questions des journalistes. Comme c'était prévisible, certains l'accusèrent de marcher sur la tombe de Steven Talbot pour obtenir ce qu'elle désirait.

— Ils se trompent, tu sais, dit-elle en observant les nurses qui poussaient des landaus dans les allées.

— Qui se trompe ? s'enquit Nicholas, étonné.

— Désolée, je pensais à haute voix, dit-elle. Tout ce que je voulais tant faire payer à Steven, pour ma mère, Monk... pour moi aussi. Et pourtant quand je l'ai vu, baignant dans son sang près de la piscine, ce soir-là, ce n'était plus un monstre mais un être humain à l'agonie. Je voulais la justice, Nicholas. Pas le meurtre. Je regrette de n'avoir pu le dire à Harry.

— Harry voulait la même chose, lui rappela Nicholas.

Et toi, mon amour ? Où étais-tu quand j'attendais en prison, angoissée de ce qui avait pu t'arriver ? As-tu réussi à retrouver Harry, comme tu te l'étais promis ?

Ces questions brûlaient les lèvres de la jeune femme, mais, comme elle allait interroger Nicholas, elle crut entendre Michelle et Rose qui lui parlaient doucement.

Ce qu'il a fait, il l'a fait pour toi. Lui seul devra vivre avec le poids de cette responsabilité. Mais il a besoin de toi, et de ta compréhension. Sans questions. Jamais plus tu n'auras peur, Cassandra, parce que Nicholas a sacrifié une part de lui-même pour te libérer...

Cassandra prit la main de Nicholas et le guida hors de Central Park en direction de la Sixième Avenue. En y voyant l'enseigne au néon géante du chevalier de USE, elle songea à l'avenir. Elle ne pouvait deviner ce qu'il lui réservait, les victoires et les échecs, les accomplissements et les déceptions, mais elle savait que plus jamais elle ne serait seule.

Elle s'arrêta et leva son visage vers celui de Nicholas.

— Je t'aime, Nicholas Lockwood.

— Je t'aime, moi aussi, murmura-t-il.

Ils échangèrent un long baiser, arrachant des sourires complices aux passants, puis se remirent à marcher d'un pas tranquille vers la rue où veillait le chevalier bleu de USE.

Cet ouvrage reproduit par procédé photomécanique
a été achevé d'imprimé sur presse CAMERON
dans les ateliers de B.C.A.
à Saint-Amand-Montrond (Cher)
sur papier bouffant Alizé Or
des papeteries de Vizille
et relié par
la Nouvelle Reliure Industrielle - Auxerre
pour le compte de France Loisirs
123, boulevard de Grenelle, Paris

Nº d'Édition : 25913. Nº d'Impression : 92/545.
Dépôt légal : novembre 1992.

Imprimé en France